Chemie im Haushalt

Koordiniert und überarbeitet
von Rainer Grießhammer

Herausgegeben von
Öko-Institut Freiburg
Katalyse Umweltgruppe
Verein für Umwelt- und Arbeitsschutz
Bund für Umwelt und Naturschutz
Deutschland e. V.
(BUND)

Rowohlt

Redaktion Ingke Brodersen
Layout Jan Enns
Umschlagentwurf Manfred Waller
(Foto: Axel Krause)

Beteiligte Autoren

Für die Katalyse-Umweltgruppe: Frank Kuebart, Bernd Kunzendorf, Andreas Heeke, Klaus Regier, Uli Neuhoff, Maria Feldhaus, Klaus Günther, Helmut Scholz, Wolfgang Linden, Gernot Dilewski, Gerd Zwiener, Hans-Jürgen Schwenke, Eva Wandelt, Thomas Schmülling, Susanne Reckert
Für das Öko-Institut: Sabine Bartels, Rainer Grießhammer, Andreas Kortenkamp, Bernd Speiser, Rupert Hallmann, Renate Krösa, Hiltrud Bleicher, Martin Schlabach, Isabelle Mühleisen, Marianne Burchard, Mechthild Kokenge, Soraya de Chadarevian, Uschi Ernsthausen
Für den BUND: Frank Claus, Hannelore Friege, Henning Friege
Für den VUA: Rolf Altenburger, Horst Büther, Martina Hellmut, Peter Ricklefs, Michael Ruhnau

Die Fotos in diesem Buch hat Axel Krause gemacht.

1.–85. Tausend September 1984 bis März 1985
86.–100. Tausend Mai 1985
Copyright © 1984 by Rowohlt Verlag GmbH,
Reinbek bei Hamburg
Alle Rechte vorbehalten
Satz aus der Garamond von LibroSatz, Kriftel
Druck und Bindung Clausen & Bosse, Leck
Printed in Germany
ISBN 3 498 05008 7

Inhalt

Vorwort der Autoren

Chemie im Haushalt ist ein Thema, das sprichtwörtlich in der Luft liegt. In den letzten Jahren wurden wir immer häufiger mit Anfragen von Verbrauchern konfrontiert, die wissen wollten, welche Waschmittel denn nun weniger phosphathaltig sind als andere, in welchem Kinderspielzeug kein Cadmium enthalten ist oder welche Alternativen es zu den herkömmlichen Holzschutzmitteln gibt.

Die berechtigte Frage nach umweltfreundlicheren und ungefährlichen Haushaltsprodukten ist freilich leichter gestellt als beantwortet. Grund genug für uns, eine möglichst ausführliche Zusammenstellung über die vielfältigen Produkte im Haushalt zu wagen, auf ihre Gefahren hinzuweisen, Alternativen – wo es sie gibt – einer kritischen Prüfung zu unterziehen und Wege zu zeigen, was der Verbraucher anders machen kann.

Der Jahr für Jahr dichter werdende Dschungel an Haushaltschemikalien ist für einen einzelnen nicht mehr zu überschauen. An diesem Buch haben deshalb auch mehr als dreißig Autor(inn)en mitgearbeitet. Unvermeidlich traten dabei auch unterschiedliche Bewertungen der hier untersuchten Produkte auf. Die inhaltliche Verantwortung für die einzelnen Kapitel liegt daher bei den jeweiligen Autorengruppen.

Das Buch bietet dem Verbraucher einen breiten Überblick über die «Chemie im Haushalt» und kann als Handbuch zum Nachschlagen im Alltag dienen. Die Tips, die es geben möchte («Ökorat-Ökotat») sind am Ende jedes Abschnitts zusammengefaßt: auf manche Produkte sollte man möglichst ganz verzichten, manche so sparsam wie möglich dosieren, und für einige gibt es umweltfreundliche Alternativen. Wir hoffen, damit jedem Verbraucher sowohl die individuellen wie auch die Umweltgefahren einzelner Mittel bekannt zu machen, um so langfristig den Druck zu erzeugen, daß überflüssige und den Menschen und die Umwelt belastende Produkte vom Markt verschwinden bzw. sinnvolle Alternativen eingeführt werden.

Ein kritischer Umgang des Verbrauchers mit Haushaltschemikalien hat seine Grenzen. Es ist offensichtlich, daß auch Gesetzgeber und Behörden nicht genau wissen, wieviele Haushaltschemikalien überhaupt auf dem Markt sind, was sie im einzelnen enthalten und wie sie wirken. Am Ende einzelner Abschnitte sind deshalb Forderungen an den Gesetzgeber formuliert (☎), die am Schluß des Buches noch einmal als «Hausaufgaben für Politiker» zusammengefaßt werden.

Das Buch enthält ferner ein Glossar, in dem die wichtigsten immer wiederkehrenden Begriffe erklärt werden, und ein Register zum Nachschlagen einzelner Produkte.

Zu den Autorengruppen:

Das *Öko-Institut* ist ein bundesweiter Verein mit über 4000 Mitgliedern. Das Institut will akute und zukünftige Umweltgefahren aufzeigen, sowie umwelt- und sozialverträgliche Lösungsmodelle entwickeln. Die wissenschaftliche Arbeit, die Beratungen von Bürgern und Bürgerinitiativen und die Öffentlichkeitsarbeit werden vom Vorstand, festen und freien Mitarbeitern, ständigen Arbeitskreisen und Projektgruppen geleistet. In der Projektgruppe Haushaltschemikalien arbeiten vor allem Chemiker(innen) und Biolog(inn)en mit. (Kap. Putz- und Reinigungsmittel, Körperpflegemittel)

Die *Katalyse-Umweltgruppe* ist ein unabhängiger gemeinnütziger Verein von Naturwissenschaftler(inne)n und Umweltengagierten, die sich für Gesundheit und Umweltschutz einsetzen und ihre Arbeitsergebnisse in allgemeinverständlicher Form veröffentlichen (vgl. «Chemie in Lebensmitteln»). Ein Labor zur Schadstoffanalyse in Lebensmitteln und Umweltproben wird gerade eingerichtet. (Kap. Lacke, Sondermüll im Haushalt, Gefährdung von Kindern im Haushalt, Hobby und Basteln)

Der *Bund für Umwelt und Naturschutz Deutschland (BUND)* ist mit 90 000 Mitgliedern in 11 Landesverbänden die größte beteiligte Umweltschutzorganisation. Die Arbeit des BUND reicht vom Naturschutz vor Ort bis hin zu internationalen umweltpolitischen Initiativen. Im Arbeitskreis Umweltchemikalien/Toxikologie arbeiten Chemiker(innen), Biolog(inn)en, Ingenieure und Toxikologen mit. (Kap. Mit der chemischen Keule gegen Mücken, Motten, Mäuse, Holzschutzmittel, Verpackungsmaterial für Lebensmittel, Batterien und Sprays)

Die Gruppe Ökologie und Chemie des gemeinnützigen *Vereins für Umwelt- und Arbeitsschutz (VUA)* hat es sich zum Ziel gesetzt, Bürger- und Arbeitnehmerinitiativen mit Argumenten im Kampf gegen Umweltzerstörung und Gesundheitsgefahren zu unterstützen. Die Bremer Arbeitsgruppe «Ökologie und Chemie» beschäftigt sich seit einiger Zeit mit dem Thema Chemie im Haushalt und hat damit auf vielen Vorträgen bereits Erfahrungen gesammelt. (Kap. Waschmittel, Pestizide)

Wir danken Ingke Brodersen, der Lektorin, für ihr Engagement und tatkräftige Mithilfe.

Einleitung

Wohin wir auch schauen – «Chemie ist überall». Was uns die Chemieindustrie in schönstem Vierfarbdruck verkündet, ist durch und durch wahr. Chlorierte Kohlenwasserstoffe wie Lindan oder PCB in der Muttermilch, Cadmium in der Niere und Weichmacher im Blut zeigen, daß die Chemisierung unserer Umwelt weit fortgeschritten ist.

Seit Mitte der fünfziger Jahre sind chemische Produkte in praktisch alle Lebensbereiche eingedrungen. Der Einsatz von Chemikalien im Haushaltsbereich stellt geradezu ein Paradebeispiel dafür dar.

Das Schrubben beim Handspülen ist der ätzenden Chemie der Geschirrspülmaschine gewichen, die Fliegenklatsche dem Insektizid-Spray. Waren die Haushaltschemikalien vor 30 Jahren noch auf ein notwendiges Minimum beschränkt, so bilden sie heute einen Markt mit mehreren Milliarden DM Umsatz und einer Produktion von Millionen Tonnen Chemikalien. 523 Millionen Spraydosen; 1,6 Millionen Tonnen Waschmittel, Hunderttausende Tonnen Reinigungs- und Pflegemittel, mehrere Hundert Millionen Batterien und andere «chemische Heinzelmännchen» suggerieren uns heute Arbeitserleichterung und Wohlstand. Auch wenn sich der Wunsch nach Arbeitserleichterung teilweise – so etwa durch effektivere Waschmittel – erfüllte, wurden viele Wünsche erst durch die Werbung gezielt geweckt. Weichspüler sind beispielsweise erst in den sechziger Jahren eingeführt worden, Sanitärreiniger und WC-Duftverbesserer in den siebziger Jahren, ohne daß vorher jemand diese schmerzlichen Lücken wahrgenommen hätte.

Genaugenommen spiegelt der Haushaltsbereich gesellschaftliche Entwicklungen und Zwänge wieder: Haushaltsgeräte und -chemikalien sorgen für Rationalisierung und Steigerung der Effektivität, nehmen «die Arbeit ab» und verführen bisweilen zu einem völlig übertriebenen Putzwahn. Beim Backofenreinigen hat man gleich die Auswahl zwischem dem supermodernen elektrischen Backofen mit der selbstreinigenden «Pyrolysestufe» oder dem chemisch «selbsttätig arbeitenden» Backofenreiniger, wie die Werbung so schön formuliert. Die Fluorchlorkohlenwasserstoff-Sprays «sparen Zeit und Arbeit in vielen Bereichen. Zeit, die jeder Einzelne nutzen kann, seine Chancen wahrzunehmen und sein eigenes Leben zu leben». So schön kann Chemie sein.

Auch im Freizeitbereich, etwa im Hausgarten, werden gesellschaftliche

Zwänge reproduziert: Der Pestizideinsatz (die chemische Keule) der auf Höchsterträge eingerichteten Intensivlandwirtschaft findet im Hausgarten seinen Höhepunkt: Obwohl der ökonomische Druck des EG-Marktes sicherlich nicht auf den Schrebergarten durchschlägt, werden dort (pro Quadratmeter) soviel Pestizide und Dünger ausgebracht, wie nur in wenigen Spezialkulturen der Landwirtschaft.

Das «Unkraut»vernichtungsmittel, der Backofenspray und die chemische Keule nehmen uns nicht nur Arbeit ab, sondern auch das Denken. Die Verdrängung von Alltagswissen ist weit gediehen: Wir wissen nicht mehr, wie man im Garten Zwiebelfliege und Möhrenfliege durch eine geeignete Mischkultur fernhalten kann.

Wir wissen nicht mehr, wie man den Rotweinfleck mit einfachsten Mitteln entfernen kann – und nehmen umwelt- und gesundheitsgefährdende Fleckentferner. Wir wissen nicht mehr, wie man Holz vorbeugend schützt. Wir kennen nur noch den süchtigen Griff zur Flasche Reinigungs- oder Holzschutzmittel. Wir wissen weder, was in den Produkten, die wir benützen, enthalten ist, noch wie sie im einzelnen funktionieren oder wirken.

Die folgenden Kapitel, in denen einzelne Verbrauchsbereiche näher besprochen werden, beginnen deshalb mit einer Beschreibung der jeweiligen Produkte – zu welchem Zweck sie eingesetzt werden, wie sie wirken, welche Stoffe sie enthalten, wie hoch ihr Gebrauchswert ist. Schon hier stößt man auf erstaunliche Ergebnisse: daß bestimmte WC-Beckensteine nicht – wie versprochen – desinfizieren, daß «Mückenpiepser» allenfalls zum Piepen sind, aber nicht gegen Mücken wirken, daß verschiedene Produkte ein und desselben Herstellers identische Inhaltsstoffe haben – bis auf eine Prise Farbstoff, die uns Verschiedenes vorgaukelt.

Nun wären solche Schummeleien leicht zu ertragen, wenn nicht die «Chemie im Haushalt» und die allgemeine Chemisierung als «biologischer Bumerang» über die Gefährdung von Mensch und Umwelt zurückschlagen würde.

In einem Gartenbuch aus den fünfziger Jahren können wir lesen: «. . . haben sich auch die sogenannten DDT-Präparate bewährt . . . Es sind Berührungsgifte, die von durchschlagender Wirkung sind» und: «. . . fast täglich hört man von neuen Überraschungen, die man bisher für ganz unmöglich hielt.» Heute – dreißig Jahre später – müssen wir die prophetische Gabe des Autors bewundern. Das DDT hatte tatsächlich durchschlagende Wirkung: da es in der Umwelt schwer abbaubar ist und sich über vielfältige Transportphänomene weit verbreitet, ist es heute nahezu überall in Umwelt und Nahrungsketten aufzufinden – vom Südpol-Pinguin bis zur Muttermilch. Das DDT ist längst verboten und findet sich (hoffentlich) nicht mehr in Haushaltsprodukten.

Zur zweiten Generation der chlorierten Kohlenwasserstoffe gehört das Lindan, das im Haushalt etwa in Mottenkugeln, Holzschutzmitteln oder Pflanzenbehandlungsmitteln enthalten ist. Auch hier hört man fast täglich von neuen Überraschungen und die wohl größte war die der inzwischen geschlossenen Firma Boehringer in Hamburg, bei deren Lindan-Produktion trotz gegenteiliger Behauptungen das Seveso-Dioxin im Abfall anfiel.

In den jeweiligen Kapiteln haben wir versucht, die Gefahren der Haushaltschemikalien für den Anwender und für die Umwelt aufzuzeigen – soweit sie heute bekannt sind. Diesen Nachsatz konnten wir uns und Ihnen nicht ersparen, denn die Wissenschaft ist ständig im Fluß und was gestern z. B. noch eine vergleichbar harmlose Grundchemikalie mit 500 000 Jahrestonnen Umsatz war – Formaldehyd –, muß heute als krebserregend gelten. Formaldehyd fand und findet sich in Kosmetikmitteln, Reinigern, Desinfektionsmitteln und anderen Produkten.

Auch wenn im einzelnen die Gefährdungen für Mensch und Umwelt aufgezeigt werden, bereitet es doch erhebliche Mühe, das Gesamtrisiko zu bemessen. Bei der Gesundheitsgefährdung fällt es noch relativ leicht, akute Gefährdungen aufzuzeigen, die durch Verwechslungen, insbesondere bei Kleinkindern, und bei Unfällen entstehen: Verätzungen durch Abflußreiniger, Chlorgasentstehung durch Zusammenmischen von WC- mit Sanitärreinigern, Lösemittelvergiftungen usw.

Einer 1983 publizierten Studie der Lloyd-Versicherung zufolge entstehen in der Bundesrepublik jährlich etwa 240 000 Vergiftungssituationen, bei ungefähr einem Viertel der Fälle ist die Hinzuziehung des (Not-)Arztes notwendig. Exakte Erhebungen existieren für diesen Bereich aber nicht. Dies gilt erst recht für chronische Gefährdungen durch Chemikalien, sei es durch direkten Kontakt, sei es durch den Umweg über die Umwelt oder durch Umweltchemikalien insgesamt.

Schätzungsweise 50 000–60 000 Chemikalien sind auf dem Markt, wieviele davon sich in Haushaltsprodukten wiederfinden, ist unbekannt. Nur von wenigen Hundert dieser Chemikalien gibt es Untersuchungen über genaue Wirkungen oder über mögliche Allergiegefahr. Hält man sich noch vor Augen, daß es auch durch das Zusammenwirken der einzelnen

11

Stoffe Wechselwirkungen gibt (etwa zwischen Insektiziden und Alkohol), die kaum untersucht sind, so wissen wir, daß wir nichts wissen.

In diesem Zusammenhang ist es besonders ärgerlich, daß die Industrie normalerweise nicht die genauen Inhaltsstoffe der einzelnen Produkte angibt – nicht einmal den Behörden. So lassen sich natürlich nur durch Zufall schädliche Wirkungen erkennen, und es wird auch in den nächsten Jahren immer wieder Überraschungen hageln – wie in vergangener Zeit, als bekannt wurde, daß Lego-Spielsteine Cadmium enthielten, Niespulver krebserregende Stoffe und die von Umweltschützern geliebte Neutralseife das Formaldehyd.

Die kargen Angaben über Inhaltsstoffe und ihre möglichen Wirkungen auf den Verpackungen begründet die Industrie mit dem «Patentschutz» und den bösen Konkurrenten. In einer Zeit, in der man mit modernen analytischen Methoden einzelne Stoffe in Milliardstel oder Billionstel-Gramm-Mengen nachweisen kann, klingt dieses herbeibemühte Argument leicht anachronistisch. Für ein paar Tausend DM kann man nahezu jedes Produkt auf seine Inhaltsstoffe analysieren – kein Problem bei Milliarden-Umsätzen.

Ein großes Problem freilich für die Autoren dieses Buches. Da die freiwilligen Angaben der Industrie über Inhaltsstoffe dürftig ausfielen, andererseits eine Analyse von mehreren zehntausend Haushaltsprodukten von uns astronomische Geldsummen verlangt hätte, sind viele Bewertungen nur vorläufig und auf die bekannten Inhaltsstoffe zu beziehen. Im übrigen empfehlen wir, über die nicht bekannten oder nicht bekanntgegebenen Inhaltsstoffe im Zweifelsfall das schlechteste zu vermuten.

Nicht nur über gesundheitliche Auswirkungen vieler Haushaltschemikalien weiß man viel zu wenig, erst recht gilt dieses für ihre Auswirkungen auf die Umwelt: bis auf wenige «Problemschadstoffe» ist über ihre Umweltgefährdung nichts oder nur wenig bekannt, hinzu kommt, daß man die Wirkung *eines* Produkts (z. B. eines Möbelpflegemittels) auf die Umwelt nur als Teilbetrag vor dem Hintergrund der Gesamtbelastung (hier: mit Lösemitteln) bewerten kann.

Eine deutliche Umweltbelastung entsteht für sich allein nicht durch Tenside in den Zahnpasten, nicht durch optische Aufheller in Waschmitteln und nicht durch die Lösemittel einiger Klebestoffe. Sie entsteht aber sehr wohl durch den jährlichen Verbrauch von Millionen Haushaltschemikalien insgesamt, beispielsweise durch Tenside in Waschmitteln, Tenside in Weichspülern, in Spülmitteln, in Lacken und so fort.

Dabei ist zu bedenken, daß Wasch-, Reinigungs- und Pflegemittel bei Gebrauch praktisch zu 100% ins Abwasser geraten, die Lösemittel und Treibgase aus Farben, Lacken, Verdünnern, Klebstoffen und Sprays in die Luft entweichen, Pestizide, Dünger und Streusalz zu 100% in den Boden gelangen und der Müll mit Abermillionen Tonnen von Verpackungen, Kunststoffen, Papier, Metallen usw. belastet wird – auch mit Sondermüll. Nach hessischen Untersuchungen liegt der Anteil von Giftstoffen im Hausmüll bei etwa 2%, teilweise sogar bei 5% – jeder Haushalt eine kleine Sondermülldeponie.

Wenn schon dieser «direkte» Beitrag des Verbrauchers zur Umweltbelastung durchaus erheblich ist, so wird er noch durch den indirekten Beitrag verstärkt. Da nämlich keine Produktion (etwa von Quecksilberbatterien) ohne Schadstoffemissionen abläuft, keine Produktentsorgung (der Quecksilberbatterien) über den Mülleimer problemlos ist, lassen sich jedem gekauften Produkt auch indirekte Umweltbelastungen zumessen. Diese können von Fall zu Fall gering und damit hinnehmbar sein, können andererseits – wie etwa bei der Lindan-Produktion – massiv und zusätzlich mit Gesundheitsgefährdungen verbunden sein.

So wird deutlich, daß Begriffe wie «umweltschädlich» weiter gefaßt werden müssen als bisher üblich. Es interessieren nicht nur der direkte Schaden und Nutzen, sondern auch der indirekte, somit Schaden und Nutzen eines ganzen Systems, für das dann eine umfassende Umweltverträglichkeitsprüfung notwendig wäre. So gehören zur Bewertung eines Waschmittels nicht nur die Bewertung der Inhaltsstoffe, sondern auch die der Komponenten des gesamten Systems «Wäsche – Schmutz – Waschmittel – Wasser – Waschmaschine». Ein von den Inhaltsstoffen her umweltfreundliches Waschmittel kann möglicherweise zu Kalkablagerungen auf den Heizstäben der Waschmaschine führen und diese schädigen, mit den Nachteilen eines Neukaufs bzw. der Neuproduktion mit entsprechendem Rohstoff- und Energieverbrauch und Umweltbelastung.

Nun mögen dem Leser solche Betrachtungen zu sehr ins Detail gehen, und die Frage nach einfachen und klaren Alternativen drängt sich auf: Wie kann ich Umwelt und Gesundheit schonen, welche umweltfreundlichen Produkte gibt es? Die uns häufig gestellte Frage «können Sie uns ein Waschmittel ohne chemische Inhaltsstoffe empfehlen?» zeigt den einfachen Wunsch nach «Genuß ohne Reue», nach einfachen Antworten. Die gibt es freilich nur selten. Es gibt keine umweltfreundlichen

Waschmittel, es gibt höchstens solche, die die Umwelt weniger schädigen als andere. Bei einem Großteil der Haushaltschemikalien wird man feststellen müssen, daß es unter den verschiedenen Produkten durchaus umweltfreundlich*ere* gibt und damit Umwelt- und Gesundheitsbelastung zwar verringert, aber nicht vom grünen Tisch sind. Für einen kleineren Teil der Produkte allerdings gibt es tatsächlich einfache Alternativen (z. B. mechanisch wirkende Saugglocken oder Spiralen für Abflußreiniger) oder den Verzicht (z. B. die meisten Desinfektionsmittel, Weichspüler, WC-Duftverbesserer u. a.).

Eine in fast jedem Fall gangbare Alternative ist die sparsamere Dosierung. «Viel hilft viel» ist Unsinn, für jedes Mittel gibt es eine optimale Dosierung, die meist weit unter dem liegt, was die Hersteller fordern und/oder die Verbraucher freiwillig nehmen.

Auch mit einer Reduzierung von «luxuriösen» Bedürfnissen (etwa nach einem «Partyspray» oder nach exotischen Pflanzen, die sich nur mit viel Spritzmitteln halten), und geänderten Verhaltensweisen läßt sich die «Chemie im Haushalt» vermindern.

Kritik an überflüssiger und irreführender Werbung ist fast schon wieder überflüssig – weil schon so oft geäußert. Wir möchten an dieser Stelle nur vor einer neuen Masche warnen: der Bio-Masche. Den Wunsch des Verbrauchers nach Umweltschonung ausnutzend wird neuerdings alles «Bio». Stinknormaler Alkohol (als Lösemittel) wird so plötzlich zum werbewirksamen «Bioalkohol», das Mäusegift Cumarin, das die Blutgerinnung hemmt, wird zum «biologischen Köder». Wir warten noch auf die Zeiten, in denen bakteriologische Waffen uns als «Bio-Waffen» angepriesen werden. Dies ist nun kein Plädoyer gegen Alternativ-Produkte, sondern für genaue und *nachprüfbare* Kriterien der Umweltfreundlichkeit eines Produkts.

Damit dies dem einzelnen Verbraucher möglich ist, bedarf es noch viel mehr an Informationen, an Ökotests, an gesetzlichen Maßnahmen usw. An Sie als Verbraucher richten wir die Bitte, mit «Chemie im Haushalt» überlegt umzugehen, sie sparsam einzusetzen, sich nach Alternativen – wo möglich – umzusehen und auf manche Produkte ganz zu verzichten. Nutzen Sie die Informationen, die Ihnen dieses Buch gibt, zu einem detektivisch-prüfenden Rundgang im Haus und am Arbeitsplatz – Sie und die anderen werden sich wundern.

Helfen Sie mit, daß aus dem Frühlingsputz mit dem aprilfrischen Zitronenduft kein grauer November oder Totensonntag für die Natur wird.

Putz- und Reinigungsmittel

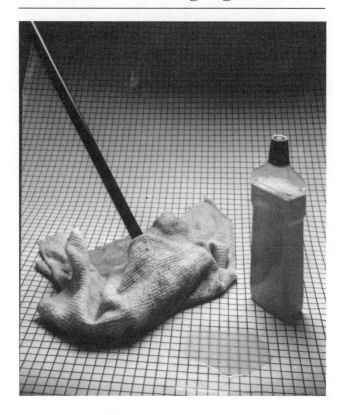

Innen hui – außen pfui?

Deutschlands Häuser bieten einen sauberen und ordentlichen Anblick. Bad und Küche leuchten, es glänzt der Fußboden, es blitzen die Fensterscheiben. Und auch die Hersteller strahlen: 1982 wurden in der Bundesrepublik für 735 Mill. DM Putz- und Reinigungsmittel produziert.
Aber die Putz- und Hygienewut deutscher Hausfrauen und -männer bringt auch Probleme mit sich. All die Chemikalien, die beim Saubermachen helfen, sind zwar zusammen mit dem Schmutz aus dem Haus und damit aus den Augen und dem Sinn. Dafür schwimmen sie jetzt in den Gewässern oder schweben in der Luft. Nach dem Putzen sieht man erfreut den Erfolg seiner Mühe, aber nicht die dadurch direkt oder indirekt verursachten Umweltbelastungen. Diese Zusammenhänge sind den meisten von uns nicht bewußt:

 Mehr als zwei Millionen Tonnen (!) Reinigungs-, Pflege- und Waschmittel geraten jährlich beim Gebrauch ins Abwasser und belasten Kläranlagen und Gewässer. Problematische Inhaltsstoffe für die Umwelt sind – von der Menge her – vor allem Phosphate und Tenside (vgl. Kap. Waschmittel) sowie Desinfektionsmittel. Auch bei den ca. 40 000 Tonnen WC- und 24 000 Tonnen Sanitärreinigern, die ätzende Sauberkeit versprechen ist gewiß, daß sie im Abwasser nicht harmlos sind.

Macht Putzen krank?

Einige der Putz- und Reinigungsmittel können nicht nur die Umwelt, sondern auch direkt und indirekt die menschliche Gesundheit schädigen. Akute Vergiftungen und Verätzungen gibt es vor allem bei Kindern durch Verwechslungen (→ Gefährdung von Kindern im Haushalt) und bei falschem Gebrauch, vor dem auch Erwachsene nicht gefeit sind. Wer weiß schon, daß WC-Reiniger und Sanitärreiniger verschiedenartige Mittel sind und keineswegs nacheinander in die Toilette oder in den Abfluß gekippt werden dürfen (wenn das erste Mittel nicht gewirkt hat). Wer es doch versucht, wird es schnell bereuen: im Abfluß bildet sich giftiges Chlorgas, das früher als Kampfstoff eingesetzt wurde.
Möglicherweise ist jedoch der jahrelange Kontakt mit den verschieden-

sten Putzmitteln und Spezialreinigern sowie anderen Haushaltschemikalien weitaus bedenklicher, drohen doch Allergien (→ Allergien) und chronische Schädigungen durch Lösemittel und Formaldehyd. Möglicherweise – denn einerseits gibt es gerade bei Allergien sehr wenig aussagekräftige Untersuchungen und Statistiken, andererseits sind die genauen Inhaltsstoffe oft gar nicht bekannt, nicht einmal den Behörden. Und selbst Stoffe, die jahrelang als recht unbedenklich galten, wie das Formaldehyd (mit dem sogar geworben wurde) können sich plötzlich als hochbrisante krebserregende Stoffe erweisen.

Pro Kopf und Jahr wird ca. ein halber Zentner Chemie beim Waschen, Putzen und Reinigen eingesetzt. Da der Reinigungsmittelmarkt ca. ¼ des Gesamtmarktes ausmacht, bedeutet das immerhin noch 6 kg Putz- und Reinigungsmittel pro Kopf.

In anderen europäischen Ländern werden nur etwa halb so viel Putz- und Reinigungsmittel verbraucht, ohne daß es dort nur halb so sauber wäre. Bei diesem Verbrauchsbereich ist viel schnöder Schein dabei, wenig Information und viel Werbung und Bedürfnisweckung. So konnte etwa innerhalb von wenigen Jahren die Produktgruppe der Sanitärreiniger erfolgreich eingeführt werden, innerhalb des Zeitraums 1977–1980 wurde der Umsatz verachtfacht. Ob seitdem die deutschen Toiletten achtmal so sauber sind?

Da auf dem Putz- und Reinigungsmittelmarkt ein Verteilungskampf der Hersteller tobt, halten diese mit Verbraucherzahlen hinter dem Berg. Genauere Aufschlüsselungen finden sich nur nach Produktionswerten und nicht nach Mengen. Zudem sind Vergleiche durch die unsichere Abgrenzung zwischen einzelnen Produkten (etwa zwischen Allzweckreiniger und Bodenputzmittel) erschwert (vgl. Tab. 1 und 2).

Tab. 1: Produktionswerte der Wasch- und Reinigungsmittel in der Bundesrepublik im Jahr 1982 (nach 1)

Produktionswert	in Mio DM	Anteil in %
60° C-Hauptwaschmittel und Vollwaschmittel	1714	50,9
Waschhilfsmittel (Weichspüler, Enthärter u. a.)	489	14,5
Spezialwaschmittel (z. B. Feinwaschmittel)	216	6,4
Geschirrspül- und andere Haushaltsreiniger	735	21,8
Sonstige	212	6,3
insgesamt	3366	100

Eine detaillierte Aufschlüsselung findet sich in Tab. 2, worin allerdings die Geschirrspülmittel nicht enthalten sind.

Tab. 2: Gesamtmarkt Putz- und Reinigungsmittel
Zahlen in Mio DM (aus 2)

	1977	1978	1979	1980
flüssige Haushaltsreiniger (ohne Scheuermittel und Badreiniger)	220	235	250	255
Scheuermittel	140	145	150	150
WC-Reiniger	105	116	120	125
Bodenpfleger	100	104	104	104
Sanitärreiniger	12	45	75	95
WC-Steine	73	85	95	100
Fensterreiniger	44	55	70	75
Schuh- und Lederpflege	61	64	68	70
Luftverbesserer	40	42	55	60
Rohrreiniger	37	39	40	42
Teppichschaumreiniger	52	50	48	47
Möbelpflege	37	40	43	45
Badreiniger	34	36	39	43
Metallputz	25	27	29	30
Backofenreiniger	17	18	19	20
Herdputz	8	8	8	8
Fleckentferner	3	3	3	3

1982 gab ein durchschnittlicher 4-Personen-Haushalt jährlich etwa 230 DM für Wasch- und Reinigungsmittel aus, mehr als ein Viertel davon für Putzmittel. Bei sparsamem und richtig dosiertem Verbrauch dieser Mittel kann man also durchaus auch Geld sparen. Das Motto «Viel hilft viel» ist völlig fehl am Platze. Wie bei Arzneimitteln gibt es auch bei Reinigungsmitteln eine optimale Dosierung.

Das untenstehende *Optimalputzprogramm* hat den Vorteil, daß
* es in seiner Wirkung auf Mensch und Umwelt überschaubar ist
* es sich um billige und relativ wenig schädliche Mittel handelt
* der Kauf vieler teurer Spezialreiniger (s. u.) und damit auch entsprechender Verpackungsabfall vermieden wird.

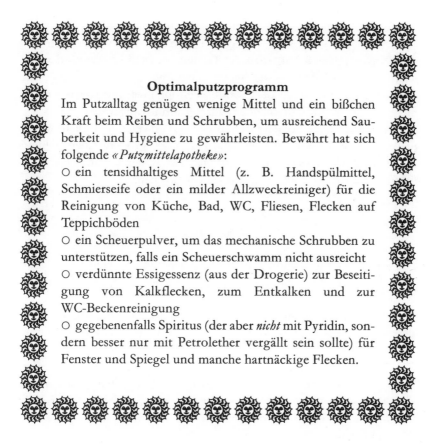

Optimalputzprogramm

Im Putzalltag genügen wenige Mittel und ein bißchen Kraft beim Reiben und Schrubben, um ausreichend Sauberkeit und Hygiene zu gewährleisten. Bewährt hat sich folgende *«Putzmittelapotheke»*:

O ein tensidhaltiges Mittel (z. B. Handspülmittel, Schmierseife oder ein milder Allzweckreiniger) für die Reinigung von Küche, Bad, WC, Fliesen, Flecken auf Teppichböden

O ein Scheuerpulver, um das mechanische Schrubben zu unterstützen, falls ein Scheuerschwamm nicht ausreicht

O verdünnte Essigessenz (aus der Drogerie) zur Beseitigung von Kalkflecken, zum Entkalken und zur WC-Beckenreinigung

O gegebenenfalls Spiritus (der aber *nicht* mit Pyridin, sondern besser nur mit Petrolether vergällt sein sollte) für Fenster und Spiegel und manche hartnäckige Flecken.

Echt ätzend:
WC- und Sanitärreiniger/Abflußreiniger

Eine kleine Umfrage in Ihrem Bekanntenkreis wird es bestätigen: kaum jemand kennt den Unterschied zwischen WC- und Sanitärreinigern und die Brisanz ihrer Inhaltsstoffe. Das kann haarige Folgen haben (vgl. Kasten); und an den französischen Ausruf «Vive la différence» werden Sie sich spätestens erinnern, wenn Sie dadurch nichtsahnend einen Chlor-Giftgas-Unfall erlebt haben. Aber alles schön der Reihe nach . . .
Die Industrie bietet etliche Möglichkeiten an, für Sauberkeit und Hygiene, freie Abflüsse und frischen Duft in Bad und Toilette zu sorgen.

Mit WC-Reinigern oder Sanitärreinigern (auf keinen Fall gleichzeitig verwenden! s. u.) und mit WC-Beckensteinen und -Duftverbesserern soll dem Klogeruch und Bakterien der Garaus gemacht werden und wortwahr das Grabes-«Stille Örtchen» entstehen. Wenn sich gar nichts mehr rührt, kann freilich auch der Abfluß verstopft sein und wer würde da nicht gleich an «Abflußfrei» oder andere Abflußreiniger denken?

An die unerwarteten Folgen für Mensch und Umwelt durch solche Mittel denkt man dabei freilich nicht, und eine noch größere Überraschung erlebt man, wenn sich herausstellt, daß einige der «desinfizierenden» Stoffe nicht einmal das halten, was sie versprechen.

Sanitärreiniger

Nach Herstellerinformationen sind Sanitärreiniger überall in Bad und WC einsetzbar, in Verdünnung auch zum Bleichen und Desinfizieren von Wäsche oder Spielzeug.

Die Reinigungswirkung der Sanitärreiniger ist gut, ihre Desinfektion sehr gut, wenngleich letztere oft gar keinen Sinn hat (→ Desinfektionsmittel).

Die Sanitärreiniger können als Paradebeispiel für eine erfolgreiche werbegestützte Einführung einer neuen Produktklasse gelten. Von 1977 bis 1980 konnte der Umsatz an Sanitärreinigern (wie Domestos, Dan Klorix und Multikron) in der Bundesrepublik verachtfacht (!) werden, die Produktion betrug ca. 24 000 Tonnen.

Aber nicht nur der Umsatz der Industrie stieg – auch die Zahl der häuslichen Unfälle mit den chlorhaltigen Sanitärreinigern nahm zu (9).

Sanitärreiniger sind stark alkalisch und enthalten «aktives Chlor», also Chlor in gebundener Form (z. B. als Chloramin T oder Hypochlorit), das bei der Verwendung kontinuierlich freigesetzt wird und neben seinen bleichenden Eigenschaften vor allem desinfizierend wirkt. Daneben finden sich in den Sanitärreinigern Tenside und Salze. Sie sind nicht parfümiert, haben aber einen typischen Eigengeruch und wirken geruchstilgend. Sanitärreiniger sind grundsätzlich ungeeignet für lackierte Holzflächen, greifen also auch die teuren Holzklodeckel an (9).

WC-Reiniger

Der Absatz von WC-Reinigern hat sich im Zeitraum von 1976–1979 nahezu verdoppelt; 1980 wurden bereits 40 000 Tonnen produziert. WC-Reiniger reagieren durch Säurezusatz (Salzsäure oder Amidosulfonsäure) stark sauer. Sie wirken damit gut gegen hartnäckige braune Verfärbungen, die durch eisenhaltiges Wasser entstehen.

Auch Kalkablagerungen, die die Beckenoberfläche aufrauen und das Einwirken von Keimen ermöglichen, werden entfernt. Der Kalk wird unter Bildung von Kohlendioxid (Sprudeln) aufgelöst, der gleiche Effekt läßt sich mit Essigsäure oder simplem Essig erreichen. Tenside dienen der Steigerung der Reinigungsleistung, daneben enthalten die Mineralreiniger viel Salz (Kochsalz, Natriumbisulfat) und Duftstoffe. Bläuliche Farbstoffe der WC-Reiniger können Spuren auf Badezimmerteppichen hinterlassen. WC-Reiniger dürfen nicht mit Emaille in Berührung kommen (9).

Gefahr für die Gesundheit durch WC- und Sanitärreiniger

O Die stark alkalischen Sanitärreiniger und die stark sauren WC-Reiniger greifen bei Kontakt Haut, Schleimhäute und Augen an. Jährlich dürften an die 700 Menschen Vergiftungen durch Hypochloritreiniger erleiden (9). Besonders gefährdet sind Kinder, die die oft am Boden stehenden Flaschen leicht erreichen und die ätzenden Chemikalien verschlucken können. Wenn man auf diese Mittel nicht verzichten will, sollte man sie – wie alle Haushaltschemikalien – für Kinder unerreichbar hoch lagern oder wegschließen und nur Mittel kaufen, die kindergesicherte Verschlüsse und deutliche Warnhinweise aufweisen (→ Gefährdung von Kindern im Haushalt).

O Gerade bei schwer entfernbarem Kalkstein oder Flecken ist man schnell geneigt, an die Unwirksamkeit des Reinigers zu glauben und einen anderen hinterherzukippen. Hierbei kann in Sekundenschnelle Chlorgas entstehen – wenn Sie einen alkalischen Sanitärreiniger mit einem sauren WC-Reiniger (oder mit Essigsäure) gemischt haben. Auf diese Gefahr wird noch nicht bei allen WC-Reinigern hingewiesen. Je nach den Umständen können mehrere Liter Chlorgas entstehen und zu Raumluftkonzentrationen bis zu 1000 ppm führen. 500 ppm Chlorgas, die über 5 bis 10 Minuten eingeatmet werden, können bereits tödlich sein. Kinder sind noch viel empfindlicher: Bei einem ppm kann es schon zu Schleimhautirritationen kommen, bei 5–15 ppm zu Lungenentzündungen und -ödemen, bei 50 ppm letztlich zum Atemstillstand (9).

Gefahr für die Umwelt

Die 40 000 Tonnen WC-Reiniger und die 24 000 Tonnen Sanitärreiniger, die jährlich die Abflüsse runterätzen, belasten durch Säure- bzw. Laugengehalt sowie durch die enthaltenen und entstehenden Salze das Abwasser. Im einzelnen weiß man darüber nicht viel, das Umweltbundesamt hat daher zu dieser Fragestellung mehrere Forschungsaufträge vergeben (9).

Abflußreiniger

Die Abflußreiniger lösen Verstopfungen aber auch weltweit die meisten gefährlichen Haushaltsunfälle aus. Der Zusammenhang wird leicht deutlich, wenn man bedenkt, daß Abflußreiniger stark alkalische Mischungen sind, die 30 bis 100% eines Alkalihydroxids enthalten. Bei Gebrauch wird der Abflußreiniger unter starker Wärmeentwicklung im Wasser gelöst, die wiederum die verseifende Wirkung der Lauge begünstigt.

Inhaltsstoffe wie Leichtmetallspäne oder Granula (vor allem Aluminium) setzen sich unter Wasserstoffbildung um. Diese Gasbildung hilft mechanisch bei der Pfropfenauflockerung, führt zu besserer Durchmischung und damit zur schnelleren Auflösung der Lauge. Die Temperatur kann auf etwa 50–80° C steigen. Warme Lauge ist für Augen und Haut noch gefährlicher als im kalten Zustand.

Um eine Explosion des entstehenden Wasserstoffs zu vermeiden, werden in großer Menge Nitrat oder Nitrit zugesetzt, das zu Ammoniak (Gas!) umgesetzt wird. Weiterhin enthalten sie z. T. waschaktive Substanzen (Tenside). Die chemischen Abflußreiniger wirken nur sehr lokal in der Nähe der Rohröffnung, weiter entfernte Verstopfungen werden aufgrund der Verdünnung nicht mehr angegriffen.

Abflußreiniger sind durch ihre hohe Konzentration an Alkali weit aggressiver als etwa Sanitärreiniger. Bei Rohrverstopfungen kommt es leicht zu Unfällen, wenn man z. B. noch versucht, die Verstopfung mechanisch zu lockern und dabei die Flüssigkeit in die Augen hochspritzt.

Gerade bei Abflußreinigern ist die mechanische Reinigung der chemischen Keule weit überlegen und zudem ungefährlich. Verstopfungen lassen sich durch eine Saugglocke, durch eine Spirale oder nach Aufschrauben des Abflusses mit einer Rohrzange meist problemlos beheben. Rohrsauger und Spirale sind vom Umweltbundesamt zu Recht mit dem Umweltzeichen bedacht worden.

 Um Verstopfungen vorzubeugen, sollte in der Toilette ein kleiner Mülleimer für Tampons, Binden usw. bereitstehen sowie ein Aschenbecher für die Kippen der notorischen Raucher.

WC-Beckensteine und -Duftverbesserer

Beckensteine werden direkt in die WC-Schüssel eingehängt, andere «Duftverbesserer» sorgen im WC-Wasserkasten für «blaue Frische».

Die «wohlriechende» Chemie soll «in Ihr Badezimmer während Wochen einen fruchtig-frischen WC-Duft zaubern» und «Ihre Toilette gleichzeitig hygienisch rein halten».

Sauberkeit, Hygiene, Desinfektion, frischer Duft, naturfrisch soll – man ahnt es schon – wieder einmal mit der Chemie erreicht werden, diesmal in Gestalt des Paradichlorbenzols. Aus den Umsatzzahlen läßt sich schließen, daß mehrere tausend Tonnen Paradichlorbenzol in Beckensteinen und Duftverbesserern eingesetzt werden. Das Paradichlorbenzol ist eine stark riechende flüchtige Masse, die nur schwer wasserlöslich ist und in den Beckensteinen sowohl als Duftverbesserer wie auch als Desinfektionsmittel wirken soll.

Paradichlorbenzol – Giftmüllentsorgung über die Haushalte?

Das als Nebenprodukt bei der Produktion der Grundchemikalie Monochlorbenzol entstehende Paradichlorbenzol müßte als Sondermüll entsorgt werden, wenn es nicht zu anderen Stoffen weiterverarbeitet werden würde oder sich dafür sinnvolle Einsatzgebiete erschließen würden.
Als Desinfektionsmittel in WC-Duftverbesserern hält Paradichlorbenzol aber offensichtlich nicht das, was es verspricht, und belastet unnötig Abwasser und Umwelt, letztlich den Menschen. Der Verdacht liegt nahe, daß es der Industrie hier mehr um die Erschließung neuer Märkte ging, als um den Nachweis der Desinfektionswirkung und der Wirkung auf Mensch und Umwelt.
Gerade die Chemische Industrie weist einen sehr hohen Recyclinganteil ihrer Abfall- bzw. Nebenprodukte auf – was im Prinzip auch wünschenswert ist, um den Anfall von Sondermüll zu verhindern. Eine «Entsorgung» über die Beckensteine und das Toilettenabwasser müßte verboten werden.

Die Chemikalie fällt als Nebenprodukt bei der Produktion von Monochlorbenzol (Lösemittel) an, für 1980 wurde die Produktionsmenge auf mindestens 80 000 t geschätzt (10). Eingesetzt wird das Abfallprodukt der Monochlorbenzolproduktion auch als Wirkstoff gegen Motten und Mehltau in Pestiziden.
Der Einsatz in den (WC-)Duftverbesserern ist schon lange umstritten, da es unmöglich schien, in der kurzen Einwirkungsphase beim Toilettenspülen überhaupt eine Desinfektion zu erzielen.
Eine Untersuchung des Schweizerischen Konsumentenbundes (11) zeigte nun «klipp und klar, daß bei den geprüften Duftverbesserern für den WC-Rand keine Rede davon sein darf, daß sie desinfizierend wirken». Und weiter: «Die Keimzahlen in den Toilettenschüsseln wurden weder mit noch ohne Paradichlorbenzol so stark herabgesetzt, daß von

einer effektiven Keimzahlreduktion gesprochen werden kann.» . . . «Wir glauben deshalb, mit Recht behaupten zu dürfen, daß hier unlautere Werbung betrieben wird, ja daß sogar von einer Täuschung des Konsumenten gesprochen werden muß.» (11)

Eine Untersuchung des Chemischen Untersuchungsamts der Stadt Duisburg zeigte zudem, daß die Beckensteine einiger Hersteller mit Natriumchlorid gestreckt waren und daß dadurch die Beckensteine schnell ausgewaschen werden und zerfallen. (9)

Auch über die Umweltgefährdung durch Paradichlorbenzol sollte man sich nicht täuschen lassen: Es ist schlecht abbaubar und findet sich heute weltweit in der Luft und im Wasser.

Schon bei der Lagerung der Beckensteine kann das Paradichlorbenzol durch die Kunststoffverpackung teilweise entweichen. (9)

Bei dem Produkt «Scratch WC» (mit einem Paradichlorbenzolanteil von 66,2%) lag der durchschnittliche gemessene Wert im Toilettenspülwasser bei 1850 µg/l und überstieg damit den schweizerischen Grenzwert für chlorierte Lösemittel in gewerblich-industriellen Abwässern um fast das Zwanzigfache! (11) In der Umwelt konzentriert sich Paradichlorbenzol wegen seiner Flüchtigkeit vorzugsweise in der Luft, bei Großstadtbewohnern fand sich in Untersuchungen Paradichlorbenzol im Fettgewebe (durchschnittlich 2–3 ppm) und im Blut (9 µg/ml).

Die Untersuchungen zur Langzeittoxizität beim Menschen werden als unzureichend beschrieben (12).

Das Fazit gab der Schweizerische Konsumentenbund «Nützts nüüt, so schadts vil!» Man braucht nach dem oben beschriebenen Ergebnis wohl keinen Dolmetscher mehr, um diese Aussage zu verstehen.

☎ Der Einsatz von Paradichlorbenzol in WC-Duftverbesserern sollte verboten werden, ebenso wie der Einsatz von hypochlorithaltigen Reinigern.

 Ökorat – Ökotat

WC- und Sanitärreiniger

○ im Sanitärbereich reicht in den meisten Fällen ein milder Allzweckreiniger, eine Desinfektion ist zumeist unnötig und führt keineswegs zur Keimfreiheit

○ speziell beim WC reicht oft schon der Griff zur Bürste statt des süchtigen Griffs zur Flasche

○ hartnäckige Ablagerungen von Kalk oder Eisen lassen sich mit Essigsäure entfernen

○ falls Sie auf WC- oder Sanitärreiniger nicht verzichten wollen, sollten Sie zumindest

– nur *einen* Reiniger kaufen (um eine versehentliche Mischung eines WC-Reinigers mit einem Sanitärreiniger zu vermeiden)

– den Reiniger kindersicher lagern und auf kindersichere Verschlüsse achten

○ beim Gebrauch (Schutz)-Brille und Gummihandschuhe anziehen.

Abflußreiniger

○ durch Abfalleimer und Aschenbecher auf der Toilette Verstopfungen vorbeugen

○ Verstopfungen mechanisch mittels Saugglocke, Spirale oder Öffnen des Abflusses mit einer Rohrzange beheben

○ auch die Abflußreiniger sollten von Kindern ferngehalten werden, mit kindersicheren Verschlüssen versehen sein, nur mit Gummihandschuhen und Schutzbrillen angewandt und nicht mit anderen Mitteln gemischt werden.

WC-Deodorants

○ auf WC-Deodorants können Sie getrost verzichten

○ alte Hausregeln gegen kurzfristig unangenehme «Gerüche»: ein Streichholz in der Toilette abbrennen oder das «Siebenfingersystem» anwenden: mit zwei Fingern die Nase zuhalten, mit den fünf der anderen Hand das Fenster öffnen.

Allzweckreiniger

Laut Branchenmagazin hielten flüssige Haushaltsreiniger im Jahre 1980 mit 225 Millionen DM unangefochten Platz 1 auf der Umsatzhitliste der Putz- und Reinigungsmittelfirmen. Sie allein hatten nahezu 20% Marktanteil. Diese universellen Reiniger, die – zumeist mit heißem oder kaltem Wasser verdünnt – Türen, Fensterrahmen, Möbeln, Kühlschränken, Kacheln, Fliesen, Fußböden und Kunststoffbelägen aller Art zu neuem Glanz verhelfen, sind also nicht gerade Mauerblümchen im Haushalt.

Die «fleißigen Lieschen» der Hausfrau und des Hausmannes muß man von den mechanisch wirkenden Scheuermitteln und den konservierenden Pflegereinigern unterscheiden.

Die Allzweckreiniger werden auf Grund ihrer chemischen Zusammensetzung in Lösungsmittelreiniger, Syndetreiniger, Grundreiniger und Seifenreiniger unterteilt.

● Einige der Lösemittelreiniger enthalten aromatische oder chlorierte Kohlenwasserstoffe – diese Mittel sollten wegen Gesundheits- und Umweltgefährdung gemieden werden (→ Chlorierte Kohlenwasserstoffe).

● Syndetreiniger werden in fester oder flüssiger Form angeboten, sie enthalten als wesentliche Bestandteile Tenside (synthetic detergents = Syndet), daneben aber auch Phosphate. Flüssige Produkte (Beispiele: dor flüssig, Der General, Meister Proper) enthalten meist 5–20% Tenside, 5–15% Phosphate, 0–10% Glykolether oder Alkohol («Bio-Alkohol»), 0–5% Alkalien, Farb- und Duftstoffe sowie Wasser. Der erwähnte «Bio»-Alkohol ist stinknormaler Alkohol und macht damit die Produkte nicht mehr und nicht weniger umweltfreundlich.

Feste Syndetreiniger (dor, Imi) haben mit 5–30% Tensiden einen relativ hohen Syndetanteil, der ergänzt wird durch 10–25% Phosphate, 0–50% Alkalien (Soda), die allgegenwärtigen Farb- und Duftstoffe und Natriumsulfat. Letzteres dient als sogenanntes Stellmittel und entspricht dem Wasser in den Flüssigrezepturen.

Solchen Syndetreinigern ist bisweilen Ammoniak als Komponente beigemischt, sie werden wegen ihrer stärkeren Reinigungskraft dann auch *Grundreiniger* genannt. Ein Grundreiniger besteht aus etwa 1–3% Ammoniak, 2–10% Tensiden, 2–6% Phosphaten, 0,1–0,5% Enthärter, 5–25% Glykolether als Lösungsmittel sowie wiederum Farb- und Duftstoffe und Wasser. Beispiele für solche ammoniakhaltigen Syndetreiniger sind Ajax oder die «Hausmarke» *Gedelfi Allesreiniger*.

Bei sachgemäßer Anwendung sind Syndetreiniger gesundheitlich relativ unbedenklich. Allenfalls der bisweilen hohe Gehalt an ätzenden Alkalien und der stechend riechende Ammoniak könnten Anlaß zur Sorge geben, wenn länger, öfters oder unverdünnt mit den Reinigern gearbeitet wird. Auf jeden Fall sollten sie, wie alle Haushaltschemikalien, für Kinder unzugänglich aufbewahrt werden.

Die Auswirkung der Tenside und Phosphate auf die Umwelt wird im Kapitel Waschmittel, weiter unten, beschrieben.

Oftmals genügt es, diese teuren Produkte mit den gutklingenden Namen durch einfache *Seifenreiniger* wie die Schmierseife zu ersetzen.

Welches Mittel man auch nimmt: dem Motto der Verbraucherzentralen «je weniger – desto besser» ist eigentlich nichts hinzuzufügen.

Fußbodenreinigung und -pflege

Der Fußboden gehört zu den am stärksten strapazierten Teilen eines Gebäudes. Dementsprechend werden zu seiner Reinigung und Pflege jährlich runde 100 Millionen DM ausgegeben. (7)

Aufgabe der Pflegemittel ist es, den Fußboden gegen mechanische und chemische Angriffe zu schützen und so das normale Putzen zu erleichtern. Als Putzmittel können grundsätzlich die oben besprochenen Allzweckreiniger verwendet werden. Beachten sollte man allerdings die unterschiedliche Lösungsmittelempfindlichkeit der verschiedenen Bodenbeläge. So ist z. B. PVC sehr empfindlich gegenüber organischen Lösungsmitteln: der Weichmacher wird herausgelöst, der Boden schrumpft mit der Zeit und wird brüchig. Auch Kunstharz-Asbestplatten sind empfindlich: hier wird das Bindemittel, das die Bestandteile dieser Belagsart zusammenhält, herausgelöst und so der ganze Boden aufgelöst. Ganz abgesehen von diesem Problem sollte man Asbestmaterialien aufgrund der gesundheitsschädlichen Wirkung sowieso vermeiden.

Auch ein Großteil der bei der Verlegung verarbeiteten Kleber sind lösungsmittelempfindlich, sie können anquellen oder werden angelöst. Dies kann zum Abheben des Fußbodenbelags vom Untergrund führen.

Das kann auch allgemein bei längerer Einwirkungszeit von tensidhaltigen Reinigern passieren. Nur verschweißte oder absolut wasserfeste Beläge wie Fliesen dürfen also geschwemmt werden.

Lösungsmittelunempfindlich sind Belagsarten wie Linoleum, Holz, Parkett, Stein und Steinholz, zum Teil sind sie aber dafür wasserempfindlich. *Pflegemittel* überziehen den Boden mit einem dünnen Film, der den Fußboden schützen soll. Früher wurde hierzu ausschließlich Bohnerwachs verwendet.

Bohnerwachs besteht aus dem eigentlichen Wachskörper (15–25 % Paraffine und 5–10 % Hartwachse sowie aus 65–75 % Lösemittel, meist Testbenzin), Duft- und Farbstoffen. Die flüssigen Bohnerwachse haben einen entsprechend höheren Lösemittelanteil (bis zu 90 %).

Die Paraffine haben die Aufgabe, einen leicht auspolierbaren Film zu bilden, der gut haftet, biegsam ist und nicht klebt. Die Hartwachse – auch Glanzwachse genannt – geben einen besser glänzenden Film, der widerstandsfähiger, d. h. trittfester ist als bei alleiniger Anwendung von Paraffinen. Verwendet werden sowohl pflanzliche (Carnauba-, Ouricour-, Zuckerrohrwachs) wie synthetische Hartwachse. Die Zusammensetzung des Wachskörpers ist entscheidend für die Qualität des Bohnerwachses.

Wegen der Belastung von Umwelt und Gesundheit sollte man anstelle der lösemittelhaltigen Produkte lieber wasserhaltige Pflegemittel verwenden: Heute sind die Bohnerwachse weitgehend durch *Selbstglanzemulsionen* verdrängt worden, in denen keine Lösungsmittel mehr sind. Die Wirkung dieser Produkte beruht darauf, daß sie neben Wachs einen Kunststoff enthalten, der zusammen mit dem Wachs als Film auf den Boden aufzieht. Das Problem bei der Herstellung bestand zunächst darin, beides in Wasser zu lösen, den gewünschten Film auf dem Boden aber wasserunlöslich zu machen. Mit einem Emulgator, der aus zwei Komponenten besteht (einem Amin und einer Fettsäure) konnte das Problem gelöst werden: Das mit diesem Emulgator hergestellte Mittel ergibt nach dem Auftragen einen Film, aus dem Wasser und Amin verdampfen. Zurück bleiben Wachs, Kunststoff und geringe Mengen Fettsäure, die beim erneuten Feuchtwerden nicht mehr fähig sind, mit Wasser eine Emulsion zu bilden. Um den schlechten Geruch der Amine zu übertünchen, werden Duftstoffe zugegeben. Eine typische Zusammensetzung von Selbstglanzemulsionen ist:

12 % Wachs (Carnauba), ca. 2 % Fettsäure (Olein), ca. 0,5 % Amin (Morpholin),

15% Kunststoffdispersion (Polystyrol oder Polyacrylat),
im Rest Wasser sowie Duftstoffe und Konservierungsmittel.

Mit der Zeit wurden Produkte mit immer höherem Kunststoffgehalt bei gleichzeitig sinkendem Wachsanteil entwickelt. Diese Mittel sind unter der Bezeichnung *Polymer-Dispersion* im Handel. Sie haben den Nachteil, daß sie sich mit sinkendem Wachsanteil kaum noch auspolieren lassen, außerdem verkratzen die Filme leicht. Alte Polymerfilme lassen sich nur schwer mit Scheuermitteln oder speziellen Lösungsmitteln entfernen, was wiederum manchen Bodenbelägen schadet.

Schließlich kamen die sogenannten *Metallreaktiven Polymere* auf den Markt. Diese Produkte enthalten neben der Kunststoffdispersion Metallsalze, z. B. Zink als Ammoniak- oder Aminkomplex. Nach dem Auftragen auf den Boden verdampfen Wasser und Amin, die Metallatome können sich an die Kunststoffmoleküle anlagern und sie so zu einem widerstandsfähigen Film vernetzen. Der Film ist resistent gegenüber aminfreien, auch alkalischen Reinigern, er läßt sich aber leicht mit ammoniakhaltigen Mitteln entfernen.

Produktbeispiel: Glänzer

Wischpflegemittel enthalten eine Kombination von Tensiden und Wachsen oder wachsähnlichen Stoffen. Sie werden in geringer Dosierung dem Putzwasser zugegeben.

Produktbeispiel: Sofix, AS Fußbodenreiniger

Wischglanzmittel dagegen sind kunststoffreiche Selbstglanzemulsionen, die zunächst unverdünnt aufgetragen werden. Zur Reinigung wird dem Putzwasser eine kleine Menge zugesetzt, um bei jeder Reinigung den Schutzfilm zu erneuern.

Produktbeispiel: Vollglanz Sofix, Emsal, Dual

Abschließend sollen noch die *Desinfektionsreiniger* wie etwa Sagrotan erwähnt werden. Diese enthalten, wie der Name schon sagt, neben dem Reinigungsmittel auch desinfizierende Substanzen. Sie sollten nur angewandt werden, wenn der Arzt dies verordnet. Auf die Problematik der Desinfektionsmittel wird weiter unten ausführlich eingegangen.

Scheuermittel

Scheuermittel sind Reinigungsmittel, denen Putzkörper zugesetzt werden, um das Scheuern mit dem Schwamm zu erleichtern. Früher wurde hierzu ausschließlich feiner Sand verwendet, heute nimmt man fein gemahlenes Quarz- oder Marmormehl. Auch Kieselgur, Kreide und Bimsstein finden Verwendung. All diese Materialien unterscheiden sich in ihrer Härte. Um die behandelten Flächen zu schonen, muß das Gesteinsmehl zum einen sehr fein sein, zum anderen aber auch so weich, daß es die Fläche nicht zerkratzt.

Normale Scheuermittel enthalten Quarzmehl oder Bimssteinpulver, feine Scheuermittel für Küche und Bad meist gemahlene Schlämmkreide oder Kieselgel. Ganz feine Scheuermittel für empfindliche Flächen bestehen aus Magnesia, Kieselkreide oder Wiener Kalk.

Gelegentlich werden dem Scheuerpulver auch alkalisches Soda sowie Borax und Phosphate zugegeben. Zur besseren Schmutzlösung dienen wie immer Tenside. Wird das Produkt überdies als desinfizierend und bleichend angepriesen, so enthält es meist eine chlorabspaltende Substanz («Aktivchlor») wie z. B. Chloramin T.

Eine typische Zusammensetzung ist:

85–95% Quarzmehl

1–5% Alkalien (Soda, Borax)

1–5% Polyphosphate

1–5% Tenside

0–1% Aktivchlorverbindung.

Produktbeispiel: Ajax, Vim, Ata, Tenn

Neben den festen Scheuerpulvern werden in zunehmendem Maße auch flüssige Scheuermittel angeboten. Diese enthalten über ein Drittel Wasser, sind also weniger konzentriert, d. h. sie kosten im Vergleich mehr. Hinzu kommen Verdickungsmittel und Duftstoffe sowie Scheuerkörper, die meist weicher sind als bei den festen Scheuerpulvern. Eine typische Zusammensetzung ist:

6,5% Tenside

50% Marmormehl (Calciumcarbonat)

2% Cloramin T

ca. 1% anorg. Salze

35% Wasser.

Ein Zusatz von Kaliumjodid bewirkt eine Verbesserung des Bleicheffekts.

Produktionsbeispiele: Ata – flüssig, Tiptop, Viss

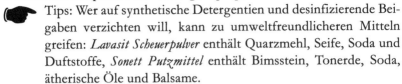 Tips: Wer auf synthetische Detergentien und desinfizierende Beigaben verzichten will, kann zu umweltfreundlicheren Mitteln greifen: *Lavasit Scheuerpulver* enthält Quarzmehl, Seife, Soda und Duftstoffe, *Sonett Putzmittel* enthält Bimsstein, Tonerde, Soda, ätherische Öle und Balsame.

Verwenden Sie keine aktivchlorhaltigen Mittel. Sie schaden der Haut, belasten über das Abwasser die Kläranlagen und sind unnötig.

Fensterreiniger

Zur Reinigung von Fenstern können spezielle Fensterreiniger verwendet werden, die meist in praktischen Sprühflaschen angeboten werden. Aber auch Handspülmittel oder Allzweckreiniger, die in geringer Menge dem Putzwasser zugesetzt werden, sind geeignet. Normal verschmutzte Scheiben werden sogar durch klares Wasser wieder sauber.(1) Für stark mit Ruß, Fett oder Fliegendreck verschmutzte Scheiben ist ein tensidhaltiger Zusatz notwendig.

Unterschiede gibt es in der Handhabung – Wischen oder Sprühen –, beim Klartrocknen und besonders beim Preis: die Reinigung von 5om² normal verschmutzter Scheibe kostet zwischen 2 Pf und 4 DM.

Ein normales flüssiges Fensterputzmittel enthält etwa zur Hälfte Wasser und 40–50% Alkohol, der der Schmutzlösung dient und durch schnelle Verdunstung das Nachpolieren erleichtert. Tenside und Ammoniak sind zur Fleckentfernung beigefügt, wegen des Ammoniaks reagieren Fensterputzmittel deutlich alkalisch. Sie sollten deshalb von Kindern ferngehalten werden, beim Versprühen sollte nichts in das Auge gelangen.

Sprühflaschen sind handlich, erlauben eine minimale Dosierung und verringern die Gefahr von Putzstreifen. Die in solchen Sprühflaschen zu kaufenden Mittel sind sehr teuer. Man kann aber genauso auch ein selbst gemixtes Mittel in eine Sprühflasche für Wäsche oder Blumen einfüllen, die dann aber deutlich beschriftet werden muß.

Damit landen außerdem wieder ein paar Plastikwegwerfflaschen weniger auf dem Müll.

 Ökorat – Ökotat

- Benutzen Sie ein billiges Hausmittel, indem Sie Wasser mit einem Schuß Spülmittel, Allzweckreiniger, pyridinfreiem Spiritus oder Essig verwenden.
- Füllen Sie ihr selbstgemixtes Fensterputzmittel in eine Sprühflasche. Und vergessen Sie nicht, diese deutlich zu etikettieren, damit Verwechslungen ausgeschlossen werden.

Spülmittel

Beim Spülen spielt sich vieles ab: physikalische, chemische und (!) psychologische Vorgänge greifen ineinander.

Das Wasser weicht die Speisereste auf, so daß die meisten Verschmutzungen *mechanisch* – durch die Wasserstrahlen bei der Spülmaschine, durch Bürste oder mechanisches Reiben beim Handspülen – entfernt werden. Die Wärme des Wassers bewirkt, daß das Fett flüssig wird und sich ebenfalls leicht ablöst.

Das Handspülmittel setzt die Oberflächenspannung herab. Auch fester haftende Fett- und Eiweißreste gehen so in das Spülwasser über und werden dort fein verteilt gehalten, so daß sie sich nicht wieder auf dem Geschirr absetzen können. Die *chemische* Wirkung – z. B. die Verseifung von Fetten oder der Abbau von Eiweißen – hat dagegen kaum eine Bedeutung.

Die Psychologie beginnt allerdings meist schon *vor* dem Spülen, indem sich jeder davor drückt. In vielen Familien wird der Streit vorübergehend durch den Kauf einer Spülmaschine behoben, das Problem aber eigentlich nur verlagert: Wer räumt jetzt die Spülmaschine ein und aus, wer spült die Töpfe usw.? Um dem lästigen und zeitaufwendigen Spülen von Hand zu entgehen, werden in immer mehr Küchen Spülmaschinen installiert. 1975 besaßen 12% aller Haushalte in der Bundesrepublik eine

Spülmaschine, 1980 waren es bereits 25%. Trotz der Bequemlichkeit müssen sie mit einer gewissen Skepsis betrachtet werden.

Geschirrspülmaschinenmittel sind in ihrer Wirkung ungleich aggressiver. Sie müssen einen Teil der beim Handspülen geleisteten mechanischen Arbeit durch Chemie ersetzen, weil der Druck der Wasserstrahlen ungezielter und schwächer ist. Fette und Eiweiße werden von der stark alkalischen Spüllösung teilweile abgebaut, Teeflecken mit Chlor (weg)-gebleicht.

Viele Hausmänner und -frauen schätzen die eigene Handarbeit als gründlicher ein, weil hier das Auge den Spülvorgang kontrollieren kann. Geschirrspülmaschinen stehen zudem nicht zu Unrecht in dem Ruf, besonders gierige Wasser- und Stromfresser unter den Haushaltsgeräten zu sein, wobei es allerdings große Unterschiede zwischen den Geräten gibt. Neue Modelle haben teilweise recht niedrige Verbrauchswerte. Immerhin kann sich – bedingt durch die höhere Spültemperatur und die durchschnittlich höhere Wassermenge – ein bis zu doppelt so hoher Energieverbrauch ergeben wie beim vernünftigen Handspülen, d. h. wenn das Geschirr gesammelt im Becken und nicht einzeln unter fließendem, heißem Wasser abgewaschen wird.

Handspülmittel

Handspülmittel erzeugen heute meist einen «Klartrockeneffekt». Normalerweise bildet Wasser Tropfen, die beim Antrocknen sichtbare Kalkflecken hinterlassen. Spezielle Tenside bilden einen hauchdünnen Film auf dem Geschirr. Dadurch läuft das Wasser ab und das Geschirr trocknet rasch und ohne Flecken (16). Allerdings gelangen die Tenside über die Nahrung in den menschlichen Körper, und es ist bisher noch ungeklärt, ob sie irgendwelche gesundheitlichen Auswirkungen haben (vgl. Gefährdungen). In Gläsern, bei denen der «Klartrockeneffekt» ausgenutzt wurde, fällt Bierschaum sofort in sich zusammen.

Handspülmittel haben die folgende Zusammensetzung (8, 13, 17):

10–40% anionische und nichtionische Tenside (z. B. Alkylbenzolsulfonat)

0–10% Lösungsvermittler und Emulgatoren (z. B. Harnstoff, Alkohole, hochpolymere Phosphate)

Wasser

34

Des weiteren können Stabilisatoren (z. B. EDTA), Desinfektionsmittel, Hautschutzstoffe, Duftstoffe, Farbstoffe und Enzyme enthalten sein.

Gefährdungen: Die häufigsten Unglücksfälle mit Spülmitteln gab es vor allem bei Kindern durch Verschlucken. Es traten hauptsächlich Übelkeit, Erbrechen, Durchfall und Husten (Bronchopneumie) auf.

Gesundheitliche Bedenken wurden immer wieder gegen Spülmittelreste auf dem Geschirr aufgeworfen (vgl. Klartrockeneffekt). Man hat errechnet, daß pro Person in einem Jahr nur 0,1 g Spülmittel auf diese Weise aufgenommen werden können (18). Andere Berechnungen gehen allerdings von 1 g pro Person und Jahr aus (8). Tenside stehen im Verdacht, daß sie die Aufnahme von DDT und anderen chlororganischen Verbindungen im menschlichen Darm erleichtern (20). Tenside selbst werden im Körper nicht gespeichert. In zunehmendem Maß läßt sich jedoch beobachten, daß Leute auf Tenside mit allergischen Hautreizungen reagieren (→ Allergien).

Die Spülmittel tragen über ihren hohen Anteil an Tensiden und an Phosphaten mit zur Umweltbelastung durch diese Stoffe bei (→ Waschmittel). Eine gewisse Gefährdung stellen auch Augenspritzer dar, die aber mit Hilfe von Augenspülungen mit klarem Wasser oder physiologischer Kochsalzlösung behoben werden können.

Spülmaschinen-Mittel

Beim Spülen werden normalerweise drei verschiedene Produkte verwendet:

● ein alkalisch wirkendes Spülmittel
● ein leicht sauer eingestellter Klarspüler
● Regeneriersalz für den Ionenaustauscher.

Die Zusammensetzung der Spülmittel schwankt stark (8, 13, 14).

Da in der Maschine die Spüllauge häufig umgewälzt und verspritzt wird, darf das Spülmittel nicht schäumen und enthält deswegen wenig bis keine Tenside. Die Reinigung erfolgt durch stark alkalische Substanzen, z. B. Soda oder Natronlauge, die die wasserunlöslichen Speisereste abbauen. Außerdem werden Silikate, Phosphate oder – alternativ dazu – Citrate zur Verbesserung der Waschwirkung eingesetzt. Alle gängigen Mittel enthalten außerdem einige Prozent einer chlorabgebenden Substanz, z. B.

Natriumdichlorcyanurat. Das freiwerdende Chlor hat bleichende und desinfizierende Wirkung. Es beseitigt die schwer abwaschbaren Tee- und Kaffeerückstände, indem es die Farbstoffe zerstört. Außerdem verhindert es die Keimbildung auf eventuell in der Maschine zurückbleibenden Essensresten.

Die stark alkalische Spüllösung kann das Geschirr angreifen. Gläser zeigen teilweise schon nach 30 Spülungen deutliche Trübungen; auch Porzellandekors werden in Mitleidenschaft gezogen, wenn sie nicht als Unterglasdekors durch die sehr widerstandsfähige Glasur geschützt werden. Da für solche Unterglasdekors aber nur wenige auch noch bei hohen Brenntemperaturen stabile Farben zur Verfügung stehen, andererseits die oberflächlich aufgetragenen Farben in der Spülmaschine schnell verblassen, wurden Dekorfarben entwickelt, die teilweise in die Glasur einsinken und so geschützt sind. Solches Geschirr wird als ‹spülmaschinenfest› bezeichnet, obwohl auch dessen Dekor nach jahrelangem Maschinenspülen angegriffen werden kann. Der Wechsel von stark alkalisch zu schwach sauer (durch den Klarspüler) verstärkt den Angriff auf das Porzellan noch.

Klarspüler (Glanztrockner) sollen günstige Voraussetzungen dafür schaffen, daß das Geschirr nach der Reinigung ohne sichtbare Rückstände trocknet. Sie enthalten zur Kalklösung organische Säuren (wie Zitronensäure oder Milchsäure), verschiedene nichtionische Tenside bilden einen wasserabweisenden Film auf dem Geschirr und geben ihm einen besonderen Glanz. Die Gefahr von unschönen Kalkflecken ist jedoch bei Geschirrspülmaschinen gering, da sich in jeder Maschine eine Enthärteranlage befindet (s. u.).

Und wenn das Geschirr strahlt: Fische und Umwelt freuen sich nicht.

Das **Spülmaschinensalz** besteht aus gewöhnlichem gefärbten Kochsalz. Hartes Wasser ist für den Betrieb von Spülmaschinen nicht geeignet. Deshalb ist in jeder Spülmaschine ein Ionenaustauscher eingebaut, der die die Härte des Wassers verursachenden Erdalkaliionen Calcium und Magnesium zurückhält und gegen Natriumionen austauscht. Nach einiger Zeit ist das Austauschvermögen des Ionenaustauschers erschöpft, er muß regeneriert werden, d.h. wieder in den ursprünglichen Zustand versetzt werden. Das geschieht, indem durch die konzentrierte Kochsalzlösung des Spülmaschinensalzes die Erdalkaliionen wieder durch neue Natriumionen ersetzt werden.

Gefährdungen

☞ Die stark alkalischen Maschinenspülmittel führen zu erheblichen Gefährdungen, wenn sie versehentlich verschluckt werden oder in die Augen gelangen. Beim Verschlucken können Bauchschmerzen, Erbrechen und Durchfall auftreten. Im Extremfall wird die Speiseröhre so stark angegriffen, daß sie vernarbt. Das Narbengewebe wächst bei Kindern nicht mehr (im Gegensatz zum umgebenden Gewebe) und führt zu lebenslangen Schluckbeschwerden, die nur operativ beseitigt werden können.

☞ Die Symptome beim Verschlucken von Klarspüler sind demgegenüber nicht so stark. Immerhin kommt es auch da in 30% aller Fälle zu Brechreiz, Erbrechen oder Aufstoßen. Die Umwelt wird besonders dadurch belastet, daß sämtliche eingesetzten Chemikalien nach dem Spülen mitsamt den Essensresten in das Abwasser gelangen. Immerhin sind das fast 20 000 t stark alkalische und häufig viel Phosphat enthaltende Geschirreiniger pro Jahr (16).

☞ Das Spülmaschinensalz ist gesundheitlich unbedenklich. Der Geschmack verhindert die Einnahme einer zu großen Menge. Wenn man bedenkt, daß jährlich etwa 1 500 000 t Streusalz auf bundesdeutschen Straßen und Wegen gestreut werden, erscheint die Menge von 20 000 t, die der Umwelt durch die Spülmaschinen zugemutet werden, vergleichsweise harmlos. Dennoch entspricht sie etwa der Menge, die die Stadt Hamburg im Winter 77/78 verbrauchte (16, 17).

Ökorat – Ökotat

Möglichst wenig Essensreste in Spülwasser bringen, dadurch muß weniger Spülmittel zugesetzt werden;

● so kann man nach dem Essen den Teller mit Brot ausstippen oder fette Töpfe und Teller mit Zeitungspapier auswischen.

● Bei wenig fettem Essen kann das Geschirr in heißem Wasser gespült und auf die Zugabe von Spülmittel verzichtet werden.

● Falls durch Spülmittel Hautreizungen auftreten, sollte man Gummihandschuhe anziehen.

● Handspülen ist umweltfreundlicher als Spülen mit der Maschine. Wenn Sie trotzdem nicht auf die Maschine verzichten wollen, so packen Sie sie so voll wie möglich und spülen sperriges und stärker verschmutztes Geschirr wie Pfannen und Töpfe von der Hand. Dann genügt auch der Schongang.

● Lassen Sie den Klarspüler weg.

Backofensprays – Hauptsache, der Kuchen schmeckt

Verschmutzungen im Backofen stellen kein großes Problem dar, wenn sie sofort nach dem Entstehen entfernt werden.

Ansonsten entstehen nach längerer Hitzeeinwirkung aus Fettspritzern und Rückständen des Backgutes in der Herdröhre eingebrannte Verkrustungen und Ablagerungen, die sich nur schwer wieder entfernen lassen. Die Industrie bietet zur Abhilfe Backofensprays an, die «selbsttätig hartnäckige Verkrustungen beseitigen» sollen.

Die angepriesenen Produkte werden als Schaum in den Backofen oder auf Kuchenbleche, Grillroste und Töpfe gesprüht. Sie bestehen aus alkalischen Mitteln (Natronlauge, Amiden oder Aminen), aus Tensiden und wasserlöslichen organischen Lösemitteln (z. B. Alkohol) sowie aus Duft-und Farbstoffen, Korrosionsinhibitoren, Entschäumern (z. B. Siliconverbindungen) und Emulgatoren.

Unter Hitzeeinwirkung werden die Speisereste durch die Alkalien aufgequollen, Fettreste «verseift» und damit insgesamt leichter löslich. Nach Gebrauch muß wegen der Alkalien und Lösemittel mehrmals nachgewaschen werden.

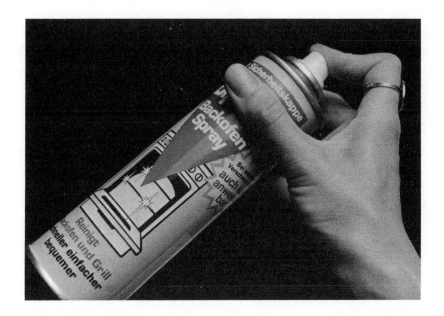

Da die Mittel recht aggressiv sind, wird ihre Anwendung oft vom Hersteller auf Aluminium und lackierten Flächen ausgeschlossen, da sonst Materialschäden entstehen könnten.

Der zeitliche Aufwand ist bei der Benutzung der nicht gerade billigen Backofensprays oft höher als bei der normalen Reinigung mit Scheuerpulver oder seifenhaltigen Drahtschwämmen.

Gerade leichte Verschmutzungen werden von letzteren Mitteln schnell entfernt. Und bei eingebrannten Rückständen kann man mit den Backofensprays herbe Enttäuschungen erleben; auch nach der laut Dosenbeschriftung empfohlenen Wiederholung des Sprüheinsatzes bleibt oft nichts anderes übrig als Schrubben mit Bürsten und Plastikkratzern.

 Die sich aus den Backofensprays entwickelnden Dämpfe sind reizend und gesundheitsschädlich und sollten nicht eingeatmet werden. Durch die stark alkalische Wirkung der Inhaltsstoffe sind Hände und vor allem Augen gefährdet, insbesondere wenn man «zur Kontrolle» mal etwas in die Röhre schaut.

Auch die Umwelt kriegt ihren Teil ab: Backofensprays gibt es eben nur, wie der Name schon sagt, in Spraydosen (→ Sprays), Belastung der Umwelt durch Treibgase und viel Verpackung sind vorprogrammiert.

 Ökorat – Ökotat

- Der Backofen sollte möglichst sofort nach Gebrauch und Abkühlen gereinigt werden.
- Hartnäckige Ablagerungen können eingeweicht und mit Scheuerpulver weggeschrubbt werden.
- Wer auf die teuren Backofensprays nicht verzichten will, sollte beim Gebrauch mit Gummihandschuhen und Schutzbrille arbeiten und die Dämpfe nicht einatmen.

Möbelpflegemittel

Art und Häufigkeit der Möbelreinigung hängen stark von der Oberflächenbeschaffenheit der Möbelstücke ab. Zusätzlich muß unterschieden werden, ob es sich um die Entfernung von Schmutz (= Möbelreinigung) oder um die Erhaltung und den Schutz des Holzes (= Möbelpflege) handelt.

Am einfachsten reinigt man die Möbel, indem man mit einem antistatischen Tuch abstaubt. Durch das Polieren bekommt das Holz seinen Glanz. Bei stärkerer Verschmutzung kann man dick lackiertes oder mit Bienenwachs o. ä. behandeltes Holz auch feucht reinigen. Ein mildes Reinigungsmittel (z. B. Handspülmittel) schadet dem Holz nicht. Dabei muß man nur darauf achten, daß keine Tropfen auf der Oberfläche stehenbleiben; man kann sicherheitshalber mit einem trockenen Tuch nachwischen.

Bei unbehandelten oder schwach geschützten Hölzern ist eine Möbelpflege ab und zu sinnvoll. Das Pflegemittel (= Politur) dringt in die Poren des Holzes ein und bildet eine schmutz- und wasserabweisende Schutzschicht. Die Politur überdeckt vorhandene Flecken und Kratzer zumindest oberflächlich (auch bei lackierten Hölzern).

Der Verbrauch an Möbelpflegemitteln ist sicherlich nicht sehr hoch im Vergleich zu anderen Reinigungsmitteln. Trotzdem: «Kleinvieh gibt auch Mist». Erfreulicherweise hat sich die Produktionsmenge von Möbelpflege- und -reinigungsmitteln in den letzten Jahren verringert:

1979: 1200 Tonnen, 1980: 1114 Tonnen, 1981: 929 Tonnen.
Möbelpolituren sind Gemische von verschiedenen Lösungsmitteln mit
Wachs oder Kunstharz. Nach dem Auftragen verdunsten die Lösungs-
mittel, und zurück bleibt ein dünner, durchsichtiger Film, wodurch die
Struktur des Holzes zur Geltung gebracht wird.
Die Zusammensetzung ist recht unterschiedlich: flüssige Produkte können Petroldestillat, aromatische Kohlenwasserstoffe (wie Toluol und
Xylol), Spiritus, Terpentinöl, Trichlorethylen und ätherische Öle enthalten, Sprays neben den Treibgasen und Lösemitteln noch Siliconöl (14).
Da es sich bei den Möbelpflegemitteln und Reinigungsmitteln um Gemische unterschiedlicher Zusammensetzung handelt, ist es schwer, die
chronische Gefährdung des Menschen abzuschätzen, die von den Lösemitteln herrührt.

 Bei längerem Hautkontakt kann es zu Hautrötungen kommen,
das Einatmen kann Übelkeit und Schwindelgefühle als akute
Reaktion hervorrufen. Größere Mengen der Möbelpflegemittel
sollte man nicht in geschlossenen Räumen anwenden.

 Ökorat – Ökotat

● Normale Möbel können Sie mit Bienenwachs, Leinölfirnis oder
Schellack schützen. Schellack ist eine harzige Ausscheidung verschiedener ostindischer Bäume, die durch den Stich einer Schild-
laus hervorgerufen wird. Es besteht aus Harzsäuren, Wachsalkoho-
len, Estern und Farbstoffen.

Teppichreinigungsmittel

Normalerweise werden Teppichböden mit dem Staubsauger mechanisch
gereinigt. Sind aber Flecken auf dem Fußboden entstanden oder ist der
Teppich nach einigen Jahren allgemein angeschmutzt, so werden oft
Teppichsprays oder Shampoo eingesetzt.
Meist werden für einzelne Flecken Sprays benützt. Häufig genügt dafür
auch lauwarmes Wasser mit etwas Spülmittel oder Seife.
Die Reinigung des ganzen Teppichs erfolgt mit einem Shampooniergerä-
rät, das das Reinigungsmittel gleichmäßig in den Teppich einmassiert.

Kawasaki-Fieber
Vorsicht beim Großputz

Zwischen der intensiven Reinigung von Teppichböden und dem Auftreten bestimmter fieberhafter Erkrankungen bei Kleinkindern besteht möglicherweise ein enger Zusammenhang.

Amerikanische Wissenschaftler aus Atlanta und Denver, die dem sogenannten Kawasaki-Fieber auf der Spur sind, fanden Hinweise dafür, daß diese vor allem bei Kleinkindern beobachtete Krankheit in der überwiegenden Zahl der untersuchten Fälle dann eintrat, wenn im Haushalt der Kinder die Teppichböden shampooniert worden waren. Die Autoren vermuten, daß bisher unbekannte Inhaltsstoffe der Shampoos oder durch die Reinigung aus den Teppichen aufgewirbelte Krankheitskeime als Ursache in Frage kommen.

Das Kawasaki-Fieber ist eine akute Erkrankung bei Kindern unter fünf Jahren, mit raschem Temperaturanstieg auf 40 Grad, der sich auch mit Antibiotika nicht unterdrücken läßt. Außerdem leiden die Patienten an Entzündungen der Bindehaut und des Rachenraumes, an geröteten Hautveränderungen und Lymphknotenschwellungen, die auch mit Juckreiz einhergehen können. Normalerweise klingen diese Symptome nach zwei bis drei Wochen ab. Es kann aber auch zu Komplikationen kommen: Ausweitungen und Entzündungen von Arterien, die sogar zu Thrombose und zum Zerreißen der Gefäße führen.

Im Frühjahr und Herbst ist eine Häufung von Kawasaki-Fieber-Anfällen zu beobachten. Weder für spezifische Mikroorganismen als auslösender Faktor wurden bisher Belege gefunden noch für eine Mensch-zu-Mensch-Übertragung. Genetische und umweltbedingte Ursachen scheinen auch keine Rolle zu spielen. Die vergleichende Kontrolle von 23 an Kawasaki-Fieber erkrankten Kindern und 30 nicht erkrankten Kindern ergab einen gravierenden Unterschied zwischen beiden Gruppen: Von den Patienten hatten 48 Prozent eine Teppichshampoonierung «erlebt», von den Gesunden nur 10 Prozent. Weiterhin hatten die kranken Kinder schon innerhalb von 2 Stunden Kontakt mit dem frischen Teppich, während die Kontrollkinder erst nach wesentlich größerem Zeitabstand damit in Berührung kamen.

Als Ursache für das vorwiegend nach dem Großputz im Frühjahr oder Herbst auftretende Kawasaki-Fieber kommen nach Ansicht der amerikanischen Forscher zwei Faktoren in Frage:

– Mögliche Überempfindlichkeit oder Idiosynkrasie gegenüber anionischen Detergentien bzw. anderen unbekannten Shampoo-Inhaltsstoffen.

– Mikroorganismen oder Allergene, die durch den Reinigungsvorgang aus dem Teppich aufgewirbelt und von den Kindern eingeatmet werden.

Also Vorsicht beim Großputz, wenn kleine Kinder im Haus sind: zuviel Hygiene kann auch schaden.

Deutsche Apotheker Zeitung Nr. 21 vom 24. 5. 1984

Nach dem Trocknen wird dann der Schaum samt den darin enthaltenen Schmutzteilchen abgesaugt. Man unterscheidet

● die *Trockenpulverreinigung* – ein Trägermaterial aus Holzmehl oder gemahlenem Kunststoffhartschaum, das mit tensidhaltiger Lösung getränkt ist, wird eingerieben und nach dem Trocknen wieder aufgesaugt

● das *Shampoonieren mit Naßschaum* – die Reinigungslösung wird beim Einbürsten verschäumt.

Vor allem bei der Naßreinigung besteht die Gefahr, daß die Auslegeware schrumpft oder sich wellt. Bei «echten» Teppichen können die Farben «ausbluten».

Einmal behandelte Teppiche schmutzen schneller wieder an, obwohl Zusätze zu den modernen Mitteln das verhindern sollen. So ist nach der ersten aufwendigen Reinigungsaktion bald eine weitere notwendig. Wenn es das Aussehen des Teppichs und das eigene Sauberkeitsideal nicht dringend verlangen, sollte man die erste Großreinigung weit hinausschieben oder ganz bleiben lassen.

Einzelne Flecken müssen auf jeden Fall gesondert behandelt werden. Auch vom Hygienestandpunkt genügt normales Staubsaugen (21). Zudem werden Nerven, Zeit, Geldbeutel und Umwelt geschont.

Flüssige Produkte enthalten Tenside zur Reinigung, Alkohole und häufig feingemahlene Kunststoffhartschäume, Holzmehl oder anorganische Pulver, die den Wassergehalt senken und die Fasern gegen eine zu schnelle Wiederverschmutzung schützen sollen.

Gefahren

Gesundheitliche Gefahren bestehen hauptsächlich für kleine Kinder, die versehentlich Teppichshampoo trinken. Es können Reizungen der Schleimhäute, Husten, Bauchschmerzen und spontanes Erbrechen auftreten. Auch allergische Reaktionen bei Kontakt mit Teppichreinigungsmitteln wurden beobachtet, wahrscheinlich ausgelöst durch bestimmte Tenside. Gefahren für die Umwelt rühren hauptsächlich von den Tensiden her. Der Verbrauch an Teppichreinigungsmitteln ist jedoch verglichen mit anderen Reinigungsmitteln gering.

 Ökorat – Ökotat

- Schieben Sie die Großreinigung des Teppichbodens so lange wie möglich hinaus. Für die Hygiene reicht Staubsaugen.
- Einzelne Flecken lassen sich gut mit Spülmittellösung entfernen.
- Bei Fett- und Teerflecken kann Waschbenzin vorsichtig angewendet werden, wenn vorher auf Farbechtheit geprüft wurde.
- Vermeiden Sie offenes Feuer, z. B. eine brennende Zigarette, wenn Sie doch mal Teppichspray verwenden.

Fleckentfernungsmittel

Fleckentfernungsmittel ist die Sammelbezeichnung für Präparate, die zur Entfernung örtlich begrenzter Verschmutzungen auf Textilien dienen.

Man unterscheidet dabei je nach Konsistenz und Zusammensetzung zwischen Fleckwasser, -milch, -pasten und -sprays.

Fleckmilchen sind Emulsionen aus einer wäßrigen Seifenlösung und organischen Lösungsmitteln (Benzin, Toluol-Xylol-Gemische, Butylacetat etc.). Die Seife wirkt hier zugleich reinigend und emulsionsstabilisierend.

Fleckpasten enthalten neben einem feinpulvrigen, absorbierenden Trägerstoff (Magnesiumoxid, pulverisierte Zellulose u. dgl.) noch organische Lösungsmittel (siehe oben). Ähnlich ist die Zusammensetzung der *Sprays,* die daneben noch Fluorchlorkohlenwasserstoffe oder andere Treibgase enthalten.

Den größten Umsatz bei den Fleckentfernungsmitteln haben die **Fleckwasser.** Sie bestehen aus einer Mischung organischer Lösungsmittel. Um die Feuergefährlichkeit dieser Produkte (bedingt durch Benzin, Aceton u. dgl.) herabzusetzen, wird ein hoher Prozentsatz an unbrennbaren Chlorkohlenwasserstoffen zugesetzt (Methylenchlorid, 1,1,1-Trichlorethan, Trichlorethylen, Perchlorethylen).

Auch wenn die Werbung eine mühelose Fleckentfernung verspricht, ist die Anwendung der Mittel nicht unproblematisch. Es muß auf jeden Fall die Gebrauchsanweisung genau beachtet werden. Die Inhaltsstoffe dieser

Präparate können an einigen Materialien Mattierungen und Entfärbungen hervorrufen.

Die Verwendung der Lösemittel in der Textilreinigung ist durch zwei Eigenschaften begründet: durch das hohe Fettlösungsvermögen, das den eigentlichen Reinigungseffekt bedingt, und durch die hohe Flüchtigkeit, die eine schnelle Abtrocknung zuläßt.

Fleckentfernungsmittel sind fast ausnahmslos gesundheitsgefährdend. Die hohe Lipidlöslichkeit hat einige allen Lösemitteln gemeinsame pharmakologische Eigenschaften zur Folge: Entfettung der äußeren Haut, starke Schleimhautreizung und leichte Resorption. Bei längerer Anwendung werden Funktionen des Zentralnervensystems beeinträchtigt. Vor allem der Gehalt an chlorhaltigen Lösemitteln ist kritisch zu beurteilen (→ Lösemittel).

Neben dieser gesundheitsgefährdenden Wirkung der halogenierten Kohlenwasserstoffe bei der direkten Anwendung muß auch beachtet werden, daß auf Grund der hohen Flüchtigkeit dieser Klasse von Chemikalien, die in großem Maß auch bei der gewerbsmäßigen Reinigung von Textilien verwendet werden, ein größerer Teil in die Atmosphäre und der Rest in das Abwasser gelangt. Neben einer möglichen Störung des Faulprozesses in den Klärwerken durch die biozide Wirkung der chlorierten Kohlenwasserstoffe auf die Bakterienflora führt dies zur Belastung der Flüsse und Flußsedimente durch chlorierte Kohlenwasserstoffe, letztlich auch zur Anreicherung in Fischen.

 Ökorat – Ökotat

Ungefährliche und umweltfreundliche Alternativen existieren in jedem Haushalt.

● Am besten läßt sich der Fleck entfernen, wenn man ihm sofort nach dem Entstehen zu Leibe rückt. Warmes Wasser mit Seife oder in speziellen Fällen, je nach Verschmutzung, in Verbindung mit Essig, Salz (farbintensive Verunreinigungen), Salmiak oder Alkohol hat eine ausreichende Reinigungswirkung. Gewebeschädigungen, die sehr schnell bei unsachgemäßer Anwendung der organischen Lösungsmittel auftreten können, werden dabei ebenfalls vermieden.

Metallreinigung

Viele Gebrauchsgegenstände in der Küche und im Bad sind aus Metall, die wichtigsten Gebrauchsmetalle sind Edelstahl (z. B. Edelstahlspüle), Aluminium (z. B. Töpfe) und Silber (z. B. Besteck). Im Handel werden für die unterschiedlichen Metalle auch die unterschiedlichsten Reinigungsmittel angeboten.

Edelstahlreiniger

Als störend wird bei Edelstahl zum einen das «Stumpfwerden» (Bildung einer Oxidschicht) empfunden, zum anderen durch Leitungswasser entstandene Kalkflecken. Die Edelstahlreiniger sollen laut Hersteller nicht nur reinigen, sondern zu einem gewissen Grad vor Korrosion schützen. Sie enthalten in wechselnder Zusammensetzung:

25% Lösemittel
20% anionische und nichtionische Tenside
20% organische und anorganische Säuren (Ammoniumoxalat, Phosphorsäure, Weinsäure) sowie Scheuermittel bzw. Polierpigmente (z. B. kieselsaure Kreide).

Die Säuren lösen die Kalkflecken und die Oxidschicht auf, und die Spüle glänzt wieder. Manche Mittel enthalten noch zusätzlich Komplexbildner und sind dadurch für die Silberreinigung geeignet. Auch Produkte mit Desinfektionsmitteln kann man kaufen (z. B. Stahlblank); darauf sollte verzichtet werden (siehe auch Kapitel Desinfektionsmittel).

Zum Reinigen von Edelstahl kann man auch gut feine Scheuerpulver verwenden, weil sie genauso effektiv sind.

Silberputzmittel

Silber ist sehr empfindlich gegenüber Verkratzen; daher kann man es nicht mit Scheuerpulver oder einem kratzenden Schwamm reinigen. Außerdem wird Silber oberflächlich leicht schwarz («es läuft an»), d. h., es bildet sich mit Schwefel und Schwefelverbindungen schwarzes Silbersulfid. Eier, Fisch, Kartoffeln u. a. enthalten im Eiweiß Schwefel; man kann ein Anlaufen weitgehend verhindern, wenn man diese Speisen nicht mit Silberbesteck ißt.

Ist auf dem Besteck ein unschöner Überzug entstanden, sollte man zuerst einmal probieren, ob er sich nicht durch Reiben mit einem trockenen Tuch entfernen läßt. Sonst kann man Silberbesteck zusammen mit Alu-

folie in Salzwasser legen, die beiden Metalle müssen sich dabei berühren!
Handelsübliche Mittel enthalten:
- Ammoniak
- feinste Scheuerkörper (Bimsstein)
- Komplexbildner (z. B. Thioharnstoff, Natriumthiosulfat)
- kaum Seife oder Tenside.

Die Komplexbildner lösen das Silbersulfid auf. Die Silberputztücher sind mit einem Binde- und Reinigungsmittel (z. B. Kernseife, Wasserglaslösung, Zelluloseetherlösung) und einem scheuernden Putzmittel (s. o.) versehen.

Über Thioharnstoff in Silberputzmitteln schreibt das Chemische und Lebensmittel-Untersuchungsamt Düsseldorf im Jahresbericht 1982: «Silberputzmittel enthielten den gesundheitlich bedenklichen Stoff Thioharnstoff. Die Angaben über den Umgang mit diesen Mitteln waren unzureichend, so daß eine bestimmungsgemäße, unbedenkliche Anwendung nicht unbedingt gewährleistet war. Wir stimmen im übrigen dem Bundesgesundheitsamt zu, daß in einem Gutachten vom 27. 3. 80 anregte zu überprüfen, ob Thioharnstoff in Silberputzmitteln für den Haushalt nicht durch einen anderen gesundheitlich unbedenklicheren Stoff ersetzt werden kann.»

 Ökorat – Ökotat

● Silberbesteck in Kontakt mit Aluminium bringen und dann in Salzwasser legen.
● Scheuern hilft bei Aluminium und Edelstahl oft besser als das beste Spezialmittel.

Desinfektionsmittel

Desinfektion von Freund und Feind

Die häusliche Hygienewelle rollt. Schenkt man der Werbung Glauben, so genügt Putzen allein nicht mehr (Sagrotan: «Feindesinfektion macht Sauberes noch sauberer»); Bakterien, Pilze, Viren, kurz Mikroorganismen*, die beim Menschen Erkrankungen hervorrufen können, sollen mit Desinfektionsmitteln bekämpft werden.

Zur Bekämpfung von Mikroorganismen im Haushalt werden flüssige Präparate und Sprays angeboten.
Ziel einer Desinfektion ist es, die Anzahl an krankheitserregenden Mikroorganismen herabzusetzen, um so deren Übertragung zu verhindern bzw. unwahrscheinlich zu machen. Durch Desinfektionsmaßnahmen findet also lediglich eine teilweise Abtötung bzw. Inaktivierung der Mikroorganismen statt, ein steriler Zustand wird nicht erreicht. Über den genauen Ablauf der Wirkung von Desinfektionsmitteln auf Mikroorganismen weiß man relativ wenig (24).
In den letzten Jahrzehnten konnte eine Reihe von Krankheiten, als deren Verursacher man Mikroorganismen erkannte, unter Kontrolle gebracht werden.
Neben Impfungen und Medikamenten wie z. B. Antibiotika spielten vor allem verbesserte hygienische Maßnahmen eine wichtige Rolle.
Vielfach ist allerdings ein Bild von «gefährlichen Bakterien» entstanden, das ihrem tatsächlichen Stellenwert nicht gerecht wird. Gemessen an der Gesamtzahl der Mikroorganismen ist nur eine Minderheit für den menschlichen Organismus schädlich. Überall in der Umwelt wie auch am eigenen Körper sind sie *natürlich* anzutreffen. Allein die Zahl der im Darmtrakt vorkommenden Mikroorganismen übersteigt die Zahl der menschlichen Körperzellen um das 10- bis 100fache! Sowohl die Haut wie auch die Schleimhäute von Mund-, Nasen- und Rachenraum, Ver-

---

* Obwohl Viren nicht über einen eigenen Stoffwechsel verfügen und somit strenggenommen keine Organismen sind, werden sie hier aus Gründen der Übersichtlichkeit unter dem Begriff Mikroorganismen aufgeführt.

Bakterien sind einzellige Lebewesen von unterschiedlicher Gestalt (z. B. Kugeln, Stäbchen). Sie haben eine Größe von ca. einem Millionstel Meter. Für den Menschen sind sie häufig lebensnotwendige Symbionten. In der Natur spielen sie u. a. eine wichtige Rolle im Stickstoffkreislauf.

● Wirtschaftliche Bedeutung kommt den Bakterien z. B. bei der Lebensmittelherstellung (Sauerkraut, Käse, Joghurt u. a.), in verschiedenen Industriezweigen und bei der Abwasseraufbereitung (Belebtschlamm) zu. Einige Bakterien sind Krankheitserreger. Häufig wird der Begriff Bazillen verwendet, wenn Bakterien gemeint sind; Bazillen sind jedoch lediglich eine bestimmte Gruppe unter den Bakterien.

Pilze werden dem Pflanzenreich zugeordnet, Pilzzellen sind ungefähr zehnmal größer als Bakterienzellen und können zu vielzelligen Gebilden auswachsen. Bekannte Beispiele sind Hefen und Schimmelpilze. Die meisten Pilze sind überall verbreitet. Von den auf 200 000 geschätzten Arten können nur wenige (50–100) bei Menschen oder Tieren Krankheiten auslösen (sog. Mykosen) (23).

Viren sind die kleinsten Erreger von Infektionskrankheiten. Anders als Bakterien und Pilze besitzen sie keine Zellstruktur. Sie sind nicht in der Lage zu wachsen und sich selbst zu vermehren, sondern benötigen hierfür eine Wirtszelle. Viren werden auch als in Eiweißhüllen verpackte Stücke genetischen Materials bezeichnet. Durch Antibiotika werden sie nicht beeinflußt.

dauungstrakt und Genitalbereich weisen eine jeweils charakteristische Besiedlung mit verschiedenen Mikroorganismen auf. Diese natürliche Flora unterdrückt die Ansiedlung von Krankheitserregern und bietet so einen gewissen Schutz vor Infektionen.

Für das Zustandekommen einer Infektion sind nicht nur die Eigenschaften der betreffenden Mikroorganismen von Bedeutung. Eine wichtige Rolle spielt auch der Gesundheitszustand bzw. die Krankheitsbereitschaft (Disposition) des Einzelnen. So hat der Kontakt mit Krankheitserregern bei verschiedenen Personen nicht zwangsläufig die gleichen Auswirkungen; vielmehr kann es in manchem Fällen zu Erkrankungen kommen, während andere «davonkommen». Am Beispiel einer umgehenden Grippe wird das jeder schon selbst beobachtet haben.

Hinzu kommt, daß die Effektivität des Desinfektionsmittelgebrauchs im Haushalt von vornherein begrenzt ist. Da Mikroorganismen überall verbreitet sind (ubiquitär) und wir überall mit ihnen in Kontakt kommen, ist die Verwendung dieser Chemikalien weder notwendig noch sinnvoll.

Die Verwendung von Desinfektionsmitteln erscheint vielen Menschen besonders in der Toilette als notwendig. Das Infektionsrisiko ist hier jedoch im allgemeinen viel geringer als weithin angenommen wird. So gehen z. B. die Erreger der Gonorrhoë (des Trippers) außerhalb des Körpers rasch zugrunde. Und mit dem weitverbreiteten Pilz Candida albicans, der häufig zu Pilzinfektionen u. a. im Genitalbereich führt, werden in der Regel nur Personen infiziert, deren Abwehrkräfte aus irgendeinem Grund geschwächt sind.

Von Pilzerkrankungen an den Füßen sind heute weite Personenkreise betroffen, auch Fußwarzen gewinnen zunehmend an Bedeutung. Ein weiterer möglicher Anwendungsbereich für Desinfektionsmittel wäre daher das Badezimmer. Jedoch wird auch bei diesen Erkrankungen die Anfälligkeit durch eine entsprechende Disposition erheblich erhöht. Es ist also durchaus möglich, daß bei vorliegenden Infektionen andere Personen im Haushalt vor einer Erregerübertragung verschont bleiben. Darüberhinaus sollte man sich vergegenwärtigen, daß solche Infektionsmöglichkeiten ja nicht nur im Badezimmer, sondern auch in Schwimmbädern usw. gegeben sind.

So ist es sinnvoller, die eigene Widerstandskraft zu erhöhen (z. B. auf gute Durchblutung der Füße zu achten) als im häuslichen Bereich Desinfektionsmittel einzusetzen.

Ein weiterer Problembereich ist die Küche. Die Übertragung von Krankheiten über Lebensmittel ist von großer Aktualität. Allein die Anzahl der für 1982 gemeldeten Erkrankungen, die auf Salmonellen zurückzuführen sind, liegt über 40 000 und übersteigt damit die Durchschnittszahlen der Jahre 1955–65 um mehr als das Zehnfache (25). Als wichtige Salmonellenüberträger sind Fleisch und Schlachtgeflügel zu nennen. Findige Hersteller machen sich diesen Mißstand zunutze und bieten spezielle Desinfektionsmittel für die Salmonellenbekämpfung in der Küche an.

Einige Vorsichtsmaßnahmen im Umgang mit Lebensmitteln machen diese Mittel jedoch überflüssig. So sind Hände, Hand- oder Wischtücher, Arbeitsflächen, Schneidbretter, Messer und sonstige Geräte, die mit Geflügel oder bei gefrorener Ware mit dem beim Auftauen entstehenden

Tropfwasser in Berührung kommen, sorgfältigst zu reinigen. Ein Kontakt mit anderen Lebensmitteln, die roh genossen werden, ist zu vermeiden. Ist das Fleisch selbst gut durchgebraten, d. h. zeigt es keine rote Farbe mehr, kann davon ausgegangen werden, daß eventuell vorhandene Salmonellen abgetötet wurden.

Säuglingsflaschen und -sauger spielen als mögliche Infektionsquelle für Säuglinge eine wichtige Rolle. Seit langem sind Produkte zur chemischen Desinfektion von Säuglingsflaschen und Saugern auf dem Markt. Diese Mittel bieten jedoch gegenüber dem herkömmlichen fünf- bis zehnminütigen Auskochen weder Vorteile im Hinblick auf eine mögliche Arbeitserleichterung noch auf den erwünschten Desinfektionseffekt. Vielmehr muß damit gerechnet werden, daß die Desinfektionsmittel durch Anwendungsfehler erheblich an Wirkung verlieren können. Dies ist z. B. dann der Fall, wenn noch Milchreste in der Flasche bzw. am Sauger haften oder wenn sich beim Eintauchen in das Flüssigkeitsbad Luftinseln gebildet haben (34).

Dazu kommt ein weiteres Problem. Nach Herausnehmen aus dem Bad oder vor Gebrauch müssen Flaschen und Sauger mit Wasser ausgespült werden. Ansonsten besteht die Gefahr, daß Reste von chlorhaltigen Desinfektionsmitteln, die nach dem Abtropfen auf den Gegenständen zurückbleiben, mit Bestandteilen des Trinkwassers und der Säuglingsnahrung Trihalomethane bilden. Es handelt sich dabei um Verbindungen, von denen einige im Verdacht stehen, krebserzeugend zu sein. In Anbetracht dessen sollte die Aufnahme dieser Stoffen so niedrig wie möglich sein.

 Auf Desinfektionsmittel verzichten, Säuglingsflaschen und Sauger 5–10 Minuten auskochen.

Desinfektionsmittel weisen unterschiedliche Zusammensetzungen auf. Wichtige chemische Stoffklassen sind Phenole, Aldehyde, Alkohole, halogenhaltige Substanzen, Invertseifen und Amphotenside. Die Wirkstoffe unterscheiden sich z. T. erheblich in Eigenschaften wie Wirkungs-

Beispiel Phenole

Im Vergleich zu anderen Desinfektionsmitteln sind Phenole gekennzeichnet durch höhere Toxizität, Aggressivität und geringere Abbaubarkeit (26). Die in Handelspräparaten weit verbreiteten Chlorphenole sind gesundheitsschädlich beim Einatmen wie auch bei Hautkontakt und können Hautreizungen hervorrufen. Die teratogenen (foetusschädigend), mutagenen (erbgutschädigend) und kanzerogenen (krebserregend) Eigenschaften phenolischer Substanzen werden wiedersprüchlich beurteilt.

Welche Gefahren diese Verbindungen enthalten können, zeigt das Beispiel Hexachlorophen, nach dessen Gebrauch Mißgeburten aufgetreten sind. Von Bedeutung für die toxikologische Beurteilung ist ferner die Tatsache, daß Chlorphenole Verunreinigungen des hochgiftigen «Sevesogifts» TCDD enthalten können (27).

Beispiel Formaldehyd

Formaldehyd ist ein stechend riechendes Gas, das sich bei den meisten Menschen ab Konzentrationen von 0,1 ppm in der Luft als Reizung der Augen und oberen Atemwege bemerkbar macht. Untersuchungen bei der Desinfektion mit formaldehydhaltigen Mitteln ergaben nach der Aufbringung Werte bis zu 0,7 ppm unmittelbar über den behandelten Flächen (28). (Der MAK-Wert liegt bei 1 ppm.) Bei langfristiger Anwendung von formaldehydhaltigen Mitteln ist fast immer mit allergischen Reaktionen in Form von Hautekzemen oder sogenanntem Formalinasthma zu rechnen (26). Formaldehyd dringt in der Regel in den praxisüblichen Verdünnungen nicht durch die Haut, sofern diese intakt ist. Dies ist erst bei Kontakt mit höheren Konzentrationen der Fall (29). Besonders bei Konzentrationen von über 0,3 % empfiehlt es sich daher, Schutzhandschuhe zu tragen.

Allgemein sollte der Umgang mit Formaldehyd so weit wie möglich vermieden werden (→ Formaldehyd).

eintritt, Wirkungsspektrum, Toxizität für den Anwender, Auswirkungen auf die Umwelt und Wirtschaftlichkeit. Bis heute wurde noch kein ideales Desinfektionsmittel entwickelt, jedes hat mehr oder minder große Nachteile.

Die einzelnen Wirkstoffe können in den handelsüblichen Desinfektionsmitteln alleine wie auch als Gemische vorliegen. So enthält z. B. Lysoform eine Formaldehydlösung, während Sagrotan aus den Wirkkomponenten 2-Phenylphenol, 3-Methyl-4-chlorphenol, 2-Benzyl-4-chlorphenol besteht. Zusatzstoffe wie z. B. Emulgatoren, Korrosionsschutzstoffe und Netzmittel können die Eigenschaften eines Desinfektionsmittels u. U. wesentlich beeinflussen.

Gefährdung für den Anwender

Desinfizierende Wirkstoffe sollen bestimmungsgemäß die Zellen von Mikroorganismen schädigen. Diese Mittel können allerdings nicht zwischen diesen Zellen und menschlichen Körperzellen unterscheiden. Allergien und Hautreizungen sind daher beim Arbeiten mit diesen aggressiven Chemikalien nicht selten. Akute sowie chronische Auswirkungen der einzelnen Wirkstoffe unterscheiden sich z. T. erheblich; eine pauschale Bewertung im Hinblick auf eine mögliche Gesundheitsgefährdung des Anwenders ist angesichts Hunderter Wirkstoffe nicht möglich. Die potentielle Gefährdung läßt sich jedoch am Beispiel einzelner Stoffe erkennen.

Phenole in Fischen

Der überwiegende Teil der handelsüblichen Desinfektionsmittel ist flüssig. Reste der Chemikalien gelangen daher ins Abwasser und somit in aller Regel in die Kläranlagen und können verschiedene Probleme aufwerfen.

Als Stoffe, die bestimmungsgemäß Mikroorganismen abtöten sollen, bleiben Desinfektionsmittel auch auf die Bakterien und Pilze der biologischen Reinigungsstufe in den Kläranlagen (Belebtschlamm) nicht ohne Wirkung. So können sie deren Abbauleistung beeinträchtigen oder –

wenn höhere Konzentrationen vorliegen – ganz zum Erliegen bringen. Dies hat zur Folge, daß sowohl die Desinfektionsmittel wie auch andere Abwasserinhaltsstoffe nicht in den Kläranlagen zurückgehalten werden können und somit in die Gewässer gelangen. Auch durch eine der biologischen Klärung nachgeschaltete dritte Reinigungsstufe (chemische Klärung) lassen sich Desinfektionsmittelrückstände nicht entfernen (26). Von Bedeutung ist neben der vorhandenen Desinfektionsmittelkonzentration deren Abbaubarkeit. Während bei Alkoholen und Aldehyden in der Regel keine Probleme entstehen, gehören die in Desinfektionsmitteln häufig verwendeten Chlorphenole zu den schwerabbaubaren Stoffen und gelten daher als besonders umweltbelastend (30). Im Belebtschlamm des Klärwerks können sich diese Verbindungen anreichern und Störungen des Klärprozesses zur Folge haben. Ebenso wie andere substituierte Phenole können sie sich in der Nahrungskette des Gewässers bis hin zu den Fischen anreichern (31). Ein bekanntes Phänomen ist der entstehende sog. Phenolgeschmack, der – einmal abgesehen von möglichen gesundheitlichen Folgen – zur Genußuntauglichkeit der Fische führt.

Die Tatsache, daß Desinfektionsmittel in Gewässer gelangen können, wirft die Frage auf, ob diese Stoffe auch in Trinkwasser nachgewiesen werden können. Diesbezügliche Untersuchungen fehlen jedoch.

Welcher Anteil der in Gewässern vorkommenden Desinfektionsmittelwirkstoffen auf die Verwendung in den Haushalten zurückzuführen ist bzw. inwieweit andere Ursachen wie z. B. industrielle Abwässer für die Gewässerbelastung verantwortlich sind, läßt sich derzeit nicht genau abschätzen. Fest steht jedoch, daß den Haushalten eine wachsende Bedeutung zukommt (30).

● Auf Desinfektionsmittel sollte im Haushalt völlig verzichtet werden. Wer im begründeten Einzelfall auf Anraten des Arztes dennoch Desinfektionsmittel einsetzen will, sollte folgende Anwendungsregeln beachten:

● Da Bakterien und Pilze bei Kontakt mit Desinfektionsmitteln nicht schlagartig sterben, ist für eine ausreichende Desinfektionswirkung die vorgeschriebene Einwirkungszeit einzuhalten. Ebenfalls von Bedeutung ist die richtige Konzentration des Desinfektionsmittels. Wird das Desinfektionsmittel zu niedrig dosiert, so werden die Mikroorganismen lediglich in ihrem Wachstum gehemmt, jedoch nicht abgetötet. Bei ständiger Unterdosierung besteht übrigens die Gefahr der Resistenzentwicklung (32).

Die erwünschte Wirkung von Desinfektionsmitteln tritt umso schneller ein, je höher die (zur Anwendung kommende) Konzentration des Desinfektionsmittels ist (Ausnahme: Alkohol). Schädliche Auswirkungen für Anwender und Material, vermeidbare Gewässerbelastung und Unwirtschaftlichkeit sind jedoch Gründe, die eindeutig gegen überhöhte Desinfektionsmittelkonzentrationen sprechen.

Der sinnvolle Einsatz erfordert also die sorgfältige Bemessung der Präparate (siehe Verpackungsaufdruck u. ä.); Dosierungen «nach Gefühl» sind zu vermeiden.

● Beim Gebrauch von Desinfektionsmitteln ist ferner zu berücksichtigen, daß ihre Wirkung durch andere Stoffe herabgesetzt werden kann. So schützt angetrockneter Schmutz die Mikroorganismen vor der Einwirkung der Desinfektionsmittel. Auch die Gegenwart von eiweißhaltigen Substanzen wie z. B. Blut oder Milch beeinträchtigt die Wirkung u. U. entscheidend (33).

● Zu beachten ist überdies, daß Desinfektionsmittel nicht nach Belieben gemeinsam mit Reinigungsmitteln verwendet werden sollten. Bestimmte Desinfektionswirkstoffe wie die kationischen quaternären Ammoniumverbindungen werden nämlich durch die meist anionischen Reinigungsmittel inaktiviert.

Literatur

1 Tätigkeitsbericht des Industrieverbandes Körperpflege- und Waschmittel e. V., 1982
2 Branchenmagazin DDD 3/81
3 Verbraucherzentralen Baden-Württemberg, Hamburg und Niedersachsen (Hrsg.): Umweltfreundliche Produkte, 1983
4 W. Twardawa: Tenside Detergents 16, I/1979
5 Daten und Fakten der Körperpflege- und Waschmittelindustrie 1982, hrsg. v. Industrieverband Körperpflege- und Waschmittel
6 Verbraucherzentrale Nordrhein-Westfalen (Hrsg.): Giftdepot Mülleimer, 1982
7 test 5/81, S. 960 f.
8 Ullmanns Encyklopädie der technischen Chemie, Bd. 20, Weinheim 1981
9 test 11/82, Süddeutsche Zeitung vom 2. 8. 84, Forum Städte-Hygiene 30, S. 230 (1979)
10 VUA, Chemie im Haushalt, Bremen 1983
11 WC-Duftverbesserer im Test, Schweizerischer Konsumentenbund
12 A. Jori u. a.: Ecotoxicology and Environmental Safety 6, 413–432 (1982)
13 J. Velvart: Toxikologie der Haushaltsprodukte, Stuttgart 1981
14 Wildbrett: Technologie der Reinigung im Haushalt, Stuttgart 1981
15 Römpp Lexikon der Chemie, Weinheim
16 Tenside Detergents 1, H. 1, S. 62, 1976
17 Tenside Detergents 1, H. 1, S. 47, 1976
18 Tenside Detergents 1, H. 11, 1973
19 Fette Seifen Anstrichmittel 71, S. 579, 1969
20 Andreas Mihailescu: Umweltsündenkatalog, München 1983
21 test 9/79
22 Tenside Detergents 13, H. 6, S. 349 (1976)
23 E. Wiesmann: Medizinische Mikrobiologie, Stuttgart 1978
24 W. Hahn: Desinfektionsmittel – Wirkungsweise, Wirkungsspektrum und toxikologische Aspekte, Hygiene und Medizin 6 (1981), S. 458–475
25 Deutsche Gesellschaft für Ernährung (DGE): Ernährungsbericht 1984, Frankfurt 1984
26 D. Jobst: Untersuchung über Desinfektionsmittelrückstände in Krankenhausabwässern. Dissertation, Bonn 1981
27 F. Schweinsberg u. a.: gwf-wasser/abwasser 123 (1982) 549–544
28 D. Feinauer, J. Schwemmer: Vorteile, Nachteile und Gefahren eines Desinfektionswirkstoffes. In: Desinfektionswirkstoff Formaldehyd. Hrsg. Rödger, J., Berlin 1982
29 Archiv für Lebensmittelhygiene 32 (1981) 97–140
30 Vom Wasser 58 (1982) 297–340
31 Schadstoffe im Wasser. Band Phenole. Boppard 1982
32 J. Borneff: Flächendesinfektion in Haushalt, Industrie und Krankenhaus. Seifen – Öle – Fette – Wachse 108. Jg. Nr. 2/1982
33 K. H. Wallhäußer: Sterilisation – Desinfektion – Konservierung, Stuttgart 1978
34 F. Daschner, Münch. med. Wschr. 46, 121 (1979)

Waschmittel

Von den Sumerern zum NTA

Erst seit der Jahrhundertwende gibt es fertig gemischte und verpackte Waschmittel zu kaufen. Vorher wurden Seife, Soda, Bleichmittel und andere Substanzen, die den Waschprozeß unterstützen sollten, nach eigener Erfahrung bzw. Ausbildung der Waschfrauen gemischt.

Die älteste waschaktive Substanz, die Seife, war schon den Sumerern um 2500 v. u. Z. bekannt, wurde aber mehr als 3000 Jahre nur als Kosmetikum und Heilmittel verwendet. Soda dagegen benutzten schon die Ägypter zur Verstärkung der Waschwirkung. Seit etwa 1000 Jahren wird Seife für Wasch- und Reinigungszwecke eingesetzt, in größerem Umfang jedoch erst seit Mitte des 18. Jahrhunderts, als die ersten brauchbaren Verfahren zur technischen Herstellung entwickelt worden waren.

Im Jahre 1878 wurde das Waschmittel «Henkels Bleichsoda» in Deutschland eingeführt, das die beiden Substanzen Soda und Natriumsilikat enthielt, die enthärtende und waschunterstützende Eigenschaften haben. «Persil» im Jahre 1907 war das erste selbsttätige Waschmittel. Es enthielt damals neben Soda und Silikat noch Perborat (Bleichmittel) und Seife.

Nach dem Zweiten Weltkrieg wurde die Seife durch die Verwendung synthetischer Tenside aus den Waschmitteln verdrängt. Eingeleitet wurde dies durch die großtechnische Entwicklung des sog. TPS (Tetrapropylenbenzolsulfonat). TPS ist eine auf petrochemischer Basis hergestellte waschaktive Substanz, die auf Grund des damals niedrigen Erdölpreises eine wesentlich billigere Waschmittelproduktion erlaubte als bei Verwendung der aufwendig herzustellenden Seife.

1960 setzte man erstmals das Wasserenthärtungsmittel Natriumtriphosphat in Waschmitteln ein. Mitte der sechziger Jahre wurden die ersten Weichspüler entwickelt. Alle anderen Substanzen, die heute in einem Vollwaschmittel enthalten sind, wie Parfumöle, Schaumregulatoren, optische Aufheller usw. kamen etwa ab 1950 nach und nach als neue Inhaltsstoffe hinzu.

Einige der Stoffe erwiesen sich im Laufe der Zeit als schädlich für Mensch oder Umwelt, sie wurden zum Teil durch andere ersetzt oder durch gesetzliche Regelungen in ihrer Menge beschränkt (1). So konnte z. B. das oben genannte TPS in der Umwelt schlecht abgebaut werden, reicherte sich dadurch in Flüssen und Seen an und stellte z. B. durch riesige Schaumberge eine erhebliche Umweltbelastung dar, die erst durch den Ersatz mit leichter abbaubaren waschaktiven Substanzen wieder gemil-

Die wichtigsten Bestandteile vom millionenfach bewährten TANDIL

Anionische und nichtionische Tenside lösen den Schmutz von allen Fasern und verhindern seine Wiederablagerung.

Seife unterstützt die Waschwirkung, kontrolliert die Schaumbildung und pflegt das Gewebe.

Phosphate und **Natrium-aluminium-silikat** enthärten das Wasser, unterstützen die Reinigungswirkung, verhindern Kalkablagerungen auf dem Gewebe und in der Waschmaschine.

Perborat entfernt hartnäckige Flecken wie Tee, Obst und Saftflecken usw.

Enzyme (aktive Naturprodukte) entfernen Eiweiß-, Blut- und Soßenflecken.

Silikate unterstützen die Waschwirkung und schützen die Waschmaschine vor Korrosion.

Schmutzträger verhindern wirksam, daß gelöster Schmutz wieder auf die Wäsche aufzieht.

Opt. Aufheller erhöhen den Weißgrad weißer Gewebe und erhalten die Leuchtkraft farbiger Gewebe.

Duftstoffe geben der Wäsche frischen Duft.

Wichtiger Hinweis

Für TANDIL werden die oben angeführten Rohstoffe auf modernsten Produktionsanlagen sorgfältig aufbereitet. Die Zusammensetzung und Abstimmung der einzelnen Komponenten wurde in langen Versuchsreihen ermittelt und erprobt. Die Menge der eingesetzten Wirkstoffe sorgt dafür, daß auch schwierige Waschvorgänge einwandfrei erledigt werden. Dafür garantieren laufend durchgeführte Produktionskontrollen. TANDIL wurde bei Untersuchungen der Stiftung Warentest stets gut beurteilt. Qualität und Preis sind eine echte ALDI-Leistung.

Aufdruck der Waschmittelinhaltsstoffe am Beispiel eines 3-kg-Pakets Tandil:

Anionische und nichtionische Tenside lösen den Schmutz von allen Fasern und verhindern seine Wiederablagerung. Sie sind die eigentlich waschaktiven Stoffe.

Seife unterstützt die Waschwirkung, kontrolliert die Schaumbildung und pflegt das Gewebe.

Phosphat und Natrium-aluminiumsilikat enthärten das Wasser, unterstützen die Reinigungswirkung, verhindern Kalkablagerungen auf dem Gewebe und in der Waschmaschine.

Perborat entfernt als Bleichmittel hartnäckige Flecken wie Tee-, Obst- und Saftflecken usw.

Enzyme (aktive Naturprodukte) entfernen Eiweiß-, Blut- und Soßenflecken.

Silikate unterstützen die Waschwirkung und schützen die Waschmaschine vor Korrosion.

Schmutzträger verhindern wirksam, daß gelöster Schmutz wieder auf die Wäsche aufzieht.

Optische Aufheller erhöhen den Weißgrad weißer Gewebe und erhalten die Leuchtkraft farbiger Gewebe.

Duftstoffe geben der Wäsche frischen Duft.

dert werden konnte. Der Eintrag großer Phosphatmengen aus den Waschmitteln führte zu einer Überdüngung vieler Gewässer, die daraufhin «umkippten»: Durch verstärktes Algenwachstum kam es letztlich zu Sauerstoffarmut und Fischsterben, Seen verlandeten teilweise.

Dies zwang den Gesetzgeber zum Erlaß der *Phosphathöchstmengenverordnung* (mit der der Phosphatgehalt in Waschmitteln reduziert wurde) und die Industrie zur Suche nach geeigneten Ersatzstoffen. Da sich das Phosphat nur teilweise durch umweltfreundliches Silikat (Zeolith A) ersetzen läßt, wird neuerdings das sogenannte NTA (Nitrilotriacetat) als möglicher Phosphatersatzstoff favorisiert. Nach den bisherigen Informationen könnte sich das NTA aber eher noch problematischer als das Phosphat auswirken (→ S. 76 ff.), damit würde wieder einmal der Teufel mit dem Beelzebub ausgetrieben. Als neuester Hit gelten die Phosphonsäuren, die aber noch nicht ausreichend untersucht sind.

Wer heute nach einem umweltverträglichen Waschmittel sucht, bei dem auf synthetische waschaktive Substanzen und umweltgefährdende Enthärter verzichtet wird, muß als trauriges Ergebnis dieser Suche feststellen: Es gibt kein 100% umweltverträgliches Waschmittel, weil gerade die Eigenschaft des Waschmittels, die die Waschwirkung ausmacht, auf der anderen Seite der Hauptverursacher der Fischgiftigkeit ist.

Es reicht also nicht aus, ein «Bio-Waschmittel» zu verwenden, um sein «Öko-Gewissen» zu beruhigen, auch wenn über das Waschmittel behauptet wird, es sei 100% umweltverträglich. Was man trotzdem als einzelner und in der Gesamtheit tun kann, um die Umweltbelastung durch Waschmittel zu verringern, und worin doch einige nicht unwesentliche Vorteile von bestimmten Alternativwaschmitteln bestehen, wird im folgenden behandelt.

Von der grauen Theorie des Weiß-Waschens

Zuerst wollen wir darauf eingehen, wie ein Waschmittel überhaupt wirkt und warum so viele unterschiedliche Substanzen in einem Waschmittel enthalten sind. Eine genaue Aufschlüsselung der einzelnen Waschmittelinhaltsstoffe und ihrer spezifischen Wirkung wird weiter unten gegeben. Am Waschvorgang sind folgende «Partner» beteiligt: Wäsche – Schmutz – Waschmaschine – Wasser – Waschmittel – Abwasser – Umwelt.

Das Waschergebnis, also die Schmutzentfernung und der optische Eindruck der Wäschestücke, wird durch folgende Faktoren beeinflußt: Waschmittelzusammensetzung – Wasserbeschaffenheit – Waschzeit – Waschmechanik – Temperatur – Vor- und Nachbehandlung der Wäsche. Um ein gutes Waschergebnis zu erzielen, müssen die genannten Partner und Faktoren optimal aufeinander eingestellt werden (1).

Bei der waschtechnisch optimalen Einstellung überwiegen bei den heutigen konventionellen Waschmitteln in der Regel ökonomische gegenüber ökologischen und gesundheitlichen Gesichtspunkten. Die «Betroffenen» des Waschprozesses, nämlich Kläranlagen, Flüsse, Seen, Wasserorganismen und letztlich Menschen werden in der Regel bei der Beurteilung des optimalen Waschprozesses erst in zweiter Linie berücksichtigt.

Um eine gute Waschwirkung zu erzielen, muß der Schmutz entweder durch das Waschwasser selbst oder durch zugesetzte Stoffe aus den Textilien herausgelöst werden. Dieser Vorgang wird jedoch durch die hohe Oberflächenspannung des Wassers behindert. Die Oberflächenspannung bewirkt, daß Wasser auf glatten Flächen Tropfen bildet und dadurch z. B. nicht tief in Fasern eindringen kann. Durch Beimengung waschaktiver Substanzen wie z. B. Seife oder Detergentien wird die Oberflächenspannung des Wassers herabgesetzt und seine schmutzlösende Eigenschaft damit verbessert.

Ist der Schmutz erst einmal aus der Faser herausgelöst (primäre Waschwirkung), so muß verhindert werden, daß er sich noch während des Waschprozesses wieder auf der Faser absetzt. Diese sogenannte sekundäre Waschwirkung wird durch Vergrauungsinhibitoren (s. unten) verbessert, die in allen heutigen Vollwaschmitteln enthalten sind.

Der Schmutz enthält aber nicht nur wasserlösliche, sondern auch fetthaltige und damit wasserunlösliche Bestandteile, die durch Seifen und andere Tenside aus der Faser entfernt werden können. Weil die Grundstruktur der Tenside aus einem wasserlöslichen und einem fettlöslichen Teil besteht, sind sie in der Lage, Fette in Textilien anzugreifen und in Wasser zu lösen.

Die Seifen und die anionischen Detergentien verursachen in der Waschlauge einen alkalischen pH-Wert.

Sowohl der alkalische pH-Wert als auch die negative elektrische Ladung der Tenside in Waschmitteln bewirken eine Verstärkung der Waschkraft. Bei hohem pH-Wert werden die Fettsäuren, die natürlicherweise in Fetten enthalten sind, beim Waschprozeß selbst zu Seifen und helfen bei der Fettlösung mit. Außerdem laden sich viele Schmutzarten bei hohem pH-Wert negativ elektrisch auf und werden dadurch von den gleichsinnig geladenen Tensiden, die auf die Textilfaser aufziehen, abgestoßen (1). Deshalb wurde und wird z. T. auch heute noch den Waschmitteln das ebenfalls alkalisch wirkende Soda zugegeben. Die Waschkraft der Seife und ihrer Ersatzstoffe, der Detergentien, wird durch hartes Wasser, das viele Kalzium- und Magnesiumionen enthält, stark behindert. Deshalb werden den Waschmitteln sogenannte Enthärter oder Komplexbildner (z. B. Phosphat) zugesetzt, die die störenden Ionen fest umhüllen (komplexieren) und unwirksam machen. Gleichzeitig lösen die Enthärter auch verschiedene Metallionen aus dem Schmutz. Dadurch wird die feste Schmutzstruktur aufgebrochen und der Angriff der Waschlauge erleichtert.

Neben den Tensiden und den Komplexbildnern enthalten die meisten Vollwaschmittel heute noch eine Reihe weiterer Stoffe:

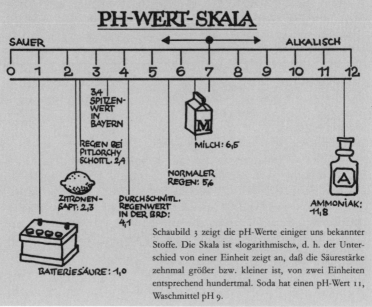

PH-WERT-SKALA

SAUER · ALKALISCH

0 1 2 3 4 5 6 7 8 9 10 11 12

3,4 SPITZEN-WERT IN BAYERN

REGEN BEI PITLORCHY SCHOTTL. 2,4

MILCH: 6,5

NORMALER REGEN: 5,6

ZITRONEN-SAFT: 2,3

DURCHSCHNITTL. REGENWERT IN DER BRD: 4,1

AMMONIAK: 11,8

BATTERIESÄURE: 1,0

Schaubild 3 zeigt die pH-Werte einiger uns bekannter Stoffe. Die Skala ist «logarithmisch», d. h. der Unterschied von einer Einheit zeigt an, daß die Säurestärke zehnmal größer bzw. kleiner ist, von zwei Einheiten entsprechend hundertmal. Soda hat einen pH-Wert 11, Waschmittel pH 9.

Inhaltsstoffe eines gewöhnlichen Vollwaschmittels
für alle Waschtemperaturen(1-5):

Waschaktive Substanzen (Tenside)	10 – 15%
Komplexbildner (Builder)	30 – 40%
Bleichmittel	20 – 30%
Bleichmittelaktivatoren	0 –
Bleichmittelstabilisatoren	0,2 – 2%
Korrosionsinhibitoren	3 – 5%
Optische Aufheller	0,1 – 0,3%
Vergrauungsinhibitoren	0,5 – 2%
Schaumregulatoren	2 – 3%
Enzyme	0,1 – 1%
Parfüme und Farbstoffe	0,1 – 0,2%
Stellmittel (Füllstoffe)	5 – 30%

Die Inhaltsstoffe (z. B. Phosphat) oder Substanzklassen (z. B. Bleichmittel) eines herkömmlichen Waschmittels werden in der Regel auf der Verpackung abgedruckt. Die genaue Zusammensetzung wird jedoch von den Waschmittelherstellern geheimgehalten. Sie sind nach dem Waschmittelgesetz aber verpflichtet, die Rezepturen im Umweltbundesamt zu hinterlegen (wo sie ebenfalls geheimgehalten werden). Beim Umweltbundesamt sind derzeit (1983) über 15 000 Rezepturen für Wasch- und Reinigungsmittel hinterlegt (6).

Nachfolgend werden die einzelnen Inhaltsstoffe der Waschmittel und deren waschtechnische Eigenschaften beschrieben, gefolgt von einer Diskussion der von ihnen ausgehenden Umwelt- und Gesundheitsgefährdung. Dabei zeigt sich oft das Dilemma, daß der guten Wasch- oder Bleichwirkung einzelner Stoffe entsprechend negative Auswirkungen auf die Umwelt gegenüberstehen. Dem Verbraucher bleibt nichts anderes übrig, als sich seinen Weg zwischen den beiden Polen zu suchen, denn ein optimales Waschmittel mit bestem Wascheffekt und gleichzeitig minimaler Umweltbelastung gibt es nicht.

Tenside (waschaktive Substanzen)

Die bereits oben erwähnten Tenside sind die eigentlich waschaktiven Stoffe, generell also oberflächenaktive Stoffe, die die Oberflächenspannung des Wassers herabsetzen können und damit das Schmutzlösevermögen des Wassers erheblich erhöhen. Das historisch «erste» Tensid war die gute alte Seife, deren Einsatz nach dem Zweiten Weltkrieg durch andere

Tenside – die sogenannten synthetischen Detergentien (s. unten) – zurückgedrängt wurde. Seifen werden durch chemische Aufspaltung (Verseifung) von tierischen und pflanzlichen Fetten mit Natronlauge oder Soda gewonnen. Bei Verwendung von Kalilauge zur Verseifung erhält man die Schmierseife.

Bei den synthetischen Detergentien (die umgangssprachlich fast immer als Tenside bezeichnet werden, obwohl in diesem Begriff auch die Seife eingeschlossen ist) werden vier verschiedene Klassen eingesetzt: anionische, kationische, nichtionische und amphotere Detergentien. Physikalisch-chemisch unterscheiden sie sich u. a. durch die Ladung (Ionen) oder Ladungsverteilung in ihrem waschaktiven Grundbaustein. Damit verknüpft sind entsprechend verschiedene Wirkungen auf die Schmutzentfernung, aber auch auf Mensch und Umwelt.

– Das wichtigste *anionische Detergenz* ist das Alkylbenzolsulfonat (ABS), das heute den Hauptersatzstoff der Seife darstellt, die ebenfalls zu den anionischen Tensiden zählt.

– *Kationische Detergentien* haben eine nur geringe Reinigungskraft, aber andere Eigenschaften, die zu einer weitverbreiteten Anwendung geführt haben. Sie ziehen beim Waschvorgang in sehr starkem Maße auf die Wäsche auf und vermindern damit die Trockenstarre. Deshalb wurden sie erstmals 1949 und ab Mitte der 6oer Jahre in Europa in großem Umfang als Weichspülmittel verwendet. Außerdem wirken sie antistatisch und desinfizierend (1). Ein Beispiel für ein kationisches Detergenz ist das Distearyl-dimethyl-ammoniumchlorid (DSDMAC). Kationische Detergentien tragen in ihren Grundbausteinen eine positive elektrische Ladung.

– *Nichtionische Detergentien* sind nicht geladen und reagieren auf hartes Wasser im Gegensatz zu den anionischen Detergentien unempfindlich. Sie zeigen bei synthetischen Fasern eine gute Waschwirkung und werden meist zusammen mit anionischen Detergentien in Waschmitteln verwendet, weil ihre Waschkraft bei steigender Temperatur stark nachläßt. Ein Beispiel ist der Nonylphenolpolyglykolether.

– *Amphotere Detergentien* sind sozusagen eine Mischung aus kationischen und anionischen Detergentien, denn sie tragen eine positive und eine negative elektrische Ladung im Molekül. Ein Beispiel ist das Alkylbetain. Die amphoteren Detergentien haben eine gute Waschwirkung, werden aber wegen ihres hohen Preises nur in Spezialwaschmitteln verwendet (1). Die synthetischen Detergentien sind letztlich Erdölprodukte, die Seifen werden meist aus Palmenöl hergestellt. Die folgende Abbildung zeigt, daß seit Beginn der sechziger Jahre die Seifenproduktion stagniert und entsprechend die Produktion der synthetischen Detergentien steil anstieg.

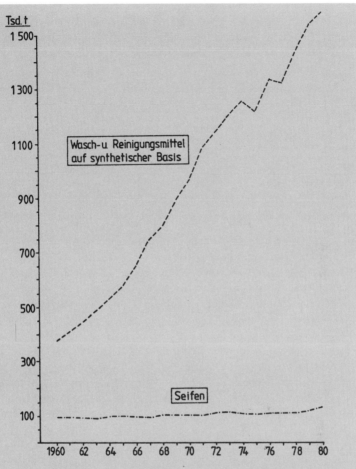

Produktion von Seifen, Wasch- und Reinigungsmitteln*
in der BR Deutschland.

Etwa 60% der produzierten Detergentien sind anionische, 30% nichtionische und 10% kationische Detergentien, deren Anteil stark steigt. Wasch- und Reinigungsmittel haben eine durchschnittliche jährliche Zuwachsrate von 7%, in den letzten zwanzig Jahren hat sich ihr Verbrauch vervierfacht. Ob Wäsche und Haushalt deshalb auch viermal sauberer sind?

* ohne Handreinigungsmittel

Auch der internationale Vergleich zeigt den enormen Verbrauch synthetischer Tenside in der Bundesrepublik. Ob wir doppelt so sauber sind wie die Skandinavier und ein bißchen dreckiger als die Amerikaner?

Verbrauch an synthetischen Tensiden 1976 in Kilogramm pro Kopf und Jahr

Nordamerika	25,0	Italien	13,0
BRD	21,4	Großbritannien	12,4
Schweiz	18,3	Skandinavien	12,3
Belgien, Niederld.	17,5	Spanien	10,4
Frankreich	16,6	Osteuropa	4,1
Österreich	14,2		

Komplexbildner (Gerüststoffe, Builder, Enthärter)

Die Komplexbildner können die Härtebildner des Wassers (Kalzium- und Magnesiumionen) komplexieren, d. h. chemisch binden und damit für den Waschvorgang unschädlich machen. Die Härtebildner würden sich sonst bei Temperaturen über 60° C als Kalkablagerung auf den Heizstäben der Waschmaschine und auf der Wäsche absetzen. Außerdem können sie mit anionischen Tensiden schwerlösliche «Kalkseifen» bilden und würden damit den Waschprozeß behindern.

Bedeutendster Rohstoff für das Phosphat ist Apatit, von dem 1981 rund 2,2 Millionen Tonnen importiert wurden – vor allem aus den USA (1,079 Mio.), Marokko (0,463 Mio.) und der Sowjetunion (0,386 Mio.) (vgl. auch Kasten).

Krieg um Waschmittel?

Für Marokko ist der Phosphatexport eine der bedeutendsten Devisenquellen. Um einen größeren Anteil am Weltmarkt zu gewinnen, hat Marokko die ehemalige spanische Kolonie Westsahara erobert, wo sich noch große Phosphatreserven befinden. Damit verfügt Marokko über die weitaus größten Phosphatreserven der Welt (54 Mrd. t, USA 6 Mrd. t, SU 4 Mrd. t). Seit 1975 befindet sich Marokko im Krieg mit der westsaharischen Befreiungsbewegung, die früher gegen die Spanier gekämpft hat.

Bleichmittel

Bestimmte Flecken, wie sie z. B. durch Obst oder Rotwein verursacht werden, ziehen fest auf die Faser auf und können durch den normalen

Waschvorgang nicht entfernt werden. Deshalb wird den Waschmitteln ein Bleichmittel, in der Regel Natriumperborat, zugegeben, das die Farbstoffe der Flecken oxidiert und damit entfärbt. 1975 wurden in der Bundesrepublik 76 000 Tonnen Perborate produziert (6).

Früher wurde ein ähnlicher Effekt durch die sogenannte «Rasenbleiche» erreicht, indem die Wäsche feucht auf dem Rasen ausgelegt wurde und eine Oxidation der Flecken dann mit Sauerstoff und Sonnenlicht eintrat (7).

Bleichmittelaktivatoren

Bei Verwendung von Perborat wird die volle Bleichwirkung erst bei Temperaturen oberhalb von 60° C erreicht. Durch bestimmte Aktivatoren kann die Bleichwirkung des Perborats auch unterhalb von 60° C verstärkt werden. Stoffe, die dazu verwendet werden, sind das Tetraacetylglykoluril und das bekanntere Tetraacetyl-ethylendiamin (TAED-System).

Waschmittel, die das TAED-System enthalten, bleichen also die 60° C-Wäsche schon recht gut. Dies ist von Vorteil, wenn man seine weiße Wäsche bei dieser Temperatur wäscht, aber von Nachteil, wenn man mit dem gleichen Waschmittel seine Buntwäsche behandelt, denn es werden nicht nur Flecken gebleicht, sondern auch die Wäschefarben (8).

Enzyme

Stärke- und Eiweißanschmutzungen sind durch die bisher erwähnten Waschmittelinhaltsstoffe nur schwer entfernbar. Solche «biologischen» Flecke können durch Enzyme (für Stärke: Amylasen; für Eiweiße: Proteasen) biochemisch angegriffen werden. Enzyme sind biologische Moleküle, die u. a. bei der Verdauung eine Rolle spielen. Die Anschmutzungen werden also sozusagen von den Enzymen verdaut.

Zur Lagerstabilisierung werden die Enzyme bei der Produktion eingehüllt («verprillt»), bevor sie dem Waschmittel zugegeben werden. Obwohl sie nur bis 60° C wirksam sind, sind sie auch in Vollwaschmitteln enthalten.

Die **Parfüme** werden den Waschmitteln zugesetzt, um den unangenehmen Geruch der Waschlauge zu überdecken und der Wäsche einen frischen Geruch zu verleihen. **Farbstoffe** werden zugesetzt, damit die Hausfrau schon an der Farbe des Pulvers «ihre» Waschmittelmarke erkennen kann.

Stellmittel (Füllstoffe)

Stellmittel haben keine Waschwirkung und bestehen zumeist aus anorganischen Salzen (Natriumsulfat). Sie sollen ein Zusammenbacken des Waschpulvers verhindern, die Rieselfähigkeit erhöhen und die Dosierung erleichtern. Sicherlich dienen sie auch der Volumenvergrößerung des Waschmittels.

Natriumsulfat ist eines der größten Abfallprodukte der chemischen Industrie. Durch Verkauf dieses Mülls an den Waschmittelverbraucher ist das Entsorgungsproblem für die Industrie wesentlich erleichtert worden. Bei Waschmittelpaketen mit großen Meßbechern zum Abfüllen des Waschmittels liegt der Verdacht nahe, daß man sich für teures Geld eine große Menge Chemiemüll mit eingekauft hat, wo man doch eigentlich nur etwas haben wollte, mit dem die Wäsche sauber wird.

Je nach Zusammensetzung der obigen Inhaltsstoffe in einem Waschmittel ergeben sich verschiedene waschtechnische Eigenschaften.

Die wichtigsten Waschmittelinhaltsstoffe und ihre negativen Auswirkungen auf:

INHALTS-STOFFE UND FUNKTION	CHEMISCHE BE-ZEICHNUNG/ WIRKSTOFF-GRUPPE	GEWÄSSER	GESUNDHEIT	WÄSCHE
Waschaktive Substanzen «entspannen» das Wasser, machen es flüssiger	Tenside (Seifen, anionische und nichtionische Detergentien)	Abbau unter großem Sauerstoffverbrauch, Abbauprozesse weitgehend ungeklärt, schädigen Fische	Erhöhung der Aufnahmefähigkeit für zahlreiche Gifte	bei hartem Wasser und höheren Temperaturen ohne Enthärter unvollständige Waschwirkung
Komplexbildner enthärten das Wasser	Phosphate NTA Silikate Zitrate	Überdüngung, teilweise Mobilisierung von Schwermetallen aus den Flußsedimenten	teilweise indirekte Erhöhung der Schwermetallbelastung	–
Bleichmittel entfärben Flecken; volle Wirkung erst über 80° C	Natriumperborat	hoher Borgehalt schädigt Wasserpflanzen und Kulturpflanzen bei Bewässerung	–	greifen Fasern und Farben an

68

INHALTS-STOFFE UND FUNKTION	CHEMISCHE BE-ZEICHNUNG/ WIRKSTOFF-GRUPPE	GEWÄSSER	GESUNDHEIT	WÄSCHE
optische Aufheller lassen die Wäsche durch optischen Vorgang weißer erscheinen	Fluoreszenzstoffe (z. B. Stilben-, Pyrazolinderivate)	–	krebsverdächtig	verfälschen wirkliches Waschresultat, Wäsche kann an der Sonne gelblich werden
Vergrauungsinhibitoren (Schmutzträger) verhindern die Wiederablagerung des gelösten Schmutzes auf der Wäsche	Cellulosearten nichtionische Tenside	–	–	–
Enzyme lösen Stärke- und Eiweißverschmutzungen	Proteasen Amylasen	–	Beitrag zur Allergieauslösung denkbar	–
Duftstoffe überdecken den Waschlaugengeruch	synthetische Parfums	Störung des Zusammenlebens von Fischen und Wassertieren	starker Verdacht auf Hautreizungen und Allergien	–
Stellmittel (Füllstoffe) schaffen Gewicht, Volumen und Rieselfähigkeit des Waschpulvers	Natriumsulfat Glaubersalz andere Salze	größtenteils unnötige Gewässerbelastung mit Salzen	–	machen die Wäsche hart
Weichspüler ziehen auf die Faser auf, Wäsche wird flauschig	kationische Tenside	schwer abbaubar, giftig für Wasserorganismen Verbleib im Klärschlamm	Begünstigung von Hautkrankheiten	setzen Saugfähigkeit der Wäsche herab

Unterschiedliche Waschmittelgruppen

Heute werden in der Regel für alle Waschverfahren von 30 bis 95° C *Vollwaschmittel* verwendet. Dies wurde durch eine Verbesserung der Waschleistung bei 30 bis 60° C durch Zusatz von Enzymen und speziellen nichtionischen Tensiden erreicht. Trotzdem gibt es auch heute noch Waschmittel, die nur bis 60° C Wassertemperatur anwendbar sind. Sie enthalten i. a. geringere Mengen an Bleichmittel, dürfen dafür aber laut Phosphathöchstmengenverordnung mehr Phosphat enthalten, und sie sind tensidreicher als Vollwaschmittel (9). Manche enthalten sogar nur nichtionische Tenside. Man kommt mit einer geringeren Dosierung aus. Neben den pulverförmigen Vollwaschmitteln sind in der Bundesrepublik auch *flüssige Vollwaschmittel* (Vizir, Liz) bekannt. Diese enthalten meist keine Komplexbildner und keine Bleichmittel. Auf der anderen Seite haben sie einen relativ hohen Tensidanteil (bis 40%) und sind so nur für Waschverfahren bis höchstens 60° C geeignet.

Fein- und Buntwaschmittel enthalten im allgemeinen keine Bleichmittel, sind aber tensidreich. Gardinenwaschmittel enthalten spezielle Vergrauungsinhibitorsysteme und Bleichmittel.

Handwaschmittel sind sehr tensidreich und enthalten die für die Hände nicht unproblematischen Enzyme.

Waschhilfsmittel und Nachbehandlungsmittel

Einweichmittel sind stark alkalisch eingestellt (pH 12 bis 12,5), um hartnäckigen und fest anhaftenden Schmutz aufzulockern.

Waschpasten (auch Schwerpunktverstärker genannt) sind sehr tensidreich und werden bei starken lokalen Fettverschmutzungen (z. B. Kragen und Manschetten) angewendet. Außerdem dienen sie als *Reisewaschmittel* (z. B. Rei in der Tube). *Schwerpunktverstärker in Sprayform* enthalten zusätzlich Lösungsmittel (z. B. bis 35% Methylenchlorid!), um den Effekt einer Chemischreinigung zu erreichen (1). Solche Produkte sollte man zum eigenen Gesundheitsschutz nicht anwenden (→ Lösungsmittel).

Alle bisher genannten Mittel weisen seit einiger Zeit einen hohen Anteil an nichtionischen Tensiden auf, weil diese bis 60° C eine gute Waschwirkung haben und billig herzustellen sind. Die verstärkte Anwendung der nichtionischen Tenside ist sehr problematisch, da ihre Giftwirkung und die ihrer Abbauprodukte im Ökosystem der Gewässer noch weitgehend ungeklärt ist (10). Da sie darüber hinaus nur schlecht nachgewiesen werden können, ist eine Abschätzung des Risikos erschwert.

Entkalkungsmittel (z. B. Calgon) enthalten meist Komplexbildner vom Typ der Triphosphate, NTA oder Zeolith A. Sie werden bei höheren Wasserhärten zusätzlich zum Waschmittel empfohlen.

Waschverstärker (z. B. Top Job) enthalten neben nichtionischen noch kationische Tenside (neben einigen anderen Inhaltsstoffen, die aber auch im normalen Waschmittel vorhanden sind). Die kationischen Tenside aus Top Job machen die anionischen Tenside aus dem normalen Waschmittel unwirksam, und dann übernehmen die nichtionischen Tenside aus Top Job das Waschen. Die restlichen Chemikalien haben sich gegenseitig unwirksam gemacht und belasten dazu noch sinnloserweise das Abwasser (1). Außerdem enthalten sie Perborataktivatoren und -stabilisatoren, um die Bleichwirkung bei Temperaturen unterhalb 60 Grad (Buntwäsche!) zu erhöhen.

❀ Auf Waschverstärker sollte man verzichten.

Nachbehandlungsmittel für die Wäsche sind die *Weichspüler* (Avivagemittel) und die *Steifen oder Formspüler*.

Weichspüler enthalten neben 1–9% kationischen Tensiden (die Konzentrate 10–16%) noch nichtionische Tenside, optische Aufheller und Konservierungsmittel wie Benzoesäure und Formaldehyd. Die kationischen Tenside der Weichspüler sollen nach dem Waschen auf die Faser aufziehen, um diese weich zu machen. Ca. 5 g kationisches Tensid bleiben so in ca. 4–5 kg Wäsche enthalten. Diese müssen bei dem folgenden Waschen erst einmal wieder entfernt werden. Dazu werden aus dem Waschmittel ca. 5 g anionische Tenside benötigt (1). In einem normalen Becher Waschmittel sind nur ca. 8 g anionische Tenside enthalten. Das bedeutet, man braucht mehr als einen halben Becher zusätzliches Waschmittel, wenn man seine Wäsche mit Weichspüler behandelt hat.

❀ Auf Weichspüler sollte man verzichten.

Durch Steifen oder Formspüler (Appretur) wird Halt und Formfülle der Wäsche erreicht. Diese Stoffe bestehen meist aus natürlichen bzw. veränderten Stärken und langkettigen organischen Verbindungen und werden nach der Wäsche angewendet.

Inhaltsstoffe verschiedener Waschmittelgruppen

Produkt	Tenside anionische	Tenside nichtionische	Tenside kationische	Komplex-bildner	Bleich-mittel	optische Aufheller	Enzyme	Besonderheiten
Vollwaschmittel	×	×		×	×	×	×	Perborataktivatoren und Stabilisatoren
60° Waschmittel	×	×		×	×	×	×	
Flüssigwaschmittel	× ×	× ×				×	×	enthalten Seife
Waschverstärker (Top Job)		×	×					Perborataktivatoren und Stabilisatoren
Feinwaschmittel	×	×		×		×	×	
Wollwaschmittel	×	×	×	×			×	
Gardinenwaschmittel	×	×		×	×	×		
Handwaschmittel	×	×		×		×	×	
Schwerpunktverstärker (Waschpaste und Sprays)	× ×	× ×						20%–35% Methylenchlorid in Sprays
Einweichmittel	×	×		(×)				50%–80% Soda
Entkalkungsmittel				× × ×				
Weichspüler		×	×			×		
Steifen		×				×		Stärke und synthetischer Ersatzstoff
Formspüler		×				×		synthetische Stärkeersatzstoffe

Umweltbelastung durch Waschmittel

Tenside und Phosphate erreichen im Abwasser der Haushalte hohe Konzentrationen und bilden die hauptsächlichen Umweltbelastungen, die von den Waschmitteln hervorgerufen werden. Selbst Vertreter der Industrie sind der Meinung, daß das Waschwasser nicht ungereinigt in die Flüsse und Seen abgeleitet werden darf und auch nicht ohne Vorbehandlung biologisch gereinigt werden kann. Sie schränken allerdings ein, daß durch die Verdünnung in der Kanalisation der Abbau doch durch eine biologische Kläranlage leistbar ist (1). Diese biologischen Kläranlagen sind jedoch nicht überall vorhanden. So hatte z. B. die 400 000 Einwohner zählende Stadt Bremen im Juni 1984 noch immer keine biologische Kläranlage.

Tenside

Ende der fünfziger und Anfang der sechziger Jahre führte das bis 1964 in Waschmitteln verwendete Detergenz Tetrapropylenbenzolsulfat (TPS) zu hohen Schaumbergen auf den Flüssen. Diese waren für die Wasserorganismen – wegen des verringerten Sauerstoffaustauschs an der Grenzfläche Wasser/Luft – und für die Schiffahrt gefährlich. Selbst in modernen Kläranlagen konnte dieser Seifenersatzstoff nur mangelhaft biologisch abgebaut, d. h. durch Mikroorganismen zersetzt werden. Über die toxikologischen Auswirkungen auf die Wasserorganismen war damals noch nicht viel bekannt.

Durch das erste deutsche Detergentiengesetz (1961) und das Waschmittelgesetz von 1977 wurden erhöhte Anforderungen an die Abbaubarkeit und Umweltverträglichkeit der Tenside in Waschmitteln gestellt. Danach müssen die in Wasch- und Reinigungsmitteln verwendeten anionischen und nichtionischen Tenside nach vorgeschriebenen Verfahren zu mindestens 80% biologisch abbaubar sein, damit sie als Waschmittelinhaltsstoffe vom Umweltbundesamt zugelassen werden.

Zur biologischen Abbaubarkeit der kationischen Tenside (Hauptbestandteil der Weichspüler) bestehen auch heute noch keine gesetzlichen Regelungen (1). Da kationische Tenside keine Waschwirkung besitzen,

fallen sie nicht unter das Waschmittelgesetz und können nach Belieben angewendet werden! Das schwer abbaubare TPS wurde – bedingt durch die gesetzlichen Regelungen – durch leichter abbaubare Detergentien ersetzt. Das Problem der schwer abbaubaren verzweigten anionischen Tenside vom Typ des TPS (s. oben) ist damit noch lange nicht gelöst. So werden auch heute noch weltweit jährlich 500 000 Tonnen dieser «harten» Tenside produziert, und die Tendenz ist steigend (11). Hauptabnehmer dieser billigeren Tenside sind Länder der Dritten Welt, in denen es keine strengen Waschmittelgesetze gibt.
Über die Giftwirkung der Abbauprodukte der Detergentien ist bisher noch nicht viel bekannt. Obwohl beispielsweise im Rhein eine fünffach höhere Konzentration an Abbauprodukten der anionischen und nichtionischen Tenside gefunden wird als für diese selbst, sind die vielen möglichen Abbauprodukte bis heute nicht auf ihre ökologischen und toxikologischen Wirkungen überprüft worden. Allerdings wurde im Juni 1983 vom Hauptausschuß Detergentien bei der Gesellschaft der Deutschen Chemiker (GdCh) eine Arbeitsgruppe gegründet, die diese Frage beantworten soll (12). Von den Detergentien selbst weiß man, daß sie ständig mit unterschiedlich hohen Konzentrationen in den Gewässern vorhanden sind. Hier verursachen sie eine Schädigung der Kiemen der Fische und behindern sie bei der Fortpflanzung (13).
Nach Untersuchungen über die Fischschädlichkeit der Detergentien liegen die schädlichen Konzentrationen für anionische Detergentien bei 3–5 mg/l, für kationische bei 0,3 mg/l und für nichtionische bei 2,5 mg/l. Stoffe, die unter 1 mg/l schädlich wirken, werden als hochgiftig und zwischen 1 und 10 mg/l als stark giftig bezeichnet (14).

Tenside (und damit Wasch- und Reinigungsmittel) sollte man also so sparsam wie möglich dosieren.

In Fischen und in den Bodensedimenten der Flüsse und Seen reichern sich Detergentien an (15). Über dadurch entstandene Schäden ist bislang nichts bekannt. Hinzu kommt, daß durch die Tenside fettlösliche Schadstoffe im Wasser leichter durch Fische aufgenommen werden (4). Durch Detergentien werden auch bei Säugetieren und Menschen die Durchlässigkeiten der Haut und Schleimhäute für Gifte und Bakterien verändert, im Magen- und Darmtrakt sogar erhöht (16).
Es ist die Überprüfung eines biologischen Abbaus vorgeschrieben, der gar kein vollständiger biologischer Abbau ist. Gemessen wird nur das Verschwinden der waschaktiven Eigenschaft, aber nicht die vollständige

Was heißt hier abbaubar?

Die im Waschmittelgesetz geforderte 80%ige biologische Abbaubarkeit der Tenside und die von manchen Herstellern hochgejubelten Prozente («zu 99% biologisch abbaubar») sind etwas irreführend, da mit den geforderten Testverfahren keineswegs der biologische Abbau bis hin zu unschädlichen Abbauprodukten wie Kohlendioxid, Wasser usw. (sog. Mineralisierung) überprüft wird, sondern nur ein erster Abbauschritt, der zum Verlust der oberflächenaktiven Eigenschaften der Tenside führt.

Zur Messung dieses Primärabbaus müssen zwei verbindlich vorgeschriebene Meßverfahren durchgeführt werden: Der Auswahltest (OECD-Screening-Test) und der Bestätigungstest (OECD-Confirmatory-Test).

Wird ein anionisches oder nichtionisches Tensid im Auswahltest nach einer bestimmten Zeit nicht zu mindestens 80% «abgebaut», so wird seine Abbaubarkeit durch den Bestätigungstest, der die Verhältnisse in einer Kläranlage besser simulieren soll, überprüft. Werden auch hier die 80% nicht erreicht, so scheidet das Tensid als Waschmittelinhaltsstoff aus.

In diesen Tests werden die Tenside Bakterienstämmen ausgesetzt, wie sie ähnlich in Kläranlagen vorkommen, und durch diese abgebaut. Mit einem bestimmten Nachweisreagenz wird dann geprüft, wieviel Tensid noch enthalten ist; das nicht mehr vorhandene Tensid wird als «abgebaut» definiert. Der vollständige biologische Abbau umfaßt aber viel mehr «Verdauungs»-Schritte durch die Bakterien, er wird durch diese Tests nicht erfaßt (17). Vom biologischen Abbau im wahren Sinne des Wortes kann also nicht die Rede sein.

Mineralisierung der Tenside. Dies ist besonders bei den immer stärker verwendeten nichtionischen Tensiden sehr kritisch, da über die Giftwirkung der Stoffe, die nach dem ersten Abbauschritt entstehen, so gut wie nichts bekannt ist (10).

Die kationischen Tenside werden im ersten Test praktisch überhaupt nicht abgebaut, im zweiten wird dann aber ein scheinbarer Abbau von bis zu 90% gemessen. Es zeigte sich dabei allerdings, daß es sich hier nur zu einem geringen Teil um Abbau und zu einem größeren Teil um Anlagerung an Schwebepartikel im Testansatz handelt (1). Beides wird jedoch durch das Nachweisreagenz als vermeintlicher Abbau angezeigt.

Wenn der Nachweis der biologischen Abbaubarkeit der kationischen Tenside durch solche Sorptionsprozesse (Anlagerung an Schwebepartikel) gestört wird, könnte es auch möglich sein, daß ähnliche Vorgänge die Meßergebnisse für anionische und nichtionische Tenside verfälschen und der wahre Abbaugrad gar nicht erkannt wird. Dies wäre z. B. eine Erklärung dafür, warum der biologische Abbau von Nonylphenolpolyglykolether (einem nichtionischen Detergenz) im gesetzlich vorgeschriebenen Testverfahren einen Wert von 90% ergibt (18), in einem anderen Testverfahren aber nur noch ein 50%iger Abbau gemessen wurde (15).

Aus biologischer Sicht ist dies alles nicht so schwer zu verstehen, denn die Bakterien und ihre biochemischen Mechanismen zum Abbau von «Abfall»-Stoffen haben sich im Verlauf jahrmillionenlanger Evolution an die Umwelt und die natürlichen Abfallstoffe angepaßt. Es erstaunt daher nicht, wenn die synthetischen anionischen Tenside, die den natürlichen Fetten und Seifen noch sehr ähnlich sind, relativ gut biologisch abgebaut werden. Nichtionische und kationische Tenside (die ja zum Teil wegen ihrer bakteriziden [bakterientötenden] Eigenschaften verwendet werden) sind dagegen kaum noch mit Naturstoffen vergleichbar.

Ist der Abbau der Tenside in einer Kläranlage nur unvollständig, oder ist gar keine Kläranlage vorhanden, so findet dieser dann erst unter großem Sauerstoffverbrauch in den Flüssen und Seen statt.

Umweltbelastung durch Komplexbildner

In der Bundesrepublik wird als Komplexbildner hauptsächlich das umweltbelastende Phosphat eingesetzt, in relativ geringen Anteilen das Silikat Zeolith, Natriumzitrat, neuerdings NTA und Phosphonsäuren.

Durch das Phosphat wird eine Überdüngung («Eutrophierung») der Gewässer (vgl. Kasten) bis hin zum völligen Absterben («Umkippen») bewirkt. Durch Sauerstoffzehrung kommt es zu Fischsterben oder zu einer nachteiligen Veränderung der Zusammensetzung der Fischarten. Hinzu kommt eine Gefährdung der Trinkwassergewinnung.

1974 gelangten in der Bundesrepublik noch 276 000 Tonnen Phosphat in die Gewässer, der Pro-Kopf-Verbrauch betrug ca. 4,4 kg pro Jahr (19). Nach der 1984 in Kraft tretenden Phosphathöchstmengenverordnung (20) wird ein Rückgang auf 170 000 Tonnen pro Jahr erwartet.

Durch die Verringerung der Phosphate in den Waschmitteln allein ist das

Phosphatproblem nicht zu lösen, da sie nur zu etwa einem Viertel des Phosphatgehalts in den Gewässern beitragen. Der Rest kommt aus menschlichen Ansiedlungen (34%), der Landwirtschaft (25%) und der Industrie mit 16% (10).

Nach der Phosphathöchstmengenverordnung dürfen nun – gestuft nach Härtebereich und Waschmittel – die unten in der Tabelle aufgeführten Phosphatmengen nicht mehr überschritten werden.

Erlaubte Höchstmengen an (Pentanatrium)-Triphosphat in Gramm pro Waschgang (Waschmaschine mit etwa 20 Liter Fassungsvermögen und 4–5 kg schmutziger Wäsche).
Ein Grad deutscher Härte entspricht 1,3 Millimol Erdalkaliionen pro Liter oder 52 Milligramm Calcium pro Liter.

Härte-bereich	Deutsche Härte	Voll-waschmittel	Wasch-mittel 60°	Fein-waschmittel	Vor-waschmittel
1	0– 7	40	59	32	40
2	7–14	51	67	35	48
3	14–21	63	83	44	55
4	21–	79	99	51	63

Entsprechend dieser Vorschrift müssen die Hersteller auf den Waschmittelpaketen entsprechende Dosierungsempfehlungen geben. Die Wasserversorgungsbetriebe sind verpflichtet, den Härtebereich ihres Wassers «in geeigneter Form bekanntzugeben». Überschreitungen der Empfehlung sind verboten. Die Dosierungsempfehlungen werden von den Verbrauchern oft nicht eingehalten, sei es aus Gedankenlosigkeit, aus Mangel an der nötigen Aufklärung oder weil der Härtebereich vom Wasserwerk nicht ausreichend bekanntgegeben wurde. Dabei liegt in der Dosierung eine große Einflußmöglichkeit des Verbrauchers.

Zeolith A

Die Phosphatreduzierung nach der Phosphathöchstmengenverordnung wurde hauptsächlich dadurch verwirklicht, daß das Phosphat teilweise durch Zeolith A (Sasil) ersetzt wurde. Zeolith A wird durch eine Modifikation natürlich vorkommender Gesteine (Natrium-Aluminium-Silikate) gewonnen. Er ist ein wasserunlöslicher Ionenaustauscher und besteht aus mikroskopisch kleinen abgerundeten Würfelchen, die die härtebildenden Ionen aufnehmen und dafür nichthärtebildende Ionen freigeben (21).

Das Umweltbundesamt hat Zeolith A auf seine Gesundheits- und Umweltverträglichkeit untersuchen lassen. (Leider vergab es seinen Auftrag nicht an eine neutrale Stelle, sondern zu einem großen Teil an die Patentinhaberfirma.) Es zeigten sich keine negativen Auswirkungen:

– Bei Hausfrauen und der Belegschaft des Herstellers wurde keine Gesundheitsgefährdung festgestellt.
– Bei Tierversuchen wurde bei Gewässerkonzentrationen von 500 mg/l keine Schädigung festgestellt.
– Ebenso wurde keine Erhöhung des Algenwachstums festgestellt und auch keine Erhöhung der Schwermetallbelastung im Klärschlamm.

NTA

Ein weiterer möglicher Ersatzstoff des Phosphats ist das sogenannte NTA (Nitrilotriacetat, Nitrilotri-Essigsäure), das schon seit 1974 in Kanada eingesetzt wird, derzeit auch schon in der Schweiz, in den Niederlanden und in der Bundesrepublik. NTA hat, wie das Phosphat, gute Komplexbildungseigenschaften. Eine beschleunigte Korrosion der Waschmaschinen durch NTA (22) ist jedoch nicht auszuschließen. NTA hat vor allem den Nachteil, daß es auch Schwermetalle wie Nickel, Kupfer, Blei, Cadmium und Eisen stark bindet, und zwar weitaus stärker als das Calcium und Magnesium. Damit besteht die Gefahr, daß Schwermetalle aus dem Sediment der Gewässer gelöst («mobilisiert») werden und ins Trinkwasser geraten.

Bei dem Wunsch der Industrie, NTA als neuen Komplexbildner einzuführen, bot sich die Chance, aus früheren Fehlern zu lernen und bereits vor der möglichen Anwendung einer neuen Massenchemikalie eine umfassende Prüfung auf Gesundheitsauswirkungen und Umweltverträglichkeit vorzunehmen. Dafür war vom Innenministerium eine Studie in Auftrag gegeben worden, deren Ergebnisse Ende 1983 auf einem Seminar vorgestellt wurden (23). Dabei zeigte sich, daß es noch erhebliche Wissenslücken gibt und viele Befürchtungen bestätigt werden mußten:

Eutrophierung

Als das Phosphat in den fünfziger Jahren erstmalig zum Waschen eingesetzt wurde, rechnete niemand mit irgendwelchen nachteiligen Folgen für die Umwelt, da Phosphat in Spuren ein unverzichtbarer Nährstoff für das Wachstum von Pflanzen ist. Allerdings ist das Phosphat natürlicherweise so knapp – besonders in nährstoffarmen (oligotrophen) Seen –, daß seine Konzentration darüber entscheidet, wie stark die Pflanzen in der Lage sind zu wachsen; selbst wenn alle anderen Pflanzennährstoffe überreichlich zugeführt werden, überschreitet das Algenwachstum ein gewisses Maß nicht, weil die Phosphatmenge begrenzend wirkt (den Minimumfaktor darstellt).

Bei einer verstärkten Phosphatzufuhr passiert nun folgendes: das Algenwachstum nimmt enorm zu, und bald kommt es an der Wasseroberfläche zur Konkurrenz um das für alle Pflanzen notwendige Licht. Die Wasserpflanzen in größeren Tiefen sterben aus Lichtmangel ab und sinken zu Boden. Im unbelasteten See konnten die wenigen natürlicherweise absterbenden Wasserpflanzen durch Bakterien rasch abgebaut werden und den nachwachsenden Algen als Nährstoffe dienen. Im eutrophierten See wird jedoch der Sauerstoff, der für diesen Prozeß erforderlich ist, bald knapp. Zwar produziert die Algenschicht an der Wasseroberfläche ständig neuen Sauerstoff, doch gelangt dieser kaum in größere Wassertiefen, da es besonders im Sommer nicht zu einer Durchmischung des Seewassers kommt, so daß der Sauerstoff in die Atmosphäre entweicht. Die Konsequenz ist, daß die abgestorbenen Pflanzenreste nur unvollständig abgebaut werden; es entsteht eine Schlammschicht und Fäulnisstoffe wie Ammoniak und Schwefelwasserstoff bilden sich. Diese Fäulnisgifte können ebenso wie der Sauerstoffmangel ein Fischsterben zur Folge haben (der See kippt um). Prinzipiell dieselben Vorgänge laufen bei einer erhöhten Phosphatbelastung auch in Flüssen und im Meer ab.

Die wirtschaftlichen Folgen der Eutrophierung – und erst sie haben zu Erlassen wie der Phosphathöchstmengenverordnung geführt – sind beachtlich:
– wirtschaftlich bedeutende sogenannte Edelfischarten werden zugunsten schlecht schmeckender sogenannter Ruchfischarten verdrängt
– Gewässer werden als Trinkwasserreservoir unbrauchbar.
– mit dem Wasser werden auch die Badefreuden getrübt; wegen gesundheitlicher Bedenken ist das Baden in stark eutrophierten Gewässern nicht mehr möglich.

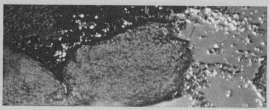

Nitrilotriacetat = NTA

● NTA wird in Kläranlagen im Winter nur zu 50% abgebaut (im Sommer zu 80%)

● der Abbau der NTA ist abhängig vom pH, dem Salzgehalt und einer längeren Adaptationszeit der Bakterien

● Schwermetalle werden in der Kläranlage zu einem geringeren Teil zurückgehalten, damit gelangt mehr in die Gewässer

● die Phosphatfällung in Kläranlagen wird negativ beeinträchtigt

● bei der Trinkwasseraufbereitung sind zusätzliche Schwierigkeiten bei den Flockungs- und Filtrationsschritten zu erwarten

● über das Verhalten von NTA im Meer läßt sich noch so gut wie nichts aussagen.

● Bei der Diskussion über mögliche Gesundheitsgefährdungen stellte sich heraus, daß die meisten Untersuchungen am Natriumsalz des NTA (so wie es im Waschmittel eingesetzt wird) vorgenommen wurden. Durch die starke Komplexierung von Schwermetallen in den Gewässern taucht das NTA im Trinkwasser jedoch nicht mehr als Natriumsalz, sondern in Form von giftigeren Schwermetall-Komplexen auf, die wiederum nur ungenügend untersucht sind.

● Das giftigste und am leichtesten zu mobilisierende Schwermetall ist das krebserregende Nickel. In der Bundesrepublik gibt es jedoch keinen offiziellen Grenzwert für dieses Element, sondern das Gebot, die Belastung so gering wie möglich zu halten. Jedoch existiert eine EG-Richtlinie, die einen Grenzwert von 50 µg/l ausweist. Die höchste in Gewässern gemessene Konzentration beträgt 43 µg/l. Bei den Berechnungen der maximal einsetzbaren NTA-Mengen ging man im speziellen Fall davon aus, daß durch die Verteilung des NTA in der Umwelt der entsprechende Nickelgehalt um höchstens 7 µl/l steigen darf, damit der Grenzwert vo 50 µg/l gerade nicht überschritten wird. So einigte man sich darauf, einen Einsatz von vorläufig jährlich 25 000 Tonnen NTA zuzulassen und (in einem Großversuch für Mensch und Umwelt) die Folgen im Ruhreinzugsbereich zu testen (24).

● Eine weitere Gefahr besteht darin, daß das Waschmittel sekundäre Amine als Nebenprodukt enthält bzw. sie beim biologischen Abbau von NTA gebildet werden. Sie sind in der Lage, mit in der Umwelt häufig auftretenden Nitritionen krebserregende Nitrosamine zu bilden (25). Allem Anschein nach ist das NTA wegen seiner Umwelt- und Gesundheitswirkungen kein überzeugender Ersatzstoff für Phosphat.

☎ NTA sollte nicht zugelassen werden.

Natriumzitrat

Das Salz der Zitronensäure hat nie einen bedeutenden Marktanteil gewinnen können. Bei den geringen angewandten Mengen konnten keine negativen Auswirkungen auf Mensch und Umwelt festgestellt werden (26). Für Kochwäsche bzw. Vollwaschmittel ist das Zitrat kein geeignetes Substitut, weil es bei hohen Temperaturen seine guten Komplexierungseigenschaften verliert (26). Als Grund für die geringe Anwendung wird aber meistens der Preis genannt. Ein Kilo Phosphat kostet ca. DM 1,30 und ein Kilo Zitrat DM 3,15 (22). Für den Verbraucher (Pro-Kopf-Verbrauch jährlich 4,4 kg) dürfte dieser Unterschied akzeptabel sein, denn er verbraucht im Jahr für DM 5,70 Triphosphat, beim Ersatz durch Zitrat 13,80 DM. Die Relation dreht sich um, wenn man bedenkt, daß durch die Phosphatverwendung eine Phosphatfällung im Klärwerk nötig wird, die letztlich der Steuerzahler bezahlen muß.

Weitere organische Phosphatersatzstoffe

Einige Ersatzstoffe (ebenfalls organische Stoffe) sind schon entwickelt und patentiert, aber noch nicht ausreichend untersucht, so z. B. der Zitronensäure verwandte Verbindungen («CMOS» oder «Builder M») oder Phosphonsäuren.

Aus den Phosphonsäuren entsteht beim Abbau u. a. auch Phosphat, so daß damit ähnliche Probleme auftauchen könnten – allerdings in geringerem Umfang, da sie geringer dosiert werden können.

Weitere anorganische Komplexbildner

Vor der Einführung von Triphosphaten in den Waschprozeß enthielten die Waschmittel Soda (Natriumcarbonat) und Wasserglas (Natriumsilikat).

Soda fällt die Kalziumionen aus. Das hat den Nachteil, daß der Kalk auf der Wäsche ausfällen und sich ablagern kann.

Soda und Wasserglas sind nicht so effektiv wie die Phosphate (27), durch die sie vom Markt verdrängt wurden. Die Anwender der Waschmittel sollten dennoch prüfen, ob sie nicht schon mit der Qualität dieser Komplexbildner zufrieden sind.

Weitere Alternativen

Eine weitere Möglichkeit bietet eine Enthärtungsanlage. Sie besteht aus einer Säule, die mit einem Ionenaustauscher gefüllt ist, der an Kunstharz gebunden ist. Das zu verwendende Wasser durchfließt die Säule, wobei die härtebildenden Ionen gegen andere Ionen ersetzt werden. Der Vorteil gegenüber den Zeolithen besteht darin, daß diese Ionenaustauscher regeneriert werden können. In gewerblichen Wäschereien und in Geschirrspülmaschinen werden sie schon eingesetzt. Solch eine Anlage kostet zwischen 100 und 300 DM und ist leicht zu handhaben (28).

Bleichmittel, optische Aufheller, Füllstoffe und Enzyme

1976 wurden 76 000 t Perborat entsprechend 9500 t Bor in die Waschmittel eingearbeitet. Das Perborat wird in den Kläranlagen weder gefällt noch abgebaut und gelangt so fast vollständig in die Vorfluter. Oberflächengewässer enthalten heute 0,1 bis 0,4 mg/l Bor (6), Trinkwasser zwischen 0,1 und 0,25 mg/l. Im Zeitraum 1974 bis 1977 verdoppelte sich im Grundwasser der Rheinebene der Borgehalt (29).

Nach EG-Richtlinien liegt die Obergrenze für den Borgehalt in Trinkwasser bei 1 mg/l. Toxische Wirkungen des Bors sind bisher nur bei einigen Kulturpflanzen wie Tomaten, bestimmten Obstbäumen und Wein bekannt, allerdings schon bei 1 bis 2 mg/l Bor.

Die optischen Aufheller werden in Kläranlagen nicht biologisch abgebaut. Sie werden von Gewässersedimenten adsorbiert und man vermutet einen dort stattfindenden Abbau, da sie in Flüssen nicht nachgewiesen werden können. Sie sind nicht akut giftig, ihre Reaktivität im menschlichen Körper ist noch nicht ausreichend untersucht worden. Ein Krebsrisiko durch diese Stoffe kann nicht ausgeschlossen werden (11).

Der bis zu 30%ige Anteil an Füllstoffen (Natriumsulfat), die keine waschaktiven Eigenschaften haben, führt bei der Menge der verbrauchten Waschmittel zu einer zusätzlichen unnötigen Versalzung unserer Flüsse und Seen.

Enzyme, optische Aufheller, kationische und nichtionische Tenside werden als Auslöser verschiedener Allergien diskutiert (→ Allergie). Enzymstaub führte früher bei der Waschmittelproduktion zu Bronchialkatarrh und asthmatischen Zuständen bei den Arbeitern. Aus diesem Grunde wurden enzymhaltige Waschmittel in den USA verboten. Heute werden die Enzyme bei der Produktion eingekapselt («verprillt»), so daß sie nicht mehr stauben und ihre Wirkung erst im Wasser entfalten (30).

Enzymhaltige Waschmittel sind zumindest für die Handwäsche problematisch. Da es sich um eine Art Verdauungsenzyme handelt, kann man vermuten, daß diese Substanzen auch in entsprechender Weise auf die

Hände wirken, dort also die Haut «andauen». Damit ist es aber denkbar, daß die Haut durch diese Einwirkung schutzloser wird und die Enzyme über diesen Umweg für ein verstärktes Auftreten von Allergien verantwortlich sind. Diese Zusammenhänge sind noch nicht nachgewiesen, aber durchaus wahrscheinlich.

Zu möglichen Umweltbelastungen durch die anderen Waschmittelinhaltsstoffe, wie z. B. Perborataktivatoren und -stabilisatoren ist uns bisher nichts bekannt. Dies muß aber nicht heißen, daß durch diese Substanzen keine Belastung verursacht wird.

Waschabwasserproblematik

«Frisches häusliches Abwasser stellt eine trübe, graue oder gelbliche Flüssigkeit schalen Geruchs dar, die mit Schlammflocken, Kot- und Gemüseteilchen sowie mit Papier- und Kunststoffetzen durchsetzt ist», heißt es in einer Veröffentlichung über Abwassertechnologie. (31)

Pro Einwohner und Tag entstehen 80 l Abwasser, davon entfallen 25 %, also 20 l pro Einwohner und Tag auf das Wäschewaschen.

Das Wäschewaschen mit der Maschine ist wassersparender als mit der Hand. Man verbraucht 250–300 l Wasser, um 4 kg Wäsche mit der Hand zu waschen, mit der Maschine nur 100–180 l Wasser. (31)

Fast 90 % der Einwohner im Bundesgebiet sind an die über 7000 öffentlichen Kläranlagen angeschlossen und mehr als 80 % dieser Kläranlagen haben eine biologische Stufe. (32)

Im Klärwerk findet im Sandfang eine Filterung der festen Bestandteile statt. Im Vorklärbecken sollen grobe Schlämme absitzen, das übrige Abwasser wird dann der eigentlichen Reinigung unterzogen. Der Belebtschlamm adsorbiert alle Stoffe, die die dort vorhandenen Mikroorganismen verdauen können. Dabei werden die Schmutzstoffe (wie Eiweiße, Fette, Kohlenhydrate) und ähnliche Verbindungen zerlegt und in Stoffe umgewandelt, die wieder zum Aufbau von Bakterien dienen.

Im Nachklärbecken kann der Belebtschlamm wieder absitzen, das Wasser gelangt gereinigt in den Vorfluter. Bei dieser Prozedur wird ein durchschnittlicher Reinigungsgrad von 90 % erzielt (gemessen als Reduktion des chemischen Sauerstoffbedarfs). Man kann nun leicht verstehen, daß für diese Art der Abwasserreinigung zwei Eigenschaften der Waschmittelinhaltsstoffe gefährlich werden können. Zum einen ist das die Eigenschaft der Tenside, Fette zu lösen, da sie damit auch in der Lage sind, die Membranen der Mikroorganismen zu zerstören.

Zum zweiten sind all die Stoffe gefährlich, die im Belebtschlamm nicht abgebaut werden können und dann in die Flüsse und Seen gelangen. Dort können sie über lange Zeit schädigend auf alle Organismen wirken, sich möglicherweise in Pflanzen oder Fischen anreichern und so letztlich auch wieder durch die Nahrung vom Menschen aufgenommen werden.

Auch wenn eine weitgehende Reduzierung des Phosphateinsatzes angestrebt werden sollte, kann man in den nächsten Jahrzehnten doch nicht auf die Phosphatfällung verzichten. Die Phosphatfällung in Kläranlagen ist technisch leicht möglich und kann etwa 90% der im Abwasser vorhandenen Phosphate entfernen. Die Phosphatfällung kann chemisch mit Eisen, Aluminium oder Kalzium oder biologisch mit Algen durchgeführt werden.

Für die Phosphatfällung spricht, daß man auf diese Weise sowohl das Phosphat aus den Waschmitteln als auch den fäkalbedingten Phosphor entfernen kann. Die Kosten, die dabei entstehen, belaufen sich auf 5,50 DM pro Einwohner und Jahr für Betrieb und Fällungsmittel. (33) Allerdings behaupten die Gemeinden, der Ausbau aller Kläranlagen mit Phosphatfällung sei zu teuer (12) und schieben das Problem auf die Waschmittelhersteller ab. Dieser Vorwurf ist nur teilweise berechtigt, denn selbst bei einem totalen Ersatz der Phosphate in Waschmitteln hat man nur 25% des Phosphors in Abwässern entfernt (10).

Auf einer Anhörung der Bundesregierung zu Waschmitteln behauptete die Waschmittelindustrie, daß sie kein wirtschaftliches Interesse an dem Phosphateinsatz habe. Aber die Verbraucher verlangten das bisherige Waschergebnis und es gebe eben keinen gleichwertigen Ersatzstoff. NTA wurde 1973 von den Waschmittelherstellern noch aus vielen Gründen abgelehnt. Ein Argument für die Ablehnung war, daß der NTA-Einsatz eine Kläranlagenerweiterung um 20–25% für dessen Abbau nach sich ziehen würde (28). Man fragt sich, was für den Phosphatersatz durch NTA spricht und warum nicht gleich Phosphatfällungsanlagen gebaut werden bzw. nach anderen Ersatzstoffen gesucht wird.

☏ Erforderlich ist daher der sofortige Bau von Phosphatfällungsanlagen in allen Klärwerken, weil weiterhin Phosphat im Waschwasser vorhanden ist und auch das restliche Abwasser einen hohen Phosphatgehalt aufweist.

Wie Gifte durch Weißmacher entgiftet werden

Bert Brecht beschreibt in dem Stück «Turandot oder Der Kongreß der Weißwäscher» die eilfertigen «Wissenschaftler», die für ihre Auftraggeber immer eine gute Begründung finden. Schade, daß Brecht nicht die Ergüsse des Herrn Dr. R. Schulze-Rettmer vom Institut für Siedlungswasserwirtschaft der Technischen Hochschule Aachen gekannt hat.

In seiner Arbeit «Die Auswirkung des Abwassers vom Waschprozeß auf die Umwelt» (34) zieht er alle Register des Weißwaschens:

● Das Phosphatproblem verschwindet mit den Sätzen: «Der hohe Gehalt an Phosphaten in den Waschmitteln findet sich ebenfalls vollständig im Abwasser wieder. Dies ist ein besonderer Problemkreis, der hier nicht behandelt werden soll.»

● Die Schädlichkeit des Abwassers für die Umwelt berechnet der Autor danach, welche Abwasserabgabe der Gesetzgeber dafür verlangt: «Die Schädlichkeit wird entsprechend dem neuen Gesetz (Abwasserabgabengesetz) danach bemessen, wieviel Geld der Bau und der Betrieb von Kläranlagen kosten würde, die für Abwasser erforderlich sind.» Und da es der Gesetzgeber versäumt hat, für das Phosphat eine Abwasserabgabe zu erheben, kann dieses – möchte man schließen – offensichtlich nicht schädlich sein (s. o.).

● Schlußendlich werden – der Einfachheit halber ohne jegliche Beweise – ganz neue Lösungen zur Behandlung von Umweltgiften aufgezeigt: die sollen sich einfach gegenseitig entgiften: «Die hohe Toxizität von ABS ist schon frühzeitig erkannt worden. ABS ist z. Z. das zum Waschen am besten geeignete Tensid. Die Waschmittelindustrie forscht sehr intensiv auf diesem Gebiet und versucht, die Giftwirkung zu vermindern, ohne daß die Waschkraft verschlechtert wird (4). Avivage-Mittel (Anm. der Autoren: Weichspüler) sind wegen ihres Gehaltes an kationischen Tensiden giftiger gegenüber Bakterien als ABS, werden aber in geringeren Mengen als ABS dem Spülbad zugegeben. Diese Mengen an Avivage-Mitteln werden im Abwasser durch überschüssiges ABS voll entgiftet. Außerdem erniedrigen sie die Giftwirkung des ABS.» Soweit vom Weißwaschen.

Von Gemeinden oder Betrieben, die ihre Abwässer in die Flüsse ableiten, wird nach dem Abwasserabgabengesetz (AbwAG seit 1. 1. 1978 in Kraft) seit dem 1. 1. 1981 eine Abwasserabgabe von 12,– DM pro eingeleiteter Schadeinheit verlangt, die bis 1984 auf 40,– DM angehoben wurde (1). Ursprünglich sollte laut Gesetzentwurf mit der Zahlung der Abwasserabgabe schon 1976 begonnen werden.

Die Abgabe wird dabei an Hand der Jahresabwassermenge, der Menge absetzbarer Stoffe (Schlammanfall), des chemischen Sauerstoffbedarfs (wieviel Sauerstoff wird benötigt, um die Schadsubstanz vollständig zu zersetzen), eines Giftfaktors (wird durch Fischtests ermittelt) und der Cadmium- und Quecksilberfracht berechnet (1). Die Berechnung der Schadeinheiten ist dabei auf häusliches Abwasser bezogen. Dem durchschnittlichen täglichen Abwasser eines Menschen wird eine Schadeinheit zugeordnet (34). Eine Reihe von Stoffen, wie z. B. das Phosphat, werden durch das Abwasserabgabengesetz bisher nicht erfaßt.

☏ Auch auf Phosphat im Abwasser sollte eine Abgabe erhoben werden.

Alternative Waschmittel

Der Markt an alternativen Waschmitteln nimmt ständig zu. Der umweltbewußte Verbraucher von Waschmitteln ist als Marktlücke entdeckt worden. Aber auch auf dem alternativen Waschmittelmarkt gesellen sich zweifelhafte Produkte zu den wirklichen Alternativen. Die Konkurrenz ist hier sehr hart, was sich unter anderem in zum Teil irreführender bis verlogener Werbung für die einzelnen Mittel niederschlägt.

Da werden Fische auf die Waschmittelpackung gedruckt, die weiterleben wollen; oder schöne Blumen sollen suggerieren, daß man mit dem Kauf dieses Mittels etwas Gutes für die Umwelt tut. Es wird mit den sogenannten natürlichen Tensiden geworben und dabei wird verschwiegen, daß auch die Firma Henkel zum Teil natürliche Tenside – nämlich auf Kokosölbasis – verwendet. Prinzipiell sollte der Verbraucher sich im klaren sein, daß Waschmittel immer umweltgefährdende Stoffe sind. Denn die Waschwirkung beruht auf der Herabsetzung der Oberflächenspannung des Wassers und dem Lösen von Fetten. Damit ist jedes Waschmittel wassergefährdend und fischschädlich. Und am umweltfreundlichsten ist derjenige, der überhaupt nicht mehr wäscht. Da man das aber niemandem empfehlen kann, geht es also immer nur darum, für das entsprechende Waschproblem das am wenigsten umweltschädliche Mittel zu finden, was dann allerdings noch mit der eigenen Bequemlichkeit und dem Geldbeutel in Einklang gebracht werden muß. Um den Leser in die Lage zu versetzen, selbst zu entscheiden, wie er waschen will, werden hier Vor- und Nachteile einiger sogenannter alternativer Waschmittel aufgeführt und Kriterien zur Beurteilung von Waschmitteln gegeben:

● Die biologische Abbaubarkeit der *Biowaschmittel* ist ein Werbetrick, der nur mit der Unwissenheit der Verbraucher funktioniert. Die Tenside in normalen Waschmitteln haben eine biologische Abbaubarkeit von 93–97% in einem bestimmten vorgeschriebenen Test. Der Unterschied zu den Waschmitteln, die angeblich zu 99% biologisch abbaubar sind, ist sehr gering. Außerdem kann diese Zahl nicht überprüft werden, da der Test, nach dem diese Zahl ermittelt wurde, nicht genannt wird. Des weiteren ist der biologische Abbau wenig aussagekräftig, da man nicht weiß, welche Abbauprodukte entstehen.

● *Seife* ist kein geschützter Name, er kann also verwendet werden, obwohl keine Seife vorhanden ist. Außerdem ist Seife ein anionisches Tensid; aber das würde schon weit weniger umweltfreundlich klingen. Wenn gar behauptet wird, es gäbe Neutralseife, sollte man gar nichts mehr glauben, denn Seife ist immer alkalisch und hat auch nur im alkalischen pH-Bereich eine Waschwirkung. Ist aber wirklich Seife in einem Waschmittel, ist dies durchaus positiv zu bewerten, da die Ausgangsstoffe der Seife in der Natur vorkommen und somit durch die Evolution bedingt Abbauwege vorhanden sind.

● Auch die Hersteller, die mit *Molkeprodukten* werben, betreiben irreführende Werbung. «Molke» klingt höchst natürlich – nur wird nicht so laut gesagt, daß die Molke praktisch keine Waschwirkung hat. Die waschaktiven Substanzen in Molkeprodukten sind in der Regel ganz normale synthetische Tenside. Die Molke hat sicherlich hautpflegende Eigenschaften und ist deshalb vielleicht als Geschirrspülmittel geeignet, nur in der Waschmaschine bringt die Molke keinen Vorteil. Da sollte man sich dann weniger von der natürlichen Molke beeindrucken lassen, als vielmehr sehr genau auf die weiteren Inhaltsstoffe des Produkts achten.

● Es ist sinnvoll, den *Enthärter* getrennt dosieren zu können, da die Dosis von der Wasserhärte und von der Waschtemperatur abhängt.

- Wer ganz auf den Enthärter verzichtet, braucht aber mehr *Tenside* für die gleiche Waschwirkung, da sich mit einem Teil der Tenside die schwerlöslichen Kalkseifen bilden.
- Beim Waschen oberhalb von 60° C riskiert man ohne Enthärter, daß sich *Kalk* auf den Heizstäben der Maschine absetzt.
- Weniger umweltschädliche Komplexbildner als Phosphat sind *Sasil* (Zeolith A) und *Citrat*. Citrat ist gut wasserlöslich und gut abbaubar, da es ein Naturstoff ist. Die Waschmittelhersteller behaupten allerdings, es habe nicht die gleiche waschunterstützende Wirkung wie Phosphat, dies trifft sicher für hohe Temperaturen (Kochwäsche) zu.
- Zu den fragwürdigeren Inhaltsstoffen zählen sicher die *optischen Aufheller* und die *Enzyme* (s. o.). Sind diese Stoffe in sogenannten alternativen Waschmitteln enthalten, sollte man diese auf keinen Fall kaufen, denn der Nutzen der optischen Aufheller und Enzyme steht in keinem Verhältnis zu den möglichen Gefahren für Mensch und Umwelt.
- Die getrennte Dosierung von *Bleichmittel*, i. a. Perborat, ist ebenfalls sehr zu empfehlen. Einerseits wirkt das Perborat ohne Aktivatoren sowieso erst oberhalb von 70° C, andererseits will man den Bleicheffekt bei bunter Wäsche ja gar nicht haben. Bei weißer Wäsche kann dann extra dosiert werden.

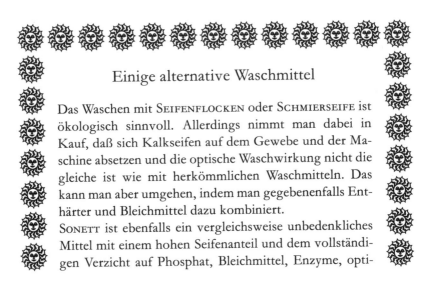

Einige alternative Waschmittel

Das Waschen mit SEIFENFLOCKEN oder SCHMIERSEIFE ist ökologisch sinnvoll. Allerdings nimmt man dabei in Kauf, daß sich Kalkseifen auf dem Gewebe und der Maschine absetzen und die optische Waschwirkung nicht die gleiche ist wie mit herkömmlichen Waschmitteln. Das kann man aber umgehen, indem man gegebenenfalls Enthärter und Bleichmittel dazu kombiniert.

SONETT ist ebenfalls ein vergleichsweise unbedenkliches Mittel mit einem hohen Seifenanteil und dem vollständigen Verzicht auf Phosphat, Bleichmittel, Enzyme, opti-

sche Aufheller und Duftstoffe. Bleichmittel und Enthärter bietet Sonett getrennt an, was die individuelle Dosierung je nach Waschproblem und Wasserhärte ermöglicht.

RHENO (35) enthält als waschaktive Substanz ausschließlich Seife, weiterhin Citrat, Perborat, Soda und Silikat. Damit ist es von seinen Inhaltsstoffen her als recht positiv zu bewerten, kann aber nur als Waschmittel für die Hauptwäsche empfohlen werden, da es eben Bleichmittel und Enthärter gleich mitenthält.

LAVEXAN ist ähnlich wie Sonett zu bewerten; es enthält wie dieses viel Seife (ca. 60 %), wenig Enthärter (ca. 10 % Zeolith) und zur Waschverstärkung Soda (ca. 20 %). Außerdem werden von der Herstellerfirma getrennt ein Zeolith-Enthärter und ein Percarbonat-Bleichmittel angeboten. Mit letzterem kann zwar schon ab 40 °C gebleicht werden, die volle Wirkung wird aber erst bei Temperaturen ab 80 °C erreicht.

SODASAN ähnelt in der Zusammensetzung Sonett und Lavexan, nur enthält es keinen Enthärter, so daß in Gegenden mit hartem Wasser zusätzlich ein Zeolith-Enthärter oder eine andere Enthärtungsmethode anzuwenden ist (kein Phosphat- oder NTA-Enthärter!).

EUBONIA ist ein Waschmittel mit einem hohen Anteil Kernseife, Zeolith als Enthärter, Percarbonat und synthetischen Tensiden. Es ist von den Inhaltsstoffen her durchaus positiv einzuschätzen, aber eben nicht getrennt zu dosieren.

NEUTRALSEIFE enthält nicht, wie der Name vermuten läßt, reine Seife, sondern besteht in der Hauptsache aus synthetischen Tensiden. Die Reklame ist also irreführend – sehr unerfreulich für ein alternatives Waschmittel. Die weiteren Inhaltsstoffe gibt die Firma nicht bekannt; auch das ist ein entscheidender Nachteil.

CONLEI-Produkte werden auf der Basis von mehrfach vergorenen Milchseren (Molke ist ein Milchserum) hergestellt. Die für die Gewässer schädlichen Milchzucker sollen auf diese Weise abgebaut werden. Da Milchprodukte unserer und Conleis Meinung nach (36) aber keine Waschwirkung haben, werden dem Gärungsgebräu noch anionische und nichtionische Tenside beigefügt. Bei diesen Tensiden wird laut Hersteller durch die Wechselwirkung mit dem Gärungsserum die Fischgiftigkeit gesenkt. (Aktuelle Mitteilungen Conlei 12/84). Man darf hier nicht vergessen, daß Tenside entweder waschaktiv und damit umweltschädlich sind, oder sie sind bereits abgebaut und haben dann auch keine Waschwirkung mehr.

Laut Produktinformation besitzen die aus natürlichen Fetten und Ölen hergestellten Tenside zwar eine biologische Abbaubarkeit, die mit der der Seife vergleichbar ist, andere Fragen, wie die nach der Höhe des Tensidgehaltes, werden aber auch durch die neuesten Gutachten der Firma nicht beantwortet.

LAVAWOLL und ANYTIS sind Feinwaschmittel, die durchaus empfehlenswert sind, da sie Tenside enthalten, die aus Fettsäuren und Eiweißbestandteilen aus Rinderhäuten bestehen, die bei niedrigen Temperaturen sehr waschwirksam sein sollen (37).

An obigen Beispielen läßt sich ablesen, daß man auch beim Kauf alternativer Waschmittel aufpassen muß.

Ökorat – Ökotat

Das absolut umweltfreundliche Waschen gibt es nicht. Allerdings kann man als Verbraucher einiges tun, um sich und der Umwelt nicht mehr so sehr zu schaden.

● Die Bundesrepublik hat den höchsten Waschmittelverbrauch der ganzen Welt – und der nimmt noch ständig zu. Waschen Sie nicht unnötig oft, auch wenn es heute mit den Waschmaschinen so einfach ist.

● Weiterhin waschen Sie nur volle Maschinen Wäsche. So sparen Sie Wasser und Energie.

● Verzichten Sie auf die Vorwäsche bei normal verschmutzter Wäsche.

● Behandeln Sie besondere Flecken getrennt. Es ist z. B. nicht sinnvoll, wegen eines Blutfleckens die ganze Wäsche mit Enzymen zu behandeln.

Welches Waschmittel?

● Kaufen Sie kein Waschmittel, bei dem die Inhaltsstoffe nicht ausgezeichnet sind.

● Kaufen Sie kein Waschmittel, das als Vollwaschmittel bezeichnet wird.

● Kaufen Sie kein Waschmittel mit Weichspülereffekt.

● Kaufen Sie keine Waschmittel mit Enzymen und optischen Aufhellern.

● Verzichten Sie auf
Weichspüler, Waschverstärker, Entkalkungsmittel.

● Waschmittel (Seife) und Enthärter sowie Bleichmittel getrennt dosieren!

● Wählen Sie für die Hauptwäsche bis 60° bzw. 90° C ein Waschmittel ohne die oben genannten Inhaltsstoffe (z. B. Rheno, Eubonia, Sonett, Lavexan u. a.).

● Für die Feinwäsche, Wolle und alles Bunte sollte man diese Mittel ebenfalls nicht anwenden, da man bei den niedrigen Temperaturen auf den Komplexbildner und wegen der Farben auf das Bleichmittel verzichten kann. Bei dieser Wäsche bis 40° C reicht als Waschmittel echte Schmierseife bzw. Seifenflocken. Im Falle besonders harten Wassers sollte man Enthärter (Sasil oder Citrat) dazu dosieren, da man sonst sehr viel Seife braucht.

● Der Verkauf von Waschmitteln und Komplexbildnern ist nur in getrennten Packungen zuzulassen.
● Genaue Auszeichnung der Waschmittelinhaltsstoffe.
● Die Anwendung von nichtionischen Tensiden in Waschmitteln ist zu verbieten.
● Waschmittelinhaltsstoffe dürfen nur nach umfassender Prüfung auf Umwelt- und Gesundheitsverträglichkeit zugelassen werden.
● Der Einsatz von NTA in Waschmitteln ist zu verbieten.
● Auf Phosphat ist eine Abwasserabgabe zu erheben.
● Der Einbau von Ionenaustauscheranlagen in Waschmaschinen muß gefördert werden.

Literatur

1 Ullmanns Enzyklopädie der technischen Chemie, Band 24, «Waschmittel», S. 63–160, E. Bartholome (Hrsg.), Weinheim 1983
2 «Waschmittelchemie», herausgegeben von Henkel & Cie. GmbH Düsseldorf, Heidelberg 1976
3 H.-J. Lehmann: «Moderne Waschmittel», Chemie in unserer Zeit 7, 3, 82–89 (1973)
4 H. Stache (Hrsg.): «Tensid-Taschenbuch», München, Wien 1981
5 L. Fischer-Blunk: «Lipide und Tenside: Ein Praktikum», Diesterweg, 1979
6 Umwelt 98, 1983
7 H. Wingert: «Waschmittel ‹Gewäsch?›», natur 4/82, S. 20–27
8 H. Wingert: «Waschmittel (Persil bleibt leider Persil)», natur 12/83, S. 84–89
9 «Test Waschmittel, Die Besten bei 60 Grad», test 11/83, S. 76–81
10 Umwelt 100, 1984
11 H. Mackwitz u. B. Koeszegi: «Zeitbombe Chemie», Wien 1983
12 Umwelt 97, 1983
13 N. Gottschaldt: «Zur Darstellung und Auswertung wassertoxikologischer Untersuchungsergebnisse am Beispiel der Tenside», Acta hydrochim. hydrobiol. 10, 583–596 (1982)
14 D. Uhlemann: Hydrobiologie, Stuttgart 1975

15 G. Hanschmann u. H. Sohr: «Zur Toxizität und Spurenanalyse von Tensiden in Wasser», Acta hydrochim. hydrobiol. 11, 497–509, (1983)

16 W. L. H. Moll: «Taschenbuch für den Umweltschutz I, Chemische und technologische Informationen», München, Basel 1982

17 «Chemie im Haushalt», herausgegeben vom Verein für Umwelt- und Arbeitsschutz Bremen, Eigenverlag: 2800 Bremen 1, Fehrfeld 60, 1983

18 Ullmanns Enzyklopädie der technischen Chemie, Band 22, «Tenside», S. 455-515, E. Bartholome (Hrsg.), Weinheim 1982

19 Phosphathöchstmengenverordnung – Beitrag zum Umweltschutz, Umwelt Nr. 71, 13

20 Phosphathöchstmengenverordnung vom 4. Juni 1980, Bundesgesetzblatt Jahrgang 1980, Teil I, S. 664

21 Materialien 4/79, Die Prüfung des Umweltverhaltens von Na-Al-Silikat Zeolith A als Phosphorersatzstoff, Wasch- und Reinigungsmittel, UBA, Erich Schmidt Verlag, Berlin

22 Umwelt 3, 1981

23 Informationsdienst Chemie und Umwelt, ICU 1/84, S. 13

24 Studie über die aquatische Umweltverträglichkeit von NTA, Fachgruppe «Phosphate und Wasser» der GdCh, BMFT Vorhaben 02/WA – 137 BCT 247

25 EPA Report July 1980 on NTA Philadelphia, P. A.

26 WG, Cutler, R. C. David (Ed.): Surfactant science series, Vol. 5, Detergency, theory and test methods, method part III, 1981, Beverly J. Ruthovsky: Recent changes in landry detergents

27 Kirk, Othmers: Encyclopedy in technical Chemistry – Surfactants and detersive systems

28 Waschmittel – Gewässerschutz, Schriftenreihe des BMI, Bd. 2, 1973

29 W. L. H. Moll: «Taschenbuch für den Umweltschutz III Ökologische Informationen», München, Basel 1982

30 G. Billen u. O. Schmitz: «Der alternative Verbraucher», Frankfurt 1984

31 Abwassertechnologie, Hrsg.: Gesellschaft für technische Zusammenarbeit, Springer Verlag, Berlin, Heidelberg, New York, 1984

32 Umwelt 102, 1984

33 Hauptausschuß «Phosphate und Wasser» der Fachgruppe Wasserchemie in der GdCh: Phosphor-Wege und Verbleib in der BRD, Weinheim 1978

34 R. Schulze-Rettmer: «Die Auswirkungen des Abwassers vom Waschprozeß auf die Umwelt», Seifen-Öle-Fette-Wachse 102, 427–430, (1976)

35 Herstellerinformation über Rheno, auf Anfrage

36 Conli-Organisationsplan, Conli Vertriebsgesellschaft mbH., 2050 Hamburg 80, 1983

37 Umweltmagazin des Bundesverbandes Bürgerinitiativen Umweltschutz Nr. 4, 1983

Körperpflegemittel

Viel Einbildung – wenig Wirkung

«Kosmetika, das bedeutet viel Einbildung,
wenig Wirkung, aber im Verhältnis zur
geringen Wirkung viele Risiken.»
Prof. Stüttgen, Hautklinik FU Berlin

Der Verbrauch von Körperpflegemitteln ist in den letzten Jahrzehnten rapide angestiegen. Die Produktion erreichte im Jahr 1981 einen Wert von rund 4,8 Milliarden DM und hat sich in 20 Jahren nahezu verfünffacht. Gegenwärtig gibt ein 4-Personen-Arbeitnehmerhaushalt mit mittlerem Einkommen monatlich etwa 50 DM für Körperpflegemittel aus. Das sind rund 2,5 % der Gesamtausgaben für den privaten Konsum.

Die Körperpflegemittelindustrie ist inzwischen gemeinsam mit der Waschmittelindustrie nach der Arzneimittelproduktion der zweitgrößte Konsumgüterzweig der Chemiebranche (1).

Die rasante Entwicklung der Körperpflegemittelindustrie hat eine Kehrseite, der sich viele Konsumenten erst allmählich bewußt werden: Je mehr die Erzeugnisse der Chemieindustrie in unsere alltägliche Umgebung eindringen, desto mehr geraten althergebrachte, bewährte Mittel in Vergessenheit. Wirkliche Kenntnisse über sinnvolle Körperpflege sind mittlerweile nur noch bruchstückhaft vorhanden. Wir wissen nicht mehr, womit wir uns täglich pflegen und was wir tatsächlich brauchen.

Mit einer Untersuchung der wichtigsten Körperpflegemittel haben wir den Versuch gemacht, dieses verlorene Wissen zumindest in Ansätzen wieder zurückzugewinnen. Die Ergebnisse dieser Arbeit haben zunächst einmal Maßstäbe zurechtgerückt. Es zeigte sich, daß viele Produkte der Körperpflegemittelindustrie gar nicht die Wirkungen haben, die ihnen zugeschrieben werden und mit denen geworben wird. So beseitigen z. B. Antischuppenshampoos Schuppen nur kurzfristig, und auch Mittel gegen fettige Haare sind nicht nachhaltig wirksam. Selbst «klinisch getestete» Zahncremes schützen nicht vor Karies, wenn man die richtigen Zahnputztechniken nicht beherrscht und wenn man sich falsch ernährt. Von anderen Mitteln können besonders bei ständigem Gebrauch bestimmte, meist schwer abschätzbare Gesundheitsrisiken ausgehen. So ist es kein Zufall, daß Hautärzte oft zu Kritikern einer allzu übertriebenen Körperpflege werden. Der oben zitierte Satz von Prof. Stüttgen hat sich im Lauf unserer Recherchen immer wieder bestätigt (2).

Seifen, Syndets, Schaumbäder

Seifenstücke kann man heute in den unterschiedlichsten Formen und Farben kaufen. Neben der herkömmlichen eckigen Form gibt es runde Stücke, Zitronen oder Muscheln, die teils transparent, marmoriert und sogar zweifarbig angeboten werden. Der Einfallsreichtum, den die Industrie bei der äußeren Gestaltung dieses eigentlich profanen Artikels beweist, soll zusammen mit entsprechender Werbung dem täglichen Waschen einen Hauch von Abenteuer («Die wilde Frische von Limonen») oder Exklusivität und Luxus («An meine Haut laß ich nur Wasser und CD») geben.

All diese Anstrengungen haben jedoch nicht verhindern können, daß der Absatz von Seife seit einigen Jahren in allen Industrieländern stagniert bzw. leicht rückläufig ist – eine Situation, die hauptsächlich Folge einer gewissen Marktsättigung ist (1).

Darüber hinaus erwächst der Stückseife neuerdings mehr und mehr Konkurrenz: Gegen Ende der 70er Jahre gerieten die Strukturen des amerikanischen Seifenmarkts, der nach wie vor von wenigen Großkonzernen dominiert wird, ins Wanken. Einigen kleineren, eher als Außenseiter zu bezeichnenden Firmen war es gelungen, mit Flüssigseifen* (Syndets) auf den Markt vorzustoßen (3). Seit ungefähr zwei Jahren werden diese Mittel, deren Marktanteil sich in den USA auf mittlerweile 10% beläuft, auch bei uns mit beträchtlichem Erfolg verkauft. Sie werden als «Duschbäder» in standfesten Plastikbehältern mit phantasievollen Verschlüssen und ansprechendem Design angeboten.

Auch die vielen Schaumbadpräparate haben in den letzten Jahren sicher zur Stagnation des Seifenmarkts beigetragen, denn ein schaumiges Vollbad macht das Waschen mit Seife überflüssig.

Die Konkurrenz der Duschbäder brachte den Seifen nicht nur Absatzeinbußen, sondern führte auch zu einem gewissen Prestigeverlust. Über Nebenwirkungen traditioneller Toilettenseifen herrschen inzwischen relativ große Unsicherheiten. Seit von «Schädigungen des Säureschutzmantels» oder gar von «Alkalischocks» die Rede ist, scheinen Packungsvermerke wie «garantiert seifenfrei» oder «mit hautfreundlichem pH-Wert» (→ Glossar) Qualitätsgarantien per se zu sein. Doch Stückseifen

---

* Diese dürfen nicht mit der Schmierseife verwechselt werden, im folgenden werden daher die Bezeichnung «Syndets» oder «Duschbäder» verwendet.

sind nicht unbedingt schlechter als pH-neutral eingestellte Syndets, und diese wiederum sind nicht in jedem Fall besser als Seifen. Flüssigseifen sind höchstens teurer als die meisten angebotenen Stückseifen. Ein kurzer Überblick über die Zusammensetzung der verschiedenen Körperreinigungsmittel soll zeigen, wie es um ihre Hautverträglichkeit bestellt ist und wo mögliche Nebenwirkungen auftreten können.

Seifen

Das Prinzip der Seifenherstellung ist seit Jahrtausenden überliefert: Pflanzliche und tierische Fette werden mit Natronlauge vermischt und gesotten (verseift). Im Lauf dieses ersten Produktionsschritts bildet sich durch Aufspaltung der Fette der waschaktive Grundbestandteil jeder Feinseife, der chemisch aus einem Gemisch von Natriumsalzen langkettiger Fettsäuren besteht.

Eine gute Toilettenseife soll nicht spröde, aber auch nicht zu weich sein, gut anschäumen und einen cremigen, feinen Schaum ergeben. Für diese Eigenschaften ist die Mischung der zu verseifenden Fette und Öle maßgebend. Dieser sogenannte Fettansatz war früher ein ängstlich gehütetes Berufsgeheimnis der Seifensieder. Mit Hilfe moderner Analysenmethoden ist es heute aber verhältnismäßig einfach, sich einen Überblick über die Fettsäurezusammensetzung von Seifen zu verschaffen: Zur Herstellung von Seifen verwendet man gewöhnlich ein Gemisch aus 80–90% Rindertalg und 10–20% Kokosöl. Insgesamt beläuft sich der Fettsäuregehalt abgelagerter Feinseife auf 94–98%. Den verbleibenden Rest füllen diverse Zusatzstoffe.

Diese Mittel dienen den verschiedensten Zwecken: So verhindern *Komplexbildner*, daß Seife im Lauf der Zeit rissig wird oder häßliche Flecken bekommt, indem sie bestimmte, solche Alterungsprozesse beschleunigende Metallkationen binden. Auf einem ähnlichen Prinzip beruht die Wirkung von *Polyphosphaten*, die zu ca. 1% allen Seifen beigegeben werden. Sie reagieren mit Kalzium- und Magnesiumionen des Waschwassers. Diese Ionen, die die Härte des Wassers bestimmen, bilden mit den Fettsäuren der Seife schwer lösliche Verbindungen, die sich nicht nur an Badewannenrändern, sondern auch auf der Haut niederschlagen. (→ Waschmittel, S. 76 ff.) Polyphosphate können diese Erscheinung zwar nicht vollständig aufheben, wohl aber ein wenig eindämmen.

Sogenannte *Pilierhilfsmittel* – mehrwertige Alkohole und Fette – erhöhen die Plastizität der Rohseife und gewährleisten damit, daß sie während der Verarbeitung leichter zu kneten ist.

Zur *Farbgebung* wie zur *Parfümierung* stehen den Chemikern viele Verbindungen zur Verfügung, auf die hier nicht ausführlich eingegangen werden kann.

Alle genannten Hilfsmittel werden Seifen eher aus produktionstechnischen Gründen zugesetzt. Abgesehen von den Polyphosphaten, die die nach dem Waschen oft auftretende Rauhigkeit der Haut abmildern, spielen sie hinsichtlich der Hautverträglichkeit praktisch keine Rolle.

Sogenannte *rückfettende Substanzen* – Fette und mehrwertige Alkohole – hingegen, die in Konzentrationen zwischen 2% und 6% in jeder Feinseife enthalten sind, ziehen auf die Haut auf und sollen einer allzu starken Entfettung und Austrocknung entgegenwirken. Höhere Konzentrationen würden das Schaumvermögen der Seife herabsetzen. Waschlösungen herkömmlicher Toilettenseifen reagieren alkalisch (pH 9). Welche Bedeutung dies für die Hautverträglichkeit hat, wird weiter unten erläutert.

Seifen, die alle bisher erwähnten Zusätze enthalten, faßt man im allgemeinen als *Parfümseifen* zusammen. Aufgrund ihres Parfümgehalts verleihen sie dem Körper einen Duft, der unangenehmen Schweißgeruch überdeckt.

Deoseifen

Es gibt aber Seifen, die darüber hinaus noch speziell gegen Körpergeruch wirksame Substanzen enthalten, die sogenannten Deoseifen. Deoseifen finden großen Absatz. Fast jede zweite in der Bundesrepublik verkaufte Seife ist eine Deoseife, ihr Marktanteil steigerte sich von 39% im Jahr 1980 auf 48% im Jahr 1981 (4).

Unangenehmer Schweißgeruch geht hauptsächlich auf die Aktivität schweißzersetzender Bakterien zurück, die sich besonders in den Achselhöhlen und im Genitalbereich ansiedeln. In diese Vorgänge greifen Deoseifen ein. Ihre Wirkung beruht auf bakteriziden Präparaten, die eine Zersetzung des Schweißes unterbinden, indem sie Bakterien der Hautoberfläche abtöten oder deren Vermehrung hemmen.

Diese etwas verharmlosend auch als «Deowirkstoffe» bezeichneten Substanzen können einige bedenkliche Nebenwirkungen hervorrufen. Durchweg alle Deowirkstoffe setzten sich in den obersten Hautschichten fest; bei einigen fand man, daß sie durch die Haut ins Blut eindringen sowie Allergien auslösen können.

Gelegentlich rufen diese Substanzen Hautinfektionen hervor. Denn ihre Wirkung richtet sich nicht nur gegen schweißzersetzende Bakterien, sondern auch gegen die hauteigene Bakterienflora, die ebenfalls fast vollständig beseitigt wird. Die Hautflora hat aber nützliche Funktionen: Sie schützt die Haut vor Infektionen, indem sie die Ansiedlung krankheitserregender Keime erschwert. Wenn sie fehlt oder wie nach Gebrauch von Deoseifen stark dezimiert ist, kann es mit erhöhter Wahrscheinlichkeit zu krankhaften Hautveränderungen kommen. Infektiöse Erreger, die gegen «Deowirkstoffe» resistent sind, nisten sich dann ein und überwuchern die Haut.

Auf Deoseifen sollte man getrost verzichten. Deoseifenbenutzer, die zunächst unerklärlich erscheinende Hautveränderungen beobachten, sollten sich unbedingt von einem Hautarzt untersuchen lassen. Die Problematik desodorierender Wirkstoffe wird ausführlich im Kapitel «Deodorants» behandelt. Dort finden sich auch Angaben über die Eigenschaften von bakteriziden Präparaten, die in Deoseifen gebräuchlich sind.

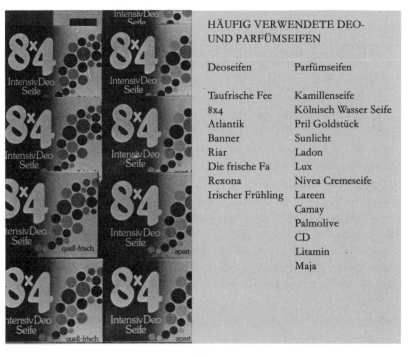

HÄUFIG VERWENDETE DEO- UND PARFÜMSEIFEN

Deoseifen	Parfümseifen
Taufrische Fee	Kamillenseife
8x4	Kölnisch Wasser Seife
Atlantik	Pril Goldstück
Banner	Sunlicht
Riar	Ladon
Die frische Fa	Lux
Rexona	Nivea Cremeseife
Irischer Frühling	Lareen
	Camay
	Palmolive
	CD
	Litamin
	Maja

Duschbäder (Flüssigseifen, Syndets, Schaumbadpräparate)

Flüssigseifen hat man anläßlich ihrer Einführung als Körperpflegemittel nicht erst neu entwickeln müssen. Sie bestehen aus Substanzen, die schon seit Jahrzehnten in Shampoos oder Schaumbädern zur Anwendung kommen. Neu an Flüssigseifen oder Syndets – wie sie oft auch genannt werden – ist nur ihr Verwendungszweck.

Syndets und Schaumbäder unterscheiden sich von Seifen weniger hinsichtlich ihrer Waschkraft als vielmehr durch einige praktische Vorzüge: Sie schäumen auch in hartem Wasser gut und hinterlassen keine schmutzigen Badewannenränder.

Ihr pH-Wert liegt mit 7–7,5 im neutralen oder leicht sauren (5,5–6,5) Bereich.

Diese Eigenschaften verdanken sie einer synthetischen Waschgrundlage, die zu einem größeren Teil aus *anionischen Tensiden* (→ S. 63 ff.) besteht, von denen die eigentliche Waschwirkung ausgeht, zu einem kleineren aus Teil *nichtionischen Tensiden* (→ S. 63 ff.), die als Lösungsvermittler für diverse Zusätze dienen. (Näheres über Tenside im Kapitel «Waschmittel»)

Ähnlich wie Seifen setzt man auch Syndets und Schaumbädern verschiedene *Rückfettungsmittel* (Wollfettabkömmlinge, Glycerinester), *Farbstoffe* und *Parfümöle* zu. Einige Flüssigseifen enthalten auch *desodorierende Wirkstoffe*.

Damit sie nicht auf der Hand zerfließen, aber auch nicht zu langsam aus der Flasche herauslaufen, müssen die Waschlösungen auf ein geeignetes Mittelmaß verdickt werden. Soweit die verwendeten Tenside selbst nicht schon die geforderte Zähflüssigkeit aufweisen, genügen hierzu Beimengungen einfacher Salzlösungen (meist Kochsalz).

Der neutrale bis leicht saure pH-Wert wird mit Hilfe von Phosphat- oder Zitronensäure-Pufferlösungen erreicht. In ihrer Zusammensetzung ähneln sich Flüssigseifen und Schaumbadpräparate sehr. Sie unterscheiden sich praktisch nur hinsichtlich ihres Tensid- und Duftstoffgehalts. Weil Syndets direkt auf die Haut, Schaumbäder dagegen ins Vollbad gelangen, weisen erstere einen entsprechend niedrigeren Tensidgehalt von 10–20% auf, während für letztere 25% eingesetzt werden. Schaumbäder sind zu 3–4%, Syndets zu 0,5% parfümiert.

Da Präparate mit tensidhaltigen Waschgrundlagen nur unzureichend gegen bakteriellen Befall geschützt sind, und zwar um so weniger, je höher ihr Wassergehalt ist, müssen sie konserviert werden. Darin besteht ein prinzipieller Nachteil der Flüssigseifen gegenüber Festseifen. Zur Konservierung synthetischer Waschgrundlagen kommen neben Formaldehyd und formaldehydabspaltenden Substanzen nur drei bis vier andere Verbindungen in Frage. Formaldehyd hat sich im Tierversuch als krebserregend herausgestellt und kann Allergien auslösen (vgl. auch das Kap. «Formaldehyd»). Da die Verwendung von Formaldehyd heute auf den Verpackungen deklariert werden muß, wenn der Gehalt 0,05% überschreitet, weichen die Hersteller meist auf andere Substanzen aus, von denen manche allerdings ebenfalls allergen wirken, krebsverdächtig sind oder durch Reaktionen mit anderen Inhaltsstoffen der Waschmittel krebserregende Substanzen ergeben. (Diese Zusammenhänge werden detailliert in dem Kapitel über «Konservierungsmittel» für Shampoos, Syndets und Schaumbadpräparate dargestellt.)

Zur Hautverträglichkeit von Seifen und Syndets

Oft genügt es, die Hände einfach mit (warmem) Wasser zu waschen, bei fetthaltiger Verschmutzung der Haut ist jedoch die Reinigungswirkung von Wasser allein relativ gering, so daß man auf die Verwendung von Waschmitteln angewiesen ist. Nun sind aber Reinigungen ohne gleichzeitige Irritationen der Haut prinzipiell nicht möglich. Denn alle Mittel, die waschaktive Substanzen enthalten, entfernen neben dem Schmutz auch immer spezielle körpereigene Substanzen, die zur Aufrechterhaltung der Schutz- und Abwehrfunktionen der Haut unerläßlich sind.

Allerdings führen solche Eingriffe nur in seltenen Fällen zu wirklich krankhaften Hautveränderungen. Hautärzte wissen zu berichten, daß klinische Schädigungen in der Regel nur bei ganz bestimmten Personengruppen als Folge überdurchschnittlich häufiger Waschmittelanwendungen auftreten. Das trifft vor allem für Gruppen zu, deren berufliche Tätigkeiten wegen starker (z. B. öliger) Verschmutzungen den Einsatz konzentrierter Waschmittellösungen erforderlich machen oder lang andauernden Hautkontakt der Mittel mit sich bringen (z. B. im Haushalt beim Spülen etc.). Auch Personen mit abweichender Hautkonstitution (z. B. sehr trockene Haut) sind höher gefährdet (5).

Reinigungsmittel können nun mehrere Nebenwirkungen jeweils unterschiedlicher Art und Ursache hervorrufen.

Allergische Nebenwirkungen weisen vielfältige Erscheinungsformen auf, die von Rötungen und Quaddeln auf der Haut bis zu asthmaartigen Anfällen reichen können. Sie kommen relativ selten und nur bei entsprechend überempfindlichen Personen vor. Die Zahl möglicher allergieauslösender Substanzen ist außerordentlich groß. Bei Seifen, Syndets und Schaumbädern sind aber kaum einmal die waschaktiven Substanzen selbst, sondern weitaus häufiger spezielle Zusätze – und hier besonders Deowirkstoffe und Konservierungsmittel – für allergische Reaktionen verantwortlich. (Zu weiteren Nebenwirkungen dieser Stoffgruppen → Deodorants und → Konservierungsmittel)

Im Gegensatz zu diesen spezifischen Nebenwirkungen stehen Beeinflussungen der Haut, die auf physikalisch-chemische Eigenschaften waschaktiver Grundlagen zurückgehen und prinzipiell in unterschiedlich großem Ausmaß bei allen Menschen auftreten. Solche Schädigungen sind entscheidend von Einwirkzeit und Konzentration der Reinigungsmittel abhängig. Bei normalem Gebrauch treten sie kaum zutage, zeigen sich bei ständigen, lang andauernden Verwendungen jedoch als sogenannte Abnützungsdermatose. Die Haut ist im akuten Stadium dieser Krankheit aufgesprungen und entzündet (5).

Ursache solcher Erscheinungen sind Störungen der Wasserregulation der Haut, die auf die emulgierende Wirkung waschaktiver Substanzen zurückgehen und nach jeder Waschung nachweisbar sind, gewöhnlich aber harmlos und unbedenklich sind. Will man diese Nebenwirkungen verstehen, muß man sich kurz mit Funktion und Aufbau der Haut auseinandersetzen. Dabei werden wichtige Gesichtspunkte für eine sinnvolle Hautpflege aufgezeigt.

Wissenswertes über die Haut

Die Haut soll den Organismus u. a. gegen von außen eindringende Partikel schützen und zugleich einen Verlust körpereigener Bestandteile – in der Hauptsache Wasser – verhindern. Den gewünschten Schutz gegen Wasserverlust erreicht der Organismus mit Hilfe eines dreiphasigen Systems, das in den obersten Schichten der Haut lokalisiert ist.

Bekanntlich ist die Haut nicht einheitlich zusammengesetzt, sondern weist einen Feinbau aus verschiedenen, selbst wasserhaltigen Geweben auf. Über der Unterhaut liegt die Lederhaut, die nach oben von der Keim- und Hornschicht abgedeckt ist. Die Hornschicht besteht aus abgestorbenen, abgeschilferten Zellen der Keimschicht. Da Unterhaut, Lederhaut und Keimschicht aus lebenden Zellen aufgebaut sind, haben sie mit 70–72% einen viel höheren Wassergehalt als die Hornschicht, die nur 2% Wasser enthält.

Ein Wasserverlust der lebenden Gewebe wird nun nicht nur durch die feuchtigkeitsarme Hornschicht, sondern zusätzlich durch eine fetthaltige Barriere zwischen ihr und der Keimschicht sowie durch einen Wasser-Fett-Film auf der Hautoberfläche eingeschränkt. Dieser äußere Film wird etwas mißverständlich als «Säureschutzmantel», zutreffender als «Wasser-Lipid-Mantel» bezeichnet. Er stellt eine Emulsion aus Talg, anderen Körperfetten, Schweiß sowie speziellen Puffersubstanzen der Hornschicht dar, die den Säuregrad der Hautoberfläche auf einen pH-Wert von ca. 5–6 einregulieren. Die Hornschicht ist also sowohl unten als auch oben von fetthaltigen Filmen umschlossen.

Die Wirksamkeit dieses dreiphasigen Systems ist an die beiden Fettfilme gebunden und hängt besonders von der Qualität der Hornschicht ab: Soll diese ihre Funktion als Feuchtigkeitsbarriere erfüllen, muß sie paradoxerweise selbst ausreichend mit Wasser versorgt sein. Andernfalls wäre sie spröde und würde aufbrechen. Der untere Lipidfilm schirmt die Hornschicht nun nicht vollständig gegen Wasser ab, sondern ist in geringem Maß für Feuchtigkeit aus der Keimschicht durchlässig. Diese saugt die Hornschicht mit Hilfe wasseranziehender Substanzen wie ein Schwamm auf. Ohne den Wasser-Lipid-Mantel der Hautoberfläche würde diese Feuchtigkeit ungehindert wieder an die Außenluft abgegeben. Die Haut ist nicht in allen Körperregionen gleich ausgebildet. Da, wo sie dicker und von vielen Talgdrüsen durchsetzt ist (an Rücken, Brust und im Gesicht), ist sie fettiger, an Beinen und Armen dagegen eher trocken. Abgesehen von solchen lokalen Unterschieden gibt es verschiedene Hautkonstitutionen: trockene, normale und fettige Haut. Während Menschen mit normaler und fettiger Haut Waschungen mit Reinigungsmitteln im allgemeinen gut vertragen, treten Probleme häufiger bei trockener Haut auf, deren Hornschicht dünner, schlechter hydratisiert und oft unzureichend durch einen Wasser-Lipid-Mantel geschützt ist.

Welche Haut für welche Seife?

Aufgrund der emulgierenden Wirkung waschaktiver Substanzen wird mit dem Schmutz zunächst auch der Wasser-Lipid-Mantel der Hautoberfläche beseitigt. Die nun freiliegende Hornschicht kann ungehindert Wasser aufnehmen und quillt an. Die Quellung ist allerdings nicht von langer Dauer. Kurz darauf trocknet die Haut merklich aus, nicht nur, weil die oberste fetthaltige Schutzschicht, der Wasser-Lipid-Mantel, fehlt, sondern auch, weil im Lauf der Quellung ein Großteil der wasserhaltenden Substanzen, die in die Hornschicht eingelagert sind, herausgelöst wird.

Man konnte nun feststellen, daß das Ausmaß der Hautquellung vom Säuregrad des aufgebrachten Waschmittels abhängig ist: Seifen mit einem pH-Wert von ca. 9 quellen die Haut weit stärker auf als neutral oder schwach sauer eingestellte Syndets. Dieser Effekt ist allerdings weit günstiger, als man auf den ersten Blick annehmen möchte. Infolge der stärkeren Quellung durch alkalische Seifen beansprucht die Austrocknung der Haut entsprechend mehr Zeit. Es dauert ungefähr zwei bis drei Stunden, bis die Seifenquellungen vollständig abgeklungen sind. Da in der Zwischenzeit die Talgsekretion den oberen abgelösten Wasser-Lipid-Mantel wieder zu ersetzen beginnt und dieser nach ca. zwei Stunden vollständig regeneriert ist, wird die eigentliche Austrocknungsphase mehr als überbrückt. (Die Regeneration des Wasser-Lipid-Mantels wird durch fetthaltige Zusätze zu Seifen und Syndets, die sog. rückfettenden Substanzen, noch unterstützt.)

Anders bei neutralen oder schwach sauren Syndets: Weil sie eine weitaus geringere Quellwirkung haben, die nach ein bis zwei Stunden nachläßt, erreicht die Hornschicht schon ihren normalen Feuchtigkeitsgehalt, bevor der Wasser-Lipid-Mantel völlig nachgebildet ist (5). Syndets trocknen die Haut also stärker aus als Seifen.

Insofern ist es ein Irrtum, saure oder neutrale Syndets generell für hautfreundlicher als herkömmliche Seifen zu halten. Die Verschiebung des pH-Werts der Hautoberfläche, die bei Syndets nicht so stark ist, ist nämlich weitaus weniger gravierend, als man früher annahm. Denn die Haut verfügt über eine außerordentlich große Pufferkapazität und stellt den ursprünglichen Säuregrad bedeutend schneller als den Wasser-Lipid-Mantel wieder her (5).

Die Wahl des Reinigungsmittels sollte man daher nicht dem pH-Wert der

Hautoberfläche, sondern der jeweiligen Hautkonstitution anpassen: Trockene Haut verträgt alkalische Seifen besser, weil diese ihr aufgrund der stärkeren Quellwirkung mehr Feuchtigkeit zuführen. Umgekehrt verhält es sich bei fettiger Haut. Hier wirken sich neutrale oder saure Syndets wegen ihrer entfettenden und auftrocknenden Eigenschaften günstiger aus. Normale Stückseifen würden wegen ihrer Alkalität die ohnehin schon intensive Talgsekretion dieses Hauttyps noch mehr anreizen.

Wer extrem trockene Haut hat, sollte sich nach dem Waschen eincremen oder ganz auf Seife verzichten und spezielle Reinigungsmilch vorziehen. Nicht nur waschaktive Substanzen, auch heißes Wasser allein kann den Wasser-Lipid-Mantel ablösen und somit austrocknend wirken. Aus diesem Grund sollte man nicht länger als 15 Minuten in der heißen Badewanne bleiben.

 Ökorat – Ökotat

● Passen Sie die Wahl des Reinigungsmittels Ihrem Hauttyp an: herkömmliche Seife für trockene Haut, Duschbäder für fettige Haut.
● Vorsicht bei Deoseifen! Wenn Sie Veränderungen der Haut beobachten, lassen Sie sich von einem Arzt beraten und auf Infektionen und Allergien untersuchen. Auf Deoseifen sollten Sie verzichten.
● Nehmen Sie nicht länger als 15 Minuten ein heißes Bad.

Deodorants und Antitranspirantien

Die rund zwei Millionen Schweißdrüsen des menschlichen Körpers sondern täglich mindestens einen halben Liter Schweiß ab; bei körperlicher Anstrengung, großer Hitze oder unter Stress kann sich diese Menge auf ein Vielfaches erhöhen. Leider verbindet sich der für die Temperaturregulierung des Körpers so wichtige Vorgang des Schwitzens mit einer Nebenerscheinung, die vielen lästig ist: unangenehmem Körpergeruch.

Offenbar war Schweißgeruch früher kein spezielles Problem der Körperpflege, das den Gebrauch besonderer Mittel erforderlich gemacht hätte. Abgesehen von Parfüms begnügte man sich mit Wasser und Seife, wollte man sich von Geruch und Schmutz befreien.

Als aber nach dem Krieg Textilien aus synthetischen Fasern in großem Maßstab produziert wurden, wurde auch denjenigen, die sich nicht mit körperlicher Arbeit plagen mußten, bewußt, daß sie schwitzen. Denn moderne Gewebe saugen Schweiß schlechter als natürliche Fasern auf. Die Ära der Nylonhemden machte Körpergeruch schließlich zum allgemeinen Ärgernis und eröffnete den Deodorants, die Schweißgeruch zu verhindern versprachen, große Absatzchancen. In dieser Zeit kamen auch die ersten Deoseifen auf.

Inzwischen haben Deodorants einen festen Platz in der Reihe der Körperpflegemittel eingenommen. Heute verwenden über 60% der Männer und fast 80% aller Frauen Tag für Tag eines der rund 30 angebotenen Mittel (6). Im ersten Halbjahr 1982 wurden in der Bundesrepublik 154,3 Mio DM für Deodorants ausgegeben, eine Summe, die die Aufwendungen für Seifen im gleichen Zeitraum (116,1 Mio DM) noch überstieg (4)! (Deos sind auch teurer als Seifen, die Zahlen geben aber einen Eindruck davon, welches Marktvolumen Deos inzwischen einnehmen.)

Anfangs war es nicht einfach, für Deodorants, die aus alkoholischen Lösungen spezieller Wirkstoffe bestehen, eine bequem handhabbare Anwendungsform zu finden. So war es üblich, mit desodorierenden Lösungen getränkte Läppchen unter den Achseln zu tragen. Heute werden desodorierende Präparate neben den Deoseifen fast ausschließlich als Sprays, Stifte oder Roller angeboten. Sprays nehmen mit 58% den größten Marktanteil ein, während auf Stifte und Roller jeweils 8,6% entfallen (6).

Peinliche Schwitzflecken?

Deos werden nach einer Umfrage hauptsächlich wegen ihres angenehmen Geruchs gekauft (7), weniger bekannt ist, daß ihre Wirkung vor allem auf der Verhinderung der Schweißzersetzung beruht. Ähnlich wie Parfüms enthalten Deos zwar Duftstoffkombinationen – ihre eigentliche Wirkung beruht aber auf antimikrobiellen Substanzen, sogenannten «Deowirkstoffen». Diese Verbindungen greifen in bestimmte Vorgänge ein, die zur Entstehung unangenehmen Schweißgeruchs führen.

Es gibt zwei verschiedene Arten von Drüsen, die Schweißflüssigkeit absondern: ekkrine und apokrine Drüsen. Nur die apokrinen Schweißdrüsen sind für unangenehmen Körpergeruch verantwortlich. Sie liegen vor allem in den Achselhöhlen und im Genitalbereich und bilden sich im Lauf der Pubertät heraus. Frisch ausgetretener apokriner Schweiß ist fast geruchlos. Erst wenn er von bestimmten Bakterien zersetzt wird, die sich auf der Haut und an den Haaren (Achselhaare, Schamhaare) ansiedeln, entwickelt sich der charakteristische Schweißgeruch. Im Lauf der bakteriellen Zersetzung entstehen nämlich einige übelriechende chemische Verbindungen: Fettsäuren, Ammoniak, Mercaptane und andere schwefelhaltige Eiweißspaltprodukte.

Obgleich die zahllosen über den ganzen Körper verteilten ekkrinen Schweißdrüsen den größten Teil der gesamten Schweißflüssigkeit absondern, tragen sie nicht zum Körpergeruch bei, da ekkriner Schweiß nicht von Bakterien zersetzt wird.

Die Entstehung von Körpergeruch kann durch verschiedene Eingriffe in die Vorgänge der Schweißabsonderung unterbunden werden. Vor allem zwei Methoden kommen heutzutage in handelsüblichen Präparaten zur Anwendung:

Mit Hilfe bakterienabtötender Wirkstoffe bezweckt man bei *Deodorants*, die bakterielle Zersetzung des Schweißes zu verhindern. «Peinlichen Schwitzflecken» können sie indessen nicht vorbeugen. Diesen Zweck erfüllen sogenannte *Antitranspirantien* oder Regulantien, mit denen sie oft verwechselt werden. Die Wirkung dieser Mittel beruht aber auf einem völlig anderen Prinzip. Als wirksame Komponente enthalten sie Substanzen (bestimmte Aluminiumsalze), die die Schweißabsonderung selbst hemmen, indem sie die Ausführkanälchen der Drüsen verengen und die an die Hautoberfläche gelangende Schweißmenge reduzieren.

Deosprays, Stifte und Roller

Alle Anwendungsformen von Deodorants bestehen zu einem großen Teil aus Alkohol, der als Lösungsmittel für die bakteriziden Wirkstoffe dient. Daher hinterlassen diese Mittel unmittelbar nach dem Auftragen ein kühlendes und erfrischendes Gefühl auf der Haut, das auf die Verdunstungskälte des Alkohols zurückzuführen ist.

Sprays enthalten:

Alkohol 60–80%
Duftstoffe ca. 1%
Deowirkstoffe 0,1–1%
Treibgas 20–40%

Deoroller enthalten:

Alkohol 30–60%
Duftstoffe ca. 1%
Deowirkstoffe 0,1–1%
Verdickungsmittel
(Celluloseester)
Wasser

Deostifte enthalten:

Alkohol 40–60%
Duftstoffe ca. 1%
Deowirkstoffe 0,1–1%
Wachsähnliche
Stoffe 4–7%
Wasser 30–50%

Dieser Effekt ist bei Deosprays bsonders ausgeprägt. Das Treibgas, mit dem die Spraydosen abgefüllt sind und das die Wirkstoffe auf die Haut befördert, unterstützt die kühlende Wirkung des Alkohols, weil seine Temperatur im Moment des Versprühens auf sehr niedrige Werte abfällt. Spraydosen darf man nicht verbrennen und keinesfalls ihren Inhalt auf heiße, glühende Gegenstände sprühen. Entsprechende Hinweise müssen genauso wie die Warnung, den Sprühstrahl nicht in die Augen zu richten, auf den Dosen vermerkt sein.

Daß ein Sprühstrahl brennt, ist angesichts des hohen Alkoholgehalts bei Deosprays nicht verwunderlich. Aber auch die Treibgase können wegen ihrer Propan- und Butananteile entflammbar sein. Die meisten Deosprays enthalten darüber hinaus Fluorchlorkohlenwasserstoffe, kurz: FCKW, als Treibgaskomponente.

Seit amerikanische Wissenschaftler FCKW für nachhaltige Schädigungen der Ozonschicht verantwortlich machten, sind diese sehr umstritten (→ Sprays). Hinsichtlich der Ozonschichtschädigungen kommt kosmetischen Sprays die größte Bedeutung zu, denn sie haben mit rund 60% den größten Marktanteil bei den Sprays (8).

Weil Deostifte und Roller im Unterschied zu Sprays direkt mit der Haut in Berührung kommen, eignen sie sich eher für den individuellen Gebrauch. Auch sie bestehen aus einer alkoholischen Grundlage, der zusätzlich Wasser als Lösungsmittel zugegeben ist. Während die Wirkstofflösungen der Roller (Roller funktionieren nach dem Kugelschreiberprinzip) mit speziellen Verbindungen verdickt werden, sind sie in Stiften durch wachsähnliche Stoffe gebunden.

Ein Wort über Intimsprays

Seit nach der Entwicklung von Deodorants bald auch Intimsprays erhältlich waren, wurden viele Ärzte wegen immer häufiger auftretender Infektionen der Scheide auf mögliche Nebenwirkungen dieser Präparate aufmerksam (10). Besonders bei unsachgemäßer Verwendung dieser Präparate (Sprühen direkt in die Scheide) kann die Scheidenflora so stark dezimiert werden, daß schädliche Bakterien und Pilze ohne Schwierigkeit überhandnehmen können. Oft versucht man, der größeren Infektionsanfälligkeit mit Hilfe zusätzlicher, gezielt gegen Krankheitserreger wirkender Substanzen in Intimsprays zu begegnen. Der Erfolg solcher Maßnahmen ist aber äußerst fragwürdig, weil auf diese Weise Störungen der in der Scheide wirksamen Regulationsmechanismen nicht aufgehoben, sondern nur verdeckt werden.

Auf Intimsprays sollte besser verzichtet werden.

Nebenwirkungen desodorierender Präparate

Die Verwendung von Deodorants zur Körperpflege ist umstritten. Viele Spezialisten beobachten die tägliche Verwendung dieser Mittel mit berechtigter Skepsis – und zwar aus mehreren Gründen.

Der erste gewichtige Einwand gegen Deodorants bezieht sich auf die hohe, aber unspezifische Wirksamkeit der «Deowirkstoffe». Diese Substanzen töten bzw. hemmen keineswegs nur schweißzersetzende Mikroorganismen, sondern fast alle auf der Haut angesiedelten Bakterien. Schon nach wenigen Tagen täglicher Verwendung eines Deos geht die Bakterienpopulation an den behandelten Stellen bis auf Bruchteile ihres ursprünglichen Umfangs zurück.

Wie durchgreifend diese Effekte sind, sollen einige Beispiele belegen. Sie beziehen sich auf Deowirkstoffe in Deoseifen (9).

 Eine Seife, die 2% des Deowirkstoffs «Actamer» enthielt, senkte nach 12 Tagen regelmäßiger Verwendung die Hautkeimzahl auf 2,6% ihres ursprünglichen Werts. Actamer (2,2'-Thio-bis-4,6-dichlorphenol) ist in der Bundesrepublik wegen allergieauslösender Wirkungen nicht mehr zugelassen.

Eine Seife, der nur 1,5% des Wirkstoffs «Anobial» (4,3',4'-Trichlorsalicylanilid) zugesetzt waren, brachte die Bakterienflora innerhalb des gleichen Zeitraums auf 4% des Normalwerts.

Solche gravierenden Eingriffe sind nicht unbedenklich, denn die hauteigene Bakterienflora erfüllt wichtige Funktionen. Aus durchweg harmlosen Mikroorganismen bestehend, ist sie nämlich in der Lage, eine gefährliche Vermehrung infektiöser Keime wirksam zu unterdrücken. Man hat nachgewiesen, daß bestimmte Krankheitserreger nach einiger Zeit auf der Haut zugrunde gehen (10).

Wird die Bakterienflora nun durch Deodorants stark geschädigt, verliert die Haut ihre natürliche Resistenz und ist infektiösen Keimen weitgehend schutzlos ausgeliefert. So kann es in den Achselhöhlen oder an anderen behandelten Stellen zu Überwucherungen durch hautfremde Mikroorganismen kommen. Das Resultat sind oft lästige, juckende Infektionen (11). Erschwerend kommt hinzu, daß viele Deowirkstoffe die hauteigenen Bakterien stärker schädigen als manche Krankheitserreger (10).

Die in Deodorants gebräuchlichen Bakterizide entfalten vor allem deshalb eine so hohe Wirksamkeit, weil sie ausgesprochen gut an der Haut

Allergien

Deodorants werden häufig mit Allergien in Verbindung gebracht. An sich können praktisch alle Substanzen Allergien auslösen. Es hat sich aber herausgestellt, daß bestimmte chemische Verbindungen sehr viel häufiger als andere solche Unverträglichkeitsreaktionen hervorrufen. Zu diesen Substanzen zählen viele als Deowirkstoffe verwendete Bakterizide (13).

Einige dieser Verbindungen sind inzwischen verboten worden, andere unterliegen gewissen Anwendungsbeschränkungen und müssen auf den Verpackungen gekennzeichnet werden.

Wie groß die Häufigkeit von Allergien gegen Deowirkstoffe derzeit ist, ist schwer zu ermitteln. Angeblich treten sie heute relativ selten auf. Dennoch bekommen Hautärzte solche Fälle immer wieder zu Gesicht.

Wer unter den Achselhöhlen oder anderswo zunächst unerklärlich scheinende Pusteln, Rötungen usw. beobachtet, sollte sich unbedingt von einem Hautarzt untersuchen und einen Allergietest durchführen lassen. (→ Allergien, S. 147 ff.))

haften und in sie einziehen. Selbst durch Waschungen können sie nur äußerst schwer entfernt werden. So häufen sie sich im Lauf ständigen Gebrauchs an und bilden in der Haut regelrechte Depots. Wer trotz der genannten Risiken Deos verwenden will, braucht sich zumindest nicht täglich zu desodorieren: Denn wenige Anwendungen pro Woche reichen schon aus, das Bakterienwachstum zum Stillstand zu bringen (12) und damit den gewünschten Effekt zu erzielen.

Allein schon wegen der geschilderten Einwirkungen auf die Mikroflora der Haut werfen viele Fachleute die Frage auf, ob Desodorierungen mittels bakterizider Präparate eine für Zwecke der Körperpflege sinnvolle Maßnahme darstellen.

Oft viel schwerwiegender wirken sich die dargestellten Erscheinungen im Bereich der Schleimhäute der Genitalregion aus.

Aufnahme von Deowirkstoffen durch die Haut

Daß Deowirkstoffe Allergien auslösen, ist ein Beleg dafür, daß sie durch die intakte Haut in den Blutkreislauf eindringen können, denn ohne einen solchen Übergang ins Körperinnere wäre eine Reaktion des Immunsystems, die sich bis zur Allergie steigerte, nicht denkbar.

Tatsächlich hat man durch Messungen den positiven Nachweis erbracht, daß Deowirkstoffe in gewissem Ausmaß durch die Haut ins Blut gelangen. Welche fürchterlichen Konsequenzen damit verbunden sein können, wurde durch einen tragischen Zufall am Beispiel des Hexachlorophens, eines ehemals häufig in Deodorants und Seifen verwendeten Bakterizids, deutlich. 1972 kam in Frankreich ein Babypuder in Umlauf, das auf Grund eines Produktionsfehlers an Stelle der üblichen 0,2–0,6% einen Hexachlorophengehalt von 6% aufwies. Der Gebrauch dieses Puders in einem Pariser Krankenhaus kostete 36 Babys das Leben und hinterließ 8 unheilbare Pflegefälle sowie 150 in unterschiedlichem Ausmaß auf Dauer geschädigte Kinder (13). Wenig später wurde deutlich, daß auch niedrigere Hexachlorophenkonzentrationen gefährliche Wirkungen zeigen. In Schweden wurde man auf diese Substanz aufmerksam, als eine an Krankenschwestern durchgeführte Untersuchung Hinweise auf mißbildende Eigenschaften erbrachte (15).

Regelmäßiger Gebrauch hexachlorophenhaltiger Produkte führt zu konstanten Konzentrationen dieser Substanz im Blut. Die höchsten bei Kleinkindern gefundenen Blutspiegelwerte lagen bei 60% des Werts, der im Tierversuch mit Ratten erste toxische Effekte auslöst (13).

Hexachlorophen ist inzwischen in der Bundesrepublik für Babypflegemittel nicht mehr zugelassen. In allen anderen kosmetischen Artikeln ist seine Verwendung unterhalb bestimmter Schwellen aber immer noch erlaubt. (In Seifen max. 1%, in Aerosolen 0,1%, in allen anderen Artikeln 0,5%, Kosmetik-Verordnung.) Hexachlorophen muß auf den Packungen deklariert werden. Aus diesem Grund findet man Hexachlorophen heute kaum mehr in Körperpflegemitteln, wohl aber in einigen Spezialpräparaten.

Es ist völlig unverständlich, daß Hexachlorophen nicht generell verboten wird. Produktionsbedingt ist es nämlich mit Spuren des hochgiftigen TCDD verunreinigt, das als «Sevesogift» traurige Berühmtheit erlangt hat (16). TCDD – das stärkste synthetisch hergestellte Gift – wirkt selbst in kleinsten Spuren noch schädlich. Daher ist ein vollständiges Verbot von Hexachlorophen unabdingbar.

Hier eine Aufzählung hexachlorophenhaltiger Artikel
(ohne Gewähr auf Vollständigkeit, Stand: IV. Quartal 1984):

Loscon Medical Shampoo[1]	Aknelan-Lotio[1]
Satinasept[1,2]	Aknefug-Milch[1,2]
Mediphon Puder[1,2]	Aknefug-Milch Simplex[1,2]
Silicocort-Salbe[1]	Aknelan-Milch[1]
Cortidexason Crinal-Tinktur[1,2]	

Quellen 1: Rote Liste 1984, herausgegeben vom Bundesverband der
Pharmazeutischen Industrie, Editio Cantor
2: Pharmindex IV, 1984, IMP Kommunikationsgesellschaft,
Neu-Isenburg

Die für Hexachlorophen charakteristische Resorption durch die intakte
Haut ist auch bei einigen anderen heute gebräuchlichen Deowirkstoffen
beobachtet worden*: Über toxische Effekte dieser Verbindungen ist noch
nichts bekannt. Man weiß nicht, wie sie sich im menschlichen Körper
verhalten und welche Langzeitschädigungen mit ihnen verbunden sein
können.

Doch ohne den tragischen Unglücksfall in Frankreich wäre Hexachlorophen auch heute noch einer der gebräuchlichsten Deowirkstoffe. Über
die toxischen Eigenschaften derzeit eingesetzter Deowirkstoffe weiß man
nicht mehr als über Hexachlorophen vor dem Unfall in Paris.

Antitranspirantien

Antitranspirantien werden oft mit Deodorants verwechselt – kein Wunder, denn sie dienen letztlich dem gleichen Ziel und werden auch in
ähnlicher Form, nämlich als Sprays, angeboten. Ihre Wirkung beruht
aber auf völlig anderen Prinzipien.

Im Gegensatz zu Deodorants sollen sie die auf die Hautoberfläche gelangende Schweißmenge reduzieren. Da sie zusätzlich bakterizide Substanzen enthalten, greifen sie gleich auf doppelte Weise in die Vorgänge ein,
die zur Entstehung unangenehmen Schweißgeruchs führen.

Für die angestrebte Verminderung der Schweißsekretion sind bestimmte
Aluminiumsalze verantwortlich. Einmal auf die Haut gesprüht, verbinden sie sich mit der Hornschicht und rufen Verengungen der Schweiß-
drüsen-Ausführkanälchen hervor. Als Folge davon bilden sich Schweiß-

---

* Es handelt sich um das weit verbreitete «Irgasan DP 300» (2,4,4'-Trichlor-2'-hydro-
xidiphenylether) sowie um 3,4,4'-Trichlordiphenylharnstoff. Auch Tribromsalicylani-
lid ist durch die Haut resorbierbar (in der BRD verboten) (9, 13).

stauungen in den Drüsen, die zu einem merklichen Nachlassen ihrer Aktivität führen.

Über die Mechanismen, die diesem Effekt zugrunde liegen, ist man sich heute noch nicht ganz im klaren. Man diskutiert, daß die Aluminiumsalze mikroskopisch nachweisbare, chronisch-entzündliche Veränderungen der Schweißdrüsen provozieren (9). Diese Veränderungen wachsen sich manchmal zu größeren, äußerlich sichtbaren Entzündungen der Schweißdrüsen aus. Daß solche Unverträglichkeitsreaktionen eher selten auftreten, schreibt man der im Lauf der Schweißstauung nachlassenden Drüsenaktivität und der Tatsache zu, daß die Ausführkanäle nicht vollständig verschlossen werden.

Antitranspirantien kann man beim Kauf nur mit großer Aufmerksamkeit von Deosprays unterscheiden. Denn oft werden sie unter gleichen Markennamen angeboten. Da sie heute zumeist als Suspensionen fein zermahlener Salze in Ölen verkauft werden, bezeichnet man sie häufig auch als «Trockendeos». Wenn man auf der Packung kleingedruckte Hinweise wie «wirkt regulierend» findet, kann man sicher sein, ein Antitranspirant vor sich zu haben.

 Ökorat – Ökotat

- Auf Deodorants und Antitranspirantien sollten Sie verzichten.
- Es ist nicht nötig, Deodorants nach einer Zeit von ca. 12 bis 14 Tagen immer noch täglich aufzutragen. Nach Ablauf dieser Frist reichen zwei bis drei Anwendungen in der Woche aus, um das Bakterienwachstum zum Stillstand zu bringen.
- Für risikofreudige Zeitgenossen, die trotz alledem Deos verwenden wollen:
Konsultieren Sie unbedingt einen Arzt, wenn sie Hautveränderungen beobachten.
- Statt Deodorants oder Antitranspirantien zu verwenden, können Sie ohne weiteres auf normale Parfüme (Eau de Toilette) zurückgreifen – oder ganz auf Ihre natürliche Ausstrahlung vertrauen.

Shampoos

Unter den vielen kosmetischen Mitteln zur Haarbehandlung nehmen Shampoos sicherlich den wichtigsten Platz ein. Es sind flüssige, teilweise fast cremige Zubereitungen, deren wichtigster Inhaltsstoff die waschaktive Substanz ist.

Um die Jahrhundertwende benützte man zur Haarwäsche noch Seife. Damit mußte man allerdings gewisse Nachteile in Kauf nehmen, denn Seife schäumt und wäscht in hartem Wasser schlecht und bildet schwerlösliche Kalkseifen, die sich auf den Haaren absetzen und sie strohig, hart und stumpf werden lassen. Diese lästigen Ablagerungen konnte man nur durch gründliche Spülungen mit Essig- oder Zitronenwasser beseitigen. Solche Prozeduren gehören inzwischen der Vergangenheit an. Moderne Haarwaschmittel sind seifenfrei und aus synthetischen waschaktiven Substanzen aufgebaut, die die genannten Nebenwirkungen der Seife nicht mehr zeigen und damit die Haarwäsche erheblich vereinfachen.

Angesichts der Versprechungen der Hersteller erscheint es heutzutage aber fast banal, von einem Shampoo nur reinigende Wirkungen zu erwarten. Geheimnisvolle Wirkstoffkombinationen sollen darüber hinaus die Struktur des Haares verbessern, mehr Spannkraft verleihen oder Schuppen und fettige Haare beseitigen.

Ob Shampoos immer halten können, was die Hersteller versprechen?

Wie Shampoos aufgebaut sind

Nach der Devise «Was gut schäumt, wäscht auch gut» wird die Qualität eines Shampoos vielfach an Hand seiner Schaumkraft beurteilt. Allerdings besagt das Schaumvolumen eines Haarwaschmittels kaum etwas über seine reinigende Wirkung. Diese kann der Verbraucher in aller Regel gar nicht überprüfen.

Dennoch ist das Schaumverhalten eines Shampoos auch bei der Herstellung ein wichtiger Gesichtspunkt. Weil sich schlecht schäumende Mittel auch schlecht verkaufen lassen, besteht die Waschgrundlage moderner Shampoos aus mehreren anionischen und nichtionischen Tensiden (→ «Waschmittel», S. 63 ff.), die sowohl befriedigende Waschkraft als auch stabilen, feinen Schaum und schnelles Anschäumen garantieren (17).

Die Industrie nutzt damit hartnäckig fortbestehende Überbleibsel alten Erfahrungswissens aus Zeiten, wo man noch ausschließlich mit Seife wusch: Tatsächlich zeigt nachlassendes Schaumvermögen von Seifenlösungen auch eine entsprechend verminderte Waschkraft an.

Haarwaschmittel weisen einen pH-Wert zwischen 4 (leicht sauer) und 9 (leicht alkalisch) auf. Der Säuregrad des Haarwaschmittels bestimmt aber weniger die Kopfhautverträglichkeit (wie einige Hersteller neuerdings glauben machen wollen), sondern beeinflußt die Waschkraft (über Wechselwirkungen zwischen Tensiden einerseits und statischen Aufladungen von Schmutzpartikeln und Haaren andererseits). Hier konnte man die beim Reinigen von Textilien gewonnenen Erfahrungen auf den Bereich der Haarwäsche übertragen (18).

Die waschaktiven Substanzen, die 10–20%, gewöhnlich ca. 15% der Gesamtzusammensetzung eines Shampoos ausmachen, beseitigen naturgemäß nicht nur Schmutz (Schweißrückstände, Zellmaterial der Kopfhaut, Staub), sondern wirken auch stark entfettend. Mit jeder Kopfwäsche werden rund 80% des gesamten Haarfetts fortgespült (19).

Unterschiede zwischen einzelnen Shampooformulierungen prägen sich weniger in ihrer Reinigungswirkung als mehr dahingehend aus, in welchem Zustand sie die gewaschenen Haare hinterlassen.

Anionische Tenside allein würden die Haare ähnlich wie Seife strohig und hart aussehen lassen. Hier übernehmen nun spezielle Tenside (sogenannte quarternäre Ammoniumverbindungen) wichtige Aufgaben. Sie besitzen nämlich die Eigenschaft, auf die Haaroberfläche aufzuziehen, diese zu glätten und die Haare dadurch vor mechanischen Verletzungen beim Kämmen und Bürsten zu schützen. Sie wirken auch statischen Aufladungen entgegen und verhindern damit, daß das Haar absteht und «fliegt». Auch wenn die Hersteller diese Effekte oft als «strukturverbessernd» oder «die Spannkraft erhöhend» hervorheben, darf man solche Anpreisungen nicht mit pflegenden Wirkungen im gesundheitlichen Sinn verwechseln. Die genannten Zusatzstoffe verändern nur die physikalischen Eigenschaften der Haare, «ernähren» können sie diese nicht.

Shampoos enthalten weiterhin ähnlich wie Syndets und Schaumbäder noch eine Reihe weiterer Zusätze:

Mit Hilfe von Salzlösungen und verschiedenen organischen Verbindungen wird der Waschgrundlage eine geeignete *Zähflüssigkeit* verliehen.

Als *Rückfettungsmittel*, die eine allzu starke Entfettung der Haare vermeiden sollen, kommen meist Fettalkohole zum Einsatz.

Shampoos werden oft eingetrübt: *Perlglanz* als spezielle Art der Trübung erzielt der Hersteller durch Zugabe besonderer Salze der Stearinsäure, deren feine Kristalle den bekannten «Glitzereffekt» hervorrufen.

Eine *Parfümierung* der Shampoos wird häufig allein schon wegen des Eigengeruchs bestimmter Tenside vorgenommen, geschönt werden sie außerdem durch Anfärben.

Spezialzusätze wie Kräuterextrakte, Lecithin, Aminosäuren oder Eigelb haben keine nachweisbaren gesundheitsfördernden Wirkungen auf das Haar und dienen oft lediglich Reklamezwecken (20).

Sehr wichtige Additiva sind dagegen *Konservierungsmittel.* Von den zahlreichen Verbindungen, die zu diesem Zweck verwendet werden, sind nicht alle für Haarwaschmittel brauchbar. Neben Formaldehyd (→ Formaldehyd) und formaldehydabspaltenden Substanzen werden gewöhnlich nur wenige andere Verbindungen eingesetzt, deren Unbedenklichkeit freilich ähnlich umstritten wie die von Formaldehyd ist (→ Konservierungsmittel, S. 136 f.).

Shampoos gegen überfettetes Haar

Rasch nachfettende und überfettete Haare sind die Folge einer übermäßigen Sekretion der Talgdrüsen. Gegen diese mitunter krankhafte Erscheinung gibt es im Bereich der Haarpflege kaum wirksame Mittel (20). Als eine Ursache erhöhter Talgsekretion gelten Hormonstörungen, die eine geregelte Drüsentätigkeit nicht mehr zulassen. Allerdings sollte man hier nicht mit Hormonbehandlungen eingreifen, weil damit gleichzeitig Sexualverhalten und -merkmale beeinflußt werden.

Die Faktoren, die zur Überfettung führen, sind noch nicht restlos geklärt. Somit läßt sich die Wirkung von Präparaten gegen fettiges Haar ebenfalls nur unzureichend abschätzen.

Handelsübliche Shampoos gegen fettiges Haar enthalten als aktive Komponente spezielle waschaktive Substanzen. Diese setzen die Aktivität der Talgdrüsen nicht herab, sondern verzögern nur ein schnelles Nachfetten der Kopfhaut, indem sie aufgrund ihrer hohen fettlösenden Wirkung besonders viel Talg emulgieren.

Wer fettige Haare hat, sollte sie jeweils nur einmal waschen und auf einen zweiten Waschgang verzichten, um die Talgsekretion nicht noch mehr anzureizen.

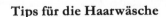

Tips für die Haarwäsche

Es gibt keine Körperpartie, die von mehr Talgdrüsen besiedelt wäre, als gerade die Kopfhaut und die obere Stirnregion. Jeder Haarwurzel ist eine Talgdrüse benachbart, deren Ausführgang am Haarschaft mündet. Das Fett, das diese Drüsen absondern, soll Haar und Kopfhaut geschmeidig halten und vor schädlichen Einflüssen der äußeren Umwelt schützen.

Wie schon angedeutet, entfernen Shampoos bei jeder Wäsche ungefähr 80 % des gesamten Haarfetts. Anders als «unbehaarte» Haut, die den schützenden Fettfilm schon in zwei bis drei Stunden wieder aufbaut (→ Wissenswertes über die Haut), benötigt die Kopfhaut zwei bis drei Tage, bis der Talg vollständig nachproduziert ist (5). Aus diesem Grund sollte man die Haare nicht öfter als ungefähr alle 3 Tage waschen, um sie nicht unnötig zu strapazieren. Unmittelbar nach Haarwäschen sollte man auch (ausnahmsweise!) nicht mit Wasser sparen und immer gründlich nachspülen. Andernfalls würden Reste waschaktiver Bestandteile auf dem Haar zurückbleiben und nicht nur die Regeneration des Fettfilms beeinträchtigen, sondern darüber hinaus das Haar auf Dauer schwächen. Tenside können sich nämlich mit der Haarsubstanz, dem Keratin, verbinden und durch chemische Wechselwirkungen dessen Aufbau verändern (18). Die Haare sind ausreichend gespült, wenn sie in nassem Zustand beim Anfassen «quietschen».

Shampoos gegen Schuppen

Auch gegen die häufig gemeinsam mit fettigen Haaren auftretenden Kopfhautschuppen gibt es keine wirksamen Mittel. Schuppen entstehen durch einen erhöhten Zellumsatz in der Keimschicht der Kopfhaut. Dadurch überwuchern die Bestandteile der darüberliegenden Hornschicht, anstatt sich säulenartig anzuordnen und schilfern stark ab. Was dieses Zellwachstum so beschleunigt, ist noch ungeklärt. Mangelhafte Hygiene ist jedenfalls nicht die Ursache (häufiges Kopfwaschen verhindert nur das Sichtbarwerden der Schuppen).

Früher nahm man an, die Schuppung sei durch Mikroorganismen verursacht, da schuppige Kopfhaut von weitaus mehr Bakterien besiedelt ist als gesunde. Seit aber festgestellt wurde, daß auf dem Haarboden stets die gleichen Bakterienstämme auftreten, unabhängig davon, ob Schuppen vorhanden sind oder nicht, ist diese Hypothese kaum mehr haltbar. Darüber hinaus kann Schuppenbildung nicht durch antimikrobielle Mittel behoben werden. Es wurde nachgewiesen, daß eine Reduktion der Bakterienflora durch derartige Verbindungen zu keinem Rückgang der Schuppen führt (21). Nur das lästige Kopfhautjucken ist auf die Aktivität von Bakterien zurückzuführen.

Trotzdem werden in Antischuppenshampoos antimikrobiell wirksame Substanzen eingesetzt. Fein verteilter (kollodialer) Schwefel ist das klassische Mittel in Haarwaschmitteln. Obgleich Hautärzte seine Wirksamkeit skeptisch beurteilen, findet man auch heute noch Schwefel oder Schwefelverbindungen unter der nichtssagenden Bezeichnung «mit Bioschwefel» in einigen Schuppenshampoos. Häufiger wird allerdings ein bestimmtes Zinksalz (Zinkpyridinthion, auf Packungen oft als «Omadine» bezeichnet) verwendet, das hohe antibakterielle Wirkungen entfaltet.

Bei starker Schuppenbildung kann man eigentlich nur raten, sich häufiger die Haare zu waschen. In gravierenderen Fällen wäre es auch angebracht, einen Hautarzt aufzusuchen, um festzustellen, ob nicht vielleicht eine andere Krankheit (z. B. Schuppenflechte, Kleienpilzflechte) vorliegt.

Haarausfall

Das beunruhigendste aller Haargebrechen ist zweifellos der Haarausfall. Gegen diese Erscheinung wird eine Vielzahl von Haarwässern und anderen Mitteln angeboten. Aber weder die durchblutungsfördernde Wirkung der Kopfhaut-Massage noch andere verheißungsvolle Wirkstoffe (Kräuterextrakte usw.) können die durch Hormone gesteuerte und durchaus nicht krankhafte, vor allem bei Männern auftretende Glatzenbildung aufhalten oder rückgängig machen.

Zudem sind wenige Haare im Kamm kein Grund zur Panik, denn ein täglicher Verlust von immerhin bis zu hundert Haaren ist unbedenklich (22). Normalerweise wachsen sie nämlich nach: Wenn das alte Haar abgestoßen wird, hat sich an seiner Stelle schon längst ein neues gebildet, das täglich 0,2 bis 0,3 mm wächst und eine durchschnittliche Lebensdauer von 2 ½ Jahren hat.

Auch in der Pubertät kann es zu Haarausfall kommen (ein- bis zweimal im Jahr, besonders im Herbst), sowie in einem zweiten Schub nach dem 35. Lebensjahr, der nach drei bis vier Jahren wieder abklingt. Außerdem gibt es den altersbedingten Haarverlust. Davon sind Männer wie Frauen in gleicher Weise betroffen (19). Sie alle haben kaum Aussicht auf therapeutische Erfolge, schon gar nicht durch vertrauensvolles Ausprobieren diverser Mittelchen. Der Zusatz von Aminosäuren (aus denen Eiweiße aufgebaut sind) oder Vitaminen in einem Haarwaschmittel steigert häufig nur den Umsatz der Hersteller. Den Haarwuchs können solche Substanzen nur dann positiv beeinflussen, wenn der Haarausfall auch eine Folge von Vitamin- oder Eiweißmangel ist. Abgesehen davon, daß diese Stoffe dann nicht ins Shampoo, sondern in die Nahrung gehören, sind derartige Mangelerscheinungen in unseren Breiten aber recht selten.

 Haarausfall kann auch Folge von Vergiftungen oder Ernährungsstörungen sein. In solchen Fällen sollte man unbedingt einen Arzt konsultieren.

 Ökorat – Ökotat

- Waschen Sie die Haare nicht häufiger als alle drei Tage. Auch wenn Shampoos angeboten werden, die angeblich beliebig häufiges Waschen erlauben, gibt es kaum Haare, die das auf die Dauer aushalten würden.
- Spülen Sie Shampooreste immer gründlich weg. Das Haar ist ausreichend lange gespült, wenn es in nassem Zustand beim Anfassen «quietscht».
- Gegen Schuppen gibt es keine wirksamen Mittel, Schuppenshampoos nützen nichts.
- Shampoos gegen fettige Haare können die Ursachen der Überfettung nicht beeinflussen. Fettige Haare sollte man beim Haarwaschen nur einmal einshampoonieren.
- Vitamine, Eiweiße, Aminosäuren und Kräuterextrakte in Shampoos verbessern nichts an der Gesundheit der Haare. Haare sind nur von innen ernährbar.

Das Haar – Färben, Bleichen, Dauerwellen

«Ihre beste Visitenkarte ist eine gepflegte Frisur!» Es stimmt schon: Das Haar umrahmt das Gesicht und bestimmt so den ersten Eindruck mit, den man sich von einer Person macht; und der wird keineswegs nur von ästhetischen Kriterien geprägt, sondern man zieht aus dem Äußeren eines Menschen, den man nicht kennt, auch Schlüsse über seine Eigenschaften. Man muß annehmen, daß es nicht reine Eitelkeit ist, weshalb so viele Frauen (in der BRD jede siebente) (23) «mehr aus ihrem Haar machen». Das Jungsein an sich gilt derzeit als Qualitätsmerkmal – und viele Frauen (und Männer) wollen durch das «Abdecken» grauer Haare jünger erscheinen. Nicht selten empfiehlt der Friseur eine Dauerwelle, um das Haar fülliger erscheinen zu lassen; das heißt in vielen Fällen: durch neue Schädigung die bereits vorhandene zu vertuschen. Eine Diskussion über die Hintergründe für Jugendkult und Äußerlichkeit gehört nicht in diesen Rahmen; hier soll lediglich auf die Risiken hingewiesen werden, die die Frau im Friseursalon oder erst recht zu Hause eingeht, wenn sie an ihrem Haar chemische Eingriffe vornimmt. Daß das Haar selbst geschädigt werden kann, liegt auf der Hand, zahlreiche Präparate können jedoch darüber hinaus Allergien auslösen – und einige sind sogar in den Verdacht geraten, Krebs oder Erbschädigungen zu verursachen.

Haarefärben – kinderleicht?

Man kann heute praktisch jedes Haar in jeder gewünschten Nuance färben – *wenn man das kann*. Dem steht nämlich unter Umständen entgegen, daß es jahrelanger Erfahrung bedarf, um unliebsame Überraschungen wie Mißfärbungen oder gar Schädigungen zu vermeiden, außerdem kann ein- und dieselbe Färbetechnik bei einer anderen Person ein abweichendes Resultat haben – in Abhängigkeit davon, wie stark das Haar ergraut ist, ob es dauergewellt wurde und ob es dünn oder kräftig ist. Wer sich – um Geld zu sparen – dazu entschließt, die Färbeprozedur daheim durchzuführen, ist vor Enttäuschung nicht sicher. Der Friseur legt nicht ohne Grund eine Kundenkartei an, um Haarbeschaffenheit sowie Art und Häufigkeit der Prozeduren zu vermerken. Speziell wenn das Haar «vorbehandelt» wurde, ist ein harmonisches Ergebnis nicht unbedingt gewährleistet. Dennoch ist ein völliges Mißlingen eher selten – eher ist das Resultat zu schwach; insbesondere bei den Heimpräparaten.

Was beim Färben mit dem Haar geschieht

Um die natürliche Haarfarbe zu verändern bzw. das Ergrauen zu verdecken, gibt es mehrere Möglichkeiten:
Man kann das Haar mit Farbstoffen behandeln,
● die sich an seiner Oberfläche anlagern (Direktfarben)
● die mit dem Haar-Keratin reagieren (Metallfarben);
● am häufigsten wird – in einer mehrstufigen Prozedur – im Haarschaft selbst ein Farbstoff aufgebaut, der dann seiner Größe wegen nicht ausgewaschen werden kann (Oxidationsfarben, «echte» Farben).
Sehr oft wird das Haar vor dem Färben gebleicht, besonders, wenn ein hellerer Ton als der natürliche gewünscht wird.

Direktfarben

Hier genügen – je nach Art des Farbstoffes – eine oder mehrere Haarwäschen, um die Farbe wieder zu entfernen, zumindest, wenn das Haar gesund ist (9). Der Farbstoff ist nur oberflächlich an den Keratinketten angelagert, und es findet hier keine chemische Reaktion statt. Für das Haar selbst ist der Vorgang unbedenklich, aber die Farben leiten sich meist vom Anilin her, das als krebserregend bekannt ist (24) und in kosmetischen Mitteln nicht enthalten sein darf (25); Anilin-ähnliche Stoffe hingegen finden in *Farbfestigern* und *Farbshampoos* viel Verwendung (25) – nach dem Motto «Was nicht verboten ist, ist erlaubt». Die Farbstoffpartikel sind nicht gelöst, sondern sehr fein zermahlen (20). Andere «Dispersions-Farben» sind Anthrachinon- und Azo-Farben; sie ziehen so schlecht an das Keratin auf, daß ihnen Tenside zugesetzt werden müssen (27). Ihrer Größe wegen können diese Substanzen nicht in das Haar eindringen, auch nicht bei gequollenem Haar.

Tönungsshampoos und Farbfestiger enthalten neben den Direktfarben oft auch Oxidationsfarben – was auf dem Etikett recht häufig schamvoll verschwiegen wird (23). Es gibt auch sogenannte «halbpermanente Haarfarben», die eine Art Zwischenstellung einnehmen: Zwar bildet sich der Farbstoff durch Oxidation, aber diese Reaktion kommt durch den Luftsauerstoff zustande; es wird also kein Oxidationsmittel zugesetzt, das für das Haar strapaziöser ist als der Farbstoff selbst. Die Firmen sind gesetzlich nicht dazu verpflichtet, den Verbraucher über die Wirkungsweise des Produktes zu informieren. Es gibt keine starre Grenze zu den «echten» Färbemitteln.

Metallfärbemittel

Die meisten Metalle sind, vorsichtig umschrieben, «toxikologisch nicht unbedenklich»; sie werden auch von gesunder Haut teilweise resorbiert (12). Mit Ausnahme von Silbersalzen hat diese Gruppe von Haarfärbemitteln in der BRD kaum noch Bedeutung (9), wenn sie auch – mit Ausnahme von Wismut- und Cadmium-Haarfarben – nicht verboten sind (9). Auch ihre kosmetischen Eigenschaften sind nicht günstig: Das Haar wird spröde, und es ist sehr schwierig, an metallgefärbtem Haar eine Dauerwelle vorzunehmen (9).

Die «echten» (permanenten) Haarfarben

Das Prinzip der Oxidations-Färbung ist seit fast 80 Jahren bekannt (9): Bei Zusatz eines Oxidationsmittels verbinden sich Farb-Zwischenprodukte miteinander, wodurch der eigentliche Farbstoff entsteht. Als «Modifikatoren» bezeichnet man solche Verbindungen, die nur mit anderen Substanzen einen Farbstoff ergeben; die unterschiedlichen Tönungen kommen zustande, indem man verschiedene «Farb-Zwischenprodukte» und «Modifikatoren» kombiniert. Was den Färbevorgang zu einem für das Haar so brutalen Verfahren macht, ist nicht die Bildung des Farbstoffes (die größtenteils im Inneren des Haares vor sich geht), sondern die Vorbehandlung: Das Haar muß mit *Alkalien* vorgequollen werden (meist mit Ammoniak, was für das Haar viel schädlicher ist als das Färben selbst) (19), sonst können die Farb-Zwischenprodukte nicht ins Haarinnere eindringen, wo sie sich erst zum größeren Farbstoff-Molekül verbinden, das dann nicht mehr ausgewaschen werden kann (20): Es bleibt im Haarschaft sozusagen gefangen. Versuche, den aggressiven Ammoniak durch schonendere Basen zu ersetzen, schlugen bisher fehl (20). Außer durch die alkalische Quellung wird das Haar aber vor allem durch das *Oxidationsmittel* – meist 5 % Wasserstoffperoxid – geschädigt, denn seine Wirkung erstreckt sich keineswegs nur, wie man es sich wünschen würde, auf die Ausgangsstoffe für das Farbmolekül, sondern leider auch auf das Keratin (9). Mindestens 15 Minuten lang (5) muß das Gemisch aus Farb-Zwischenprodukten, Ammoniak und Wasserstoffperoxid einwirken. Für «Eigenbau»-Färbungen werden von den Herstellern meist sogar 25 Minuten empfohlen, und das reicht oft noch nicht für eine deutliche («gute») Färbung aus (23). Wenn der Ammoniak auch während der Prozedur teilweise verdampft, kann man sich unschwer vorstellen, daß das Haar um so stärker beansprucht wird, je länger die Strapaze dauert.

Gefahr nicht nur fürs Haar

Noch viel bedenklicher als die möglichen Auswirkungen auf die Keratinstruktur des Haares selbst sind aber Nebenwirkungen, die von einigen der Farb-Zwischenprodukte bekannt geworden sind. Einige von ihnen sind als stark allergen, krebserregend oder mutagen bekanntgeworden; nur die bedenklichsten müssen auf der Packung deklariert sein, und lediglich bei einer einzigen Substanz (dem para-Phenylendiamin, kurz

p-PDA) genügten die Befunde in der Bundesrepublik für ein Verbot (25).
Die Gefahr einer allergischen Reaktion ist bei dieser Verbindung besonders groß; es handelt sich um die häufigsten und schwersten Hautveränderungen durch Kosmetika überhaupt (19): Bei einer Allergie kommt es
12 bis 24 Stunden nach dem Färben zu einem starken Juckreiz, Rötungen
und Schwellungen können sich auch auf Gesicht und Augen erstrecken;
die Haut beginnt zu nässen, so daß die Haare verkleben und ausfallen
können. Bereits nach 5 bis 10 Anwendungen kann es zu einer solchen
allergischen Reaktion kommen. In Italien, USA und Japan ist p-PDA
weiter in Verwendung (20).
Chemisch nahe verwandt sind ortho- und meta-PDA. Sie finden bei uns
viel Verwendung, etwa in «Matt-Tönern» für Stahlgrau- und Silber-
blond-Töne. Ihre allergene Wirkung ist nicht so drastisch wie beim
p-PDA, aber sie können den Blutfarbstoff schädigen (27).
Die wichtigste Farbstoffgruppe sind die Toluylendiamine (TDA), vor
allem für Dunkelbraun- und Schwarz-Töne; sie werden in relativ hohen
Konzentrationen eingesetzt, weil sie eher schlecht aufziehen (26). Allergische Reaktionen sind bei ihnen seltener als in der PDA-Gruppe (20).
Jedoch: Man hat festgestellt, daß einige dieser Substanzen im Tierversuch Leberkrebs erzeugen bzw. in Bakterienkulturen das Erbgut schädigen (19). Für ein Verbot reichten diese Befunde bisher nur in Schweden.
Dabei steht außerdem fest, daß diese Stoffe in erheblichen Mengen von
der Kopfhaut resorbiert werden und in die Blutbahn gelangen: 1–4 Tage
nach dem Färben treten sie im Urin auf (19).
Das Langzeitrisiko kann derzeit noch gar nicht abgeschätzt werden; aber
es scheint zumindest wahrscheinlich, daß viele der Farb-Zwischenprodukte auch beim Menschen Krebs erzeugen oder genetische Schäden
hervorrufen können. Wer sein Haar «echt» färbt, sollte das bedenken und
überlegen, ob er tatsächlich bereit ist, ein solches Risiko einzugehen.
Diese Tests sind den Herstellern natürlich bekannt, und sie bemühen sich,
für diese gefährlichen Substanzen, die sich vom Anilin herleiten, einen
Ersatz zu finden. Aber auch die Derivate des Naphthols und des Pyridins
haben sich als nicht harmlos erwiesen (27, 28). Und unter den Modifikatoren gibt es ebenfalls solche, die gesundheitlich durchaus bedenklich
sind; zur Zeit müssen nur die folgenden auf der Packung angegeben
werden: Resorcin (besonders häufig in Brauntönungen); α-Naphthol (für
Violettstich in grauem Haar); Diaminophenole und Hydrochinon, bei
dem es zu allergischen Irritationen kommen kann (29). Alle anderen

dürfen anonym auftreten, auch Pyrogallol, das besonders leicht resorbiert wird und daher mit großer Vorsicht zu verwenden ist, weil es das Blutbild verändern kann; es kann aber auch zu Hautreizungen führen oder gesunde Haut unter Verdickung und Eintrocknen verfärben (29). Es findet besonders für Rotblondtöne Verwendung (26). Auch durch Brenzcatechin kann es zu Hautreizungen kommen (29).

Allergietest

Bei allen Oxidationsfärbemitteln sollte in der Gebrauchsanweisung die Durchführung eines Allergietests angeraten werden. Leider aber fehlt ein solcher Hinweis (23) bisweilen sogar bei jenen Mitteln, wo er jetzt schon vorgeschrieben ist; gar nicht zu reden von der Tatsache, daß wohl noch nie in einem Frisiersalon von den Risiken des Haarefärbens die Rede war – und seien es «nur» jene einer allergischen Reaktion.

Bleichen

«Wasserstoffblond»

Die Einlagerung von Luftbläschen in den Haarschaft, wodurch die weiße «Farbe» zustandekommt, kann nicht künstlich imitiert werden. Daher erscheint gebleichtes Haar nie weiß, sondern nur gelblich (30). Vor dem Bleichen muß das Haar, wie beim Färben mit den Oxidations-Färbemitteln, alkalisch aufgelockert werden: Die Farbe, die es bei der folgenden Prozedur zu zerstören gilt, sitzt tief im Haar, und das Oxidationsmittel hätte sonst keinen «Zutritt» (19). Schon dieser Quellvorgang, dem das Keratin durch die alkalische Behandlung unterzogen wird, hat nicht gerade pflegenden Einfluß auf das Haarprotein. Aber das Schlimmste kommt erst:

Das Oxidationsmittel (zumeist Wasserstoffperoxid, vom Volksmund kurz und bündig «Wasserstoff» genannt) macht sich keineswegs nur über den Farbträger Melanin her, sondern auch über das Keratin. Hauptsächlich werden die Schwefelbrücken (siehe den Abschnitt «Dauerwellen») angegriffen, aber es werden sogar einzelne Stücke aus dem Eiweißverband des Keratins herausgelöst (19). Es leuchtet ein, daß die Wiederholung dieser rabiaten Behandlung das Haar immer weiter schädigt. Seine Eigenschaften werden komplett verändert. Das Haar wird «porös», rauh und glanzlos, vermehrt saugfähig, ist anfälliger gegen Alkalien und

Säuren, es wird dehnbarer, quillt leichter, ja es ist schwammartig aufgelockert. Dieselbe Haarpartie sollte niemals erneut gebleicht werden, sondern lediglich das nachwachsende Haar.

«Blondieren» zu Hause?

Für Anwendungen zu Hause nimmt man 3–4% Wasserstoffperoxid (9), der Friseur kann sich an höhere Konzentrationen wagen, bis zu 18% (20). Abgesehen von der (wahrscheinlich) größeren Routine hat das den Vorteil, daß die Einwirkungszeit herabgesetzt werden kann – allerdings nimmt die Bleichwirkung nur bis zu 7% in Abhängigkeit von der Konzentrationserhöhung stark zu und Konzentrationen über 6% schädigen auch gesundes Haar. Die Schäden sind um so schlimmer, je stärker die Lösung war (20). «Blondiertes» Haar ist auch schlechter kämmbar. Nur einen «Vorteil» (neben dem etwaigen ästhetischen . . .!) hat es allerdings: Die Formgebung durch eine Dauerwelle ist erleichtert (31). Metalle, die in Spuren vorhanden sein können, verschlimmern die Schädigungen durch das Wasserstoffperoxid noch (9), weshalb man den «Blondierlösungen» oft Komplexbildner zusetzt, um die Metallionen zu entfernen.

Den beunruhigenden Ausdruck «Bleichen» wird man von den Herstellern und den Friseuren kaum zu lesen bzw. zu hören bekommen. Da wird lieber beschwichtigend vom «Aufhellen» gesprochen, ganz ähnlich, wie das Färben als «Intensiv»- oder «Naturell»-Tönung verharmlost wird.

Blond ist nicht gleich Blond

Wenn das Haar schon vor der Prozedur nicht ganz gesund war, läßt es sich auch schlechter bleichen. Daß der Vorgang für das Haar um so strapaziöser ist, je dunkler es vorher war, liegt auf der Hand: Man braucht ja für das Pigment-Zerstörungswerk mehr Oxidationsmittel und längere Einwirkungszeiten. In den meisten «Blondierlösungen» finden sich mit gutem Grund haarschonende Substanzen wie Cholesterin, Lanolin oder Fettalkohole.

Bei geringer Routine kann es zu Mißfärbungen durch unfertiges Bleichen kommen (20). Das verhindert man häufig dadurch, daß – sehr oft gleich in einem Arbeitsgang – auch noch gefärbt wird; hierher gehören die sogenannten «Aufhellungs-Shampoos», für die beliebten Platin- und Goldblond-Schattierungen, die durch einfaches Bleichen nie zu erreichen sind (26).

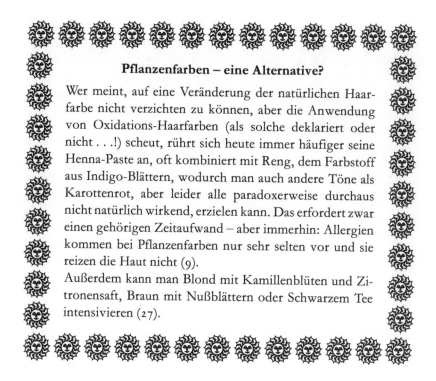

Pflanzenfarben – eine Alternative?

Wer meint, auf eine Veränderung der natürlichen Haarfarbe nicht verzichten zu können, aber die Anwendung von Oxidations-Haarfarben (als solche deklariert oder nicht....!) scheut, rührt sich heute immer häufiger seine Henna-Paste an, oft kombiniert mit Reng, dem Farbstoff aus Indigo-Blättern, wodurch man auch andere Töne als Karottenrot, aber leider alle paradoxerweise durchaus nicht natürlich wirkend, erzielen kann. Das erfordert zwar einen gehörigen Zeitaufwand – aber immerhin: Allergien kommen bei Pflanzenfarben nur sehr selten vor und sie reizen die Haut nicht (9).

Außerdem kann man Blond mit Kamillenblüten und Zitronensaft, Braun mit Nußblättern oder Schwarzem Tee intensivieren (27).

Dauerwell- und Enthaarungsmittel

Es dürfte wenigen bekannt sein: Diese beiden «Gruppen» von kosmetischen Präparaten sind nicht etwa nur ähnlich aufgebaut, sondern das permanente Verformen der Haare (Dauerwelle und Entkräuseln) beruht auf demselben Prinzip wie das Entfernen der Haare – nur daß man im ersten Fall im schwächer alkalischen Bereich arbeitet, in dem die Zerstörung der Haarstruktur langsamer vor sich geht und bei der nötigen Erfahrung rechtzeitig unterbrochen werden kann.

Wie die Locken entstehen

Das Haar ist aus dem Eiweißkörper Keratin aufgebaut, der seine Festigkeit zahlreichen Quervernetzungen zwischen den einzelnen Molekülketten verdankt; die wichtigsten Quer-Bindungsarten sind die Schwefel- und die Wasserstoff-Brücken. Die ersteren sind besonders stabil; sie werden von zwei gegenüberliegenden Cystein-Bausteinen (einer schwefelhaltigen Aminosäure) geschlossen und überdauern das gewöhnliche Shampoonieren mühelos. Die labileren Wasserstoffbrücken werden hingegen durch das Waschen gesprengt und müssen sich beim Trocknen neu bilden. Wird das glatte Haar im feuchten Zustand auf Lockenwickler (*Wasserwelle*) gerollt, dann fixieren die neu entstehenden Wasserstoffbindungen das Haar in dieser Form, und es behält sie auch nach Entfernen der Wickler bei. Diese *Wasserwelle* ist aber bekanntlich nicht allzu beständig: Der künstliche Lockencharakter kommt dem Haar meist schon vor der nächsten Haarwäsche wieder abhanden: Die durch die Prozedur unangetasteten Schwefelbrücken ziehen das Haar in seine glatte Form zurück (27), «die Frisur löst sich auf».

Das Prinzip der *Dauerwelle* beruht darauf, daß man die eigensinnigen Schwefelbrücken sprengt und danach neue aufbaut, wenn das Haar auf Wickler gedreht ist; in dieser gewellten Form wird es fixiert. Dazu bedarf es zweier Arbeitsgänge: Die Schwefelbrücken werden durch ein Reduktionsmittel (gewöhnlich Thioglykolat) aufgebrochen. Dazu arbeitet man im alkalischen Bereich. Für bereits angegriffenes oder dünnes Haar wird häufig die sogenannte «saure» Dauerwelle empfohlen (pH 4–7), die zwar tatsächlich weniger strapaziös für das Haar, dafür aber auch schlecht haltbar ist (9).

Bei diesem Vorgang verliert das Haar seine Elastizität und paßt sich widerstandslos der Lockenform an. Damit es aber auch ohne Wickler gewellt bleibt, muß es jetzt «fixiert» werden. Das geschieht durch einen Oxidations-Vorgang, bei dem neue Schwefelbrücken geschlossen werden. Diese neuen Brücken halten das Haar nun in der ersehnten Ringelform fest, und auch häufige Haarwäsche kann der Pracht nichts anhaben. Als Oxidationsmittel findet üblicherweise Wasserstoffperoxid (2–3%) Verwendung; in Heim-Dauerwell-Präparaten eher Bromat, bei dem keine Stabilitäts-Probleme auftreten (20).

Die Einwirkungszeit soll aus naheliegenden Gründen so kurz wie möglich gehalten werden – deswegen enthalten viele Dauerwell-Lösungen Tenside (die das Vordringen des Reduktionsmittels Thioglykolats zum Keratin erleichtern) oder Harnstoff (der das Haar durch Quellen leichter angreifbar macht) (9). Duftstoffe sollen den unangenehmen Schwefel- und Ammoniak-Geruch übertünchen – was nie ganz gelingt (26). «Haarschonende» Zutaten und Rückfettungsmittel (Lanolin, Fettalkohole) fehlen begreiflicherweise auch nicht.

Wie man die Locken loswird

Das Entkräuseln unterliegt demselben Prinzip wie die Dauerwelle. Auch hier werden die Schwefelbrücken des Keratins durch Thioglykolat gespalten und dem Haar dadurch seine Elastizität genommen. In diesem erweichten Zustand wird das Haar nun längere Zeit gekämmt, was es noch weit mehr strapaziert als eine Dauerwelle, bei der das Haar ja ruhig auf den Wicklern belassen wird. Immerhin ist naturkrauses Haar widerstandsfähiger als glattes. Danach wird mit einem Oxidationsmittel fixiert.

«Schönheit muß leiden» . . .

Es ist leicht einzusehen, daß die chemische Veränderung der Keratinstruktur eine ziemlich rüde Behandlung ist und das Haar stark strapaziert. Die neu geschlossenen Schwefelbrücken befinden sich nicht nur an anderen Stellen als die natürlichen (sonst würden sie das Haar ja nicht in der lockigen Form festhalten) – sie sind auch viel weniger zahlreich, und damit ist die Quervernetzung im Keratinverband geschwächt. Bei einer Wiederholung der Dauerwell(oder Glättungs-)Prozedur bilden sich bei der neuerlichen Fixierung immer weniger Schwefelbrücken aus – das heißt auch, daß die Dauerwelle viel weniger gut halten wird als beim erstenmal. Eine besonders starke Beanspruchung entsteht, wenn man sich das Haar wachsen läßt und das bereits gewellte Haar zusammen mit dem «Nachwuchs» immer wieder dauerwellen läßt.

Die Lösungen dürfen keinesfalls stärker alkalisch sein als pH 10, sonst wird das Keratin aufgelöst (26); das heißt: die Dauerwelle wird zur Enthaarung. Hautreizungen sind zwar bei fachgerechter Anwendung selten (26), aber bei zu starkem Entfetten oder zu hoher Basizität ist eine Irritation der Kopfhaut möglich, die als «meist gutartig» beschrieben wird (9). Daß der Friseur bei der Prozedur stets Gummihandschuhe anlegt, sollte einem allerdings zu denken geben. Wegen der Toxizität der Thioglykolsäure darf ihre Konzentration in Dauerwell-Präparaten 11% nicht übersteigen, in solchen, die für den Heimgebrauch bestimmt sind, höchstens 8% betragen (25), letztere sind in Österreich ganz verboten (9): Bei zu langer Einwirkungszeit kann es zu Verätzungen kommen (19). Und: gerade die «milden» Präparate müssen länger an ihrem Wirkungsort belassen werden. Besonders gefürchtet sind die Irritationen der Augenbindehaut, die bei unsachgemäßem Auftragen vorkommen können. (19) Ammoniak, der in den meisten Dauerwell-Präparaten enthalten ist, hat den Vorteil, billig zu sein und die Lösung während des Einwirkens sozusagen selbsttätig abzuschwächen, weil er teilweise verdampft. Seiner Giftigkeit wegen hat man versucht, auf das weniger toxische Monoethanolamin auszuweichen, das auch die Haut nicht so stark reizt. Da es aber leichter in die Haut eindringt, ist es bei der äußerlichen Anwendung letztlich doch giftiger als Ammoniak (9).

Natürlich können Haarschäden – genau wie beim Bleichen – auch dadurch zustandekommen, daß man das Oxidationsmittel nicht gründlich ausgespült hat (9).

Glatt enthaart

Derzeit wird nicht nur «Damenbart», sondern in USA und Mitteleuropa auch die Behaarung von Achselhöhlen und Beinen bei Frauen als «unweiblich» angesehen. Da das Rasieren anderntags zu Stoppeln führt und das Auftragen von erweichtem Wachs (mit seinem anschließenden schmerzhaften Abreißen) die Haut stark reizt, greifen viele Frauen zur «chemischen Rasur», den Enthaarungsmitteln oder Depilatorien.

Kaum eine andere Gruppe von kosmetischen Mitteln wird so uneingeschränkt als «ideal» bezeichnet – von den Herstellern. Aber das ist, gelinde ausgedrückt, übertrieben, nicht nur wegen des üblen Geruchs: Ihre Wirkung beruht auf demselben Prinzip wie die Dauerwellpräparate, nur arbeitet man im viel stärker alkalischen Bereich, bei pH 12–12,5. Dadurch kommt es zur Quellung und Auflösung des Keratins. Aber da das Keratin der Haut ganz ähnlich aufgebaut ist wie das der Haare (26), bleibt bei diesem Vorgang die Haut nicht unangetastet. Daher bemüht man sich, die Einwirkungszeit so kurz wie möglich zu halten, indem man sehr stark wirksame Reduktionsmittel einsetzt (9).

Auch hier wird am häufigsten die *Thioglykolsäure* verwendet, die man bis zu 15 Minuten lang einwirken läßt. Bei geringerer Konzentration würde die Prozedur noch länger dauern, aber beschleunigen kann man sie durch ein Erhöhen der Konzentration über 5 % auch nicht – außerdem ist ein Einsatz stärkerer Lösungen in der Bundesrepublik nicht erlaubt (25).

Sulfide greifen die Haut noch stärker an und haben einen noch aufdringlicheren Geruch (9). Durch *Tenside* werden die Haare besser benetzt und auch das Abwaschen erleichtert; aber sie haben den Nachteil, daß sie auch das Eindringen der schädlichen Wirkstoffe in tiefere Hautschichten ermöglichen (9). Das erhöht das Risiko einer Schädigung beträchtlich.

● Nicht die Haare färben, bleichen, dauerwellen, glätten!

● Bei strapaziertem, dünnem, brüchigem oder gar bereits schütterem Haar: Tragen Sie es so kurzgeschnitten wie möglich.

● «Tönen» und «Aufhellen» sind nichts anderes als verharmlosende Bezeichnungen für Färben und Bleichen, und zwar zumeist: für Färben plus Bleichen!

● Der wohlgemeinte Hinweis auf der Packung «Gebrauchsanweisung sorgfältig lesen» bedeutet häufig im Klartext: «Vorsicht! Gefährliche Substanz(en) enthalten!». Jedoch: Fehlt ein solcher Hinweis, muß das Präparat noch lange nicht harmlos sein.

● *Oxidations-Haarfarben* müssen auf den Packungen *deutlich sichtbar* als solche deklariert werden.

● Substanzen, die als potentiell krebserregend oder erbgutschädigend bekannt sind, sollten verboten werden. Bis zu ihrem Verbot dürfen sie nur in Packungen verkauft werden, auf denen ein *Hinweis auf dieses Risiko* enthalten ist (ähnlich den Warnhinweisen auf den Zigarettenpackungen).

● Die Kosmetik-Verordnung verlangt eine Deklaration von besonders gefährlichen Farb-Zwischenprodukten und Modifikatoren auf der *Etikettierung*, aber die Hersteller scheinen darunter «Gebrauchsanweisung» zu verstehen: Auf der Verpackung finden sich höchstens Hinweise wie «Anleitung genau lesen». Und auch der bei stark allergenen Inhaltsstoffen vorgeschriebene Hinweis auf einen Allergietest fehlt häufig – mitunter sogar im Beipackzettel.
Hier müssen Kontrollen, unter Anwendung der Straf- und Bußgeldvorschriften, erfolgen.

● Friseure müssen verpflichtet werden, auf das Allergierisiko hinzuweisen.

● Heim-Dauerwell-Präparate sollten, wie in Österreich, vom Markt genommen werden.

Konservierungsmittel

Mikroorganismen gibt es überall (→ Desinfektionsmittel). Es läßt sich daher kaum vermeiden, daß Keime der verschiedensten Arten auch in Körperpflegemittel und Kosmetika eingeschleppt werden. Sind solche Produkte stärker mikrobiell verunreinigt, kommt es zu typischen Verfallserscheinungen der Produkte: Schimmelpilze bilden grüne oder schwarze Rasen, Bakterien führen zu Trübungen, Schleim- und Gasbildungen oder machen sich durch unangenehmen Geruch bemerkbar.

Um die Haltbarkeit kosmetischer Produkte zu erhöhen und die Vermehrung von Mikroorganismen einzuschränken, bedient man sich verschiedener Konservierungsmethoden. In der Kosmetikherstellung hat der Einsatz *chemischer Konservierungsmittel* die meisten traditionellen Verfahren (Ölüberschichtung, Wasserentzug, Verwendung keimtötender natürlicher Riechstoffe usw.) fast vollständig verdrängt, denn chemische Konservierungsmittel sind anderen Verfahren in zweifacher Hinsicht überlegen: Sie sind technisch bequem handhabbar und garantieren zumeist, daß die Produkte über Jahre hinaus ihre spezifischen Eigenschaften bewahren. § 5 der Kosmetikverordnung vom 16. 12. 1977 schreibt vor, daß bei Erzeugnissen mit einer Haltbarkeit von weniger als drei Jahren das Verfallsdatum angegeben werden muß. Da solche Angaben bei der überwiegenden Mehrzahl der angebotenen Artikel fehlen, sind die meisten wohl länger als drei Jahre haltbar.

Viele Produkte werden auch konserviert, um Infektionen der Konsumenten zu vermeiden. Das trifft besonders für Augenkosmetika zu, an deren Keimarmut höhere Anforderungen gestellt werden. Dennoch ist es unsinnig, übertriebene Anforderungen an die mikrobiologische Reinheit von Kosmetika zu stellen. Die natürlichen Abwehrkräfte z. B. der Haut sind gewöhnlich groß genug, um Infektionen vorzubeugen. Bisher ist auch kein Fall bekannt, wo es zu Gesundheitschädigungen durch mikrobiell verunreinigte Produkte gekommen wäre (37).

Anders liegen die Dinge dagegen bei den chemischen Konservierungsmitteln selbst: Viele dieser Substanzen haben sich als allergieauslösend und hautreizend herausgestellt, einige sind sogar krebserregend. In einer von der amerikanischen Aufsichtsbehörde FDA 1974 durchgeführten Studie wurden 36 000 Kosmetikabenutzer befragt und die innerhalb von drei Monaten aufgetretenen Nebenwirkungen registriert. Dabei wurden insgesamt 703 Nebenwirkungen (1,95 %) festgestellt, von denen 589 (1,64 %) dermatologisch bestätigt wurden (38). Obgleich es schwierig ist, die Befunde solcher Umfragen eindeutig auf bestimmte Einzelfaktoren – also z. B. spezielle Konservierungsmittel – zu beziehen, erlauben diese Zahlen doch Rückschlüsse auf die bestehende Belastungssituation vor allem auch angesichts der hohen generellen Allergieanfälligkeit von Pollenallergikern, die etwa 10 % der bundesdeutschen Gesamtbevölkerung ausmachen (39).

Konservierungsmittel dürften damit alles in allem zu den bedenklichsten Inhaltsstoffen von Kosmetika zählen.

Vor allem die in Shampoos, Schaumbädern und Flüssigseifen verwendeten Konservierungsmittel haben in den letzten Jahren zu heftigen Diskussionen geführt.

Nitrosamine in Kosmetika

1978 sorgten Meßergebnisse der amerikanischen Aufsichtsbehörde FDA für Aufregung: In einer ganzen Reihe kosmetischer Produkte konnten Nitrosamine nachgewiesen werden. Bis heute wurden in den USA 397 Proben untersucht, von denen 150 einen Nitrosamingehalt von bis zu 150 ppm aufwiesen (48).

Nitrosamine zählen zu den stärksten krebserregenden Substanzen.

Die Analysen ergaben, daß ein bestimmtes Nitrosamin, das Nitrosodiethanolamin (NDELA), besonders häufig auftrat. Nitrosamine entstehen aus chemischen Reaktionen zwischen verschiedenen Inhaltstoffen kosmetischer Produkte. An diesen komplizierten Umsetzungen sind Amine und Nitroverbindungen beteiligt. Die höchsten NDELA-Gehalte fand man in Produkten, die Triäthanolamin, eine Verunreinigung synthetischer waschaktiver Substanzen, und das Konservierungsmittel «Bronopol» (2-Brom-2-nitropropan-1,3-diol) enthielten (49).

«Bronopol» wird hauptsächlich zur Konservierung von Haarwaschmitteln und Schaumbädern in Mengen zwischen 0,05 % und 0,1 % eingesetzt. Die Kosmetikverordnung erlaubt Höchstmengen bis zu 0,1 % (50).

Auch Formaldehyd und bestimmte synthetische Parfüms mit Nitrogruppen sowie das Konservierungsmittel «Bronidox» (5-Brom-5-nitro-1,3-dioxan) führen in Anwesenheit von Aminen zur Bildung von Nitros-

Formaldehyd

Formaldehyd darf in der Bundesrepublik als Konservierungsmittel für Kosmetika verwendet werden, wenn sein Gehalt im Endprodukt 0,2% nicht übersteigt. Für Mundpflegemittel gelten schärfere Bestimmungen, die zulässige Höchstkonzentration beträgt hier 0,1%. Artikel, die mehr als 0,05% dieses Konservierungsmittels enthalten, müssen mit dem Hinweis «enthält Formaldehyd» versehen werden (40). Unter die Deklarationspflicht fallen auch Mittel, deren Wirksamkeit auf einer Abspaltung von Formaldehyd beruht.

Ursprünglich hatten die zuständigen Behörden vorgesehen, Formaldehyd unabhängig von seiner Konzentration im Endprodukt deklarieren zu lassen. Daraufhin hätte eine Fülle kosmetischer Produkte den entsprechenden Verpackungsaufdruck erhalten müssen, denn Formaldehyd wird in großem Umfang auch zur Desinfektion von Produktionsanlagen eingesetzt, so daß viele Artikel spurenförmig damit verunreinigt sind.

Die Absicht der Behörden stieß auf massiven Widerstand seitens der Industrie. Der Industrieverband Körperpflege- und Waschmittel (IKW), die Dachorganisation der bundesrepublikanischen Hersteller, intervenierte und setzte eine Ausnahmeregelung für Mengen unter 0,05% durch, um die über Produktionsanlagen «unbeabsichtigt» eingeschleppten «geringen» Formaldehydanteile bei der Deklaration nicht berücksichtigen zu müssen.

Gegenwärtig ist kaum noch ein Produkt zu finden, das den Vermerk «enthält Formaldehyd» trägt. Dennoch ist davon auszugehen, daß viele Shampoos, Schaumbäder und Flüssigseifen noch Formaldehyd enthalten – und zwar nicht nur, weil die Produktionsanlagen damit desinfiziert werden. Denn die Ausnahmeregelung erlaubt es der Industrie, insbesondere Rohtenside (waschaktive Substanzen) nach wie vor mit Formaldehyd zu konservieren (Lager- und Transportkonservierung), ohne daß der Gehalt des Endprodukts den zu deklarierenden Wert von 0,05% überschreiten würde. Von dieser Möglichkeit wird auch ganz allgemein Gebrauch gemacht (41). Da solche Konzentrationen aber noch keine ausreichende Konservierung der Endprodukte gewährleisten, wird in der Regel mit anderen, nicht deklarationspflichtigen Konservierungsmitteln «aufgestockt».

Die Diskussion um die Deklarationspflicht für Formaldehyd kam wegen seiner allergenen Wirkungen in Gang. Obgleich Formaldehyd-Kontaktallergien, die ihre Ursache in entsprechend konservierten Körperpflegemitteln haben, relativ selten auftreten, berichten Ärzte immer wieder von solchen Fällen. Besonders gefährdet sind offenbar Personen, die auch beruflich mit Formaldehyd in Berührung kommen (Vorsensibilisierung) (42).

Um den Patienten formaldehydfreie Mittel empfehlen zu können, forderten viele Ärzte, diese Verbindung als Bestandteil von Kosmetika qualitativ und quantitativ zu deklarieren und in Mundpflegemitteln völlig zu verbieten (43). Die Kosmetikverordnung vom 16. 12. 1977 kam diesen Forderungen recht nahe (44), wurde dann aber – wie oben schon erwähnt – auf Druck des IKW abgeändert.

In diesen Auseinandersetzungen spielten die möglichen krebserregenden Wirkungen von Formaldehyd noch gar keine Rolle. Mittlerweile aber hat sich diese Substanz an Ratten als eindeutig krebserregend erwiesen (45). Aus diesen Tierversuchen kann ein Krebsrisiko für den Menschen abgeleitet werden. Es ist denkbar, daß Formaldehyd als Kontaktkarzinogen Tumore im gesamten Atembereich und auf der Haut auslösen kann (46).

Diese Auffassung teilen inzwischen auch die zuständigen Behörden, das Bundesgesundheitsamt und das Umweltbundesamt.

Bei einem Gespräch im Oktober 1983 waren die Behörden übereinstimmend der Meinung, daß Formaldehyd als krebserregend und nicht nur als krebsverdächtig einzustufen sei (47). Daraus würden sich weitreichende Konsequenzen ergeben: Formaldehyd müßte nicht nur als Konservierungsmittel für Kosmetika, sondern auch in allen anderen Anwendungsbereichen verboten werden.

Die Industrie dagegen schließt sich dieser Einschätzung nicht an. Formaldehyd als Bestandteil von Kosmetika – so macht sie immer wieder geltend – würde in viel zu geringen Konzentrationen verwendet, um krebserzeugende Ereignisse auslösen zu können. Außerdem hätten epidemiologische Studien zur Überprüfung der Krankenakten von Arbeitern, die beruflich mit Formaldehyd umgehen, zu widersprüchlichen Ergebnissen geführt, mithin seien die tierexperimentellen Befunde auf den Menschen nicht übertragbar. Eine solche Argumentation unterschlägt nicht nur, daß die Chancen, aus epidemiologischen Untersuchungen auf ein Krebsrisiko bei Menschen schließen zu können, prinzipiell sehr gering sind, sondern sie nimmt auch mögliche Gesundheitsschädigungen von Menschen in Kauf, bis vielleicht einmal schlüssige Beweise vorliegen. Daß dahinter auch wirtschaftliche Interessen stecken, liegt auf der Hand: Offenbar ist man nicht bereit, auf Formaldehyd zu verzichten, weil es das billigste Konservierungsmittel ist und darüber hinaus auch anderweitig hohe technische Bedeutung hat:

In der Bundesrepublik werden jährlich über 500 000 Tonnen der organischen Grundchemikalie Formaldehyd produziert. Es dient als Ausgangsstoff für viele Kunstharze, Bindemittel für die Herstellung von Holzspanplatten, Holzfaserplatten, Sperrholz, Textilhilfsmitteln, Gerbstoffen, Desinfektionsmitteln, Rohstoff für Arzneimittel, Sprengstoff u. a. mehr, ein Verbot würde von daher weite Kreise ziehen.

aminen (49). «Bronidox» ist ein Konservierungsmittel für Shampoos und Schaumbäder. Es darf nur in Produkten, die nicht lange auf der Haut bleiben, in Konzentrationen bis zu 0,1 % verwendet werden (50).

In einem Tierexperiment mit Affen, denen NDELA in einer Körperlotion auf die Haut gestrichen wurde, konnte nachgewiesen werden, daß diese krebserregende Substanz durch die Haut ins Körperinnere eindringt, Versuche mit präparierter menschlicher Haut erbrachten ähnliche Ergebnisse (51).

Die Entstehung von Nitrosaminen in Kosmetika kann man unterbinden, wenn man eine der an der Umsetzung beteiligten Substanzen entfernt und so die chemischen Reaktionsschritte unmöglich macht. Da Amine sehr häufig in Körperpflegemiteln vorkommen, bestünde die einfachste Lösung darin, «Bronopol» und «Bronidox» nicht mehr als Konservierungsmittel zuzulassen.

Auch in der Bundesrepublik konnten inzwischen Nitrosaminverunreinigungen von Kosmetika nachgewiesen werden. Die chemische Landesuntersuchungsanstalt Stuttgart hat 34 kosmetische Mittel untersucht und fand bei 22 Proben keine Nitrosamine, bei anderen jedoch NDELA-Gehalte bis zu 0,54 ppm (52). Die Kosmetikkommission beim Bundesgesundheitsamt hat daraufhin empfohlen, bestimmte Amine nicht mehr zusammen mit nitrosierenden Verbindungen (z. B. die genannten Konservierungsmittel) zu verwenden. Ob diese Empfehlung auch zum Ziel führt, muß an Hand erneuter Messungen nachgeprüft werden. Gegebenenfalls sind weitergehende Maßnahmen bis hin zu einem Verbot von «Bronidox» und «Bronopol» erforderlich.

Diese Beispiele verdeutlichen, daß chemische Konservierungsmittel oft ein höheres gesundheitsgefährdendes Potential aufweisen als mikrobielle Verunreinigungen der Produkte selbst. Da man derzeit keine zuverlässigen Aussagen darüber machen kann, welche Haarwaschmittel, Schaumbäder oder Flüssigseifen garantiert unbedenkliche Konservierungsmittel enthalten, bleibt der Konsument hilflos den beschriebenen Risiken ausgeliefert.

Die Industrie sollte im Einzelfall so weit wie möglich auf andere Konservierungsverfahren zurückgreifen. Oft wäre schon allein durch geeignete Verpackungen (z. B. Tuben) ein ausreichender Schutz gegen mikrobiellen Verderb gewährleistet.

Ökorat – Ökotat

● Formaldehyd muß als Konservierungsmittel für Kosmetika verboten werden. Krebserzeugende Substanzen dürfen nicht in Produkten verwendet werden, die bestimmungsgemäß mit dem menschlichen Körper in Berührung kommen.

● Auch in der Bundesrepublik müssen Körperpflegemittel auf ihren Gehalt an Nitrosaminen untersucht werden. Es ist zu prüfen, gegebenenfalls Bronidox und Bronopol nicht mehr als Konservierungsmittel zuzulassen.

● Wo möglich, sollten traditionelle Konservierungsmethoden angewendet werden.

● Konservierungsmittel müssen ausnahmslos auf den Verpackungen deklariert werden.

Zahnpflegemittel

Gesunde Zähne sind unerläßlich für unser Wohlbefinden; ein kranker Zahn und auch seine Behandlung verursachen zumeist Unannehmlichkeiten (wenn nicht Schmerzen) – und Reparatur und Ersatz kosten viel Geld. Zwar hat die Zahntechnik in neuerer Zeit große Fortschritte gemacht – aber der kariesfreie, «eigene», fest im (gesunden) Zahnfleisch verankerte Zahn bleibt letztlich unersetzbar: nicht nur, um damit «kraftvoll zubeißen» zu können; der Zahnpasta-Industrie mangelt es somit nicht an Argumenten, zumal auch die ästhetische Bedeutung «strahlend weißer» Zähne beträchtlich ist.

Daß man sich nach jedem Essen, mindestens aber zweimal täglich die Zähne putzen soll, ist bekannt. Wieso sehen wir dennoch dem Besuch beim Zahnarzt leider oft zu Recht mit Unbehagen entgegen? Wieso sind wir erneut dem «Kariesteufel» zum Opfer gefallen? Haben wir etwa die falsche Zahnpasta benutzt?

Die Hersteller sind natürlich daran interessiert, den Glauben zu nähren, daß die Wahl der Zahnpasta ausschlaggebend sei, ja die Reklame erweckt bisweilen sogar den Eindruck, weiter sei gar nichts für die Gesunderhaltung der Zähne von Belang. Richtig ist: Sowohl die Bekämpfung der Karies als auch der Parodontose hat gute Chancen durch richtige Ernährung und richtiges Zähneputzen – die Wahl der Zahnpasta ist zweitrangig.

Plaque – die Wurzel allen Zahnübels

Die Mundhöhle ist von einer Unzahl von Bakterien besiedelt, die man nicht ausrotten kann und soll; sie können sich jedoch zusammen mit Speiseresten und Abbauprodukten von Speichelbestandteilen an den Zähnen (und auch unter Kronenrändern) ansetzen – es entsteht die *Plaque* (9). Dieser Belag wird durch Verkalken bereits nach zwölf Stunden härter und rauher; es bildet sich der *Zahnstein*. Die Bakterien in Plaque und Zahnstein produzieren sauer reagierende Substanzen, die sogleich ein Zerstörungswerk beginnen: So hart und widerstandsfähig der Zahnschmelz auch ist, so empfindlich ist er gegen Säuren. Die sauren Stoffwechselprodukte der Bakterien können somit in den Zahnschmelz eindringen, wodurch sich eine Entkalkungszone bildet. Auch sie wird bald massiv von Bakterien besiedelt, die weiter saure Substanzen produzieren, und so geht die Zerstörung weiter (*Karies*). Der Speichel schützt zwar

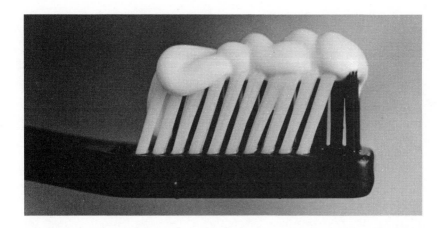

durch seine Pufferwirkung – aber wenn die Speisereste, speziell zucker-
haltige, an den Zähnen haften, ist der Speichel gegen dieses Überangebot
an Bakteriennahrung machtlos; sie wird in Windeseile vergoren: Schon
wenige Minuten nach der Mahlzeit herrscht am Zahn selbst das so
schädliche saure Milieu (53).

Auch die *Parodontose* «verdanken» wir der bakteriellen Plaque. Zwar wird
der Zahnfleischschwund durch Allgemeinerkrankungen wie Schilddrü-
senüberfunktion oder Diabetes begünstigt, und Eisen- und Vitaminmangel spielen ebenso eine Rolle wie die Vererbung; aber erst eine Plaque
ermöglicht die Parodontose (54): An den scharfen Kanten des Zahnsteins
entzündet sich das Zahnfleisch, es bilden sich Zahnfleischtaschen, die
vereitern, und der Zahn lockert sich schließlich.

Den Zahnstein muß man sich vom Zahnarzt entfernen lassen; bloßes
Putzen genügt nicht. Wenn man jedoch sofort nach jeder Mahlzeit die
Plaque beseitigt, kann sich erst gar kein Zahnstein bilden.

Nach jeder Mahlzeit? Das ist zumindest zu empfehlen, speziell nach dem
Genuß von Süßigkeiten – wobei Honig wegen seiner zähen Konsistenz
sogar noch stärker kariogen ist als Zucker (55).

Das Zähneputzen untertags und unterwegs, also nicht im eigenen Badezimmer, mag häufig problematisch sein – aber wie man sich üblicherweise vor dem Essen die Hände wäscht, kann man es sich zur Gewohn-
heit machen, hinterher die Zähne zu putzen (für unterwegs gibt es die
zusammensteckbare Zahnbürste).

Keinesfalls können *Mundsprays* als Reinigungsmittel angesehen werden.

Man wird zwar «atemfrisch mit einem Zisch», und Zwiebelgerüche sowie angeblich auch eine Alkoholfahne können übertüncht werden, aber den Zähnen ist damit kein Dienst erwiesen. Dagegen hat man – bescheiden, aber doch – zur Belastung unserer Atmosphäre mit Treibgasen beigetragen. Üblen Mundgeruch sollte man zudem nicht maskieren, sondern diesem Symptom nachgehen.

Zähneputzen – aber wie?

Man setzt die Zahnbürste (mittelhart, mit Kunststoffborsten) in etwa 45° an und führt damit kurze vertikale Bewegungen aus – keine kreisenden oder gar horizontalen –, und zwar vom Zahnfleisch zum Zahn hin. Alle Flächen aller Zähne sollen sorgfältig geputzt werden, am besten der Reihe nach (außen, innen, Kauflächen); wenn man das tut, braucht man automatisch an die 3 Minuten oder länger. Am besten ist es, sich die richtige Technik einmal vom Zahnarzt zeigen zu lassen.

Sehr zu empfehlen sind die modernen *Mundduschen*, mit denen man Speisereste aus den Zahnzwischenräumen wegspülen kann – aber nicht als Alternative für die Zahnbürste! – sowie *Zahnseide*, mit der man auch engstehende Zähne von Plaque befreien kann. Keinen Vorteil hingegen bieten elektrische Zahnbürsten, höchstens den, daß das Zähneputzen Kindern damit mehr Spaß macht, sowie bei Behinderungen.

Die Zahn-«Creme» poliert

Theoretisch könnte man die Zähne auch durch Bürsten allein von Belägen reinigen. Aber mit Zahnpasta (trotz noch so pastenartiger Konsistenz weithin bevorzugt als «Creme» tituliert) geht das besser: Sie enthält sogenannte *Schleifmittel*, meist anorganische Salze wie die gute alte Kreide, aber auch Phosphate (26), die nur der Plaque zu Leibe rücken, den Schmelz hingegen «polieren» sollen. Leider verhält es sich nicht immer so ideal: Da sind nämlich einerseits Schleifmittel, die so hart sind, daß man mit ihnen dem Zahnschmelz sehr wohl schadet (9) – ganz besonders bei falscher Putztechnik und häufigerem Putzen. Also Vorsicht bei Polierpasten, die etwa «spürbare Glätte» verheißen! Und anderseits ist das Zahnbein durchaus nicht so hart wie der Schmelz (27): liegt es durch Parodontose schon teilweise frei, sollte man deswegen eine «sanfte» Zahnpaste wählen. Ziemlich stark scheuern Blendax Anti-Belag, Sensodyne, Elmex, Mentadent C und Ultra Weiß (56).

Die Schleifmittel sind jene Inhaltsstoffe, die für die wichtigste Aufgabe der Zahnpasta, die Reinigung, benötigt werden. Sie rechtfertigen den Kauf einer Zahnpasta – wobei man sich stets bewußt sein sollte, daß ihre Bedeutung weit hinter jener der Zahnbürste zurücksteht!

Zahnpulver – eine billige Alternative?

Die Rezeptur einer Zahnpasta ist recht aufwendig und sie selbst herzustellen, ist so gut wie unmöglich. Wer sich von Industrieprodukten weitgehend unabhängig machen möchte, kann sich Schleifmittel, Aromen und andere Bestandteile nur als Pulver vermischt besorgen. Aber in diesen Zahnpulvern ist die Konzentration an Poliermitteln viel größer als in einer Zahnpasta – und sie haben daher eine vier- bis sechsfache Schleifwirkung (57). Natürlich verstäubt das Pulver auch leicht und macht die Handhabung nicht gerade bequem.

Schaum = Reinigungskraft?

Dieser weitverbreiteten Meinung tragen die Hersteller Rechnung, und die allermeisten Zahnpasten enthalten deshalb *Tenside*. Dadurch werden zwar Fremdstoffe leichter benetzt und weggespült (9). Für die Reinigung sind sie aber entbehrlich – und manche Wissenschaftler sind sogar der Ansicht, daß Tenside mehr schaden als nützen: Sie stören nämlich die Mundflora und reizen die Mundschleimhaut (26), was eine chronische Zahnfleischentzündung zur Folge haben kann; die Netzmittel können ins Zahnfleisch eindringen und ein Gewebsödem verursachen, wodurch das Zahnfleisch aufgelockert wird (26). Der Tensidgehalt übersteigt üblicherweise nicht die 2%-Grenze, außer bei «Ajona», wo er 7% beträgt. Ajona kann allerdings weit sparsamer dosiert werden. Wer bereits an Parodontose leidet, sollte besser eine tensidfreie Zahnpasta verwenden.

Straffes Zahnfleisch

ist notwendig, um dem Zahn Halt zu bieten. Viele Zahnpasten enthalten *adstringierende Zusätze*, die bisweilen sogar als «blutstillend» angepriesen werden. Meist sind es Pflanzenextrakte (mit Gerbstoffen) oder auch Aluminium-Verbindungen. Aber ein Wundermittel gegen Parodontose gibt es bis jetzt noch nicht – und so gilt auch hier: Wichtiger als eine bestimmte Zahnpasta ist die Vorbeugung, die sorgfältige Entfernung von Plaque (durch den Putzvorgang an sich) und von Zahnstein (durch den Zahnarzt). Spezielle Wirkstoffe, die den Zahnstein auflösen sollen, werden zwar auch angeboten, aber statt den Zahnstein vollständig zu entfernen, greifen sie auch den Schmelz an (55).

Das Vitamin aus der Zahnpasta

Zahnfleischerkrankungen sind als Symptom verschiedener Vitamin-Mangelkrankheiten bekannt (53). Wahrscheinlich rührt daher die Idee, einigen Zahnpasten Vitamine zuzusetzen – abgesehen von der Werbewirksamkeit eines solchen Zusatzes. Aber eine Resorption während der kurzen Verweildauer der Zahnpasta in der Mundhöhle ist äußerst zweifelhaft. Außerdem sollte man einem Vitaminmangel lieber durch eine sinnvolle Ernährung begegnen. Dem Vitamin A wird immerhin eine entzündungshemmende Wirkung nachgesagt (55, 57), was eine lokale Anwendung plausibel macht.

Bakterien, weg damit!

Es ist bekannt, daß es sich bei dem «Kariesteufel» um Bakterien handelt, und eine Reihe von Zahnpasten und besonders Mundwässern enthalten *Antiseptika*. Aber die 10 Milliarden Keime pro ccm im Speichel (55) abzutöten wäre fatal – denn dann würden unerwünschte Keime überwuchern. Zum Glück ist das gar nicht möglich; aber schon eine Störung dieses Gleichgewichtes kann bedenklich sein. Neben milden Antiseptika wie den pflanzlichen ätherischen Ölen (z. B. Pfefferminzöl oder Eukalyptusöl), die auch wegen ihres Aromas eingesetzt werden, findet man in einigen Mundwässern auch synthetische Zusätze, um Keime abzutöten, wie Chlorhexidin und Hexetidin. Durch ihre unspezifische, drastische Wirkung gegen Mikroorganismen stören sie nicht nur die physiologische Mundflora. Sie haben auch unangenehme Nebenwirkungen zur Folge, wie Braunfärbung von Zunge und Zähnen, sowie eine Beeinträchtigung der Geschmacksempfindung (54); bedenklicher freilich ist, daß sie auch allergische Erscheinungen verursachen können (58). Diese Substanzen werden vom Speichel nur schwer weggewaschen und wirken noch lange nach dem Spülen (55). Man soll sie nicht regelmäßig ohne ärztliche Kontrolle anwenden (57).
Auch Oxidationsmittel, wie Kaliumchlorat, findet man in Zahnpasten

wegen ihrer antiseptischen Wirkung. Sie bauen nicht nur Mikroorganismen, sondern auch Speisereste ab und stimulieren außerdem die Speichelproduktion, so daß die lokale Säureproduktion nicht so schnell ansteigen kann. Aber wenn Oxidationsmittel nicht gründlichst weggespült werden, verursachen sie Entzündungen der Mundschleimhaut (9).

Fluor – der zuverlässige Schutz gegen Karies?

Der am häufigsten in Zahnpasten und Mundwässern enthaltene Wirkstoff sind gewiß die verschiedenen Fluoride. Der Zahnschmelz wird durch den Einbau von Fluor härter und widerstandsfähiger gegen Säure. Das steht außer Frage. Leider aber erweckt die Werbung den Eindruck, als könne man sich lediglich durch Kauf und Anwendung einer fluoridierten Zahnpasta vor Karies schützen. Zuverlässig schützt man sich vor Karies – man kann es nicht zu oft wiederholen – durch die sorgfältige und häufige Reinigung der Zähne.

Nur bei Kindern bis etwa zum 8. Lebensjahr wird das Fluor über die Blutbahn in den Schmelz eingebaut; das bedeutet, daß bei ihnen eine Verabreichung von Fluorid-Tabletten sinnvoll sein kann. Später ist eine Zahnhärtung nur mehr durch lokale Fluorid-Einwirkung möglich (59). Einige Forscher berichten sogar, daß kariöse Erkrankungen durch Fluor zurückgehen könnten (55, 59).

Eine Trinkwasserfluoridierung wurde bislang in der BRD nicht eingeführt: Kein noch so zahnloser Bundesbürger könnte sich dieser Zwangsmedikation entziehen. Bedenklich ist auch, daß eine Überdosierung von Fluoriden die Schilddrüse hemmen und Enzyme blockieren kann (27) und daß der Spielraum zwischen Toxizität und optimaler Wirkung auf den Organismus besonders gering ist (60). Durch die Anwendung von Mundpflegemitteln führt man sich aber keine gesundheitsschädlichen Mengen an Fluoriden zu – zumal man sie ja sofort wieder wegspült. Mundpflegemittel dürfen nicht mehr als 0,15 % Fluor enthalten (25). Diese Grenze wird von den gängigen Marken eingehalten (56). Der Gehalt an Fluoriden muß aus der Packung ersichtlich sein – was sich wohl auch ohne Vorschrift kein Hersteller entgehen ließe! Die Anwendung fluoridhaltiger Zahnpasten und Mundwässer kann als sinnvoll angesehen werden; hingegen sollte man sich von speziellen Wirkstoffen gegen Karies keine Wunder erwarten.

Strahlend weiße Zähne – strahlend weiße Zahnpasta

Neben einem runden Dutzend weiterer Bestandteile, die aus technischen Gründen erforderlich sind (die Pasta soll ja weich bleiben, nicht eintrocknen, sich nicht entmischen), enthalten die meisten Zahnpasten als *Aufheller* das Titandioxid (27). Bei seiner Herstellung fällt bekanntlich die berüchtigte «Dünnsäure» an, deren «Beseitigung» durch Verklappen ins Meer eine der großen Bedrohungen dieses Lebensraumes darstellt. Wer eine strahlendweiße Pasta auf seine Zahnbürste drückt, sollte sich dessen bewußt sein. Noch besser: Keine aufgehellte Zahnpasta verwenden!

Wilde Frische

Den diversen Aromen schenkt die Reklame seit jeher ihre besondere Aufmerksamkeit. Leicht einzusehen – denn den Geschmack kann der Verbraucher sofort beurteilen, sehr zum Unterschied zu anderen Effekten. In Europa ist ein Pfefferminz-Geschmack bei Zahnpasten geradezu selbstverständlich, während Amerikaner die würzigere Krauseminze vorziehen, die bei uns unweigerlich Kaugummi-Assoziationen hervorruft. Für Kinder gibt es Produkte mit Erdbeeraroma, «natürlich» auch rot gefärbt.

In den meisten Mundpflegemitteln finden sich auch Süßstoffe; zumindest in jenen, wo der mehlige Geschmack der Schleifmittel und/oder der bitter-kratzige der Tenside maskiert werden muß.

Saure Zahnpasta?

Da der Zahnschmelz säureempfindlich ist, leuchtet es ohne weiteres ein, daß eine Zahnpasta nicht sauer reagieren sollte. Der Schmelz wird bereits bei einem pH von 5,5 angegriffen (53), aber auch eine stärker basische Reaktion als pH 8,5 kann nicht empfohlen werden (27). Tatsächlich lagen aber leider einige Zahnpasten außerhalb dieses Bereichs (Blend-a-Med, Lacalut activ 5, Odol, Prodont, Vademecum) (56).

Also – welche Zahnpasta?

Als vordringlichste Aufgabe einer Zahnpasta kann man die Reinigung ansehen, also die Unterstützung des mechanischen Putzvorganges durch Poliermittel. Aber auch die Härtung des Zahnschmelzes durch die lokale Verabreichung von Fluoriden ist von Bedeutung; dabei erscheint der Einwand berechtigt, daß der Großteil beim Nachspülen mit Wasser wieder entfernt wird, weshalb fluoridhaltige Mundwässer zu empfehlen sind. Die milde adstringierende Wirkung von Pflanzenextrakten kann auch als vorteilhaft angesehen werden. Anderen Wirkstoffen gegenüber sollte man zumindest skeptisch sein.

Nicht zuletzt sollte man im Hinblick auf die Gesunderhaltung von Zähnen und Zahnfleisch um eine sinnvolle Ernährung bemüht sein.

 Ökorat – Ökotat

- Richtig putzen: kurze, vertikale Bewegungen, in einem Winkel von 45°, mindestens 3 Minuten lang.
- Nach jeder Mahlzeit sofort putzen!
- Zahnbürste: mittelhart, Kurzkopf, Kunststoff. Alle 4 Wochen erneuern!
- Zahnpasta: Nicht zu stark scheuernd und nicht zu sauer oder zu basisch. Ohne Tenside und ohne Aufheller. Mit Fluoridzusatz.
- Spülen: Mit fluoridhaltigem Mundwasser.
- Zusätzlich: Munddusche zum Wegspülen von Nahrungsresten, Zahnseide.
- Ernährung: Zucker prinzipiell meiden! (Honig ruft noch leichter Karies hervor als Zucker. Vorsicht vor «maskiertem» Zucker: gesüßte Getränke, Ketchup etc.)
- Auszugsmehl meiden.

Allergien

Viele der in diesem Buch besprochenen Produkte (z. B. Deodorants) oder Einzelstoffe (z. B. Formaldehyd) können Allergien oder Hautentzündungen hervorrufen. Diese Krankheiten werden – da sie am Anfang ähnliche Symptome aufweisen – oft miteinander verwechselt, obwohl der weitere Krankheitsverlauf und die Körperreaktion charakteristische Unterschiede zeigen.

Es gibt nur pauschale Schätzungen über die Häufigkeit von Allergien und über den Anteil von Allergien, die durch (Haushalts-)Chemikalien

Was sind Allergien?

Zu den allergischen Reaktionen zählen verschiedene Hautausschläge (z. B. Ekzeme, Nesselfieber), Asthmaanfälle, Heuschnupfen und bestimmte Schockreaktionen (z. B. nach Insektenstichen oder Einnahme bestimmter Medikamente).

Eine allergische Reaktion entsteht durch eine Überreaktion oder Überempfindlichkeit des körpereigenen Immunsystems gegen bestimmte (Fremd-) Stoffe.

Das spezifische Abwehrsystem des Körpers (das *immunologische System*) hat die Funktion, körperfremde und damit potentiell gefährliche Stoffe oder Krankheitserreger (Mikroorganismen) unschädlich zu machen (allerdings kann auch eine Reaktion auf körpereigene Stoffe erfolgen).

Der Körper unterstellt dabei eindringenden Fremdstoffen oder -körpern sofort «böse Absichten», stempelt sie zu «Kriminellen» und schickt «seine Polizei» los, die sogenannten Antikörper, die die Fremdstoffe unschädlich machen («verhaften»). Die «kriminellen» Fremdstoffe werden *Antigene* genannt oder Allergene, falls sie früher schon einmal «verhaftet» wurden und durch eine Überempfindlichkeitsreaktion schon eine Allergie vorliegt.

Antigene sind beispielsweise einzelne Chemikalien im Haushalt oder am Arbeitsplatz, Medikamente, Blütenpollen, Mikroorganismen, aber auch Transplantate und Tumorzellen.

Die Antikörper sind Proteine (sog. Immunoglobuline), die nach Kontakt mit dem Antigen von bestimmten weißen Blutkörperchen gebildet werden. Die Antikörper («die Polizei») binden sich spezifisch an das Antigen (den Fremdstoff) und neutralisieren dessen Wirkung. Dieser immunologische Vorgang kann entweder reizlos und gesunderhaltend oder in Form von Überempfindlichkeitsreaktionen, also allergischen Erscheinungen, krankmachend verlaufen. Allergien werden daher zuweilen einfach als Entgleisung oder überschießende Reaktionen des Immunsystems bezeichnet. Der Organismus wehrt sich in solchen Fällen nicht nur gegen gefährliche, sondern auch gegen im Prinzip harmlose oder lebensnotwendige Substanzen.

Die körpereigene «Polizei» speichert nun den einmal aufgetretenen Vorgang im «zentralen Fahndungscomputer» und schickt über Lymphsystem und Blutbahn zellgebundene Antikörper (sog. Immunozyten) in sämtliche Gewebe, Lymphknoten usw. des Körpers. Diese werden dadurch «sensibilisiert» (das ganze kann fünf bis zehn Tage dauern), und beim nächsten Kontakt mit dem Allergen (dem Kriminellen) setzt die Reaktion schon bei niedrigeren Allergenkonzentrationen viel rascher und heftiger ein, da die Vorinformationen ja bereits im «Fahndungscomputer» gespeichert sind und die «Polizei» schon vorbeugend an Ort und Stelle ist.

Bei Haushaltschemikalien werden Allergien am häufigsten über direkten (Haut-)Kontakt ausgelöst. Bei Kontakt der Immunozyten mit dem Allergen im

Bindegewebe der Haut werden Stoffe mit den verschiedensten Gewebeaktivitäten freigesetzt, die zu allergischen Hautreaktionen (Rötung, Bläschenbildung, Jucken . . .) führen. Die ablaufenden Reaktionen sind komplex und noch nicht in allen Einzelheiten aufgeklärt.

Allergische und nicht-allergische (toxische) Hautentzündungen unterscheiden sich im Mechanismus ihrer Entstehung, nämlich darin, ob immunologische Vorgänge bei der Reaktion beteiligt sind oder nicht. Eindeutig läßt sich die Frage *klinisch* also nur über den Nachweis spezifisch vorhandener Antikörper im Blut nachweisen. In Erscheinungsbild und Verlauf sind für *allergische Hautreaktionen* charakteristisch:

Juckende Hautveränderung mit Rötung, Bläschen, Nässen und Schuppenbildung. Beginn der Entzündung an Stellen des Primärkontaktes mit der allergieauslösenden Substanz, mit Tendenz zu Befall symmetrischer Körperpartien, dann Generalisierung der Entzündung, schubweises Auftreten bis zur Ausbildung chronischer Entzündungen. Allergische Reaktionen treten nur bei spezifisch sensibilisierten Personen auf und insbesondere bei wiederholtem Kontakt, schon bei sehr geringen Konzentrationen (dabei große Streuung der individuellen Reizschwelle). Charakteristisch ist auch die Ausbildung einer fortschreitenden Sensibilisierung auf andere Substanzen.

Die *nicht-allergischen Hautentzündungen* sind toxischer Art. Sie treten als lokale unspezifische Reaktionen auf Laugen, Säuren, stark entfettende Substanzen und gewisse bakterielle Gifte auf, im allgemeinen mit kleiner Streuung der individuellen Reizschwelle. Beide Reaktionen greifen oft ineinander. Oft kommt es zu Hautentzündungen durch Entfettung und Auslaugung der Oberhaut und zur Zerstörung des «Säurenschutzmantels» etwa durch Reinigungsmittel («Hausfrauenekzem») oder andere aggressive Stoffe. Durch die so angegriffene Haut können z. B. andere Stoffe leichter in den Körper eindringen und eine Allergie auslösen.

verursacht werden. Das Gesundheitsministerium schätzt den Anteil aller Allergiker an der Gesamtbevölkerung auf «unter 10%», den der Pollenallergiker auf 0,5-1,5 % (61). Der Kieler Allergiespezialist Spyra geht davon aus, daß beinahe jeder dritte Bundesbürger allergisch ist (62). Gegenüber den fünfziger und sechziger Jahren wird diese Diagnose heute bei Erwachsenen zehnmal und bei Kindern sogar zwanzigmal häufiger gestellt (62). Die Zeitschrift NATUR bezifferte die Schwankungsbreite der Schätzungen zwischen 5 und 20% (63).

Die große Unsicherheit in den Angaben beruht darauf, daß
– die diagnostische Unterscheidung zwischen Allergien und allergieähnlichen Reizerscheinungen auch für Ärzte schwierig ist und teilweise genauerer Laboruntersuchungen bedarf (vgl. Kasten)

– für Allergien keine Meldepflicht besteht und auch aus den Statistiken der Krankenkassen wegen unterschiedlicher Kriterien keine genauen Angaben zu gewinnen sind (62)

– für Allergien verschiedene Auslöser in Betracht kommen, wie Blütenpollen, Lebensmittel, Medikamente und viele Chemikalien am Arbeitsplatz und im Haushalt

– bis auf wenig klar eingrenzbare Fälle im Haushalt oder in Betrieben (wo etwa nur zwei, drei verschiedene Chemikalien verarbeitet werden) unklar ist, mit welchen Chemikalien der Einzelne überhaupt in Kontakt kommt

– keine allgemeine und vollständige Deklarationspflicht für Inhaltsstoffe von Produkten besteht

– viele Produkte und auch Lebensmittel meist nicht näher bekannte Verunreinigungen enthalten, gleiches gilt für die allgemeine Schadstoffbelastung über die Luft und das Wasser.

Hinzu kommt, daß die Industrie, und wie es scheint, auch die Behörden (62) kein gesteigertes Interesse an einer Aufstellung der Allergieursachen und des Beitrags einzelner Chemikalien haben.

Immerhin besteht Einigkeit darüber, daß Allergien insgesamt zunehmen und daß durch die allgemeine Chemisierung unserer Lebens- und Arbeitsbedingungen der Kontakt mit verschiedensten Chemikalien und damit potentiellen Allergieauslösern beträchtlich zugenommen hat. Auch von der Zunahme berufsbedingter Allergien und der von Kindern wird berichtet (63).

Vor diesem Hintergrund erscheint es nur berechtigt, davon auszugehen, daß Allergien als «Umweltschmutz-Indikatoren» dienen können und daß die steigende Allergieanfälligkeit auf die jeweilige Schwächung bzw. Überlastung der «Körperabwehr» zurückzuführen ist, vor allem durch Chemikalien, vielleicht aber auch durch die erhöhte Stressbelastung.

Die Bundesregierung nimmt in der Antwort auf eine Anfrage der Grünen (62) freilich eine ganz andere und überraschende Gewichtung vor: Sie gibt zwar zu, daß keine ordentlichen Statistiken vorliegen und daß die Zahl der Chemikalien, mit denen wir in Berührung kommen, stark angestiegen ist. Dann aber schließt sie messerscharf: «Eine *wesentliche* (Unterstreichung durch die Autoren) Ursache der Ausweitung allergischer Erkrankungen dürfte durch die beträchtliche Zunahme der Tierhaltung in Haushalten sowie die Zunahme allergiewirksamer Pflanzen in Hausgärten bedingt sein» (62). Da haben wir den Feind: Auf Tiere und Pflanzen reagieren wir allergisch! Die Chemie-Lobby läßt grüßen.

Immerhin gibt die Bundesregierung dann noch zu, daß zu dieser wesentlichen Ursache das steigende «Angebot» von Nahrungsmitteln, Arzneimitteln, Kosmetika und Kontaktstoffen «hinzukommt». Da können wir beruhigt aufatmen, um so mehr, als uns der Gesundheitsminister noch versichert, daß «den Luftschadstoffen keine durch wissenschaftliche Erkenntnisse gesicherte Bedeutung» für die eigentliche Sensibilisierung bei Allergien zukommt.

Die künftige Gesundheitspolitik im Allergiebereich skizziert die Bundesregierung wie folgt:

«Da bei vielen wertvollen chemischen Stoffen immer nur kleinere Personengruppen allergisch reagieren, der überwiegende Teil der Bevölkerung dagegen nicht, hat die ärztliche Beratung diesen Personenkreis darüber aufzuklären, wie sie die entsprechenden Stoffe meiden kann. Tritt dagegen bei einzelnen stark allergenen Stoffen bei größeren Personengruppen regelmäßig eine Überempfindlichkeit in Erscheinung, gibt das Chemikaliengesetz eine abgestufte Handhabe.» (62)

Die von stark allergenen Stoffen Betroffenen dürfen künftig also mit abgestuften (und abgewiegelten?) Maßnahmen rechnen, ansonsten werden die «wertvollen» chemischen Stoffe den ohnehin «nur kleineren» (nicht so wertvollen?) betroffenen «Personengruppen» vorgezogen und die Betroffenen wiederum sollen sich nach Meinung der Bundesregierung von den Chemikalien zurückziehen.

 Ökorat – Ökotat

Wir empfehlen folgendes Konzept zur Verminderung der Allergiegefahr durch (Haushalts-)Chemikalien:
● Sparsamer Umgang mit Chemikalien in allen Bereichen, insbesondere im Haushalt.
● Verzicht auf nicht «lebensnotwendige» Produkte wie Deodorants, Kosmetika, Haarfärbemittel usw.
● Beim Gebrauch bestimmter Produkte nicht zwischen verschiedenen Marken hin- und herpendeln, sondern dauerhaft nur eine Marke verwenden.
● Den Hersteller auffordern, sämtliche Inhaltsstoffe des Produktes anzugeben und mitzuteilen, welche bekannten Allergene sein

Produkt gegebenenfalls enthält. (Bei Nicht-Antwort Produktverzicht und Veröffentlichung des Briefwechsels androhen.)

● Umgang mit Spülmitteln, Reinigungsmitteln usw. möglichst nur mit Gummihandschuhen.

● Bei Allergien oder allergieähnlichen Symptomen sofort den Arzt aufsuchen und aufschreiben, mit welchen potentiellen Allergenen Sie kurz davor in Berührung kamen (Haushaltschemikalien? Chemikalien am Arbeitsplatz? Medikamente? Bestimmte Pflanzen oder Tiere?).

● Allgemeine und vollständige Deklarationspflicht für Inhaltsstoffe.

● Erstellung einer Liste aller bekannten Allergene, die ständig aktualisiert wird und öffentlichkeits*wirksam* verbreitet wird.

● Meldepflicht für Allergien mit einer jährlich zu veröffentlichenden Statistik

● Verstärkung der Ursachenforschung und epidemiologischer Erhebungen über Allergien

● Verbot stark allergener Chemikalien wie Formaldehyd.

Literatur

1 Daten und Fakten der Körperpflege- und Waschmittelindustrie 1982, hrsg. v. Industrieverband Körperpflege- und Waschmittel (IKW)

2 Bürgerinitiative Umweltschutz: Chemiestadt Hamburg: Zum Beispiel Boehringer. Bergedorf 1980. Zit. in: Chemie im Haushalt, VUA Bremen (Hg.), Bremen 1983

3 F. Burczyk: Zukunftsmarkt Flüssigseifen? Seifen, Öle, Fette, Wachse *108*, 3 (1982)

4 Kosmetik Report Nr. 31/1981

5 H. Tronnier: Irritative Waschmittelschädigungen. Parfümerie und Kosmetik *62*, 388 (1981)

6 Kosmetik Report Nr. 28/1982

7 K. A. Försterling: Körperspray und Verbrauchermotive. Riechstoffe, Aromen, Körperpflegemittel Nr. 9/1974

8 S. Rosenbladt: Schöne Geschäfte. Konkret 4/90 (1982)

9 St. Jellinek: Kosmetologie. 3. Auflage, Heidelberg 1976, S. 136 ff.

10 A. Nowak: Einige aktuelle Probleme der präparativen Kosmetik. Seifen, Öle, Fette, Wachse *97*, 1, 11 (1971)

11 Meyer-Rohn: Desodorierende Wirkstoffe aus der Sicht des Dermatologen. Fette, Seifen, Anstrichmittel *76*, 37, (1974)

12 Billigere Deos tun es auch. test 7, 53, (1980)

13 G. Schmidt: Die in der Kosmetik gebräuchlichen bakteriziden Wirkstoffe. Seifen, Öle, Fette, Wachse 101, 281 (1975)

14 H. Halling: Suspected Link between Exposure to Hexachlorophen and Malformed Infants. In: Annals of the New York Academy of Sciences, Vol. 320, New York 1979

15 Frankfurter Rundschau vom 3. 10. 1979

16 E. Koch, F. Vahrenholt: Seveso ist überall, Köln 1978

17 G. Dähn, W. Sturm: Aufbau u. Rezeptur von Shampoos u. Schaumbademitteln. Parfümerie und Kosmetik, 55, 38 und 134 (1974)

18 Ullmanns Encyklopädie der technischen Chemie, Kap. Haarbehandlungsmittel, Bd. 12, S. 431, Weinheim 1974

19 C. E. Orfanos (Hrsg.): Haar und Haarkrankheiten. Frankfurt 1979, S. 931 ff.

20 K. Schrader: Grundlagen und Rezepturen der Kosmetika. Heidelberg 1980, S. 454

21 A. B. Ackermann, A. M. Kligman, J. Soc. Cosmet. Chem. 20, 81 (1969), zit. n. Ullmann, a.a.O., S. 452

22 P. Fritsch: Dermatologie. Berlin, Heidelberg, New York 1983

23 test – Jahrbuch 1982

24 W. Pschyrembel: Klinisches Wörterbuch 1975

25 Kosmetikverordnung

26 G. A. Nowak, Die kosmetischen Präparate. Rezeptur, Herstellung und wissenschaftliche Grundlagen, Augsburg 1975

27 H. Janistyn: Handbuch der Kosmetika u. Riechstoffe, Band III: Die Körperpflegemittel, 1973

28 K. Schrader: Probleme der Entwicklung u. Beurteilung von Oxidations-Färbemitteln; Vortrag anläßl. der IV. Nat. Konf. «Probleme der Kosmetik u. Parfümerie» in Varna, Bulgarien, 2. bis 4. 4. 1982

29 H. Janistyn: Handbuch d. Kosmetika u. Riechstoffe, Bd. I, Die kosmetischen Grundstoffe, 1978

30 E. Schrümpf: Lehrbuch der Kosmetik, 1974

31 P. Busch: Zur Problematik d. Blondierens menschlicher Haare. Fette, Seifen, Anstrichmittel 76, S. 509–512, 1974

32 H. Aebi u. a. (Hrsg.): Kosmetika, Riechstoffe u. Lebensmittelzusatzstoffe, Stuttgart 1978

33 lt. telefonischer Auskunft des Industrieverbands Körperpflegemittel und Waschmittel

34 H. Tronnier: Beeinflussung der Haut durch Externa, in: Fette, Seifen, Anstrichmittel, 81, S. 204–210 (1979)

35 G. Marx: Beiträge zur Erfassung von Rückständen an chlorierten Schädlingsbekämpfungsmitteln sowie Verunreinigungen durch toxische Spurenelemente in kosmetischen Mitteln. Dissertation, Karlsruhe 1982

36 H. A. Memken, u. a.: Zur Belastung von Muttermilch mit Chlorkohlenwasserstoffen aus wollwachshaltigen Cremes, in: Lebensmittelchemie u. gerichtl. Chemie 36, 51–53 (1982)

37 G. A. Nowak: Mikrobiologische Anforderungen bei kosmetischen Mitteln. Parfümerie und Kosmetik 60, 8 (1979)

38 R. R. Suskind: J. Dermatol. (Tokyo) *6*, 203 (1979), ref. in Ärztliche Kosmetologie 11, 211 (1981), zit. n. K. H. Wallhäußer: Einwandfreie Kosmetika aus mikrobiologischer Sicht. Parfümerie und Kosmetik *62*, 379 (1981)

39 Pollenwarndienst. Ärztliche Kosmetologie *11*, 212 (1981), zit. n. Wallhäußer, a.a.O.

40 Siebte Verordnung zur Änderung der Kosmetikverordnung v. 22. 12. 82, Anlage 6 Teil A, lfd. Nr. 5, Bundesgesetzblatt 1982, Teil 1, S. 2018

41 K. H. Wallhäußer: Was versteht man unter einer ausreichenden Konservierung gegen mikrobiellen Verderb bei Kosmetika? Parfümerie und Kosmetik *62*, 173 (1981)

42 K. Bork. D. Heise, A. Rosinus: Formaldehyd in Haarshampoos. Dermatosen *27*, 10 (1979)

43 vgl. u. a. H. Ippen, Ärztliche Kosmetologie *8*, 246 (1978), zit. n. K. Bork u. a. a.a.O.

44 Bundesgesetzblatt 1977, S. 2589

45 CIIT-Conference on Formaldehyd Toxicity, Raleigh, North Carolina 20.–21. November 1980, zit. n. Wallhäußer, Parfümerie und Kosmetik *62*, 173 (1981)

46 Arbeitskreis Umweltchemikalien des BUND: Krebsrisiko durch Formaldehyd. Informationsdienst Chemie und Umwelt (ICU) 4/1984, S. 10. (Bezug: ICU, Hindenburgstr. 20, 7800 Freiburg). Hier findet sich eine detaillierte toxikologische Bewertung von Formaldehyd.

47 E. R. Koch, U. Lahl: Wehe wenn die Wände dünsten. Die Zeit Nr. 23, vom 1. 6. 84

48 persönliche Mitteilung Dr. H. J. Eiermann, FDA, Direktor der Abteilung «Kosmetische Technologie»

49 Nitrosamin update. Drugs and Chemical Industries Nr. 3/78, S. 24

50 Bundesgesetzblatt 1982, Teil 1, S. 2081 ff.

51 M. Grief: A Cosmetic Regulatory Overview. Drugs and Cosmetic Industries Nr. 8/79

52 Auskunft des Bundesgesundheitsamts auf Anfrage des Autors

53 E. Sauerwein: Kariologie, Stuttgart 1974

54 K. H. Rateitschak, H. H. Renggli u. H. R. Mühlemann: Parodontologie, Stuttgart 1978

55 E. Buddecke: Biochemische Grundlagen der Zahnmedizin, 1981

56 Test 5/1980

57 P. Riethe, R. Schmelzle und N. Schwenzer: Arzneimitteltherapie in der Zahn-, Mund- und Kieferheilkunde, Stuttgart 1980

58 K. Langbein u. a.: Bittere Pillen, Köln 1983

59 R. P. Hotz Hg.: Zahnmedizin bei Kindern und Jugendlichen, Thieme 1976

60 Katalyse – Gruppe Köln: Chemie in Lebensmitteln, Frankfurt 1983

61 Frankfurter Rundschau vom 7. Juli 1984

62 Bundestagsdrucksache 10/1606 vom 13. 06. 1984

63 C. Crefe: «Das Leiden an der Umwelt», Natur 4 (1984), S. 34–39
ferner: Funkkolleg Biologie: Die Immunbiologie, Studienbegleitbrief VI, 83–114
Handbuch der Haut- und Geschlechtskrankheiten, mit Ergänzungswerken, Berlin, Göttingen, Heidelberg

Gefährdung von Kindern im Haushalt

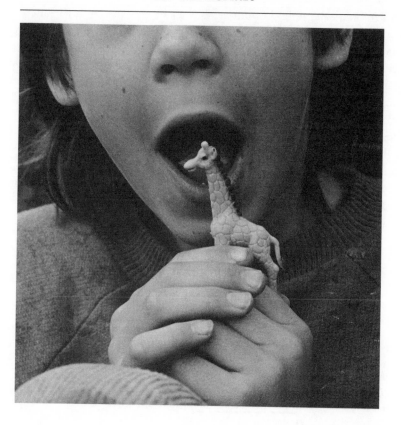

Vergiftung durch Haushaltschemikalien

In der Bundesrepublik kommt es jährlich zu ca. 240 000 Situationen, in denen eine mögliche oder tatsächliche Vergiftung bei Kindern durch Haushaltschemikalien vorliegt. In 32% dieser Fälle konnten den Eltern telefonisch Ratschläge zur selbständigen Behandlung gegeben werden. Bei 43% der Fälle war keine Behandlungsmaßnahme notwendig. In 25% aller Fälle mußte ärztliche Hilfe geleistet werden (10% ambulant, 15% stationär)!

Besonders gefährdet sind Kleinkinder: zwischen dem ersten und vierten Lebensjahr ereignen sich 85% aller kindlichen Vergiftungsfälle, wobei der überwiegende Anteil auf das zweite und dritte Lebensjahr entfällt.

Die Statistiken (und dieses Kapitel) beziehen sich nur auf *akute* Vergiftungen, über chronische Belastungen gibt es kaum Erhebungen. Es sollte

Die häufigsten Vergiftungsursachen von Kindern

(Die Zahlen in den Kästchen geben den Anteil in % an)

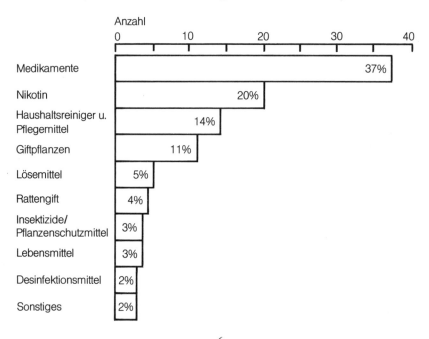

jedoch zu denken geben, daß etwa die Krebshäufigkeit bei Kindern stark zugenommen hat.

Bei den akuten Vergiftungsursachen überwiegen Unfälle bzw. Verwechslungen von Medikamenten (über 40%) und von Haushaltsgiften sowie gewerblichen Giftstoffen (ca. 30%). Auffällig ist der hohe Anteil an Putz- und Reinigungsmitteln (→). Den Spülmaschinenmitteln, Abflußreinigern, WC- und Sanitärreinigern kommt wegen ihrer ätzenden Inhaltsstoffe eine besondere Bedeutung zu (1).

Bei den **Medikamenten** führen Hustenmittel zu den häufigsten Vergiftungen. Sie werden üblicherweise für ungefährlich gehalten und stehen griffbereit neben dem Krankenbett. Mit ihrem Gehalt an Codein (z. B. Codipront, Paracodin, Melrosum cum Codein, Codipertussin) oder Morphin stellen sie jedoch eine Gefahr dar, wenn sie in großer Dosierung eingenommen werden. Der angenehme Geschmack dieser Mittel regt Kinder häufig dazu an, im unbeobachteten Moment mehr als verträglich zu sich zu nehmen. Dabei können 5 Milligramm der Wirkstoffe/kg Körpergewicht bereits tödlich sein.

Grundsätzlich sollten alle Medikamente für Kinder unerreichbar aufbewahrt, d. h. weggeschlossen oder hoch gelagert werden.

Auch harmlos anmutende Schnupfen- oder Grippemittel können gefährliche Wirkstoffe enthalten. Das allgegenwärtige Aspirin ist eine häufige Ursache für Medikamentenvergiftung bei Kindern.

Essigessenz und Alkohol stellen ebenso wie **Nikotin** (Zigaretten) Haushaltsgifte dar, die von Erwachsenen häufig völlig sorglos gehandhabt und für Kinder leicht zugänglich aufbewahrt werden. Eine einzige Zigarette kann, in den Magen eines Kleinkindes gelangt, tödlich sein. Die tödliche Dosis von Nikotin beträgt 0,5–1 mg/kg Körpergewicht, Zigaretten enthalten ca. 15–25 mg. Die Zufuhr von 1 Gramm reinem Alkohol/kg Körpergewicht führt bei Kindern zu einer Alkoholkonzentration im Blut von ca. 1,3‰ (Promille). Eine Konzentration von 1,5–2‰ führt bei Kindern in der Regel zum Koma (2). Mit 1 Schnapsglas (2 cl) eines 40%igen Alkohols nimmt ein sieben Kilo schwerer Säugling bereits ein Zehntel der lebensgefährlichen Dosis auf. Dies erklärt die Häufigkeit der Vergiftungsfälle durch Alkohol.

Giftpflanzen sind in ca. 1,5 bis 11% aller Fälle die Ursache für Kindervergiftungen. Die starken Unterschiede hängen mit dem Erhebungsgebiet zusammen.

In ländlichen Gebieten überwiegen Vergiftungsunfälle mit giftigen Pflanzen, Pilzen, Schlangen etc., wogegen in der Stadt die Unfälle mit modernen, also mit synthetischen Stoffen überwiegen. Es läßt sich nachweisen, daß diese modernen Gifte im Laufe der industriellen Entwicklung mit dem damit verbundenen Einzug von Chemikalien in die Haushalte rasch zugenommen haben und heute ca. 95% aller Vergiftungsursachen ausmachen (3). Erst in den letzten Jahren konnte ihr Anstieg durch die bessere Aufklärung der Eltern und den Einsatz kindersicherer Verschlüsse ein wenig aufgehalten werden.

Die Broschüre «Vorsicht Giftpflanzen, eine Fibel für Erwachsene und Kinder» und weitere Informationen zu Giftpflanzen können Sie beziehen beim

Bundesverband der Unfallversicherungsträger
der öffentlichen Hand e.V. (GUV)
Postfach 200124
8000 München 2

Schon an fünfter Stelle in der Häufigkeitsverteilung der wichtigsten Vergiftungsursachen stehen organische Lösemittel (Fleckentferner, Nagellackentferner, Verdünner etc.), die heute in jedem Supermarkt oder Heimwerkerladen käuflich sind. Danach folgen gleich Rattengift, Insektizide, ‹Pflanzenschutz›-Mittel, Lebensmittel, Desinfektionsmittel u. a.

Die Auflistung der einzelnen Haushaltschemikalien (Reinigungsmittel etc.) nach Produktnamen und der Häufigkeit der Vergiftungsunfälle durch die einzelnen Mittel hängt nicht nur von deren Gefährlichkeit ab, sondern auch von den im Handel befindlichen Mengen.

Es ist nicht geholfen, wenn ein gefährliches Mittel dieser Liste durch ein anderes ebenso gefährliches ersetzt wird. Vielmehr ist zu fordern, daß derartige Chemikalien nicht mehr im freien Handel, sondern allenfalls in Drogerien oder Apotheken abgegeben werden bzw. grundsätzlich durch weniger toxische Stoffe ersetzt werden.

An der hohen Zahl der Vergiftungsunfälle sehen wir – wie bei der Umweltbelastung durch Chemikalien – daß mehr «Chemie im Haushalt» nicht unbedingt mit mehr Lebensqualität gleichzusetzen ist. Kein «Genuß ohne Reue»!

In vielen Fällen kann man ohne Senkung der «Lebensqualität» im Haushalt auf Produkte verzichten (z. B. Desinfektionsmittel oder WC-Duftverbesserer und Beckensteine) oder auf ungefährliche Alternativen zurückgreifen (z. B. Saugglocke statt Abflußreiniger).

Dennoch wird man nicht völlig auf potentiell giftige Haushaltschemikalien verzichten können – auch Essigessenz (vgl. das «Optimalputzprogramm», → S. 19) ist gefährlich.

Diese Produkte wie erst recht die erstgenannten sollten auf jeden Fall mit kindersicheren Verschlüssen versehen sein. Die Industrie hält sich hier leider sehr zurück, obwohl die Wirkung kindersicherer Verschlüsse eindeutig gesichert ist:

● So ging die Zahl der Vergiftungsunfälle durch Medikamente von 1975 bis 1978 durch die Einführung von Sicherheitsverschlüssen stark zurück (4).

● Ein ebensolcher Rückgang konnte bei den in den USA weit verbreiteten Aspirin-Präparaten nach Erlaß eines entsprechenden Gesetzes (Poison Prevention Packaging Act) verzeichnet werden (5).

● In einer Untersuchung von 4018 Vergiftungsfällen wurden keine Unfälle durch Medikamente mit komplizierten Verschlüssen bekannt (6).

● Bereits die Einführung von ‹Durchdrückpackungen› oder ‹Folienpackungen› kann die Vergiftungsunfälle durch Verschlucken deutlich senken (7).

Aus den Unfällen geht hervor, daß Kinder Dragees (insbesondere farbige) gegenüber Tabletten bevorzugen. Kleinere Arzneimittel werden häufiger und in größerer Menge geschluckt.

Im Interesse der Kinder ist es daher geboten, die gleiche Wirkstoffmenge in einer größeren Tablette aus ungefährlichem Trägermaterial zu verkaufen. Pillen mit einem angenehmen Geschmack (Schokoladenüberzug) müssen Kinder geradezu an Bonbons erinnern und zur Einnahme verleiten.

Was für Medikamente gilt, muß erst recht auch für die Haushaltsreiniger gelten.

● Von 78 in einer Ladenstichprobe untersuchten Haushaltschemikalien waren nur vier durch kindersichere ‹Drück- und Drehverschlüsse› gesichert. Das Problem liegt beim Hersteller, der die Verantwortung auf die Eltern überträgt.

Damit soll keineswegs der Eindruck erweckt werden, als könnte durch technische Maßnahmen allein die geballte Ladung Chemie im Haushalt entschärft werden. Aggressive Chemikalien sollten nach Möglichkeit aus dem Haushaltsbereich ferngehalten werden. Umgekehrt wäre es jedoch ebenso verfehlt, den Eltern durch eine Forderung nach besserer Beaufsichtigung ihrer Kinder die alleinige Verantwortung anzulasten, denn

Was ist im Vergiftungsfall zu tun?

Auch wenn nur der Verdacht einer Vergiftung besteht, sollte in jedem Fall rasche ärztliche Hilfe gerufen werden. Notieren Sie sich dazu am besten gut zugänglich (in der Nähe des Telefons) die Telefonnummer Ihres Arztes und des nächsten Krankenhauses. Denn Zeit spielt die entscheidende Rolle im Vergiftungsfall.

Je nach Einwirkungsdauer des Gifts kann eine Verätzung bereits soweit fortgeschritten sein, daß ein Erbrechen die Zerstörung des Körpergewebes (Speiseröhre) verursachen könnte, oder aber das Kind erstickt am Schaum des vielleicht eingenommenen Spülmittels.

Auch alte ‹Hausmittel› wie z. B. Milch können – wie etwa im Fall des Verschluckens organischer Lösemittel – Schaden anrichten.

Eine erste Hilfe sollte im Zweifelsfall erst nach Befragen des Arztes geleistet werden!

Nachstehende Fakten sind vor Anruf des Arztes möglichst genau festzustellen:
– Welche möglicherweise giftige Substanz hat das Kind zu sich genommen?
– Wie lautet der Name des Medikaments, der Pflanze, des Reinigungsmittels?
– Welche Menge hat das Kind geschluckt?
– Wann ereignete sich der Unfall oder die Verwechslung?
– Welche Vergiftungssymptome haben sich eventuell bereits eingestellt?
– Wie alt ist das Kind?

Eine Liste mit der Auflistung der Giftnotrufzentralen finden Sie am Ende des Kapitels.

Mit dem Ratgeber für Eltern: *Sicherheitsfibel zur Verhütung von Kinderunfällen* aus der Reihe ‹Familie – jeder für jeden› erhalten Sie Informationen und Anregungen, wie Sie Ihren Haushalt kindgerecht gestalten können. Hierin sind auch Erste-Hilfe-Maßnahmen bei Kinderunfällen beschrieben. Erhältlich ist diese Broschüre bei der

· Bundeszentrale für gesundheitliche Aufklärung
5 Köln 91,
Ostheimer Str. 200,
Postfach 910152,
Tel. 0221 (Köln)/8992–1.

Die Rufnummern der Giftnotrufzentralen:

Berlin: (0 30) 3 02 30 22, 3 03 54 66

Bonn: (02 28) 2 60 62 11

Braunschweig: (05 31) 6 22 90

Bremen: (04 21) 4 97 52 68

Freiburg: (07 61) 2 70 43 61

Göttingen: (05 51) 39 62 39

Hamburg: (0 40) 6 38 53 45, 6 38 53 46

Homburg/Saar: (0 68 41) 16 22 57, 16 28 46

Kiel: (04 31) 5 97 42 68, 5 97 24 44

Koblenz: (02 61) 49 96 48

Ludwigshafen: (06 21) 50 34 31

Mainz: (0 61 31) 23 24 66, 23 24 67

München: (0 89) 41 40 22 11

Münster/Westf.: (02 51) 8 36 24 5, 8 36 1 88

Nürnberg: (09 11) 3 98 24 51

Papenburg: (0 49 61) 8 31

Stand: 3. 7. 1984

diese sind heute schon häufig überfordert. In jedem Haushalt gibt es Situationen, in denen Kinder kurzzeitig unbeaufsichtigt sind, und in diesem kurzen Augenblick kann es schon zu spät sein. Einer Studie zufolge ereignen sich 47 % aller Vergiftungsfälle in der Zeit von 6.00 bis 13.00 Uhr, in der die Kinder weniger beaufsichtigt werden, da die Mutter mit dem Haushalt beschäftigt ist. Ein weiteres Unfallmaximum liegt in den Nachmittagsstunden und nur 17 % entfallen auf die Abendstunden, wenn beide Elternteile zu Hause sind (8). Über die Woche verteilt ist der Montag der risikoreichste Tag. Dies wird auf Ermüdungserscheinungen nach dem langen Wochenende zurückgeführt, während dessen die Eltern oft mit erhöhter Aufmerksamkeit auf die Kinder geachtet haben. Die Zahl der möglichen Vergiftungsfälle steigt mit der Anzahl der Kinder in der Familie rasch an. Eine positive Verknüpfung zwischen der Vergiftungshäufigkeit und der Berufstätigkeit der Mutter existiert nicht. Im Gegenteil, in 85 % der Fälle ist die Mutter nicht berufstätig.

Insgesamt ergibt sich aus der Auswertung, daß 90 % aller Vergiftungen durch mehr kindorientierte Haushaltsführung hätten vermieden werden können (6). Grundsätzlich ist zu allen erzieherischen Maßnahmen zu bemerken, daß die Sorgfalt zuallererst von den Herstellern ausgehen muß, d. h. es muß eine kindgerechte Umwelt geschaffen werden, in der das Kind seinem Erkundungsdrang nachgehen kann, ohne durch Handelsprodukte gefährdet zu werden.

 **Ökorat – Ökotat**

● Giftige Haushaltschemikalien oder Medikamente sollten verschlossen oder außerhalb der Reichweite des Kindes aufbewahrt werden. (Toilettenreiniger nicht auf dem Boden hinter der Toilette stehen lassen! Spül- und Reinigungsmittel nicht unter die Spüle, sondern immer hoch stellen.)

● Wenn sie sich an die Einnahme von Tabletten erinnern wollen, schreiben sie sich einen Merkzettel.

● Verpackungen mit giftigen Substanzen sollten mit einem kindersicheren Verschluß versehen sein. (Durchdrückpackungen, Metallschiebeschachteln, Dosieröffnungen, Trickverschlüsse bei Haushaltsreinigern. . .)

● Giftige Flüssigkeiten (Säuren, Laugen, Lösungsmittel) dürfen nicht in Getränkeflaschen (Bier-, Wein- oder Mineralflaschen) aufbewahrt werden.

● Verpackungen mit giftigen Stoffen müssen mit einem Totenkopf *und* der Aufschrift ‹Gift› versehen werden. Nach Möglichkeit unscheinbare graue Verpackungen wählen.

● Kinder sollten so früh wie möglich mit Gefahrensymbolen (Totenkopf, orange Giftetiketten, Aufschrift ‹Gift›) vertraut gemacht werden. Im Alter von 5–6 Jahren erkennen Kinder den Totenkopf, auch wenn sie dessen Bedeutung erst später verstehen.

● *Eine Forderung an die Hersteller:*
Giftige, jedoch wohlschmeckende Stoffe (Glykol) sollten vergällt werden und nicht mit wohlriechenden Düften zum Verzehr geradezu anregen (Zitrusduft in Meister Proper).

● Kindersichere Verpackungen sollten den Herstellern vorgeschrieben werden – gegebenenfalls in einem eigenen Gesetz analog dem amerikanischen «Poison Prevention Packaging Act».

● Produkte mit hoher Toxizität (z. B. Pestizide, vgl. S. 174 ff.) sollten nur in speziell dafür zugelassenen Geschäften verkauft werden dürfen.

Gift im Spielzeug?

Auch Spielzeuge gehören heute leider zu den kurzlebigen Konsumgütern, die im Vergleich zu früher überwiegend aus Kunststoffen und in großer Stückzahl gefertigt werden.

Der Wert der Spielzeugproduktion hat sich von 1970 bis 1980 auf nunmehr 2,5 Mrd. DM/Jahr verdoppelt. Damit ist die Bundesrepublik der drittgrößte Hersteller.

Je nach Art der verwendeten Materialien kann es beim unsachgemäßen Gebrauch von Spielzeug eine akute oder eine chronische Gefährdung ergeben. Dies im einzelnen nachzuweisen oder aufzudecken, ist in der Praxis schwierig, da nur Langzeituntersuchungen Auskunft geben könnten, beziehungsweise die Ursachenvielfalt nicht genau zu trennen ist.

Besonders Kleinkinder sind durch zweckentfremdeten Spielzeuggebrauch gefährdet, da sie in ihrer oralen Entwicklungsphase alle Spielgegenstände erst einmal in den Mund nehmen.

Die unten dokumentierten Einzelfälle zeigen, welche «Überraschungen» es bei Spielzeugen geben kann und wohl auch in Zukunft vergleichbar geben wird. Sie sind aber nicht repräsentativ für die Gesamtheit der Kinderspielzeuge.

Selbst der Bereich der Kinderspielzeuge mußte gesetzlich geregelt werden, er unterliegt den Bestimmungen des Lebensmittel- und Bedarfsgegenständegesetzes (LMBG) und den «Empfehlungen für Spielwaren aus Kunststoff und anderen Polymeren sowie aus Papier, Karton und Pappe», die von der Kunststoffkommission des BGA erarbeitet wurden (9).

Danach dürfen «Spielwaren nur so gefärbt oder bemalt werden, daß bei *vorauszusehendem* Gebrauch kein Farbstoff und kein optischer Aufheller in den Mund, auf die Schleimhäute oder auf die Haut übergehen kann.»

Im Schweiß und Speichel befinden sich Bestandteile, durch die fettlösliche giftige Anteile in Kunststoffen und Lacken herausgelöst werden können. Dies gilt für Spielzeuge wie Rasseln, Flöten, Pfeifen, aber auch Haushaltsgegenstände, die zweckentfremdet in den Mund genommen werden. Bedenklich sind beispielsweise cadmiumhaltige Gegenstände.

Leider besteht bisher keine *Auszeichnungspflicht* für derartige Kunststoffe, so daß dem Verbraucher lediglich die Möglichkeit bleibt, auf leuchtend rote, orange oder gelbe Gegenstände zu verzichten, sofern diese nicht ausdrücklich mit dem Hinweis: ‹cadmiumfrei› ausgezeichnet sind.

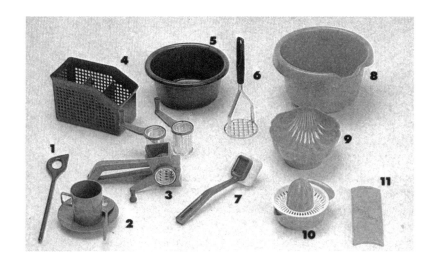

1 **Orangefarbener Rührlöffel,** Artikel-Nr. 4046. Enthält wahrscheinlich Cadmium in nicht genau bestimmbarer Menge. Die besondere Art des Kunststoffs ließ eine exakte Messung nicht zu. Ohne Herkunftsmerkmale, gekauft im Kaufhaus.

2 **Gelber Becher** mit Untertasse und Löffel, Material Valon. Extrem hoher Cadmium-Gehalt (7200 mg/kg Kunststoff). Die drei Teile enthalten zusammen 615 mg Cadmium. Im Lösungstest gingen nach zwei Stunden weniger als 0,001 mg Cadmium in den Becherinhalt über. Das erscheint ungefährlich. Als Abfall sind die Teile umweltbelastend. Hersteller: Reppel & Vollmann GmbH & Co, Kierspe.

3 **Ockerfarbenes Raspelgerät,** Kunststoffgehäuse mit Metalltrommeln, Marke «Reibe-Mouli», Artikel-Nr. 442. Kein Cadmium nachweisbar, Hersteller: Moulinex, Frankreich.

4 **Orangefarbener Besteck-Abtropfer,** Material Hostalen, Marke «mit dem Büffelhorn», Artikel-Nr. 3289. Sehr hoher Cadmium-Gehalt (1030 mg/kg Kunststoff). Der Besteck-Abtropfer enthält 123 mg Cadmium. Bei normalem Gebrauch nicht gefährlich, als Abfall umweltbelastend. Hersteller: Johannes Buchsteiner Plasticwerk, Gingen/Fils.

5 **Orangefarbene Schüssel,** 20 cm Durchmesser. Hoher Cadmium-Gehalt (1020 mg/kg Kunststoff). Die Schüssel enthält 73 mg Cadmium. Im Lösungstest gingen nach zwei Stunden weniger als 0,002 mg Cadmium in den Schüsselinhalt über. Das erscheint ungefährlich bei normalem Gebrauch. Als Abfall ist die Schüssel umweltbelastend. Ohne Herkunftsmerkmale, gekauft im Kaufhaus.

6 **Kartoffelstampfer** mit rotem Griff, Griffmaterial Kunststoff. Hoher Cadmium-Gehalt (740 mg/kg Kunststoff). Der Griff enthält 10 mg Cadmium. Bei normalem Gebrauch nicht gefährlich, als Abfall umweltbelastend. Hergestellt in Japan.

7 **Topf- und Pfannenreiniger** mit orangefarbenem Griff, Griffmaterial Kunststoff. Mittlerer Cadmium-Gehalt (377 mg/kg Kunststoff). Der Griff enthält 20 mg Cadmium. Bei normalem Gebrauch nicht gefährlich, als Abfall umweltbelastend. Ohne Herkunftsmerkmale, gekauft im Kaufhaus.

8 **Gelbe Rührschüssel,** Artikel-Nr. 302. Extrem hoher Cadmium-Gehalt (4900 mg/kg Kunststoff). Die Rührschüssel

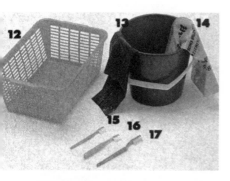

enthält 860 mg Cadmium. Im Lösungstest gingen nach zwei Stunden weniger als 0,003 mg Cadmium in den Schüsselinhalt über. Das erscheint bei normalem Gebrauch ungefährlich. Als Abfall ist die Schüssel umweltbelastend. Hergestellt in Irland für Robert Krups Stiftung & Co KG, Solingen.

9 Gelbe Pudding-Muschelform, Material Kunststoff, Artikel-Nr. 2440. Enthält wahrscheinlich Cadmium in nicht genau bestimmbarer Menge. Die besondere Art des Kunststoffs ließ eine exakte Messung nicht zu. Hersteller: Dr. Oetker Haushaltsgeräte, Bielefeld.

10 Gelbe Zitronenpresse mit weißem Einsatz, Marke «emsa Practica», Artikel-Nr. 0326. Kein Cadmium nachweisbar. Hersteller: Emsa-Werke Wulf GmbH & Co, Emsdetten.

11 Gelber Zwiebelschneider, Marke «Börner rotgelb Geräte» Artikel-Nr.

34210908. Kein Cadmium nachweisbar. Vertrieb: Zyliss Vertriebs-GmbH, Bielefeld.

12 Gelber Korb, Artikel-Nr. 1326. Sehr hoher Cadmium-Gehalt (1720 mg/kg Kunststoff). Der Korb enthält 276 mg Cadmium. Bei normalem Gebrauch nicht gefährlich, als Abfall umweltbelastend. Hersteller: Orth-Plast, Dänemark.

13 Orangefarbener Eimer mit weißem Henkel, Artikel-Nr. 40008. Sehr hoher Cadmium-Gehalt (3400 mg/kg Kunststoff). Der Eimer enthält 816 mg Cadmium. Warnung: Flüssigkeiten können Cadmium herauslösen. Im Lösungstest gingen nach zwei Stunden 0,473 mg Cadmium in den Eimerinhalt (5,7 Liter) über. Als Abfall umweltbelastend. Hergestellt in der DDR («Made in GDR»).

14 Orangefarbene und gelbe Kunststoff-Einkaufstüten, Stichprobenauswahl. Kein Cadmium nachweisbar. Ohne Herkunftsmerkmale.

15 Gelbe Kinderzahnbürste, Marke «ship export». Kein Cadmium nachweisbar. Hersteller: Lingner & Fischer GmbH, Bühl.

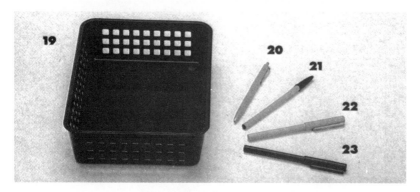

16 Gelbe Kinderzahnbürste, Marke «Dr. Best junior». Hoher Cadmium-Gehalt (690 mg/kg Kunststoff). Die Zahnbürste enthält 8 mg Cadmium. Ein Löslichkeitstest, der die Bedingungen im Magen simuliert, ergab: Aus verschluckten Kunststoffspuren kann sich nahezu kein Cadmium lösen. Die Zahnbürste erscheint deshalb im Gebrauch nicht gefährlich, ist jedoch als Abfall umweltbelastend. Hersteller: Lingner & Fischer GmbH, Bühl.

17 Orangefarbene Zahnbürste, Marke «Fuchs», Artikel-Nr. V 4. Sehr hoher Cadmium-Gehalt (1770 mg/kg Kunststoff). Jede Zahnbürste enthält 20 mg Cadmium. Warnung: Aus verschluckten Kunststoffspuren kann sich im Magen Cadmium lösen. Ein Löslichkeitstest, der die Bedingungen im Magen simuliert, ergab: 0,4 Prozent des Cadmiums sind löslich. Die Zahnbürste ist als Abfall umweltbelastend. Hersteller: Friedr. Fuchs GmbH & Co, Bensheim.

18 Orangefarbener Trinkbecher, Material Revolit. Extrem hoher Cadmium-Gehalt (6900 mg/kg Kunststoff). Der Trinkbecher enthält 442 mg Cadmium. Warnung: Flüssigkeiten können Cadmium herauslösen. Im Lösungstest gingen nach zwei Stunden 0,085 mg Cadmium in den Becherinhalt (355 ml) über. Als Abfall umweltbelastend. Hersteller: Reppel & Vollmann GmbH & Co, Kierspe.

19 Rotes Körbchen, Material Polystyrol, Artikel-Nr. 8111. Kein Cadmium nachweisbar. Hersteller: OWO, Schweiz.

20 Gelber Kugelschreiber, Marke «Schwan stabilo». Sehr hoher Cadmium-Gehalt (1370 mg/kg Kunststoff). Der Kugelschreiber enthält 8 mg Cadmium. Warnung: Nicht am Kugelschreiber kauen! Aus verschluckten Kunststoff-Spuren kann sich im Magen Cadmium lösen. Ein Löslichkeitstest, der die Bedingungen im Magen simuliert, ergab: 0,6 Prozent des im Kugelschreiber vorhandenen Cadmiums sind löslich. Der Kugelschreiber ist als Abfall umweltbe-

lastend. Hersteller: Schwan-stabilo Schwanhäuser GmbH & Co, Nürnberg.

21 Gelber Kugelschreiber mit roter Kappe, Marke «BIC», Artikel-Nr. R-45. Hoher Cadmium-Gehalt des gelben Halters (710 mg/kg Kunststoff). Der Kugelschreiber enthält 3 mg Cadmium. Der Kugelschreiber ist als Abfall umweltbelastend. Hersteller: BIC-Erzeugnisse GmbH, Ettlingen.

22 Gelber Kugelschreiber, Marke «Schneider», Artikel-Nr. 111. Sehr hoher Cadmium-Gehalt (1460 mg/kg Kunststoff). Der Kugelschreiber enthält 12 mg/kg Cadmium. Warnung: Nicht am Kugelschreiber kauen! Aus verschluckten Kunststoff-Spuren kann sich im Magen Cadmium lösen. Ein Löslichkeitstest, der die Bedingungen im Magen simuliert, ergab: 1,2 Prozent des im Kugelschreiber vorhandenen Cadmiums sind löslich. Der Kugelschreiber ist als Abfall umweltbelastend. Hersteller: Gebr. Schneider GmbH, Tennenbronn.

23 Roter Kugelschreiber, Marke «Schneider», Artikel-Nr. 811. Sehr hoher Cadmium-Gehalt (1370 mg/kg Kunststoff). Der Kugelschreiber enthält 11 mg Cadmium. Geringere Cadmium-Löslichkeit als beim gelben Modell. Das erscheint noch ungefährlich. Als Abfall umweltbelastend. Hersteller: Gebr. Schneider GmbH, Tennenbronn.

24 Mehrfarbiges Pilz-Flohspiel, Marke «Siso», Artikel-Nr. 44/0058. Kein Cadmium nachweisbar. Hersteller: Verve, Vedano Olona/Italien.

25 Rotes Steckspiel, Marke «Ministeck», Artikel-Nr. 607. Sehr hoher Cadmium-Gehalt (2230 mg/kg Kunststoff). Die Packung enthält 49 mg Cadmium. Als Abfall umweltbelastend. Hersteller: Prestofix, Fürth/Bayern.

26 Gelbe aufziehbare Spielzeug-Lokomotive mit orangefarbenen Rädern, Artikel-Nr. 304. Bei der Lok kein Cadmium nachweisbar. Mittlerer Cadmium-Gehalt der Räder (460 mg/kg Kunst-

stoff). Achtung: Die Räder gehen leicht ab und können von Kleinkindern verschluckt werden. Hergestellt in Hongkong.

27 Deckfarbkasten mit sechs Farben, Marke «Pelikan», Artikel-Nr. 735 K/6. Getestet wurden die Farben Gelb, Zinnober und Karmin. Kein Cadmium nachweisbar. Hersteller: Pelikan AG, Hannover.

28 Mehrfarbige Spielfiguren, Marke «Fisher-Price» Artikel-Nr. 663. Sämtliche fleischfarbenen Teile – Köpfe – mit mäßigem Cadmium-Gehalt (140 mg/kg Kunststoff). Gelbe Teile können sehr hohen Cadmium-Gehalt haben (bis zu 1660 mg/kg). Die Figuren der Packung enthalten zusammen 6 mg Cadmium. Als Abfall umweltbelastend. Hersteller: Fisher-Price Toys, East Aurora, N.Y. (USA).

29 Gelb-rot-orangefarbene Spielfigur zum Auseinandernehmen, Marke «Fischertechnik», Artikel-Nr. 30460. Bei

167

den orangefarbenen Teilen kein Cadmium nachweisbar, mäßiger bzw. hoher Cadmium-Gehalt der gelben bzw. roten Teile (110 bzw. 690 mg/kg Kunststoff). Die Spielfigur enthält 4 mg Cadmium. Als Abfall umweltbelastend. Hersteller: Fischer-Werke Artur Fischer GmbH & Co KG, Tumlingen-Waldachtal.

30 Kleine rot-gelbe Kinderrassel. Kein Cadmium nachweisbar. Ohne Herkunftsmerkmale, gekauft im Kaufhaus.

31 Zusammensetzbare Spielfigur mit Wagen, Marke «Playmobil», Artikel-Nr. 3356. Sehr hoher bzw. extrem hoher Cadmium-Gehalt (orangefarbene Teile 1870 mg/kg, rote Teile 4480 mg/kg Kunststoff). Die Figur mit Wagen enthält 16 mg Cadmium. Dieses Spielzeug wird laut Packungsaufschrift für Kinder ab vier Jahren empfohlen. Warnung: Damit spielende Kleinkinder können Spielzeug-Teile verschlucken. Aus verschluckten Kunststoffteilen kann sich im Magen Cadmium lösen. Ein Löslichkeitstest, der die Bedingungen im Magen simuliert, ergab: 0,15 bis 0,2 Prozent des Cadmiums sind löslich. Das Spielzeug ist als Abfall umweltbelastend. Hersteller: Geobra Brandstätter GmbH & Co KG, Zirndorf bei Nürnberg.

32 Rote «Lego»-Steine, Ergänzungspackung Nr. 820. Sehr hoher Cadmium-Gehalt (3270 mg/kg Kunststoff). Die Packung enthält 238 mg Cadmium. Kinder pflegen klemmende Steine mit den Zähnen voneinander zu lösen. Dabei können Kunststoffspäne in den Magen geraten. Ein Löslichkeitstest, der die Bedingungen im Magen simuliert, ergab: 0,06 Prozent des in den roten Steinen vorhandenen Cadmiums sind löslich. Als Abfall umweltbelastend. Hersteller: Lego System A/S, Dänemark.

33 Gelbe «Lego»-Steine, Ergänzungspackung Nr. 834. Kein Cadmium nachweisbar. Hersteller: Lego System A/S, Dänemark.

34 Rote Spielsteine, Marke «duplo», aus Packung Nr. 2330, laut Packungsempfehlung für Kinder von einem bis vier Jahren. Extrem hoher Cadmium-Gehalt (4565 mg/kg Kunststoff). Die roten Steine der Packung enthalten zusammen 273 mg Cadmium. Die Steine sind wegen ihrer Größe nicht verschluckbar. Warnung: Kinder pflegen klemmende Steine mit den Zähnen voneinander zu lösen. Dabei können Kunststoffspäne in den Magen geraten. Ein Löslichkeitstest, der die Bedingungen im Magen simuliert, ergab: 0,12 Prozent des in den roten Steinen vorhandenen Cadmiums sind löslich. Die Steine sind als Abfall umweltbelastend. Hersteller: Lego Spielwaren AG, Baar/Schweiz.

35 Gelbe Spielsteine, Marke «duplo», aus Packung Nr 2330. Kein Cadmium nachweisbar. Hersteller: Lego Spielwaren AG, Baar/Schweiz.

36 Gelbes und rotes Kinder-Kunststoffbesteck. Kein Cadmium nachweisbar. Hersteller: Sanrio Co Ltd, Japan.

37 Gelber Papierklemmer. Mäßiger Cadmium-Gehalt (150 mg/kg Kunststoff). Der Klemmer enthält 2 mg Cadmium. Hersteller: Sanrio Co Ltd, Japan.

38 Roter Papierklemmer. Kein Cadmium nachweisbar. Hersteller: Sanrio Co Ltd, Japan.

39 Gelber Puppen-Schnuller. Sehr hoher Cadmium-Gehalt (1300 mg/kg Kunststoff). Der Schnuller enthält 1 mg Cadmium. Ohne Herkunftsmerkmale, gekauft im Kaufhaus.

40 Durchsichtige Spiel-Nuckelflasche mit gelber Kappe. Kein Cadmium nachweisbar. Ohne Herkunftsmerkmale, gekauft im Kaufhaus.

41 Mehrfarbige Schmink-Stifte und Abschminke, Marke «Jofrika», Artikel-Nr. 250. Getestet wurden die roten und gelben Stifte und die Abschminke. Kein Cadmium nachweisbar. Hersteller: Jofrika J. Karbe GmbH & Co KG, Köln.

42 Gelbe Mundharmonika, Marke «Spezi Harmonica». Kein Cadmium nachweisbar. Ohne Herkunftsmerkmale, gekauft im Spielzeug-Fachgeschäft.

43 Rote, gelbe und blaue Spielzeug-

Küchengarnitur aus Kunststoff, Marke «Siso», Artikel-Nr. 44/0513. Kein Cadmium nachweisbar. Hersteller: Verve, Vedano Olona/Italien.

44 Schwarz-gelbe Kunststoff-Bälle für Tischfußball, Artikel-Nr. C 121. Enthalten wahrscheinlich Cadmium in nicht genau bestimmbarer Menge. Die besondere Art des Kunststoffs ließ eine exakte Messung nicht zu. Hersteller: Subbuteo Sports Games Ltd, Großbritannien.

45 Mehrfarbige Spielzeug-Kollektion mit vier Flugzeugen und einem Turm, Marke «Jean». Mittler Cadmium-Gehalt der roten Teile (270 mg/kg Kunststoff). Bei andersfarbigen Teilen kein Cadmium nachweisbar. Die Kollektion enthält zu-

sammen 2 mg Cadmium. Bei normalem Gebrauch nicht gefährlich, als Abfall umweltbelastend. Hersteller: Jean Höfler, Fürth/Bayern.

46 Gelber aufziehbarer Kunststoffhund «Pluto» (Walt-Disney-Figur), Artikel-Nr. 8250. Kein Cadmium nachweisbar. Hergestellt in Taiwan für Tomy Spielwaren, Fürth/Bayern.

47 Gelber Spiel-Hubschrauber, Material Weichplastik, Marke «Vikingplast», Artikel-Nr. 114. Im roten Propeller kein Cadmium nachweisbar. Der gelbe Flugkörper enthält Cadmium in nicht bestimmbarer Menge. Die besondere Art des Kunststoffs ließ eine exakte Messung nicht zu. Hergestellt in Schweden.

Die Firma Lego GmbH hat ihre Produkte seit dem 1. Januar 1983 der schwedischen Gesetzgebung angepaßt und verzichtet auf die Verwendung von Cadmiumpigmenten. Bei den vom Bremer Umweltinstitut untersuchten Steinen handelt es sich demzufolge um ältere Stücke, die natürlich noch in riesigen Mengen in den Haushalten vorhanden sind.

Im folgenden werden einige Gefährdungen dokumentiert, die in den letzten Jahren bekannt wurden:

○ **Blei** und andere Schwermetalle in **Papier, Karton** und **Pappe**

Vergiftungen durch Schwermetalle können ganz unvermutete Ursachen haben:

Vorzugsweise in älteren Gebäuden enthalten die unteren Farb- und Tapetenschichten noch Arsen- und Bleipigmente, die kleinen Kindern gefährlich werden können, wenn sie daran herumknabbern (10).

Aber auch moderne bedruckte Papiere (Geschenkpapier, Pappe und Karton) können Blei enthalten (11). Wenn Kinder daran ungehindert herumknabbern, weicht das Papier auf, die Farben werden herausgelöst und verschluckt. Die Gefahr einer Bleivergiftung ist bei einem Kleinkind wesentlich größer als bei einem Erwachsenen. Die tägliche Aufnahme an Blei aus der Luft und aus der Nahrung macht bei einem Kleinkind schon ungefähr die Hälfte bis zwei Drittel des von der Weltgesundheitsbehörde tolerierten Wertes aus. Es bleibt also kaum ‹Spiel›raum.

○ Batterien

‹Knopfzellen› gehören selbstverständlich nicht in die Hände von Klein-kindern, da die kleinen runden silbernen Batterien leicht verschluckt werden. In einzelnen Fällen öffneten sich diese Batterien im Magen-Darm-Bereich. Das in ihnen enthaltene Quecksilberoxid ist stark giftig (→ Batterien).

○ Wabbeltiere, Lebensmittelimitationen

Hierbei handelt es sich um Kunststoffartikel aus PVC (Polyvinylchlorid) mit einem extrem hohen Weichmacheranteil (bis zu 80%). Werden diese oder Teile davon verschluckt, so wird der Weichmacher in der Magen-Darm-Passage durch die Magensäure teilweise herausgelöst (12).
Durch diese Reaktion versprödet der Kunststoff. Vormals weiche Kan-ten werden spitz und gefährlich scharf, so daß sie das Körpergewebe zerschneiden und aufreißen können. Erst nachdem ein Mann nach dem ‹Genuß› einer Käsescheibenimitation aus einem solchen Kunststoff an den Folgen der inneren Verletzungen starb (12), gingen die Unter-suchungsbehörden auch gegen Kinderspielzeug aus Weich-PVC vor. Dennoch geraten heute immer noch Produkte aus Weich-PVC auf den Markt. Es werden zum Beispiel Radiergummis in Gestalt von Lokomo-tiven, Glühbirnen, Lippenstiften u. ä. verkauft, die auch noch mit künst-lichen Aromastoffen versetzt werden und somit zum Essen geradezu anregen. Die Produkte stammen zumeist aus Hongkong, so daß sie in ihrer Herstellung nicht dem LMBG unterliegen.

○ Quelltiere

Diese ein bis drei Zentimeter großen Kunststoffiguren nehmen in Wasser innerhalb von 12 Stunden maximal um das Dreißigfache ihres ursprüng-lichen Volumens zu. Je nach Kunststoffzusammensetzung geschieht dies auch im Magen, so daß es zu Darmverschlüssen kommen kann. Da äußerlich nicht erkennbar ist, um welche Art von Quelltier es sich handelt, stellen diese Produkte eine ernste Gefahr dar.

○ Schmelzgranulat

besteht aus Polystyrol-Perlen unterschiedlicher Farben, die beim Erhit-zen zusammenschmelzen. Bei unsachgemäßem Schmelzen können grö-ßere Mengen an giftigem monomeren Styrol entweichen. Styrol steht im Verdacht, krebserzeugend zu sein.

● Die Packungen müssen daher nach den Empfehlungen der Kunststoff-kommission den Hinweis tragen: «Nicht überhitzen! Schmilzt bei 180 bis 200° C. Nur in gut belüfteten Räumen und nicht über längere Zeit erhitzen (höchstens 25 Minuten). Dämpfe nicht einatmen!»
Diese Gefahrenhinweise erinnern eher an einen gefährlichen chemischen Arbeitsstoff als an ein Spielzeug!

○ **Seifenblasen**
Seifenblasenlösungen enthalten Tenside, wie sie auch beim Spülen Verwendung finden. Diese Lösung (z. B. Pustefix) sind im Falle des Verschluckens bezüglich der akuten Giftigkeit wenig bedenklich. Es besteht jedoch die Gefahr, am Schaum zu ersticken, der im Magen gebildet wird und beim Erbrechen austritt (13). Daher ist auch dieses Spielzeug von *Klein*kindern fernzuhalten.

○ **Niespulver**
Die pfefferhaltigen Niespulverarten sind ungefährlich. In letzter Zeit sind jedoch Niespulverzusammensetzungen aufgefallen, die neben Holz-staub, Benzidin, o-Anisidin und o-Nitrobenzaldehyd die Wirkstoffe der giftigen Nieswurz und der Panamarinde enthielten. Seit März 1984 sind alle Niespulverarten mit diesen Wirkstoffen auf Grund der «Verordnung über Einschränkungen und Verbote für bestimmte Stoffe in Spielwaren und Scherzartikeln» verboten (14).
Das Problem besteht wiederum darin, daß die Wirkstoffe nicht angegeben werden und die Niespulververpackungen sich häufig stark ähneln. Vielleicht ist es am einfachsten, wenn Sie oder Ihre Kinder sich das Niespulver aus Pfeffer selbst herstellen.
Die vom Kinderspielzeug insgesamt ausgehende akute und chronische Gefährdung kann auf Grund bisheriger mangelnder Untersuchungen nicht abgeschätzt werden.

Literatur

1 G. Köhler: Vergiftungen im Kindesalter, Deutsche Lloyd Versicherungen, 1983, Würzburg.
2 K. E. v. Müllendahl, Pädiatrische Praxis *21*, 291–295 (1979)
3 A. Pasi, Z. Präventivmed. *12*, 102–109 (1967)
4 R. Gaedeke: Epidemiologie von Vergiftungen im Kindesalter, Stuttgart 1980
5 R. G. Scherz, Pediatrics *63*, 816–817 (1979)
6 H. C. Korninger, Wiener Klin. Wochenschr. *90*, 1–7 (1978)
7 U. Jacoby: Pharmazie in unserer Zeit *4*, 151–154 (1975)
8 H. Moll, A. Al Faraidy, Off. Gesundheitswesen *40*, 757–762 (1978)
9 Franck, Kunststoffe, 28. Lfg. März 1981, Kapitel XLVII A, S. 163–170. Empfehlungen der Kunststoffkomission des BGA
10 A. D. Stark, J. W. Meigs, R. A. Fitch, Arch. Environm. Health *33*, 222–226 (1978)
11 J. F. Bertagnolli, S. A. Katz, Bull. N. J. Acad. Sci. *26*, 47–49 (1981)
12 H. Greiner, Z. Rechtsmed. *74*, 75–79 (1974)
13 J. Velvart, Toxikologie der Haushaltsprodukte, Verlag H. Huber, Bern 1981
14 Spielwaren und Scherzartikelverordnung vom 28. Feb. 1984, BGBl. I S. 376

Die auf den Seiten 164–169 abgedruckten Analyse-Ergebnisse entstammen dem ÖKO-TEST «Cadmium in Kunststoffen», der im Auftrag der Zeitschrift *Neugier* vom Bremer Umwelt-Institut erarbeitet wurde. Die Zeitschrift *Neugier* erscheint nicht mehr. Der *Neugier*-Verlag in Frankfurt bereitet für 1985 die Herausgabe der Zeitschrift *ÖKO-TEST-Magazin* vor, die regelmäßig ökologische Tests und Berichte enthalten wird.

Pflanzen- und Insekten-«schutz»-mittel

Chemie im Garten

Chemischer «Pflanzenschutz» ist in den bundesdeutschen Klein- und Hausgärten wie in der Landwirtschaft eine alltägliche Maßnahme. Eine im Raum Hannover durchgeführte Umfrage unter Haus- und Kleingärtnern zeigte, daß etwa vier Fünftel der Befragten chemische Pflanzenbehandlungsmittel in ihrem Garten anwenden. Pro Quadratmeter wird dabei eine Menge an Pestiziden ausgebracht, wie sie in der gewerblichen Landwirtschaft nur in intensiv behandelten Spezialkulturen wie dem Hopfen- oder Weinbau zu finden ist (1, 2).

Wenn das Ergebnis dieser Umfrage wegen ihres geringen Umfanges auch nicht vorbehaltlos verallgemeinert werden darf, so vermittelt es doch einen Eindruck von der gängigen Praxis. Immerhin entfallen 5–10 % des inländischen Pestizidmarktes auf den privaten Bereich, was ca. 2000 t Wirkstoff pro Jahr entspricht (errechnet nach 3). Um so erstaunlicher ist dieses Bild, wenn man sich dabei vor Augen hält, daß es sich hierbei ja in den meisten Fällen um den Freizeitbereich handelt, der nicht den Produktionszwängen des gewerblichen Land- und Gartenbaues unterliegt.

Was aber macht chemische Pflanzenbehandlungsmittel so attraktiv für Gärten, die dem direkten Zwang, Höchsterträge zu produzieren, doch offensichtlich gar nicht unterliegen, nicht unterliegen können, da die Zahl der reinen Nutzgärten nur noch etwa 15 % der Haus- und Kleingärten ausmacht (2)? Um dieser Frage nachzugehen, lohnt ein Blick in die einschlägige Gartenliteratur, die im Lauf der Jahrzehnte jeweils die Argumente zur gerade gängigen Pflanzenbehandlungspraxis geliefert hat.

In alten Gartenratgebern aus der Zeit nach dem Ersten Weltkrieg wird man fast vergeblich nach Empfehlungen für die chemische Schädlingsbekämpfung suchen; die Mittel waren einfach noch nicht entwickelt, und mechanische Bekämpfungsverfahren wie das Absammeln von Raupen stehen eindeutig im Vordergrund. Daneben finden sich wenige Rezepte für Lösungen oder Extrakte, die heute wieder in Büchern über alternative Gartenbauformen empfohlen werden.

Ganz anders die Situation in den fünfziger Jahren. Die ersten synthetischen Pestizide (chlorierte Kohlenwasserstoffe) sind für die Landwirtschaft entwickelt worden. Das ungebrochene Vertrauen in die Wissenschaft, die überzeugende Wirksamkeit der neuen Präparate sowie die durch ihren Einsatz verminderten Ertragsverluste sichern ihnen eine schnelle Verbreitung auch unter Hobbygärtnern (4).

«Neben den genannten Mitteln haben sich auch die sogenannten DDT-Präparate bewährt. (...) Es sind Berührungsgifte, die von durchschlagender Wirkung sind (...).» (4) Die durchschlagende Wirkung des DDT und anderer schwer abbaubarer chlorierter Kohlenwasserstoffe ist es jedoch auch, die dazu geführt hat, daß man heute nach den meisten dieser angepriesenen Wirkstoffe in Landwirtschaft und Gartenbau vergeblich suchen wird – sie sind wie das DDT nicht mehr zur freien Anwendung zugelassen. Allerdings findet man sie woanders: in Luft, Wasser und Boden, in der Nahrungskette, im Menschen, in der Muttermilch. Der oben bereits zitierte Autor schließt im Jahr 1953 sein Kapitel über ‹Die wichtigsten Pflanzenschutzmittel› denn auch mit einer Bemerkung, die – sicherlich unbeabsichtigt – geradezu prophetisch anmutet: «... auf dem Gebiet der Schädlingsbekämpfung ist die Entwicklung seit den großartigen Entdeckungen um die insektizide Wirkung neuartiger Stoffe (Phosphorester) in raschem Fluß und fast täglich hört man von neuen Überraschungen, die man bisher für ganz unmöglich hielt.» (4) Wie sieht es nun in aktuellen Gartenbüchern aus? Die Gefahren für Mensch und Umwelt, die von den hochwirksamen Chemikalien ausgehen können, sind zu sehr Gegenstand alltäglicher Pressemeldungen, als daß sie ignoriert werden könnten. Einige Autoren meinen, das Problem bei den Anwendern ansiedeln zu können, die die sachgemäße Anwendung von Pestiziden ebenso lernen müßten wie den Umgang mit elektrischem Strom (5). In der Regel wird den Pestiziden jedoch ein Gefahrenpotential zuerkannt, was nicht daran hindert, die gängige Praxis als gegeben hinzunehmen (6). Oft wird deshalb die Empfehlung gegeben, nur dann Pestizide einzusetzen, wenn es notwendig erscheint (wann immer das ist) oder wenn die tolerierbare Schadensgrenze überschritten ist. Dieses dem gewerblichen Landbau entlehnte Konzept beruht auf ökonomischen Abwägungen, die im privaten Garten wohl selten angestellt werden und damit den Einsatz von Pestiziden zur reinen Ermessensfrage werden lassen. Der eher selbstverständliche Hinweis, nicht sogenannte Breitbandmittel, sondern gezielt (selektiv) wirkende Chemikalien einzusetzen, um Nützlinge zu schonen, wird zum Anlaß genommen, chemischen «Pflanzenschutz» mit dem Adjektiv ‹umweltgerecht› zu versehen (7). Hier drängt sich der Eindruck auf, daß vorhandene Bedenken durch ein populäres Eigenschaftswort zerstreut werden sollen. Was es mit der

Empfehlung dieser selektiv wirkenden Mittel auf sich hat, wird weiter unten noch zu zeigen sein. Nach fundierten Begründungen für den Pestizideinsatz im Gartenbereich sucht man weitgehend vergebens. Wir wollen daher im folgenden versuchen, thesenartig darzustellen, welches unserer Ansicht nach die Gründe für den praktizierten Pestizideinsatz im Garten sind:

● Die allgemein übliche Vorstellung von Schädlingen als Ursache und nicht Ausdruck bzw. Folge eines kranken Organismus beruht auf einer sehr eingeschränkten Betrachtungsweise. Diese erlaubt es geradezu, den Schädling als Feind zu betrachten und die Behandlung bei ihm zu beginnen, statt den Gesamtzustand der Pflanze mit ihrer Umgebung als Ausgangspunkt von Pflegemaßnahmen zu wählen.

● Das Hobby «Garten» wird nach ähnlichen Kriterien bemessen wie die Erwerbsarbeit: Effektivität und Produktivität stehen im Vordergrund, das Ergebnis in der Form optisch makelloser Gartenfrüchte und eines perfekten Ziergartens verdrängt den Gedanken, daß die Gartenpflege selbst eine sinnvolle Freizeitbeschäftigung und Erholung sein kann.

● Durch den Einsatz von Pestiziden gilt heute: alles ist machbar. Eine ganze Reihe von Pflanzen, die an andere Klima- und Bodenverhältnisse angepaßt sind, lassen sich nun auch unter für sie ungünstigen Bedingungen am Leben erhalten, da die Krankheiten und Schädlinge, denen sie in verstärktem Maße ausgesetzt sind, wirksam bekämpft werden können. Ähnlich sieht es mit einer Reihe von Neuzüchtungen aus, die zwar noch größere Blüten oder Früchte, noch wartungsfreundlichere Wuchsformen aufweisen – aber eben zugunsten einer höheren Empfindlichkeit. Damit eng verknüpft sind die Ansprüche an eine Versorgung mit synthetischen Düngern.

● Pestizide erleichtern die Gartenarbeit zunächst. Viele Erfahrungen und Kniffe, über die ein Neuling im Gartenbau nicht verfügen kann, und mancher Fehler, der deshalb unvermeidlich ist, lassen sich so aufwiegen. Manch einem mag der Zugang zur Gartenarbeit durch diese «Hilfen» erleichtert werden, scheint es doch möglich zu sein, einiges an Erfahrungen und Kenntnissen im Umgang mit dem Garten so zu ersetzen. Der nächste Abschnitt wird aber zeigen, daß bei der umsichtigen Anwendung von Pestiziden im Garten lediglich ganz andere, aber nicht weniger leicht zu erwerbende Kenntnisse notwendig sind.

Chemische Pflanzenbehandlungsmittel im Garten

Von den ca. 2400 in der BRD zugelassenen chemischen Pflanzenbehandlungsmitteln wird ein unübersehbarer Anteil auch im Garten angewandt. Eine unvollständige Übersicht über Markennamen, Wirkstoffe und Herstellerfirmen, die wir durch den Besuch von Gartenfachgeschäften, Kaufhäusern und das Studium von «Gartenprogrammen» erstellt haben, ist in folgender Tabelle wiedergegeben.

Verwendungszweck	Wirkstoffgruppe	Wirkstoff	z. B. in folg. Marken	Hersteller u. a.
Insektizid (Insektenvernichtungsmittel)	Phosphorsäureester	Bromophos	Blattlausvernichter Nexion	Celamerck GmbH
		Demeton-S-Methyl	Metasystox (i)	Bayer AG
		Dimethoat	Gärtners Saft+Kraft Pflanzenschutz-Spray	Aerosol Service GmbH
		Oxydemetonmethyl	Metasystox R	Bayer AG
		Parathion	E 605 Spritzpulver	Bayer AG
		Phoxim	Ameisenmittel Bayer	Bayer AG
		Pirimiphos-Methyl	Pflanzen-Paral-Spritzmittel-Konzentrat gegen Insekten	Thompson-Siegel GmbH
		Trichlorphon	Ameisenmittel	C. F. Spiess u. Sohn
	Carbamate	Butocarboxim	Pflanzen-Paral für Rosen neu	Thompson-Siegel GmbH
		Ethiofencarb	Croneton 100	Bayer AG
		Propoxur	Lizetan-Pflanzenspray	Bayer AG
	chlorierte Kohlenwasserstoffe	Lindan	Gartenstar Ameisentod	Badisches Samenhaus E. Schmidt+ Co

Verwen-dungszweck	Wirkstoff-gruppe	Wirkstoff	z. B. in folg. Marken	Hersteller u. a.
	Pyrethroide	Endosulfan	Compo Tannen-Schutz	Compo GmbH
		Pyrethrum	Spruzit-Gartenspray	W. Neudorff GmbH KG
	Sonstige	Rotenon	Etisso-Pflanzen-schutz	Hoehn u. Hoehn GmbH
Fungizid (Pilzbekämp-fungsmittel)	Dithio-carbamate	Metiram	Compo-Rosenspritz-mittel	Compo GmbH
		Propineb	Antracol	Bayer AG
	Sonstige	Captan	Orthocid 50	Celamerck GmbH
		Dichlofluanid	Euparen	Bayer AG
		Dinocap	Combi-Pflanzenspray	Reckhaus GmbH u. Co. KG
		Dodemorph	Rosenspritz-mittel Myctan	W. Neudorff GmbH KG
		Dodin	Panuran Rosenfluid	Pflanzen-schutz Urania GmbH
		Triadimefon	Certesan-Rosen-Combi-Spray	Bayer AG
		Triforin	Rosenspritz-mittel Saprol	Celamerck GmbH
Herbizid («Unkraut»-bekämpfungs-mittel)	Bipyri-dilium-dikation	Deiquat	Spezial-Unkraut-Vernichter	Celamerck GmbH
		Paraquat	Gramoxone	Deutsche ICI GmbH
	Phenoxy-alkensäure	2,4-D	Rasendünger mit Unkraut-vernichter Ideal	Idealspaten Bredt KG
		Dichlorprop	Rasenrein Spritzmittel	Schering AG
		MCPA	Substral Rasendünger	VAD

Verwen-dungszweck	Wirkstoff-gruppe	Wirkstoff	z. B. in folg. Marken	Hersteller u. a.
		2,4,5-T	Rasen-Unkrautfrei Spritzmittel	Flora Frey GmbH u. Co KG
	aromatische Nitrile	Dichlobenil	Etisso Unkrautfrei	Hoehn u. Hoehn GmbH
		Ioxynil	Ehrenpreis-vernichter Anicon	Celamerck GmbH
	s-Triazine	Atrazin	Compo-Total-Unkraut Spray	Compo GmbH
		Simazin	Unkrautver-tilger Sima-zin-Granulat	Celamerck GmbH
	Sonstige	Bromacil	Fleur-Unkraut-Giess	Schering AG
		Diuron	Total-Unkrautver-nichter Ektorex	Celamerck GmbH
		Dicamba	Rasen-Utox	Pflanzen-schutz Urania GmbH
		Propyzamid	Kerb 50 w	C. F. Spiess u. Sohn
Molluskizid (gegen Schnecken)		Mercaptodi-methur	Schnecken-korn Mesurol	Bayer AG
		Metaldehyd	Schnecken-korn Hoechst	Hoechst AG
Rodentizid (gegen Nage-tiere)		Warfarin	Quiritox	W. Neudorff GmbH KG

Unübersehbar scheint auch die verwirrende Vielfalt an Handelsnamen, Wirkstoffklassen und Trivialnamen oder exakten chemischen Bezeichnungen für die einzelnen Wirkstoffe. Während man sich beim Verzicht auf solche Pflanzenbehandlungsmittel im Garten vielleicht etwas mehr zum Unkrautjäten hinknien muß, muß man sich bei der Anwendung der brisanten Mittel etwas mehr in die Namensvielfalt und Chemie knien.

Am Beispiel des «2,4–D» soll etwas Licht in das Dunkel der verwirrenden Begriffe gebracht werden:

2,4–D

a) *chemische Bezeichnung:* 2,4–Dichlorphenoxyessigsäure
Diese Bezeichnung gibt den Fachleuten Auskunft über die chemische Struktur der betreffenden Substanz.

b) der *gebräuchliche Wirkstoffname* (2,4–D) hat sich im Lauf der Zeit als Kurzbegriff oder Trivialbezeichnung eingebürgert;

c) die *Wirkstoffklasse* (Phenoxyalkansäure) ist der Gruppenname für eine Reihe strukturell ähnlicher Substanzen;

d) der *Handelsname (auch Produkt- oder Präparatname)* wird von der Vertriebsfirma festgelegt (z. B. «Hedonal flüssig» von Bayer). Hier sind auch werbewirksamere Namen möglich, z. B. Unkrautvertilger Tuta-Super-P, Supergro-Extra 305 oder Windhövel-Superrasendünger mit Unkrautvernichter (12).

Stoffe wie 2,4–D finden sich in vielen verschiedenen Produkten. Umgekehrt findet sich in einem x-beliebigen Produkt manchmal nicht nur ein Wirkstoff, sondern mehrere und meist noch eine Fülle von Begleit- und Hilfsstoffen wie Trägerstoffe, Emulgatoren, Stabilisatoren, Netzmittel u. a.

e) für die Einsatzbereiche gibt es jeweils eine Reihe verschiedener Produkte, viele Produkte oder Wirkstoffe können für mehrere Einsatzbereiche zugelassen sein.

Einsatzbereiche (Verwendungszwecke):
Insektizide = Insektenvernichtungsmittel
Fungizide = Pilzbekämpfungsmittel
Herbizide = «Unkraut»beseitigungsmittel
Molluskizide = Schneckenvertilgungsmittel
Rodentizide = Nagervernichtungsmittel (gegen Mäuse und Ratten)
Akarizide = Mittel gegen Spinnentiere
u. a.

2,4–D wird als Herbizid eingesetzt.

f) Daneben gibt es noch eine Reihe von Oberbegriffen, die alle mehr oder weniger das gleiche bezeichnen, wie:

Pestizide, vom engl. pest = Schädling, strenggenommen eine Bezeichnung für alle chemischen Pflanzenbehandlungsmittel außer Herbiziden.

Biozide, alle Mittel, die Leben vernichten

Pflanzenschutzmittel, ein Begriff, der wegen seiner positiven Bestimmtheit (Wer möchte nicht Pflanzen und Natur schützen?) gerne von der chemischen Industrie verwendet wird

Pflanzenbehandlungsmittel

Schädlingsbekämpfungsmittel u. v. a.

2,4–D ist also ein Pestizid, ein Biozid, ein Pflanzenschutzmittel oder ein Pflanzenbehandlungsmittel

Wie leicht festzustellen ist, wird alles getan, um Ein- oder Übersicht in die Materie zu erleichtern . . .

Mögliche Zusatzstoffe (nach 8, 9)

Trägerstoffe

– bei Granulaten z. B. Talkum, Kaolin, Kieselgur, Kalk und andere Gesteinsmehle

– bei flüssigen Präparaten organische Lösungsmittel, Mineralöle oder Wasser

– bei Präparaten in Sprayform (Aerosolen) u. a. fluorierte und chlorierte Methanabkömmlinge (Derivate) als Treib- und Trägerstoffe

Hilfsstoffe

– Emulgatoren: oberflächenaktive Substanzen (z. B. Seifen), die dazu dienen, wasserunlösliche Wirkstoffe in wässriger Spritzbrühe besser zu verteilen (siehe Waschmittel).

– Stabilisatoren wie Gelatine, Kasein, Stärke u. a. können derartige Verteilungszustände in gewissem Rahmen konservieren.

– Netzmittel sollen eine günstige Verteilung auf den Pflanzen bewirken. Es sind ebenso oberflächenaktive Substanzen wie die Emulgatoren.

– Haftmittel wie Polyvinylacetat oder Polyvinylchlorid (PVC) sollen eine größere Beständigkeit und Haftfähigkeit des Wirkstoffs auf der Pflanze ermöglichen.

Wirkungsweisen von Pestiziden

Pestizide sind von ihrer Zweckbestimmtheit darauf gerichtet, Leben zu vernichten. Je nach Art des anvisierten Organismus kann dies auf verschiedene Weise passieren. Bei Tieren ist vor allem die Vergiftung durch Störung der Atmung oder der Nervenreizleitung von Bedeutung. Grüne Pflanzen oder deren Keimlinge werden durch Störung lebenswichtiger Prozesse wie z. B. Photosynthese und Wachstumssteuerung oder durch strukturelle Zerstörung vernichtet. Pilze werden durch Störung von Wachstums- und Verbreitungsvorgängen angegriffen (8, 9). Eine über diese allgemeine Form der Wirkungsbeschreibung hinausgehende Analyse der Wirkungen einzelner Wirkstoffe und Präparate wird zwar versucht, doch sind die ursächlichen Wirkungsmechanismen fast immer ungeklärt.

Angaben wie «systemisch wirkendes Insektizid oder Bodenherbizid» geben keine Auskunft über die Wirkungsweise des jeweiligen Pestizids, sondern über die Art der Aufnahme durch den unerwünschten Organismus. So bedeuten:

systemische Wirkung – das betreffende Pestizid wird vor allem von der Pflanze aufgenommen und wird von dort z. B. durch saugende Insekten (wie Blattläuse) aufgenommen.

Kontaktgift – das Pestizid wird über Hautkontakt mit der behandelten Fläche aufgenommen.

protektive Wirkung (Schutzwirkung) – das Pestizid schafft ein Oberflächenmilieu, so daß sich der Schädling, z. B. eine Pilzspore, nicht anzusiedeln vermag.

Blatt- und Bodenherbizid – das Herbizid wird vorwiegend über das Blatt bzw. den Boden aufgenommen.

Die meisten Pestizide wirken gar nicht so spezifisch, wie es nahegelegt wird oder man vermuten möchte.

Von einem als Unkrautvertilgungsmittel bezeichneten Präparat erwartet man ausschließlich die Beseitigung von unerwünschten Pflanzen. Für darüber hinausgehende, nicht erwünschte Wirkungen bleibt uns aus dieser Sicht nur die Kategorie «Neben»wirkung.

Daß der Unterschied zwischen Neben- und Hauptwirkung oft nur durch das Adjektiv erwünscht oder unerwünscht geklärt werden kann, sei an Beispielen demonstriert. Eine der weltweit ökonomisch bedeutendsten chemischen Substanzen, Paradichlorbenzol, ist als Fungizid zur Mehltaubekämpfung, als Insektizid gegen Motten sowie als Raumdeodorant und in WC-Beckensteinen (→ Paradichlorbenzol, S. 24) im Gebrauch (10). Von den oben in der Tabelle 1 angeführten Wirkstoffen sind z. B. Dinocap und Demeton-S-methyl als Akarizid und Fungizid in Verwendung. Je nach Zielsetzung würde man also von einem Fungizid mit akarizider Nebenwirkung oder einem Akarizid mit fungizider Nebenwirkung sprechen.

Schädliche Auswirkungen auf Mensch und Umwelt

Zunächst muß festgehalten werden, daß Pestizide als biologisch hoch aktive Substanzen neben der erwünschten Wirkung immer auch unerwünschte giftige Wirkungen auf andere Pflanzen und Tiere und natürlich auch auf den Menschen zeigen können. Die Abschätzung dieser toxikologischen Potenz insbesondere für den Menschen wird mit Hilfe verschiedener tierexperimenteller Studien versucht. Aus diesen Untersuchungen resultieren dann verschiedene rechtliche Vorschriften, die z. B. die Wartezeit zwischen der Anwendung eines Pestizids und dem Verzehr damit behandelter Pflanzen oder die erlaubten Rückstandsmengen eines Pestizids regeln (11). Bei den toxikologischen Wirkungen der Pestizide muß man zwischen der akuten Giftwirkung und chronischen Wirkungen unterscheiden:

Als ein grobes Maß für die akute Giftigkeit kann der sogenannte LD 50-Wert gelten. Im Tierexperiment wird dabei die Konzentration eines Wirkstoffes (letale Dosis) ermittelt, bei der 50% der Versuchstiere sterben. Dieser Wert ist für die verschiedenen Wirkstoffe und Gruppen sehr unterschiedlich. Bei den in Tabelle 1 vorgestellten Wirkstoffen schwankt er zwischen 4 mg Wirkstoff pro kg Körpergewicht für den Wirkstoff des E 605, das Parathion (was einer sehr hohen akuten Giftigkeit gleichkommt), und 16 000 mg Wirkstoff pro kg Körpergewicht für Triforin. Diese Werte gelten für die verwendeten Laborratten, denn unterschiedliche Tierarten reagieren auch sehr verschieden. So wird der LD 50-Wert für die Ratte bei Paraquat (einem als Herbizid Verwendung findenden Pestizid) mit 150 mg/kg angegeben, für das Meerschweinchen hingegen mit nur noch 30 mg/kg (12).

So wird dann auch der wissenschaftliche Wert der LD 50-Ermittlung angezweifelt (13). Für den Menschen leiten sich Erfahrungen meist aus der Beschreibung von Unfällen und Selbstmordversuchen ab.

Im folgenden die grobe Beschreibung der akuten Vergiftungserscheinungen einiger relevanter Gruppen (nach 12, 14):

- *Phosphorsäureester* wie Parathion (=E 605)

Die Phosphorsäureester (PE) besitzen in der Regel eine recht hohe akute Giftigkeit für den Menschen. Über den Mund aufgenommen (oral) können beispielsweise bereits 0,1 mg/kg (d. h. 3 Milligramm für ein 30 kg schweres Kind) für Kinder tödlich sein (15). Phosphorsäureester können außerordentlich rasch durch die Haut oder die Atemwege in den Körper gelangen (15). Ihre Giftigkeit für den Menschen beruht im wesentlichen auf der Hemmung lebenswichtiger Enzyme, der sog. Cholinesterasen. Diese können damit ihre Funktion, nämlich die Spaltung des körpereigenen Botenstoffes Acetylcholin, nicht mehr ausüben. Folge ist eine Störung der Nervenreizleitung.

Die Symptome reichen, je nach Schwere der Vergiftung, von Kopfschmerzen, Schwächegefühl, Schwitzen, Brustbeklemmung, Übelkeit, Erbrechen bis hin zu Muskelsteifigkeit, -schwäche, Blutdrucksenkung und -anstieg und dem Kollaps.

- *Carbamate*, wie Butocarboxim oder Propoxur

Bei den Carbamaten ist der Abstand zwischen beobachtbaren toxischen Effekten und tödlicher Konzentration größer als bei den Phosphorsäureestern, denen sie vom Vergiftungsbild und der Symptomatik her ansonsten sehr ähnlich sind. Auch die Carbamate zeigen Cholinesterasehemmung, die jedoch im Vergleich zu den PE schneller einsetzt und von kürzerer Dauer ist. Carbamate und Phosphorsäureester werden im Körper meist rasch umgewandelt und/oder ausgeschieden.

- *Chlorierte Kohlenwasserstoffe*

Als Vertreter der Chlorierten Kohlenwasserstoffe (CKW) befinden sich vor allem noch Lindan (→ S. 208 ff.), Endosulfan und Methoxychlor im privaten Gebrauch. CKW können als Staub oder Aerosol über die Atemwege, in Fetten und Ölen gelöst, aber auch gut über die Haut in den Körper gelangen. Bei Vergiftung lösen sie Erregungszustände im Zentralnervensystem und Krämpfe aus, ohne daß Angriffspunkte genau bekannt wären. Symptome einer akuten Vergiftung sind z. B. Unruhe, Taubheit der Zunge, Gleichgewichts- und Sprachstörungen, Krämpfe und Muskelzittern. Entscheidender jedoch als die relativ selten auftretenden akuten Vergiftungen ist ihre biologische Stabilität (Persistenz). In der Regel werden CKW vom Körper nur schlecht um- oder abgebaut und zudem auch nur langsam ausgeschieden. Stoffe wie Lindan, Paradichlor-

benzol u. a. werden statt dessen bevorzugt im Körperfett gespeichert und erst unter Belastungsbedingungen (Abmagerung, Muttermilchproduktion) wieder mobilisiert.

Die Persistenz der chlorierten Kohlenwasserstoffe hat dazu geführt, daß einige ihrer Vertreter nahezu überall in Spuren vorkommen (ubiquitär) (16), so auch in vergleichsweise hoher Konzentration in der menschlichen Muttermilch. Die Deutsche Forschungsgemeinschaft hat aus der extremen Belastung die überraschende Konsequenz gezogen, eine (zeitlich) eingeschränkte Stillempfehlung abzugeben. Über Sinn und Unsinn solcher Problembewältigungen wird allerdings heftig gestritten (17).

● *Dipyridiliumverbindungen*
Paraquat und Deiquat sind die Vertreter dieser Wirkstoffgruppe, die eine für Herbizide sehr hohe akute Toxizität aufweisen. Diese starken organischen Basen wirken vorwiegend an Epithelien (oberflächlichste Zellschicht) wie den Atemwegen, Lunge, Magen-Darm-Kanal, aber auch an der äußeren Haut. Die Vergiftungssymptome nach Verschlucken sind Schluckbeschwerden, Erbrechen, Durchfall, Schwindelgefühl, Krampfanfälle. Etwas mehr als 100 ml des Präparats Gramaxone reichen aus, um innerhalb von 1–3 Tagen zu einem qualvollen Tod zu führen (15). Bei Hautkontakt kommt es zu lokalen Hautentzündungen.

● *Phenoxyalkansäuren*
Die Stoffe dieser Gruppe führen bei Menschen und Tieren nach Aufnahme durch den Mund zu Reizungen des Magen-Darm-Traktes und in höheren Dosen zu narkoseähnlichen Zuständen. Bereits etwa 6 g 2,4–D können beim Menschen zum Tode führen. Die Vergiftungssymptome sind wie üblich unspezifisch z. B. Kopfschmerzen, Übelkeit, Appetitlosigkeit, Durchfall . . .

Diese eher nach Vielseitigkeit ausgesuchte Beschreibung der Vergiftungssymptomatiken macht ein Problem deutlich: Akute Vergiftungserscheinungen sind oft dermaßen unspezifisch, daß sie nur schwer auf ihre Ursachen zurückgeführt werden können.

Folgen chronischer Belastung

Letzteres gilt erst recht für die Langzeitfolgen von Pestiziden, die über Jahre hinweg in kleinen Dosen aufgenommen werden. Hier ist der Beweis einer schädlichen Wirkung, die oft erst Jahre oder Jahrzehnte später auftritt, noch schwerer zu führen.

Die jährliche Belastung des Bundesbürgers mit Pestiziden

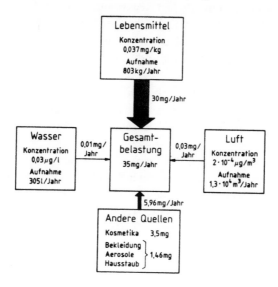

Das Risiko, das aus der ständigen Konfrontation des einzelnen mit den Rückständen von Pestiziden resultiert, versucht der Gesetzgeber durch die Festlegung von zulässigen Höchstmengen (auch Toleranzen) einzugrenzen. Dabei wird für jeden Wirkstoff und je nach Verzehrgewohnheit für unterschiedliche Pflanzengruppen eine bestimmte Rückstandsmenge zugelassen. Das sieht z. B. für das Fungizid Captan so aus:

- 15 mg/kg max. erlaubter Gehalt von Captan in Gemüse, Obst
- 0,1 mg/kg max. erlaubter Gehalt von Captan in anderen pflanzlichen Lebensmitteln
- 100 mg/kg max. erlaubter Gehalt von Captan in Hopfen.

Damit sollen die über die Nahrung aufgenommenen Rückstandsmengen der Pestizide so begrenzt werden, daß keine schädlichen Auswirkungen beim Menschen zu beobachten sind.

Die «Philosophie» bei der Festlegung dieser Höchstmengen oder Toleranzen beruht auf dem nicht unumstrittenen wissenschaftlichen Konzept von Wirkungsschwellenwerten (auch «No-effect-level»). Die Schwierigkeit dieses Konzeptes liegt darin, für chemische Stoffe ab einer gewissen Konzentration theoretisch wie experimentell eine «Nicht-Wirkung» zu bestimmen.

Angesichts

○ der verschiedensten möglichen Reaktionen eines Stoffes

○ der Schwankungsbreite seiner Wirkungen bei verschiedenen Tierarten

○ des Problems der Übertragbarkeit auf den Menschen

○ des gleichzeitigen Auftretens und Zusammenwirkens einer Vielzahl von schädlichen Stoffen

○ der umstrittenen Wahl des Sicherheitsfaktors

○ der Tatsache, daß mit fortschreitendem naturwissenschaftlichem Erkenntnisstand meist auch die Erkenntnisse über schädliche Folgen wachen,

scheint es unmöglich, dieses Konzept aufrechtzuerhalten (19).

 Fazit: «Die Gefährlichkeit der Rückstände in der Umwelt ist nur in Ausnahmefällen bekannt» (18), das No-effect-level-Konzept und die Höchstmengenfestlegungen bieten nur einen scheinbaren Schutz und können Spätfolgen nicht ausschließen.

Spezielle Gefahren von Spätfolgen

Mutagenität, Kanzerogenität und Teratogenität (→ Glossar) sind die bekanntesten Beispiele für schwer erfaßbare, aber höchst bedeutsame Spätfolgen von Umweltchemikalien allgemein. Die Schwierigkeit der eindeutigen Zuordnung von einem derartigen Schaden zu einem verantwortlichen Auslöser liegt in der Vielfalt der Belastungssituationen begründet. Zum einen kann schon ein einziges Molekül eines entsprechend potenten Schadstoffes beispielsweise krebsauslösend wirken, zum anderen können aber Jahre bis Jahrzehnte zwischen Auslösung und Sichtbarwerden der Krankheit liegen. Diese Schwierigkeiten dokumentieren sich in der jahre- bis jahrzehntelangen Verzögerung zwischen der Synthese und Produktion einer Chemikalie und der Klärung über potentielle toxische Spätfolgen. Von den oben aufgelisteten Wirkstoffen stehen die Fungizide Captan und Folpet, die nur eine geringe *akute* Giftigkeit aufweisen, unter dem begründeten Verdacht, Krebs zu erzeugen (20).

Wechselwirkungen

Die Untersuchungen von Kombinationswirkungen zwischen Umweltchemikalien und Umweltfaktoren gehören nicht gerade zu den üblichen Untersuchungsgegenständen. Dies wird verständlich angesichts der

Vielzahl der möglichen Kombinationen (in der Bundesrepublik sind etwa 45 000 Umweltchemikalien auf dem Markt). Diese ökonomische Unmöglichkeit führt dazu, daß bislang mehr zufällige als systematische Angaben über derartige Effekte vorliegen. Dabei gehört die Kombination von Belastungen zur alltäglichen Situation und ist, wie belegt werden kann, auch bedeutsam.

● Die akut sehr gering toxischen Fungizide aus der Wirkstoffgruppe Dithiocarbamate und Thiurame führen zusammen mit Alkoholgenuß zum sogenannten «Antabus»-Effekt: selbst bei geringen Mengen von Alkoholgenuß treten als Vergiftungssymptome Übelkeit und starke Kopfschmerzen auf, die in schweren Fällen bis zum Koma führen können. Grund ist die Hemmung eines für den Alkoholabbau mitverantwortlichen Enzyms (21).

● Es gibt auch Beispiele, in denen derartige Wechselwirkungen «gezielt» eingesetzt werden. Das in vielen «Bio»präparaten Verwendung findende Pyrethrum wird als alleiniger Wirkstoff relativ schnell umgewandelt und ist damit ungiftig für Insekten. Zusammen mit Piperonylbutoxid erhöht sich die Stabilität von Pyrethrum erheblich, es bleibt länger «wirksam».

● Oft werden Pestizide jedoch auch als feste Kombinationen verkauft (z. B. Unkrautvernichter mit Simazin, Atrazin, Amitrol und 2,4–D) oder zur Kombination empfohlen (z. B. wird Propineb, das den oben besprochenen Antabus-Effekt zeigt, zur Kombination mit dem akut sehr giftigen Folidol-Öl [parathionhaltig] empfohlen.)

Schädliche Auswirkungen auf die Umwelt

Die weit verbreitete Belastung der Umwelt mit Pestiziden, die teilweise schon von der Produktion herrührt, sowie die Anreicherung in Nahrungsketten bis hin zum Mensch sind spätestens seit dem DDT weithin bekannt.

Genaugenommen birgt aber schon der gezielte Einsatz von Pestiziden schädliche Auswirkungen. So schädigt etwa die gezielte chemische Bekämpfung von Blattläusen nicht nur diese (was gewünscht ist), sondern auch die natürlichen Feinde der Blattläuse, die Marienkäfer, Ohrwürmer, Florfliegen, Schlupfwespen u. a. – sei es über die vergiftete Nahrung oder über das verminderte Nahrungsangebot.

Der Eingriff schädigt also das eingespielte «Räuber – Beute – Verhältnis» und damit auch die «Räuber» – damit müssen aber die Begriffe «schädlich» und «Umwelt» weiter gefaßt werden, als es der Gesetzgeber bisher begreift: Folgt man zunächst einmal dem Gesetzgeber, so werden diese Begriffe an den ökonomischen Konsequenzen, z. B. Ertragsverluste der Imker sowie Bestäubungs- und damit Ernteverluste bei Landwirten durch Bienenvergiftung, oder wiederum an direkten Gefahren für den Menschen, z. B. Trinkwasserschutz, bestimmt. Natur- und Artenschutzerwägungen spielen hier keine Rolle. Damit ist auch wieder bestimmt, welche Informationen man zu diesem Problemkomplex findet, nämlich Angaben zur Bienen- und Fischgiftigkeit, zu Wasserschutzgebietsauflagen und zum Abbauverhalten. Darüber Hinausreichendes ist höchstens von akademischem Interesse und dringt erst nach «Katastrophen» ins Bewußtsein. Zugegebenermaßen ist es sowohl theoretisch wie experimentell nicht gerade einfach, komplexe Vorgänge aus der Umwelt zu erfassen, abzubilden und einer möglichen Bewertung zugänglich zu machen, dennoch sind endlich auch Schritte zu einer umfassenden Umweltverträglichkeitsprüfung für Pestizide nötig, die auch nachhaltige Störungen des Naturgleichgewichts, Belastung durch Pestizide bei der Produktion und nach Gebrauch, einschließlich der Langzeitfolgen miteinbezieht.

Dem Verbraucher bleibt bisweilen bei der Anwendung von Pestiziden nur, die bekannten und benannten Gefahrenhinweise zu beachten, und ansonsten die Hoffnung, daß es bei den angewandten Präparaten kein spätes und böses Erwachen gibt.

Die Anwendung von Pestiziden, gleichgültig in welchem Bereich, erfordert im Gegensatz zu weit verbreiteten Vorurteilen eine Menge an Sachkenntnis, will man Menschen und Umwelt nicht übermäßig und unzulässig gefährden.

Im folgenden sei auf wesentliche Punkte dieses notwendigen Kundigmachens hingewiesen, um die Abwägung zu erleichtern, womit man sich lieber beschäftigen will, mit dem Erlernen der sachgemäßen Anwendung von Pflanzenbehandlungsmitteln (vgl. Kasten) oder der Einübung in Pflegemaßnahmen, die auf chemische Pflanzenbehandlung verzichten.

Sachgemäße Anwendung von Pestiziden

● Am Anfang steht die Diagnose über die Art und Schwere eines etwaigen Schädlingsbefalls und die Beratung über notwendige Gegenmaßnahmen. Hier können gute Gartenfachgeschäfte oder die staatlichen Pflanzenschutzämter behilflich sein. Niemals sollte ein Pestizid auf bloßen Verdacht eingesetzt werden, denn gerade durch starre Spritzpläne oder breit wirkende Pestizide werden Nützlinge am meisten betroffen.

● Nur von der Biologischen Bundesanstalt für Land- und Forstwirtschaft (BBA) zugelassene und mit Anwendungshinweisen versehene Präparate sollten gekauft werden.

● Die Lagerung von Pestiziden muß in den beschrifteten Originalgefäßen in verschlossenen, kindergesicherten Giftschränken erfolgen.

● Allergiker, schwangere Frauen, stillende Mütter und Kranke sollten nicht mit Pestiziden arbeiten.

● Während der Arbeit sollte man nicht trinken, essen oder rauchen und am ganzen Tag keinen Alkohol trinken.

● Das Ansetzen von Spritzflüssigkeiten darf nur in besonderen und speziell gekennzeichneten Gefäßen erfolgen. Dosierungsvorschriften sind genau einzuhalten.

● Unbedingt muß Schutzkleidung angelegt werden, durchnäßte Kleidung ist sofort zu wechseln, die Schutz- und Arbeitskleidung sollte noch nach der Pestizidausbringung gereinigt werden.

● Die Ausbringung darf nur in von der BBA genehmigten und einwandfrei funktionierenden Geräten vorgenommen werden.

● Prinzipiell nicht bei Hitze, Schwüle oder Wind arbeiten, die Nachbarn sollten verständigt werden.

● Die Bienenschutzverordnung ist zu beachten, d. h. bei bienengefährlichen Mitteln darf z. B. nicht in blühenden Pflanzenbeständen gespritzt werden.

● Gewässerschutzauflagen müssen beachtet werden.

● Bei Fischgiftigkeit darf keine Anwendung in der Nähe von offenen Gewässern erfolgen.

● Restebeseitigung gemäß Merkblatt der Länderarbeitsgemeinschaft Abfall (LAGA), d. h. leere Kleinpackungen sind zusammen
mit den Resten von Behandlungsflüssigkeit den Sondermüllsammelstellen zu übergeben. «Eine Ausbringung auf andere Flächen ist
wegen der Eigenart der Präparate und der unkontrollierbaren
Wirkung auf Flora und Fauna ausgeschlossen.»
● Bei Anwendung an Gemüse und Obst (auf Unterkulturen achten
und diese gegebenenfalls abdecken) müssen die Wartezeiten zwischen Anwendung und Ernte eingehalten werden (22–24).
Wohlgemerkt: wer diese Minimalanforderungen nicht beachtet,
trägt das Risiko für etwaige Schäden selbst, da der Produzent und
Verkäufer durch die Anwendungshinweise aus der Verantwortung
genommen sind.

Alternativen

Die oben beschriebene, in privaten Haus- und Kleingärten übliche
Schädlingsbekämpfung mittels chemischer Präparate sowie die damit
verbundenen Risiken und Gefahren werfen die Frage nach Alternativen
auf.
Bevor wir versuchen wollen, drei mögliche Alternativen aufzuzeigen,
erscheint es uns jedoch wichtig, sich die Frage zu stellen, mit welchem
Anliegen und aus welcher Motivation heraus man einen Garten anlegt.
Erst hiervon ausgehend lassen sich Ideen für eine wirkliche Pflanzen-
schutzpraxis entwickeln.
Gärten gibt es wohl seit der Zeit, da die Menschen seßhaft geworden
sind, und wenn die Vorstellungen vom Aussehen dieser Gärten auch sehr
unterschiedlich gewesen sind, so stellten sie doch immer ein bewußt nach
dem Wunsch des Menschen gestaltetes Stück Landschaft dar, wobei die
Wünsche und Vorstellungen von diesen Gärten wesentlich durch die
jeweilige Gesellschaftsform geprägt wurden.
Im 16. Jahrhundert beispielsweise dienten die Arzneipflanzengärten der
Wissenserweiterung an den Heilkräften der Pflanzen interessierter Menschen. In einer Zeit absolutistischer Herrschaftshäuser mußte sich auch
der Garten streng geometrisch dem Willen seines Besitzers unterordnen

als Abgrenzung zur unbeherrschten, in dieser Zeit noch weitläufigen Natur außerhalb der Gartenmauern. Als Gegenbewegung entstanden die Landschaftsgärten, in denen ein Stück «Natur», eine Landschaft, aufgebaut wurde; doch auch diese Gärten folgten nicht den Gesetzen der Natur, sondern beugten sich den Vorstellungen ihrer Architekten.

Auch die Gärten der letzten Jahrzehnte sollen, selbst da, wo es sich nicht um reine Nutzgärten handelt, einen Zweck erfüllen. Ihre Besitzer und gleichzeitig Gestalter wollen in den meisten Fällen in ihnen ihre Freizeit verbringen und Erholung sowie eine sinnvolle Beschäftigung außerhalb des im allgemeinen fremdbestimmten Arbeitsprozesses finden.

Allerdings werden die Zwänge der Arbeitswelt oft auch auf den Freizeitbereich übertragen, im Garten dergestalt, daß auch die hier anfallenden Tätigkeiten möglichst effektiv und zeitsparend abgewickelt werden; eine Art Leistungs-Hobbygarten entsteht.

Auf der anderen Seite läßt die zunehmende Verarmung der Umwelt durch menschliche Einflüsse gerade in den letzten Jahren verstärkt den Wunsch nach sogenannten Naturgärten aufkommen. In dem Wort Naturgarten steckt allerdings, wie eingangs schon angedeutet, ein Widerspruch, da ein Garten ohne menschliche Gestaltung eben kein Garten ist; daß dieser Bezeichnung unter Umständen doch eine gewisse Berechtigung zukommt, werden wir weiter unten noch zeigen.

Der Hobbygärtner ist nicht den gleichen ökonomischen Zwängen ausgesetzt wie der Erwerbsgärtner, der kalkulieren muß, ob sich ein Pestizideinsatz finanziell lohnt. Dies hat nun einerseits zu einem enormen und in keiner Weise zu rechtfertigenden Einsatz von Pestiziden geführt, wie es sich kein Landwirt vergleichsweise leisten würde. Andererseits bietet das Fehlen ökonomischer Ertragszwänge ja gerade auch die entgegengesetzte Möglichkeit, den bequemen Pestizideinsatz zu reduzieren oder darauf zu verzichten.

Die oben beschriebene Gefährdung von Anwendern und Umwelt sollte Anlaß genug dafür bieten.

Für die Verminderung des Pestizideinsatzes (bis hin zu Null . . .) bieten sich wiederum drei Möglichkeiten:

1. Möglichkeit: stark eingeschränkter Einsatz von Pestiziden unter Beachtung aller Vorsichtsmaßnahmen.

Ein Weg für diejenigen Gartenbesitzer, die nicht wesentlich von ihrem bisherigen Gartenkonzept bzw. Pestizideinsatz abweichen wollen, ist eine weitgehende Einschränkung der Anwendung von Pestiziden, wobei die Auswahl der Mittel sowie ihr Einsatz in diesem Fall nur unter stärkster Berücksichtigung von eventuellen Auswirkungen auf Anwender und Umwelt erfolgen dürfte (vgl. oben). Ein Restrisiko bleibt dennoch zurück.

2. *Möglichkeit:* Anwendung sogenannter «biologischer» Mittel.

Aufgrund der gestiegenen Nachfrage ist mittlerweile eine ganze Reihe solcher Präparate erhältlich (z. B. Spruzit Gartenspray oder Bio Myctan Pflanzen-Spray von Neudorf). Es sind dies im wesentlichen Pflanzenbehandlungsmittel, die Pyrethrum, Piperonylbutoxid und teilweise Rotenon enthalten. Alle drei Substanzen können aus Pflanzen gewonnen werden, wie die Hersteller meist auch betonen.

Betrachtet man diese Stoffe unter dem Aspekt ihrer Gefährlichkeit für Bienen und andere Nutzinsekten sowie für Fische und zieht man in Betracht, daß es auch einige synthetische Insektizide gibt, die auf Grund der üblichen Testverfahren als relativ wenig giftig für Warmblüter eingestuft werden, so schrumpfen die Vorteile dieser Wirkstoffe auf die Wahrscheinlichkeit zusammen, daß sie rasch und vollständig abgebaut werden. Anlaß zu dieser Annahme bietet die sicherlich nicht unberechtigte Überlegung, daß sich parallel zu der Fähigkeit einiger Pflanzen, solche Substanzen aufzubauen, auch Mechanismen entwickelt haben müssen, durch die diese Substanzen wieder abgebaut werden können. Ob dieser Vorteil

gegenüber synthetischen Pestiziden eine vorbehaltlose Empfehlung der pflanzlichen Insektizide rechtfertigen kann, wie dies durch einige alternative Gartenratgeber geschieht, muß jeder selbst entscheiden.

Völlig unverständlich erscheint uns die Werbung für Ratten- und Wühlmäusebekämpfungsmittel, die das Cumarinderivat Warfarin enthalten. Hier wird mit dem Begriff «natürliche Herkunft» Schindluder getrieben. «Als wirksamer *biologischer* (Hervorhebung d. Autoren) Köder erweist sich das Präparat ‹Quiritox›, das Sie im Handel kaufen können. Es besteht aus Pflanzenwurzeln, Johannisbrot und Cumarin. (. . .) Das Cumarin *verhindert nach dem Fressen die Blutgerinnung*. Mit dieser Methode sterben die Tiere schmerzlos und trocknen dann wie Mumien ein. Für Haustiere, Wildtiere und Menschen bedeutet diese Art der Wühlmausvergiftung keine Gefahr» (25) – so die Werbung.

Die LD 50 beträgt für Hund oder Katze 3 mg/kg Körpergewicht nach Verabreichung über 5 Tage (14). «1–2 mg/kg Körpergewicht (das entspricht 0,06–0,12 g für einen 60 kg schweren Menschen, Anm. d. Autoren) über 6–15 Tage führen zu schwerer Krankheit und Tod, Leib- und Rückenschmerzen, Nasen- und Zahnfleischbluten.» (14) Hätten Sie das von einem «biologischen Köder» erwartet?

Neben den «natürlichen» Ersatzstoffen für synthetische Wirkstoffe gibt es einige Präparate, die auf der Abwehrwirkung bestimmter Pflanzenarten beruhen (beispielsweise Mehltaumittel auf Schachtelhalmbasis, wie Schachtelhalm Pflanzenpflegemittel von Neudorff). Diese Mittel sind sicherlich als ungefährlich einzustufen und können oft mit wenig Aufwand selbst hergestellt werden.

Wir möchten bei der Beschreitung dieses zweiten Weges vor der Gefahr warnen, sich nach der gewonnenen kritischen Distanz zum chemischen Pestizideinsatz in eine neue Abhängigkeit diesmal von den Herstellern der als «Bio-Produkte» bezeichneten Präparate zu begeben. Auch hier besteht die Gefahr, daß dem Gartenbesitzer die Einsicht in die Zusammenhänge des Gartengeschehens verwehrt bleibt, so daß ihm die Entscheidungsfähigkeit genommen wird, welche Präparate und Pflegemittel er tatsächlich benötigt und auf welche er verzichten kann.

3. Möglichkeit: Gänzliche Vermeidung des Einsatzes von Pestiziden.

Dieser dritte Ausweg ist ohne Zweifel der von uns favorisierte. Es kann hierbei nicht verschwiegen werden, daß die Entscheidung für diesen Weg eine ganze Reihe von Konsequenzen für den Gartenbesitzer hat. Gefordert wird das «Über-Bord-Werfen» einiger Gewohnheiten und Praktiken aus dem herkömmlichen Gartenbau sowie die Bereitschaft, vieles in der Gartengestaltung neu zu überdenken – gleichzeitig eröffnen sich aber auch Möglichkeiten, die ein herkömmlicher Garten nicht bietet.

Wir können in unserem Rahmen keine detaillierte Anleitung zur Anlage eines Garten in diesem Sinne geben – dafür gibt es einige brauchbare Bücher (die wir am Ende des Kapitels nennen), sondern beschränken uns auf einige Kriterien zur Orientierung.

● Schädlinge und Krankheiten sind ein Ausdruck des Gesundheitszustands von Planzen.

Gesunde Pflanzen sind dadurch gekennzeichnet, daß sie nur in geringem Maß von Schädlingen befallen sind. Starker Schädlingsbefall weist auf einen gestörten Gesundheitszustand der Pflanze hin. Es gilt also, Lebensbedingungen zu schaffen, unter denen im Garten gehaltene Pflanzen eine Widerstandsfähigkeit gegen widrige Einflüsse erlangen können. Aus diesem elementaren Grundsatz lassen sich einige der folgenden Empfehlungen ableiten.

● Nicht alles ist machbar.

Wir sollten uns von der Vorstellung befreien, daß wir *jede* Pflanze an jedem Ort halten können, da sich unterschiedliche Pflanzenarten im Laufe ihrer Entwicklung an unterschiedliche Klima- und Bodenverhältnisse angepaßt haben. Moderne Gartenkataloge verlieren über die Ansprüche der Pflanzen an bestimmte Klima- bzw. Bodenverhältnisse oft kaum noch ein Wort, denn mit Hilfe der chemischen Pflanzenbehandlungsmittel ist es ja auch meist möglich, selbst gänzlich «deplazierte» Gewächse, die in der Folge sehr anfällig reagieren, am Leben zu erhalten (so bevorzugt etwa die Clematis, eine an sich problemlose Kletterpflanze, ihrer Herkunft als Waldbewohner entsprechend, einen wenigstens teilweise beschatteten Standort; pralle Sonne an einer gänzlich unbeschatteten Südwand kann auch sie zum Kränkeln bringen). Das soll nun kein Verdammen jeglicher standortfremder Pflanzen sein, denn selbst einfache mechanische Eingriffe, wie das «Unkraut»-Jäten, können so manchem «Fremdling» unter den Gartenpflanzen das Überleben sichern.

Bei geeigneter Standortwahl kann auf jeden Fall auf die «chemische Lebenshilfe» verzichtet werden, in Einzelfällen auch auf bestimmte «exotische» Pflanzen. Das bedeutet aber keinen Verzicht auf Vielfalt – im Gegenteil.

● Wechselbeziehungen im Lebensraum Garten sind zu beachten.

Vielfalt im Obstgarten?

Versuchen Sie einmal, die Apfelsorten, die Sie mit Namen kennen, aufzuzählen – und schauen Sie sich dann die folgende Auflistung alter nicht mehr gängiger Apfelsorten an (die keineswegs vollständig ist) (26).

Adersleber Kalvill
Altenwerder Pfannkuchen-Apfel
Baumanns Reinette
Bellefleur
Berner Rosenapfel
Blauacher
Boikenapfel
Bolzapfel
Brettacher
Büttenfelder
Champagner-Reinette
Charlamowsky
Codlin
Croncels
Danziger Kantapfel
Doppel-Malone
Doppelter Luxemburger
Doppelter Nonnen-Apfel
Erdbeerapfel
Falscher Gravensteiner
Finkenwerder (Prinzenapfel)
Fisler Erstling
Freiherr von Berlepsch
Früher Gravensteiner
Fürst Bismarck
Gelber Edelapfel
Gelber Richard
Geseker Klosterapfel
Gewürzluiken

Glockenapfel
Graf von Luxemburg
Graham Rekord
Graue Herbstreinette
Gravensteiner
Grünapfel
Grüne Reinette (Königsfeiner)
Grüner Fürstenapfel
Hasenkopf (Klapperapfel)
Harberts Reinette
Herbststreifling
Hibernal
Himbacher Grüner
Hildesheimer Reinette
Jakob Fischer
Jakob Lebel
Jeverländer Süßer
Joseph Musch
Kaiser Alexander
Kalvill
Kaschnerapfel
Kasseler Reinette
Königin-Sophien-Apfel
Kronprinz Rudolf
Krügers Dickstiel
Landsberger Reinette
Lord Grosvenor
Manks Codlin's Küchenapfel
Mannhagener

Marchansker
Minister Hammerstein
Muskatreinette
Netzreinette
Oberländer
Ontario
Osnabrückner
Oswald
Pariser Rambour
Peasgoods Sondergleichen
Pohls Schlotterapfel
Prinz Albert von Preußen
Prinzenapfel
Purpurroter Cousinot
Rheinischer Bohnapfel
Ribston Pepping
Rosenapfel
Rosmarinapfel
Ruhm von Kirchwerder
Schöner aus Haseldorf
Schöner von Herzhut

Schöner von Schönlind
Dr. Seeligs Orange-Reinette
Siebenschläfer
Signe Tillich
Sommerkalvill
Steinbacher
Steinreinette
Stina Lohmann
Süßapfel
Sulzbacher Liebling
Weiße Luiken
Weißer Taffetapfel
Weißer Winterkalvill
Weizenapfel
Welschisner
Wimsheimer Sämling
Winterrambour
Zabergäu-Reinette
Zigeunerin
Zitronenapfel
Zuccalmaglio

Eine Vielfalt im Obstgarten ist durchaus auch ohne empfindliche Exoten möglich.

Dieser Grundsatz ist so elementar, daß seine Befolgung Auswirkungen auf eigentlich jede Tätigkeit im Garten hat.

– Das fängt bei der Planung der Gemüsebeete an, bei der es gilt, sich günstige Nachbarschaftswirkungen bestimmter Pflanzenarten zunutze zu machen (wobei das bekannteste Beispiel wohl die Mischkultur aus Zwiebelgewächsen und Möhren als Schutz gegen die Zwiebelfliege auf der einen und die Möhrenfliege auf der anderen Seite ist).

– Dazu gehört auch die oben erwähnte Berücksichtigung der Standortansprüche jeder Pflanze sowie

– die Schaffung geeigneter Lebensbedingungen für eine ganze Reihe von Tieren, die bei der Bekämpfung von Schädlingen eine wesentliche Rolle spielen können oder die anderweitig ganz einfach kaum noch Überlebenschancen haben (als Beispiel sei das Anpflanzen einer Hecke genannt).

– Selbst die angemessene Bodenbearbeitung läßt sich unter diesen Grundsatz stellen, werden doch durch sie erst geeignete Bedingungen für eine die Pflanzen begünstigende Lebensgemeinschaft geschaffen (so stört das alljährliche Umgraben die Bodenlebewelt meist mehr, als es ihr nützt; ein vorsichtiges Lockern des Bodens ist in vielen Fällen angebrachter).

● Es geht nicht um Rekordernten.

In einer weitgehend vom Menschen unbeeinflußten Naturlandschaft werden plötzlich auftretende Massenentwicklungen einzelner Tierarten durch eine bald einsetzende starke Vermehrung ihrer natürlichen «Feinde» mehr oder weniger schnell wieder begrenzt. (In blattlausreichen Jahren kommt es in der Regel auch zu einer starken Vermehrung der Marienkäfer.) Die Folge ist jedoch nicht etwa ein völliges Ausrotten der Beutetiere, womit den «Räubern» ja die Nahrungsgrundlage entzogen wäre, sondern lediglich eine starke Dezimierung. Der Gedanke an eine völlige Ausrottung dagegen ist leider menschlich und rührt wohl daher, daß es schwieriger ist zu begreifen, daß ein geringer Bestand an Schadinsekten beispielsweise keinen nennenswerten Schaden anrichten kann. Wer also bereit ist, auf ein Ertragsmaximum zu verzichten, der kann auf eine gänzliche Schädlingsvernichtung zugunsten einer von der belebten Umwelt abgeschauten Schädlingskontrolle verzichten. Selbst im Erwerbslandbau wird vermehrt dazu übergegangen, für jeden Schädling eine Schadensschwelle zu ermitteln, unterhalb derer der Einsatz von Pestiziden ökonomisch nicht sinnvoll ist.

Die von uns gegebenen Richtlinien sind, wie vorher bereits angedeutet, sehr allgemein gehalten. Im einzelnen lassen sich eine Fülle von Praktiken und Techniken daraus ableiten; so gibt es für den Fall, daß alle vorbeugenden Maßnahmen die bedrohliche Vermehrung eines Schädlings nicht aufhalten konnten, eine ganze Reihe von Rezepten und Tips für selbst herstellbare Gegenmittel, die jedoch nicht als Ersatz für chemische Pestizide verstanden werden dürfen. Brennesselaufguß hat nicht dieselbe Wirksamkeit wie ein hochaktives Pestizid, kann aber im Zusammenhang mit den anderen von uns angedeuteten Maßnahmen durchaus eine nicht zu unterschätzende Hilfe sein. Neben diesen «Hausmitteln» gibt es auch einige biologische Schädlingsbekämpfungsverfahren, Methoden, die auf dem Einsatz von natürlichen «Feinden» bestimmter Schädlingsarten beruhen, wie beispielsweise dem gezielten Aussetzen von Raubmilben gegen Rote Spinnmilben oder Schlupfwespen gegen Blattläuse. Diese Verfahren sind jedoch schwierig zu handhaben.

Als biologische Schädlingsbekämfungsmittel kommen für diesen Bereich bisher lediglich Bakterienpräparate aus dem Bacillus thuringiensis zur Bekämpfung von Schmetterlingsraupen (Kohlweißling, Frostspanner) in Frage. Die Produkte bestehen aus lebenden Sporen des Erregers, die bei den Schmetterlingsraupen die Darmzellen zerstören. Sie wirken daher nur bei offen fressenden Raupen, Nützlinge bleiben verschont. Die Wirkung ist wesentlich langsamer als die herkömmlicher Pflanzenbehandlungsmittel, die Raupen stellen ihre Fraßtätigkeit jedoch im allgemeinen nach 24 Stunden ein (6).

Die Anlage eines sich an den in der Natur zu beobachtenden Gesetzmäßigkeiten orientierenden Gartens erfordert in vielen Bereichen ein Umdenken, das zunächst vielleicht als Einschränkung empfunden wird. Die Erfahrungen haben gezeigt, daß es wohl möglich ist, nach diesen Prinzipien selbst ertragreiche Obst- und Gemüsegärten zu bewirtschaften.

Auf der anderen Seite bieten sich Möglichkeiten, die in einem herkömmlichen Garten nicht zu finden sind. In einer Zeit zunehmender Zerstörung der natürlichen Umwelt erhält gerade ein natürlicher Garten eine Dimension, durch die die Gärten in unserem Kulturkreis vielleicht vor 400 Jahren zuletzt gekennzeichnet waren: der Garten kann einen Zweck als Raum und Möglichkeit erhalten, etwas in ihm zu lernen; waren es damals die medizinischen Eigenschaften von Pflanzen, denen das Interesse galt, so können es heute Lebenszusammenhänge in der Natur sein, die sich jedoch dort wegen der vielerorts weit fortgeschrittenen Zerstörungen nicht mehr oder nur schwer beobachten lassen.

 Ökorat – Ökotat

● Mehr Gelassenheit im Umgang mit «Schädlingen». Geben Sie der Lebensgemeinschaft in Ihrem Garten die Möglichkeit zur Selbstregulation.

● Tauschen Sie sich mit Ihren Nachbarn aus über Pflanzenpflegemaßnahmen. Praktikable Tips sind oft Erfahrungssache.

● Probieren Sie naheliegende Methoden, wie das Absammeln von Schädlingen oder Entfernen befallener Teile aus, ehe Sie zur «chemischen Keule» greifen.

● Bei wirklich starkem Schädlingsbefall sollten Sie ein Gartenfachgeschäft oder das zuständige Pflanzenschutzamt aufsuchen und sich über Art, Lebensweise und Strategien zur Verminderung der Schädlinge beraten lassen. Lassen Sie sich nicht mit «einfachen» Lösungen abspeisen.

● Halten Sie die «chemische Keule» für unabdingbar, befolgen Sie bitte unbedingt alle Anwendungshinweise.

● Zur Weiterbeschäftigung mit biologischem Gartenbau erscheinen uns folgende Bücher empfehlenswert:

– Marie Luise Kreuter: Der Bio Garten, München 1981. Ein umfassender Ratgeber für Zier- und Nutzgarten.

– Gertrud Frank: Gesunder Garten durch Mischkultur, München 1980. Ein etwas nüchtern gestaltetes Buch zur Anlage von Nutzgärten unter Berücksichtigung der Wechselwirkungen von Kulturpflanzen.

– Der grüne Zweig, Nr. 48: Gartenbau.
Komprimierte, sehr gut aufgearbeitete Informationen zu allen Aspekten des Nutzgartens sowie Erläuterungen bodenkundlicher Grundlagen; ausführliches, kommentiertes Literaturverzeichnis.
Bezug über: W. Pieper, die Grüne Kraft, 6941 Löhrbach

– Michael Lohmann: Öko-Gärten als Lebensraum, München 1980. Abgesehen vom marktgängigen Titel ein lesenswertes Buch, in dem der Autor das Interesse am Garten als Ansatzpunkt wählt, biologische Zusammenhänge allgemeinverständlich zu erläutern.

Literatur

1 M. Blötz, Gesunde Pflanzen, *34*, 112 (1982)
2 M. Blötz, R. Köller, Arbeitsbericht Nr. 411 des Instituts für Gartenbauökonomie der Universität Hannover, (1982)
3 IPS, Jahresbericht 1980/81
4 J. Böttner: Gartenbuch für Anfänger, Hannover 1953
5 M. Stangl: Mein Hobby der Garten, München
6 H. G. Michel, H. Umgelter: Pflanzenschutz im Garten, Ulmer, Stuttgart 1982
7 K. Hanuss, Gesunde Pflanzen, *27*, 10 (1975)
8 H. Börner: Pflanzenkrankheiten und Pflanzenschutz,, Stuttgart 1978
9 R. Heitefuß: Pflanzenschutz, Stuttgart 1975
10 Verein für Umwelt- und Arbeitsschutz (Hrsg.): Chemie im Haushalt, 3. Auflage, Bremen 1984
11 R. Diercks, Gesunde Pflanzen, *32*, 201 (1980)
12 O. R. Klimmer: Pflanzenschutz- und Schädlingsbekämpfungsmittel, Hattingen 1971
13 New Scientist vom 17. 11. 83
14 IPS (Hrsg.): Wirkstoffe in Pflanzenschutz- und Schädlingsbekämpfungsmitteln, Offenbach 1982
15 D. Henschler: Gesundheitsschädliche Arbeitsstoffe, Verlag Chemie, Weinheim, 8. Lieferung (1981)
16 E. Pröstler: Stillen trotz verseuchter Umwelt? Freiburg 1981
17 Öko-Mitteilungen, *4*, 38, (1983)
18 Ullmanns Enzyclopädie der technischen Chemie, Bd. 6, Weinheim 1981
19 Projektbericht: Zur Problematik von Wirkungsschwellenwerten in Pharmakologie und Toxikologie, Universität Bremen 1983
20 J. McCann, B. N. Ames in: Hiatt, Watson, Winston (Hrsg.): Origins of Human Cancers, Cold Spring Harbor 1977
21 E. J. Ariëns, E. Mutschler, A. M. Simons: Allgemeine Toxikologie, Stuttgart 1978
22 Merkblatt 18/1 der BBA: Allgemeine Vorsichtsmaßnahmen im Umgang mit Pflanzenbehandlungsmitteln, 6. Auflage (1981)
23 Mitteilungen der Länderarbeitsgemeinschaft Abfall (LAGA), E. Schmidt Verlag, Berlin 1978
24 Verordnung zum Schutz der Bienen vor Gefahren durch Pflanzenschutzmittel, Bundesgesetzblatt I, 19. 12. 1972
25 M-L. Kreuter: Biologischer Pflanzenschutz, München 1983
26 pers. Mitteilung von J. Dahl

Mit der chemischen Keule gegen
Mücken, Motten, Mäuse

Du gehst zu Bett um zehne,
Du hast zu schlafen vor,
Dann hörst du jene Töne
Ganz dicht an deinem Ohr.

Drückst du auch in die Kissen
Dein wertes Angesicht,
Dich wird zu finden wissen
Der Rüssel welcher sticht

Merkst du, daß er dich impfe,
So reib mit Salmiak
Und dreh dich um und schimpfe
Auf dieses Mückenpack.

Wilhelm Busch

Im Gegensatz zu Wilhelm Busch haben viele Bundesbürger schon längst den Griff zur Spraydose getan, um dem lästigen Geschwirr ein Ende zu bereiten. Gut 50% aller Haushalte verwenden Insektizide zur Bekämpfung von Mücken, Fliegen und anderen Insekten, im allgemeinen werden ein bis zwei Packungen pro Jahr gekauft (1). Der Industrieverband Pflanzenschutz und Schädlingsbekämpfungsmittel (ips) gibt für den Bereich der Haushaltshygienemittel einen Umsatz von 35 Mio. DM im Jahr 1980 an (2). Im darauffolgenden Jahr verzeichnet er einen Umsatzrückgang von fast 12% – allerdings verfügen die in diesem Verband zusammengeschlossenen Firmen nur über einen Marktanteil von 40% (3).
Eingesetzt werden im Haushaltsbereich aber nicht nur Insektizide, sondern auch Mittel gegen Ratten und Mäuse (Rodentizide), Holzschutzmittel (→) und die Pflanzenbehandlungsmittel (→ s. auch S. 173 ff.).
Ein Blick in die Regale der Supermärkte zeigt eine Vielzahl von verschiedenen Produkten, insbesondere zur Insektenbekämpfung; am häufigsten werden Spraydosen verlangt. Gezielt kann man Jagd auf einzelne Störenfriede machen, andererseits aber auch ganze Räume einnebeln. Weitaus geringere Bedeutung haben «Insekten-Strips», bei denen der Wirkstoff in poröse Kunststoffträger eingearbeitet ist, so daß das Insektizid über mehrere Monate hinweg im Raum verdampft.
Schutz für einige Stunden versprechen die Elektro-Verdampfer; ein spezieller Stecker wird in die Steckdose geschoben, ein Wirkstoff-Plättchen

hineingesteckt, das dann erwärmt wird und so die Wirksubstanzen freisetzt. Daneben gibt es noch Stifte und Gießmittel sowie Köder vor allem zur Bekämpfung von Ratten, Mäusen und Ameisen.

Ein Blick auf die Packungen – obwohl nicht allen Käufern selbstverständlich (1) – vermittelt normalerweise weitere Informationen über die Produkte. Im Extremfall wird Ihnen allerdings ein Plastiktütchen, gefüllt mit weißen Kugeln und mit einem Klebeetikett «Paradichlorbenzol» (→ S. 24) sowie dem Preisschild versehen, angeboten. (So gesehen in einer Drogerie in Freiburg, übrigens direkt neben den Süßigkeiten.) Oder es geht Ihnen wie einem Mitarbeiter der *konkret*: Sie bestellen im Kleinversand den «Sicheren Fliegenkiller» und erhalten ein Produkt mit einem Phosphorsäureester und englischer Gebrauchsanweisung (4).

Was man im Normalfall über diese Produkte erfährt, wurde von den Autoren anhand von 40 zufällig ausgewählten Präparaten näher untersucht (vgl. Tab. 1). Zunächst einmal ist der Name und – in den meisten Fällen – die Mengen- bzw. die Konzentrationsangabe des Wirkstoffs auf der Packung aufgeführt; es handelt sich dabei um Stoffe sehr unterschiedlicher chemischer Struktur und akuter Toxizität.

Werden die Wirkstoffe an Ratten verfüttert, so reicht die für 50% der Versuchstiere tödliche Dosis, die sogenannte LD 50, von etwa 1 mg bis hin zu einigen Gramm pro Kilogramm Körpergewicht. Wenngleich die tödliche Dosis von vielen äußeren Bedingungen abhängt und beträchtlichen Schwankungen unterworfen ist, kann sie als erster Hinweis dienen, welche *akuten* Gefahren von einer Substanz ausgehen. Bei einer derartigen Abschätzung muß natürlich mit berücksichtigt werden, daß die Wirkstoffe in den Handelsprodukten nicht unverdünnt vorliegen, sondern wie etwa in den Insektensprays im allgemeinen in Konzentrationen zwischen 0,1 und 5% enthalten sind. Aus welchen Stoffen der «Rest» besteht, erfährt man nur sehr selten; dagegen genieren sich einige Produzenten nicht, mit den Aussagen «umweltfreundliches Treibgas» oder «ohne DDT» zu werben. (Der Einsatz von DDT ist seit einigen Jahren verboten.) Durch eine sehr hohe Toxizität scheinen sich die *Rodentizide* auszuzeichnen; allerdings enthalten die Handelsprodukte meist weit unter 0,1% der Wirkstoffe, die die Blutgerinnung hemmen und zum Teil auch die Durchlässigkeit der Kapillargefäße erhöhen. Durch den Genuß des Giftes gehen die Tiere nach einigen Tagen an inneren Blutungen zugrunde. Wegen der spät einsetzenden Wirkung können die Tiere den tödlichen Köder nicht identifizieren. Besonders bei der Rattenbekämpfung ist dieser Aspekt wichtig: Akut wirkende Präparate töten nur die «vorkostenden» Tiere, die anderen meiden daraufhin den Köder. Bei den vielfach verwendeten Cumarin-Verbindungen hat man festgestellt, daß bei mehrfacher Aufnahme an aufeinanderfolgenden Tagen die insgesamt erforderliche tödliche Dosis geringer ist als bei einmaliger Zufuhr (5). Dies gilt übrigens auch für den Menschen.

Pestizide

die im Haus zur Bekämpfung von Motten, Ameisen, Fliegen, Mücken und anderen Insekten sowie von Nagern Anwendung finden*)

Wirkstoff (laut Packungs- aufdruck)	chemische Substanz- klasse	Anwendungs- gebiet	LD50 (oral, Ratte) in mg/kg Körpergewicht
Bendiocarb	C	I	34–64[5]
Bioallethrin**)	P	I	680–1000[6]
Bromophos	PE	I	3700–6100[5]
Chlorphacinon	Indan-Derivat	R	20,5 (nach 8 Tagen)[5]
Chlorpyrifos	PE	I	135–165[5]
Cumatetralyl	Cumarin-Derivat	R	0,3 (jeweils an 5 aufeinander- folgenden Tagen verabreicht)[5]
Dichlorvos	PE	I	50–80[5]
DDVP	ist identisch mit Dichlorvos		
Lindan	CKW	I	88–125[5]
Methoxychlor	CKW	I	5000–7000[5]
Neopynamin	P	I	5200[5]
0,0-Dimethyl- 0-(2,2-dichlorvinyl) phosphat	ist identisch mit Dichlorvos		
Paradichlorbenzol	CKW	I	300–2950[7]
Permethrin	P	I	4000–6000 (abhängig vom Isomerenverhältnis)[5]

*) Die Zusammenstellung erhebt keinen Anspruch auf Vollständigkeit, sondern ergab sich aus dem Angebot einiger Supermärkte im Raum Düsseldorf.

Wirkstoff (laut Packungsaufdruck)	chemische Substanzklasse	Anwendungsgebiet	LD50 (oral, Ratte) in mg/kg Körpergewicht
Piperonylbutoxid	Glycolether	S	11500[5]
Pynamin forte**)	P	I	310–1320[8]
Pyrethrine	P	I	570–1500[5]
Pyrethrum	= getrocknete und zerriebene Blüten bestimmter Chrysanthemen-Arten, die Pyrethrine enthalten[9]		
Pyrethroide	bezeichnen keine bestimmte chemische Substanz, sondern sind der Sammelbegriff für synthetische und halbsynthetische Substanzen, die sich von der chemischen Struktur der Pyrethrine ableiten[9]		
Resmethrin	P	I	1400–1600[5]
S-Biol**)	P	I	enthält mehr als 90% S-Bioallethrin[10]
S-Biothrin**)	P	I	enthält mehr als 72% S-Bioallethrin[10] LD50 von S-Bioallethrin**): 650–780[11]
Sulfachinoxalin	Sulfonamid	B	1000[5]
Terallethrin	P	I	
Tetrachlorvinfos	PE	I	1500–5000[5]
Trichlorfon	Phosphonsäureester	I	450–650[5]
Warfarin	Cumarin-Derivat	R	1 (5 Tage täglich)[5]

Abkürzungen:
Insektizid – I
Rodentizid – R
Synergist (= wirkungsverstärkender Stoff) – S
Bakterizid (= bakterientötendes Mittel) – B

Carbamat – C
Pyrethrine oder Pyrethroid – P
Phosphorsäureester – PE
Chlorierter Kohlenwasserstoff – CKW

**) Diese Pyrethroide unterscheiden sich nur geringfügig voneinander (sog. Isomere).

Mittel gegen Motten

Die zur Bekämpfung von Motten früher gebräuchlichen Naphthalin-Kugeln scheinen inzwischen weitgehend vom Markt verdrängt zu sein. Dies ist sicherlich zu begrüßen, da in der Vergangenheit einige Unfälle zu beklagen waren (12): Für Kinder können immerhin schon 2 g Naphthalin (entspricht etwa zwei Mottenkugeln) tödlich sein (13). Statt dessen werden Mottenkugeln aus Paradichlorbenzol angeboten, die sich durch eine geringere akute Toxizität auszeichnen. Als tödliche Dosis für den Menschen werden 25 g angesehen. Wie aber auch andere chlorierte Kohlenwasserstoffe findet man Paradichlorbenzol weltweit in unserer Umwelt (7) (→ WC-Beckensteine). Ein gängiges Produkt zur Mottenvernichtung sind auch Mottenpapiere, die Lindan enthalten. Sie werden in die Schränke gehängt, der Wirkstoff schlägt sich unsichtbar auf der Kleidung nieder. Dieser Wirkstoff, der auch Bestandteil von Ameisenvernichtungsmitteln sein kann, ist keinesfalls unproblematisch (s. S. 208 f.).

Mücken- und Fliegen«schutz»mittel

Will man Mücken, Fliegen und vielen anderen Insekten den Garaus machen, werden besonders häufig Mittel eingesetzt, die Pyrethroide und DDVP enthalten.

In den *Elektroverdampfern* finden sich praktisch ausschließlich Pyrethroide, also synthetisch hergestellte Insektizide, die in ihrer chemischen Struktur den natürlich vorkommenden Pyrethrinen ähnlich sind. Die synthetischen Produkte zeichnen sich im allgemeinen durch eine deutlich größere Stabilität aus als ihre natürlichen «Vorbilder» (6).

Insektizid-Sprays enthalten auch Pyrethrine, häufig in Kombination mit dem wirkungsverstärkenden Piperonylbutoxid; dadurch werden die Entgiftungsmechanismen der Insekten verzögert. Eine höhere Wirksamkeit als ihrem jeweiligen Anteil entsprechend sollen die Pyrethroide auch durch Zumischungen anderer Insektizide erhalten (6). Kleinste Dosen von Pyrethroiden – wie sie z. B. bei der Benutzung von Elektroverdampfern bei geöffnetem Fenster in der Raumluft vorliegen – sollen eine abschreckende Wirkung auf Mücken ausüben, so daß sie aus den Räumen vertrieben werden (10). In etwas höheren Konzentrationen bewirken sie eine zeitweise Lähmung der Insekten, die tödliche Dosis ist meist um einiges höher (9).

LINDAN
ein Schauspiel* in fünf Akten?

Lindan – die chemische Bezeichnung lautet γ-Hexachlorcyclohexan oder auch kurz γ-HCH – ist ein breit wirkendes Insektizid: Es wird nicht nur als Motten- und Ameisenvernichtungsmittel eingesetzt, sondern als Pflanzen«schutz»mittel in der Landwirtschaft und im Gartenbereich (→ Pestizide), im Forst, als Holzschutzmittel (→), in der Tiermedizin, sowie direkt am Menschen zur Bekämpfung der Kopflaus und Krätze.

Lindan gehört zu der chemischen Verbindungsklasse der chlorierten Kohlenwasserstoffe, die auf Grund ihrer Anreicherung in fetthaltigem Gewebe, auch im menschlichen Fettgewebe und in der Muttermilch, traurige Berühmtheit erlangten. Allerdings ist diese Speichertendenz beim Lindan weniger stark ausgeprägt als bei anderen chlorierten Kohlenwasserstoffen wie z. B. dem DDT oder den polychlorierten Biphenylen (PCB). Dagegen hat es eine etwas höhere akute Toxizität gegenüber Warmblütern als DDT (14). Die Aufnahme von 10–20 mg Lindan pro Kilogramm Körpergewicht kann schwere, ja lebensbedrohende Vergiftungserscheinungen hervorrufen. Bei langfristiger Zufuhr mit dem Futter ergaben sich bei Ratten insbesondere Schäden an der Leber und der Niere. Untersuchungen an Menschen, die beruflich mit Organohalogenen, u. a. auch mit Lindan, zu tun hatten, zeigten einen Anstieg der Aktivität von Leberenzymen, so daß z. B. Medikamente schneller ausgeschieden wurden. Eine verminderte Anzahl weißer Blutkörperchen, die der Krankheitsabwehr dienen, wurde bei Beschäftigten der HCH-Produktion festgestellt (15).

Aber nicht diese Daten sind es, die Lindan als besonders problematisch erscheinen lassen. Die Produktion des «Chemiemülls» bei der Herstellung von Lindan ist ein Aspekt, dem wohl noch größere Bedeutung zukommt. Lindan ist ein Paradebeispiel dafür, daß es bei der Beurteilung einer Substanz nicht ausreicht, nur *deren* Wirkungen auf Mensch und Umwelt zu betrachten. Vielmehr müssen auch die *Umwelt-* und *Gesundheitsbelastungen* bei der *Produktion* und gegebenenfalls bei der *Müllentsorgung* untersucht werden.

Des Schauspiels erster Teil:

Anfang des 19. Jahrhunderts gelang erstmals die Synthese von sogenanntem «technischem» HCH. Technisches HCH besteht nur zu einem geringen Anteil, etwa 15 %, aus Lindan. Daneben enthält es HCH-Isomere, die sich vom Lindan nur in der räumlichen Anordnung der Atome zueinander unterscheiden:

α-HCH	65–70%	δ-HCH	6–10%
β-HCH	7–10%	ε-HCH	1– 2%
γ-HCH (= Lindan)	14–15%		

---

* Schauspiel = seit dem 18. Jahrhundert Bezeichnung für ein der Tragödie angenähertes Stück, dessen Konflikte jedoch eine versöhnliche Lösung finden (Das große Fischer Lexikon).

Die insektizide Wirksamkeit des technischen Gemisches wurde erst über ein Jahrhundert später erkannt – daß dafür fast ausschließlich das Lindan (das γ-Isomer) verantwortlich ist, erst einige Jahre danach. Zunächst wurde das technische HCH zur Insektenbekämpfung eingesetzt.

Weitere Reinigungsschritte und damit Produktionskosten konnte man sich ersparen. Damals wußte man noch nicht, daß gerade das β-Isomere sich im Fettgewebe besonders stark anreichert. Die Konzentration in der Muttermilch ist heute gemeinhin so hoch, daß die DFG (Deutsche Forschungsgemeinschaft) für den Säugling hierin ein gesundheitliches Risiko sieht. Vom α-Isomeren ist bekannt, daß andere krebserzeugende Stoffe durch seine Gegenwart stärker wirksam sind. Bei langfristiger Aufnahme erwies sich im Tierversuch β-HCH als wesentlich gefährlicher als α-HCH und dies wieder geringfügig toxischer als γ-HCH (15).

Zweiter Akt:

Ab 1950 wurde in der Bundesrepublik in der Landwirtschaft weitgehend nur noch Lindan eingesetzt. Auch in den anderen Anwendungsbereichen ging man vom technischen Produkt zum Lindan über, wenngleich auch deutlich verzögert. Erst in den Jahren zwischen 1974 und 1978 erfolgten in der Bundesrepublik Anwendungsverbote von technischem HCH im Forst, in der Landwirtschaft und der Veterinärmedizin. Lediglich im Bereich der Umgebungshygiene in Stallungen und Haushalten wurde eventuell noch technisches HCH eingesetzt, da eine gesetzliche Regelung in diesem Sektor fehlt und entsprechende Produkte möglicherweise importiert wurden (15).

Die bei der Lindan-Produktion anfallenden, aber unbrauchbaren Isomeren wurden nun auf Halden deponiert. Allein unter dem Werksgelände *eines* Produzenten der Firma Merck in Gernsheim sollen rund 100 000 t dieses Chemiemülls vergraben sein. Durch Verwehungen von den Halden gelangten die Chemikalien auf die Felder und wurden über die Futtermittel von den Tieren aufgenommen. «Milchalarm» im hessischen Ried und Anbaubeschränkungen waren die Folge (16).

Dritter Akt:

Seit 1973 wurden die Abfälle der HCH-Produktion nicht mehr deponiert. Inzwischen gab es in der Bundesrepublik nur noch einen Lindan-Produzenten, die Firma Boehringer in Hamburg; ihr gelang es, die HCH-Rückstände in einem pyrolytischen Prozeß aufzuarbeiten, wobei Trichlorbenzole und Tetrachlorbenzole entstehen. Chlorbenzole dienen als Lösungsmittel und als Ausgangsprodukt für verschiedene Chemikalien, u. a. Trichlorphenol und 2,4,5-T, ein umstrittenes Unkrautvernichtungsmittel. Bei der Produktion von 2,4,5-T fällt zwangsläufig das als «Seveso-Gift» bekannte TCDD (genauer: 2,3,7,8-Tetrachlor-dibenzo-p-dioxin) an. Bei Ratten hat man erst bei einer täglichen Dosis von 0,000 001 mg TCDD pro kg Körpergewicht keine chronischen Effekte durch dieses «Supergift» mehr beobachten können (17). Trotz jahrelanger Auseinandersetzungen um 2,4,5-T und trotz des Verzichts einiger staatlicher Forstverwaltungen und der Bundesbahn auf die Anwendung von 2,4,5-T stoppte die Firma erst im Sommer 1983 ihre Produktion. Vorausgegangen waren die Affäre um die verschwundenen Sevesofässer und das daraufhin ausgesprochene Transportverbot für dioxinhaltige Abfälle. Ein weiterer Grund für die Entscheidung war wohl die Absicht, einem Verbot des 2,4,5-T wegen dessen Dioxin-Gehalt zuvorzukommen.

Vierter Akt:
So blieb aber die Lindan-Produktion unbeeinflußt, ebenso die Zersetzung der unerwünschten HCH-Isomeren. Eine Analyse des Zersetzungsrückstands brachte es dann an den Tag: auch hier war TCDD nachweisbar – entgegen der Behauptung des Unternehmens, daß nach Einstellung der 2,4,5-T-Produktion TCDD im laufenden Betrieb nicht mehr anfalle. Die Hamburger Umweltbehörde untersagte daraufhin den Transport des Zersetzungsrückstands; immerhin fanden sich in jedem kg

 0,5 mg 2,3,7,8-*T*etra*c*hlor*d*ibenzo-p-*d*ioxin (TCDD)
  5 mg Summe aller Tetra-CDD's
 560 mg Summe aller Penta-CDD's
 4200 mg Summe aller Hexa-CDD's
 9700 mg Summe aller Hepta-CDD's
 32000 mg Octachlordibenzo-p-dioxin (18).

Dabei macht das als Seveso-Gift bekannte 2,3,7,8-TCDD zwar nur einen geringen Anteil aus, aber ähnlich strukturierte Penta- und Hexa-CDD's stehen dem 2,3,7,8-TCDD in ihrer Giftigkeit nicht erheblich nach.

Das Transportverbot wie auch weitergehende Auflagen hinsichtlich einer «Null-Emission» von TCDD wurden von der Fa. Boehringer angefochten, die Analyse in Zweifel gezogen. Doch gelang es, die Anordnungen zumindest teilweise vom Verwaltungsgericht bestätigen zu lassen.

Einen Tag später gab Boehringer auf: Das Hamburger Werk wurde im Juni 1984 geschlossen. Auf den Prozeß gegen Hamburgs Umweltsenator will das Unternehmen allerdings schon aus grundsätzlichen Erwägungen nicht verzichten.

Fünfter Akt:
Lindan darf in der Bundesrepbulik jedoch weiter eingesetzt werden. Präparate wie «Ameisen-Ex», «Nexa-Lotte», «Nexit-stark», «Eruzin stark 80» und rund 80 weitere enthalten Lindan (19). Lindan wird auch in einer französischen Fabrik hergestellt und kann von dort wie aus anderen Ländern importiert werden. Es liegt an den Verbrauchern, inwieweit sie diese Mittel weiter erwerben, auch wenn bei der Produktion – ob in Deutschland oder anderswo – hochgefährliche Substanzen nebenbei entstehen und irgendwo abgelagert werden. Der Epilog zu diesem Schauspiel ist daher noch nicht geschrieben.

Zum Piepen

Neben dem einfachen «Aussperren» der Insekten wird gegen Mücken ein «Mückenpiepser» angeboten. Das Urteil der Zeitschrift *test* (20):

Mücken-Piepser

Absolut unschädlich sind die sogenannten Mücken-Piepser. Allerdings auch Mücken gegenüber. Dabei klingt die Theorie so schön: Die batteriebetriebenen bleistiftdicken Geräte mit Namen wie No-Pic oder Anti-Pic sollen Geräusche wie Mücken-Männchen erzeugen, die die befruchteten Weibchen – und nur diese stechen ja bekanntlich – fürchten und in die Flucht treiben. Irgendwo hat die Theorie einen Haken. Unsere Test-Personen waren mit Piepser genauso schnell zerstochen, wie ohne. Vielleicht liegt es daran, daß schwangere Weibchen nicht hören wollen? Oder gar Männer nicht mehr fürchten? Oder sind die schwangeren Weibchen entgegen aller uns bekannten Mücken-Moral doch nicht so g'schamig und mögen Männer, besonders wenn sie piepsen? Wir wissen es nicht. Was wir aber wissen, ist, daß die Unwirksamkeit von Mücken-Piepsern auch anderswo schon festgestellt wurde.

Test 6 (1983)

Gefahren durch die chemische Keule im Haushalt

○ Beim Einsatz von Pyrethroiden sind Fische stark gefährdet, für Warmblüter wird dagegen häufig von einer geringen Toxizität ausgegangen (20). Trotzdem muß man vor einem ständigen Einsatz der Elektro-Verdampfer warnen, obwohl sie von den Herstellern in einigen Fällen besonders für Kinder- und Krankenzimmer empfohlen werden. So wertet das Bundesgesundheitsamt, daß man bei der gesundheitlichen Beurteilung derartiger Produkte «mögliche Wirkungen auf das periphere Nervensystem zu berücksichtigen» hat und daß darüber hinaus «Effekte, die sich aus Langzeitexposition ergeben, bisher nicht hinreichend aufgeklärt» sind. Aus den vorliegenden tierexperimentellen Untersuchungen sei keine abschließende Beurteilung möglich. Reizwirkungen im Bereich der Schleimhäute der Augen und der Atemwege sind bekanntgeworden, Sensibilisierungen nicht auszuschließen (21). Die Zeitschrift «test» kritisiert dagegen bei einigen Elektroverdampfern mangelnde elektrische Sicherheit und manchmal auch nur zufriedenstellende Wirksamkeit (20).

In letzter Zeit wird über eine vermehrte Resistenzentwicklung von Stubenfliegen gegenüber Pyrethroiden berichtet (22), so daß diese unwirksam werden bzw. höhere Konzentrationen erfordlich sind.

○ Bei dem ebenfalls oft benutzten DDVP – vielfach auch Dichlorvos genannt – handelt es sich um einen Phosphorsäureester. Wegen seiner leichten Flüchtigkeit ist DDVP praktisch in allen Insektenstrips eingearbeitet, aber auch in einigen Sprays findet sich dieser Wirkstoff. Die insektizide Wirkung dieser Substanz beruht auf der Blockierung eines Enzyms (der Cholinesterase), so daß die Reizleitung der Nerven gestört wird, ähnlich wirkt es beim Menschen. Der Verdacht, erbgutverändernd zu wirken, konnte in Experimenten an Säugern bzw. Säugerzellen nicht bestätigt werden (23). Bei der Verwendung von Insekten-Strips breitet sich besonders Unbehagen aus, da der «Sommer ohne Insekten» nur dadurch erkauft wird, daß der menschliche Organismus die gleiche Zeitspanne mit dem Wirkstoff belastet ist. Nach amerikanischen Untersuchungen liegen die DDVP-Konzentrationen bei der Verwendung von Strips etwa bei 0,1 mg/m³ Raumluft. (Dies ist natürlich von verschiedenen Faktoren wie der Raumgröße abhängig.) Wenn man sich in solchen Räumen 24 Stunden lang aufhält, atmet man täglich 0,014 mg/kg Körpergewicht ein. Die geringste Dosis, bei der keine Reduktion der Cholinesterase mehr nachgewiesen werden konnte, lag zwischen 0,028 und 0,030 mg/kg Körpergewicht und Tag. (Bei einer leichten Cholinesterase-Hemmung zeigen sich allerdings noch keine klinischen Symptome.) Die sonst übliche Sicherheitsspanne zwischen der Konzentration, bei der kein «Effekt» auftritt und der täglichen Aufnahmemenge ist somit beim DDVP nicht gewährleistet (24). Bei Babies und Kranken hat man eine größere Empfindlichkeit festgestellt (25).

Daß bei der Verwendung von Sprays ausgiebiges Lüften erforderlich ist, um die Konzentrationen unterhalb eines vom BGA vorgeschlagenen Grenzwerts von 0,2 mg DDVP pro m³ Raumluft zu erreichen (26), weist auf ein weiteres Problem bei den Haushaltsinsektiziden hin. Längst nicht auf allen Produkten wird auf eine ausreichende Lüftungsdauer hingewiesen. Bei relativ niedriger Aufwandmenge lagen die DDVP-Gehalte nach halbstündigem Lüften noch oberhalb des angenommenen Grenzwerts; verzichtete man dagegen auf das Lüften, wurde dieser Wert erst nach 24 Stunden erreicht (26). Vermißt wird ebenfalls der Hinweis, daß Elektro-Verdampfer auch bei geöffnetem Fenster wirksam sind – soweit dies den Tatsachen entsprechen sollte (10, 20, 21).

Verwirrend ist, daß einige der angesprochenen Produkte von der Biologischen Bundesanstalt (BBA) mit einem Prüfzeichen zugelassen sind, andere dagegen nur anerkannt; bei einem Ameisenvernichtungsmittel erstreckt sich die Zulassung «nur auf die Anwendung als Pflanzenschutzmittel, auch die Prüfung der gesundheitlichen Auswirkung». Und einige

Hersteller, die weder eine Anerkennung noch Zulassung der BBA aufzu-
weisen haben, probieren es mit eigenen Prüfetiketten.

Diese Vielfalt ist nur wegen der unterschiedlichen Gesetze möglich,
denen diese Produkte unterliegen: So fallen Rodentizide unter das Pflanzenschutzgesetz und müssen deshalb ein Zulassungsverfahren durchlaufen, bevor sie zum Verkauf angeboten werden können. In früherer Zeit
hat die Biologische Bundesanstalt für Land- und Forstwirtschaft Mittel
gegen Textilschädlinge anerkannt. Da sich diese Anerkennung jedoch
nur auf die Wirksamkeit bezog, eine toxikologische Bewertung hingegen
nicht einschloß, werden derartige Anträge auf Anerkennung nicht mehr
angenommen und bestehende Anerkennungen laufen aus (27). Nach dem
Bundesseuchengesetz werden Mittel überprüft, die für die behördliche
Bekämpfung Seuchenerreger übertragender Gliedertiere brauchbar sind.
Überwiegend zum Einsatz durch Laien im Haushalt bestimmte Insektizide werden dagegen in der Regel nicht zur Prüfung angenommen (28).
Die normalen Haushaltsinsektizide werden nach dem Lebensmittel- und
Bedarfsgegenständegesetz (LmBG) als Bedarfsgegenstände eingestuft.
Bis zur Verabschiedung des Chemikaliengesetzes im Jahr 1980 unterlagen
sie nur der Beschränkung, daß sie bei bestimmungsgemäßem und sachge-
rechtem Gebrauch die Gesundheit nicht schädigen dürfen. Falls die
Präparate als zuverlässig abtötend gegen gefährliche Stechmücken beschrieben werden, können sie auch als Arzneimittel im Sinne des Arznei-
mittelgesetzes (AMG) eingestuft werden, die dann allerdings auch keiner
Zulassungspflicht unterliegen. Bei bestimmungsgemäßem Gebrauch
darf der Einsatz solcher Mittel nicht zu Schäden führen, «die ein vertret-
bares Maß übersteigen» (21).

 Ökorat – Ökotat

● Eine bisher selten genutzte Alternative besteht darin, durch Schutzgitter das
Eindringen von Insekten in die Wohnung zu verhindern. Solche Insekten-
schutzgitter gibt es heute in den verschiedensten Ausführungen zu kaufen, man
kann sie auch selbst basteln. Anläßlich einer Umfrage (1) gaben nur 1% der
Befragten an, von dieser Methode Gebrauch zu machen. Sicherlich kann man
auf diese Weise Fliegen und Mücken nicht gänzlich aus der Wohnung verban-
nen, aber doch deutlich reduzieren.
● Als Abschreckmittel gegen Fliegen wird auch empfohlen, an mehreren
Stellen mit Nelken gespickte Zitronenscheiben auszulegen (29). Einen Versuch
sollte dieser Tip wohl wert sein.
● Der Griff zur Fliegenklatsche ist allemal ratsamer als der Einsatz von

Insekten-Strips und Sprays. Auch Leimstreifen sind vielfach bewährt – wenngleich auch ein wenig erfreulicher Anblick.

● Essigfliegen, das sind 2 bis 4 mm kleine gelbbraune Fliegen, lassen sich am besten fernhalten, wenn man die anlockenden Materialien – offener Wein, faulendes Obst – entfernt (30).

● Gegen Schmeiß- und Fleischfliegen, die sich im allgemeinen nur kurze Zeit in der Wohnung aufhalten, um eine Möglichkeit zur Eiablage zu finden, kann man auch mit chemischen Mitteln wenig unternehmen: Strips wirken zu langsam; mit dem Spray muß man die mit hoher Geschwindigkeit fliegenden «Brummer» erst mal treffen! Die hygienischen Bedenken gegen Fliegen – denn etliche Arten suchen ihre Nahrung an Fäkalien – sind nicht von der Hand zu weisen. Auf Grund der guten Lagermöglichkeiten für Lebensmittel ist dieses Risiko heute nicht mehr hoch einzuschätzen (30).

● Motten in der Wohnung sind sicherlich eine Plage. Dabei sind es nicht die Falter, die sich über die Textilien hermachen, sondern ihre «Vorgänger», die Raupen. Im allgemeinen werden solche Textilien befallen, die längere Zeit nicht getragen werden. Starke Besonnung, Ausklopfen, Lüften und Auswaschen der Kleidung wird empfohlen, um die Motten fernzuhalten. Die Wirkung von Kräutersäckchen – z. B. mit Lavendel, Myrte, Anis, Steinklee oder Walnußblättern – ist nicht unstrittig (7, 14). Auch die Verwendung von Mottenkugeln und -papieren ist nur dann von Erfolg gekrönt, wenn sie in Kisten und Schränken benutzt werden, die über einen längeren Zeitraum nicht geöffnet werden. Ansonsten sinkt die Giftkonzentration wieder unter die wirksame Schwelle (14).

● Bei der Bekämpfung von Ameisen sollte man zunächst versuchen, die betroffenen Räume soweit abzudichten, daß ein Eindringen der Tiere nicht mehr möglich ist. Oder man sucht die «Quelle» und gießt sie mit kochendem Wasser aus. Wenig sinnvoll ist es allemal, die in der Wohnung herumlaufenden Ameisen mit einem direkt wirkenden Gift zu töten, da in diesem Fall ständig weitere Ameisen in die Wohnung eindringen werden. Erfolgversprechender ist es da schon, Köder zu benutzen, die von den Tieren in die Nester getragen werden und so den ganzen Stamm ausrotten.

● Daß man Mäuse lieber im Geldbeutel als in der Speisekammer hat, ist verständlich; gegen Ratten im Hausbereich vorzugehen ist wegen der Gefahr der Übertragung von Krankheitserregern selbstverständlich – zur Not auch mit Gift. Inzwischen soll es jedoch schon «Superratten» geben, die sich sogar als immun gegenüber den blutgerinnungshemmenden Antikoagulantien erweisen (33). Insbesondere bei Mäusen empfiehlt es sich aber, es zunächst mit Fallen zu versuchen oder eine Katze anzuschaffen (auszuleihen). Einige Exemplare sollen geradezu wundersame Fangleistungen vollbringen. Wichtig ist es vor allem, vorbeugend tätig zu werden, indem man darauf achtet, daß Müll nicht offen herumsteht und Mülltonnen gut verschlossen sind. Geradezu paradiesische Lebensbedingungen für Ratten schafft man durch übermäßiges Tauben- und Entenfüttern.

Literatur

1 G. Sagner in K. Aurand u. a. (Hrsg.): Organische Verunreinigungen in der Umwelt, E. Schmidt Verlag, Berlin 1978

2 ips: Jahresbericht 1980/81, Frankfurt 1981

3 ips: Jahresbericht 1981/82, Frankfurt 1982

4 konkret 9, 79 (1983)

5 W. Perkow: Wirksubstanzen der Pflanzenschutz- und Schädlingsbekämpfungsmittel, Verlag Paul Parey, Berlin und Hamburg, 4. Ergänzungslieferung, März 1982

6 R. Wegler (Hrsg.): Chemie der Pflanzenschutz- und Schädlingsbekämpfungsmittel, Band 7, Springer Verlag Berlin, Heidelberg, New York 1981

7 Verein für Umwelt- und Arbeitsschutz e. V.: Chemie im Haushalt, Bremen 1984

8 Sumitomo Chemical, Datenblatt

9 Ullmanns Enzyklopädie der technischen Chemie, Band 13, Verlag Chemie, Weinheim 1977

10 pers. Mitteilung des ips

11 The Wellcome Foundation Ltd. London, Datenblatt

12 J. Velvart: Toxikologie der Haushaltsprodukte, Verlag Hans Huber, Bern 1981

13 S. Moeschlin: Klinik und Therapie der Vergiftungen, Georg Thieme Verlag, Stuttgart 1980

14 R. Wegler (Hrsg.): Chemie der Pflanzenschutz- und Schädlingsbekämpfungsmittel, Band 3, Springer Verlag Berlin, Heidelberg, New York 1976

15 DFG: Hexachlorcyclohexan – Kontamination. Ursachen, Situation und Bewertung, Harald Boldt Verlag, Boppard 1982

16 Frankfurter Rundschau v. 21. 10. 83

17 K. Kociba, Toxicol. Appl. Pharmacol. 46, 279 (1978)

18 Mitteilung der Staatlichen Pressestelle Hamburg v. 6. 6. 84

19 Industrieverband Pflanzenschutz (Hrsg.): Wirkstoffe in Pflanzenschutz- und Schädlingsbekämpfungsmitteln, Frankfurt 1982

20 test 6, 38 (1983)

21 pers. Mitteilung des Bundesgesundheitsamts

22 C. Künast, Verhandlungen d. Ges. für Ökologie, 8, 417, 1980

23 E. Gebhart: Chemische Mutagenese, Gustav Fischer Verlag, Stuttgart 1977

24 J. W. Gillett u. a., Residue Review 44, 161 (1972)

25 G. Cavagna u. a., Arch Environ Health 19, 112 (1969)

26 G. Sagner und M. Schöndube in K. Aurand u. a. (Hrsg.): Luftqualität in Innenräumen, Gustav Fischer Verlag, Stuttgart, New York 1982

27 pers. Mitteilung der Biologischen Bundesanstalt für Land- und Forstwirtschaft

28 G. Hoffmann in K. Aurand u. a. (Hrsg.): Luftqualität in Innenräumen, Gustav Fischer Verlag, Stuttgart, New York 1982

29 L. Roth u. a.: Hausmittel Lexikon, ecomed verlagsgesellschaft, Landsberg 1982

30 M. Sy: Ungeziefer im Haus – was tun?, Laudenbach 1981

31 N. Eckardt, Natur 5, 36 (1982)

Lacke und
Holzschutzmittel

Lacke

Zusammensetzung der Lacke

Die *Farbmittel* sind die eigentlichen farbgebenden Stoffe. Man unterscheidet zwischen Farbstoffen und Pigmenten. Farbstoffe sind in Lösungsmitteln oder Bindemitteln löslich; zu den wichtigsten gehören die natürlichen Farbstoffe (z. B. Purpur) und die künstlichen Teerfarbstoffe (z. B. das künstlich hergestellte Indigoblau für Jeans). Pigmente dagegen sind in Lösungs- und Bindemitteln praktisch unlöslich. Die meisten unserer Anstrichfarben sind mit Pigmenten gefärbt. Oft wird für den Lack der Name des Pigments verwendet (z. B. Bleimennige).

Bindemittel verbinden die Farbmittel untereinander und sorgen für die Haftung auf dem Untergrund. Sie bilden schließlich den haltbaren Anstrichfilm. Man unterscheidet wasserverdünnbare bzw. wasserlösliche Bindemittel (z. B. Kalk für Wandfarben), ölige Bindemittel (z. B. Leinöl für Lacke oder Ölfarben) und harzartige Bindemittel (z. B. Kunstharze für Anstrichfarben).

Lösungs- und Verdünnungsmittel sind Stoffe, die nach Auftrag der Farbe verdunsten. Sie sorgen dafür, daß der Anstrichstoff verarbeitet werden kann, sollen jedoch die Farbe selbst nicht verändern.

Wichtige Lösungs- und Verdünnungsmittel sind zum Beispiel Wasser für Kalk- oder Dispersionsfarben, Testbenzin für Kunstharzlacke sowie Xylol und Toluol für Nitrolacke.

Darüber hinaus enthalten die Lackfarben noch verschiedene Hilfsstoffe wie Trockenstoffe, Hautverhinderungsmittel, Härtungsbeschleuniger, Verlaufmittel usw., die die Verarbeitung der Lackfarben erleichtern (1, 2, 3).

Lackarten

Für einen Überblick über die Fülle der verwendeten Lacke sind in der folgenden Tabelle die gängigsten Typen kurz zusammengefaßt. Neben den Eigenschaften und dem Anwendungsbereich wird auf die wichtigsten Gefahren hingewiesen, die bei der Anwendung der jeweiligen Lacke drohen. Diese Gefahren werden im Abschnitt Lösungsmittel und schwermetallhaltige Pigmente näher erläutert.

Vor dem Kauf eines Lacks sollte man unbedingt prüfen, ob für den jeweiligen Anwendungszweck nicht einer der Lacke mit dem Umweltzeichen oder natürliche Farben und Lacke gewählt werden können, die weniger giftig sind und die Umwelt weniger belasten. Für denjenigen, der genauere Informationen über die chemische Zusammensetzung und den Aufbau der speziellen Lacksorten haben möchte, sind im folgenden Text die am häufigsten vorkommenden Vertreter im einzelnen beschrieben.

Übersicht über die wichtigsten Lacke

Gruppe	Lacktyp	Eigenschaften	Anwendung	Gefahren
Öllacke	Kunstharzlacke, Alkydharzlacke	Hohe Elastizität und Oberflächenhärte	Gesamter Heimwerkerbereich, Holzfenster, Holzverkleidungen, Ausbesserung von Autolackschäden	Lösungsmitteldämpfe, eventuell schwermetallhaltige Trockenstoffe
	Naturharzlacke	Etwas schlechter als Kunstharzlacke, langsamer trocknend	Innen- und Außenanstriche	in der Regel keine
Ölfreie Lacke	Spirituslacke	schnelltrocknend	Modellacke	Spiritus als Lösungsmittel nur wenig schädlich
	Nitrolacke	schnelltrocknend	Spritzen und Streichen auf Holz und Metall	Sehr hoher Lösungsmittelanteil (bis 75%)
	Dispersionslackfarben (Acrylharzfarben)	wasserverdünnbar	hauptsächlich Wand- und Fassadenfarben	eventuell Gehalt an Mitteln gegen Pilzbefall (Fungizide)
	Naturharzdispersionsfarben	wasserverdünnbar	Wände und Fassaden	in der Regel keine

Gruppe	Lacktyp	Eigenschaften	Anwendung	Gefahren
	Chlor-kautschuk-lacke	besonders beständig gegen Wasser und Chemikalien	Boots- und Schiffsanstriche, Unterwasseranwendung	oft Gehalt an besonders giftigen Lösungsmitteln
Kunststofflacke (Reaktionslacke)	Phenolharz-, Harnstoff- und Melaminharzlacke; Polyurethanlacke (DD-Lacke), Epoxidharzlacke	Chemisch und mechanisch sehr beständig	Parkettversiegelungen, Möbel, Laboreinrichtungen	zum Teil hoher Gehalt an Lösungsmitteln DD-Lacke: Gehalt an giftigem Isocyanat
	Polyesterlacke	sehr harte Oberfläche	auf Holz überwiegend im gewerblichen Bereich	zum Teil hoher Gehalt an Lösungsmitteln

Öllacke

Die Öllacke enthalten als Bindemittel und filmbildenden Bestandteil eingedickte, trocknende Öle; das wichtigste Öl ist das Leinöl, das auch als Leinölfirnis verwendet wird. Da die Öllacke aus Naturölen zwar wetterbeständig und zähhart, aber nicht ganz so licht- und temperaturbeständig sind, wurden sie in den letzten zwanzig Jahren fast vollständig von den ölmodifizierten Alkydharzen – allgemein «Kunstharzlacke» genannt – verdrängt. Sie bilden den größten Teil der von Malern und Lackierern verarbeiteten Lacke.
Zu ihnen gehören beispielsweise die lufttrocknenden Malerlacke für Holz und Putz, Metallschutz und Autolacke, nichttropfende Mattlack-Wandfarben für Heimwerker und wasserdampfdurchlässige Holzlacke sowie Sprühdosenlacke für kleinere Reparaturen am Auto.
Die Öllacke, die Leinöl enthalten, werden heute praktisch nur noch von den Naturfarbenherstellern (→ Natürliche Farben und Lacke) geliefert. Sie werden mit Balsamterpentinöl verdünnt, während die Kunstharzlacke in der Regel mit Testbenzin (Terpentinersatz) verdünnt werden (→ Lösungsmittel).

Ölfreie Lacke

Während die Öllacke durch Aufnahme von Luftsauerstoff und anschließende Oxidations- und Polymerisationsreaktionen (Vernetzungsreaktionen) des Bindemittels verfestigen, trocknen die ölfreien Lacke durch Verdunsten des Lösungsmittels. Die wichtigsten ölfreien Lacke sind:

Die *Spirituslacke* sind Lösungen von Natur- oder Kunstharzen in Alkohol (Spiritus), oft mit Balsam oder Rizinusöl als Weichmacher. Sie werden nur noch selten verwendet, zum Beispiel als Modellacke. Auch die Naturfarben-Hersteller bieten zum Teil schnelltrocknende Spirituslacke an.

Die *Nitrolacke* bestehen aus dem Salpetersäureester der Zellulose (Nitrocellulose), meist kombiniert mit anderen Harzen, sowie Weichmachern und Pigmenten. Nitrolacke sind sehr schnelltrocknend und werden u. a. zum Spritzen und Streichen auf Holz und Metall verwendet. Sie enthalten bis zu 75 % giftige Lösungsmittel wie Ketone, Xylol und Toluol.

Die *Dispersionslackfarben* werden teilweise auch als Acrylharz-Farben bezeichnet. Acrylharz ist ein künstliches Harz, das als Bindemittel im Lack in feinsten Tröpfchen verteilt ist; diese feine Verteilung der Tröpfchen wird als Dispersion bezeichnet. Oft wird als Lösungsmittel Wasser verwendet. Diese Dispersionslackfarben sind daher mit Wasser verdünnbar. Sie bilden den überwiegenden Anteil der Wand- und Fassadenfarben, werden aber auch auf Holz eingesetzt. Der unangenehme Geruch vieler Dispersionsfarben kommt durch den Restgehalt an Monomeren zustande (4).

Lösungsmittelhaltige Dispersionslackfarben werden zum Beispiel als Einbrennlacke für Autos oder Haushaltsgeräte eingesetzt. Auch hier kann der Lösungsmittelanteil wieder bis zu 75 % betragen.

Die *Chlorkautschuklacke* bestehen aus hochmolekularen Verbindungen von Chlor und Kautschuk sowie Weichmachern. Sie enthalten oft besonders giftige Lösungsmittel wie Tetrachlorkohlenstoff. Wegen ihrer besonderen Beständigkeit gegen Wasser und Chemikalien werden sie oft als Boots- und Schiffsanstriche sowie für andere Unterwasseranwendungen eingesetzt.

Kunststofflacke (Reaktionslacke)

Sie trocknen durch eine chemische Reaktion zweier Komponenten, wodurch die eigentliche Filmbildung und Härtung dieser Lacke beginnt. Nach der Art der chemischen Reaktion und der Reaktionspartner unterscheidet man folgende Gruppen:

Zu den *Polykondensationslacken* gehören die Phenolharzlacke, die Harnstoff- und Melaminharzlacke. Sie sind chemisch und mechanisch überaus widerstandsfähig und werden daher zum Beispiel für Parkettversiegelungen, Möbel und Laboreinrichtungen verwendet; sie enthalten ebenfalls einen hohen Anteil an Lösungsmitteln;

zu den *Polyadditionslacken* gehören die Polyurethanlacke (DD-Lacke) und die Epoxidharzlacke; sie sind wie die Polykondensationslacke sehr widerstandsfähig und haben ähnliche Anwendungsbereiche;

zu den wichtigsten Vertretern der *Polymerisationslacke* sind die Polyesterlacke zu zählen, die aus ungesättigten Polyesterharzen sowie Peroxid als Härter bestehen. Ferner werden Pigmente und Weichmacher zugesetzt. Sie werden meist durch Spritzen oder Gießen aufgetragen, bilden eine sehr harte Oberfläche und werden überwiegend im gewerblichen Bereich auf Holz eingesetzt.

Lackhilfsstoffe: Verdünner, Lösungsmittel, Abbeizmittel

Hier soll nur auf die Verdünner und Lösungsmittel hingewiesen werden, die im Haushalt am häufigsten Verwendung finden.

Terpentinöl (Balsamterpentinöl) ist ein ätherisches Öl mit einem charakteristischen Geruch, das durch Destillation des Harzausflusses von Kiefern gewonnen wird. Es wird wegen seines hohen Preises heute praktisch nur noch als Lösungsmittel in den Lacken der Naturfarbenhersteller verwendet.

Terpentinersatz (Testbenzin nach DIN 51632) hat als universelles Lösungsmittel, Reinigungsmittel und Verdünner im Haushalt das früher übliche Terpentinöl praktisch vollständig verdrängt. Testbenzin ist leicht entzündlich und entwickelt gefährliche Dämpfe, da es unter anderem Toluol, Ethylbenzol, Xylole, Propylbenzole und Mesitylen enthält.

Nitro-Verdünner wird speziell zum Verdünnen von Nitrocellulose-, Chlorkautschuk- und Kunststofflacken verwendet. Er enthält meist Toluol, Xylol oder Ketone, aber auch gewisse Anteile an Methanol und anderen Alkoholen.

Lackentferner und Abbeizmittel werden zum Entfernen vorhandener Lackschichten eingesetzt. Abbeizer für Kunstharz- und Öllacke sowie für Dispersionsfarben enthalten meist giftige Lösungsmittel wie Methanol und Dichlormethan und sollten unbedingt vermieden werden!

Ein 66jähriger Mann brach nach dreimaligem mehrstündigem Abbeizen mit handelsüblichen Abbeizmitteln zusammen und starb auf dem Weg ins Krankenhaus (4).

Ferner sind zum Aufrauhen vorhandener Lacküberzüge spezielle Mittel im Handel, die im wesentlichen Ätznatronlösungen (Natriumhydroxid) enthalten. Diese sollten gegenüber den Methylenchlorid-haltigen Mitteln bevorzugt werden.

 Vorsicht beim Umgang mit Ätznatron und anderen Laugen! Sie können noch in Konzentrationen von 1 bis 2% stark ätzend wirken. Besonders gefährlich sind Spritzer für die Augen, daher Schutzbrille tragen! Spritzer auf der Haut sofort mit sehr viel Wasser abspülen! Laugen sollten auch nicht in Flaschen gelagert werden, aus denen sonst getrunken wird, z. B. alte Weinflaschen oder Sprudelflaschen. Durch versehentliches Trinken von Laugen sind schon viele Unfälle passiert.

Hauptvorteil der Laugen gegenüber Methylenchlorid beim Abbeizen sind ihre Ungiftigkeit (bei richtiger Handhabung) und die relative Unbedenklichkeit für die Umwelt. Alte Möbel können auch mit dem ungefährlicheren Soda abgebeizt werden, da sie keine Kunstharzlacke enthalten. Am ungiftigsten für die Umwelt, aber relativ mühsam ist das mechanische Entfernen alter Lackschichten durch Hobeln oder Schleifen.

 Hier muß jedoch darauf geachtet werden, daß man den Farbstaub beim Abschleifen nicht einatmet.

Spezielle Anwendungen von Lacken

Die im vorhergehenden Kapitel erwähnten Lacksorten werden für verschiedenste Anwendungsbereiche verwendet. Je nach Einsatz kann die Funktion der einzelnen Lackbestandteile ganz unterschiedlich sein. Da dies im Hinblick auf die Beurteilung der Giftstoffe in Lacken wichtig ist, sollen hier noch spezielle Hinweise zu einzelnen Anwendungsbereichen von Lacken gegeben werden. Dieses Buch soll jedoch nicht die Heimwerker-Handbücher ersetzen; für genauere Beschreibungen zur Anwendung und Verarbeitung der verschiedenen Lacke sei auf diese Fachbücher verwiesen.

Korrosionsschutz

Für den Korrosionsschutz bei Metallen kommen Grundanstriche zur Verwendung, deren wichtigste Bestandteile Bindemittel und aktive Pigmente sind. Aktive Pigmente sind zum Beispiel Bleimennige, Bleistaub, Zinkstaub oder Zinkchromat. Die Anwesenheit dieser Schwermetalle auf der Metalloberfläche verhindert die Bildung von Rost. Man spricht dabei von einer «Passivierung» der Metalloberfläche. Das Bindemittel muß dafür sorgen, daß das aktive Pigment gleichmäßig auf der Oberfläche verteilt wird und daß es in die Poren eindringt, die die Witterung auf dem Stahl hinterläßt. Diese Eigenschaften besitzt zum Beispiel Leinöl, das daher oft in Kombination mit Bleimennige verwendet wird.
Bei der Verarbeitung dieser Pigmente müssen unbedingt die im Abschnitt «Tips für den Verbraucher» (S. 241 ff.) erläuterten Vorkehrungen getroffen werden, insbesondere dann, wenn zum Beispiel alte Rostanstriche von Hand entfernt werden sollen.

Holzlackierung

Die Lackierung von Holz hat neben der verschönernden Wirkung durch die Farbe die Aufgabe, das Holz vor Witterungseinflüssen, Verschmutzung und Abnützung zu schützen. Natürlich gibt es außer der Lackierung noch andere Methoden zum Schutz der Oberfläche des Holzes (→ Holzschutzmittel).
Die für Holz am weitesten verbreiteten Kunstharzlacke sind die Nitro- oder Nitrokombinationslacke. Nitrolacke sind leicht zu verarbeiten und trocknen schnell. Ihr Hauptnachteil ist der hohe Anteil an giftigen

Lösungsmitteln. Positiver sind unter diesem Gesichtspunkt lösungsmittelarme Kunststofflacke auf Polyester- oder Polyurethanbasis zu bewerten, für die das Umweltbundesamt unter bestimmten Voraussetzungen das Umweltzeichen vergibt (→ Lacke mit dem Umweltzeichen). Naturharzlacke besitzen dagegen meist keine giftigen Lösungsmittel, lassen sich jedoch nicht so leicht verarbeiten wie die Kunstharzlacke, trocknen langsamer und sind nicht ganz so widerstandsfähig.

Autolacke

Autos werden außen meist drei- bis vierfach lackiert, wobei die unteren Lackschichten für den Korrosionsschutz sorgen, während es bei den oberen Schichten auf die optische Wirkung und auf Abriebfestigkeit ankommt. Diese zum Teil recht aufwendigen Lackiermethoden können vom Heimwerker jedoch nicht nachvollzogen werden. Wichtig sind hier nur Lacke und Lacksprays für Ausbesserungs- und Nachlackierarbeiten, für die vor allem lufttrocknende Acrylharzlacke verwendet werden, die einen hohen Anteil an Lösungsmitteln haben. Neben der möglichen Umweltgefährdung durch die Treibmittel der Spraydosen kommen hier noch die Umweltprobleme durch die giftigen Lösungsmittel hinzu. Es werden unter anderem leichtflüchtige Lösungsmittel wie Aceton und Methylisobutylketon verwendet.

Innenanstriche

Für Wandanstriche in Innenräumen werden meist wasserverdünnbare Dispersions-Lackfarben verwendet, die in der Regel nur 1 bis 2% organische Lösungsmittel enthalten. Problematisch sind jedoch Beimengungen von Fungiziden (Mittel gegen Pilzbefall), die in abwaschbaren Anstrichen für Badezimmer und ähnlichen Anstrichen enthalten sein können. Bei einigen dieser Fungizide wurde festgestellt, daß sie durch Verdampfung auch aus trockenen Anstrichen in meßbaren Mengen in die Luft der Räume gelangen. Diese in der Luft vorhandenen Fungizid-Dämpfe werden von Menschen aufgenommen, die sich in diesen Räumen aufhalten, können sich aber auch z. B. in Kellerräumen auf den dort gelagerten Lebensmitteln ablagern und dann beim Verzehr der Lebensmittel vom Menschen aufgenommen werden.
Man sollte daher besonders bei Innenanstrichen fungizidhaltige Lacke

möglichst vermeiden und versuchen, den Pilzbefall durch andere Methoden, wie zum Beispiel häufigeres Lüften, in den Griff zu bekommen.

Außenanstriche

Für Außenanstriche auf Putz, Mauerwerk und Sichtbeton werden ebenfalls in Wasser lösliche Kunststoff-Dispersionsfarben – oft auf Acrylharzbasis – verwendet. Kalkfarben, bei denen Kalk gleichzeitig Bindemittel und Pigment ist, können mit farbigen Erdpigmenten kombiniert werden, haben aber den Nachteil, daß sie von der schadstoffhaltigen Luft der Industrieregionen («Saurer Regen») angegriffen werden und daher relativ schnell verwittern.
Beständiger sind Silikatfarben auf Wasserglas-Bindemittel-Basis.

Giftstoffe in Lacken

Lösungsmittel

Die Lösungsmittel in Farben und Lacken stellen vom Gesundheits- und Umweltschutzstandpunkt aus das größte Problem bei der Verwendung von Farben und Lacken dar. Der Verbrauch an lösungsmittelhaltigen Anstrichen und Lacken beträgt in der Bundesrepublik zur Zeit 1,2 Millionen Tonnen im Jahr (3) mit einem Anteil an organischen Lösemitteln von 400 000 Tonnen. Die Lösungsmittel verdunsten bei der Verwendung der Lacke und gelangen damit in die Atmosphäre, wo sie einen wesentlichen Anteil der Schadstoffgruppe der Kohlenwasserstoffe bilden. Zwar sagte die Lackindustrie inzwischen eine Verminderung des Lösemittelanteils bis 1989 um 20 bis 25% zu, doch ist dies noch keineswegs ausreichend.
Bei insutriellen Verbrauchern von Lacken und Lösungsmitteln – zum Beispiel den Lackierstraßen von Automobilfabriken, aber auch bei den chemischen Reinigungsbetrieben, die mit Lösungsmitteln arbeiten – gibt es erprobte Verfahren, mit denen die Lösungsmitteldämpfe aus der Abluft zurückgewonnen werden und somit wieder benutzt werden können. Leider sind diese Verfahren besonders in kleineren Betrieben und bei den erwähnten chemischen Reinigungsbetrieben noch nicht überall im Einsatz.
Von diesen Großverbrauchern an Lösungsmitteln gehen daher immer

noch erhebliche Emissionen aus, die sich durch Messungen in der Atmosphäre nachweisen lassen (6).

Weitere bedeutende Emittenten von Kohlenwasserstoffen sind die petrochemische Industrie und insbesondere der Kraftfahrzeugverkehr.

Nach einer Schätzung des Umweltbundesamtes (7) beträgt die Menge an Lösungsmitteln, die aus dem Selbststreicher- und Heimwerkerbereich in die Atmosphäre gelangt, etwa 100 000 Tonnen pro Jahr. Eine Rückgewinnung dieser Dämpfe ist im Heimwerkerbereich natürlich nicht möglich. Ziel muß es daher sein, den Einsatz dieser Lösungsmittel im Heimwerkerbereich einzuschränken. Dadurch würde nicht nur die Allgemeinheit geschützt, da die organischen Kohlenwasserstoffe und Lösungsmittel in der Atmosphäre zur Smogbildung und zum Waldsterben beitragen, sondern auch der Heimwerker selbst, da die Lösungsmitteldämpfe in erheblichem Maße direkt gesundheitsschädlich sind.

So werden bei der Verwendung von Dichlormethan-haltigen Abbeizern in geschlossenen Räumen Konzentrationen an Lösemitteln erreicht, die um ein Mehrfaches über den MAK-Werten (→ Glossar) liegen. Besonders für größere Flächen in Innenräumen sollte der Heimwerker daher schon allein um seiner eigenen Gesundheit willen nur lösemittelarme oder lösemittelfreie Lacke verwenden. Leider sagt die Kennzeichnung «für Innenanstriche» oder «für Außenanstriche», die auf einigen Verpackungen von Lacken zu finden ist, nichts über dieses Problem aus. Damit wird lediglich darauf hingewiesen, daß bestimmte Lacke weniger witterungsbeständig sind und deshalb nur innen verwendet werden sollten. Die Kennzeichnung «für Innen» oder «für Außen» sollte im Interesse der Gesundheit des Verbrauchers auch auf den Anteil an Lösungsmitteln ausgedehnt werden. Bereits auf der Verpackung sollte von der Verwendung von Lacken mit einem hohen Anteil an Lösemitteln in Innenräumen ausdrücklich abgeraten werden (8).

Zu den «aromatischen Kohlenwasserstoffen» zählen die Lösungsmittel Benzol, Toluol und Xylol. Der Name dieser Stoffe hat seinen Ursprung in deren typischem «aromatischem» Geruch. Bei den aromatischen Kohlenwasserstoffen handelt es sich um ringförmige Verbindungen von Kohlenstoff und Wasserstoff. Im Gegensatz dazu sind die «aliphatischen Kohlenwasserstoffe» kettenförmige Verbindungen von Kohlenstoff und Wasserstoff. Testbenzin, Siedegrenzbenzin und Petrolether sind Gemische verschiedener solcher Ketten, enthalten jedoch auch unterschiedliche Anteile an aromatischen Kohlenwasserstoffen.

Eine weitere Gruppe sind die chlorierten Kohlenwasserstoffe, die neben Kohlenstoff und Wasserstoff noch Chlor enthalten, z. B. Methylenchlorid, Tetrachlorkohlenstoff («Tetra»), 1,1,1-Trichlorethan, 1,1,2-Trichlorethylen («Tri») und Perchlorethylen («Per»).

Als weitere wichtige Lösungsmittel seien in der Gruppe der Alkohole noch Methanol und Butanol, aus der Gruppe der Ketone das Aceton, Methylethylketon und Methylisobutylketon sowie aus der Gruppe der Ester das Ethylacetat und Butylacetat erwähnt.

Die nachfolgende Tabelle gibt einen Überblick über die wichtigsten Lösungsmittel, die im Haushalt und Heimwerkerbereich verwendet werden oder mit denen wir indirekt in Berührung kommen (z. B. chemische Reinigung).

Wer sich noch genauer über die gesundheitlichen Auswirkungen spezieller Lösungsmittel informieren möchte, findet im folgenden Text eine detaillierte Beschreibung der in der Liste aufgeführten Lösungsmittel.

Übersicht über die wichtigsten Lösungsmittel

Gruppe	Stoff	Anwendungsgebiete	Gesundheitliche Gefahren/Symptome
Aromatische Kohlenwasserstoffe	Benzol	als Verunreinigung in Toluol enthalten; ferner mit 1,5 bis 5% Anteil im Fahrzeugbenzin enthalten	krebserregend
	Toluol, Xylol	wichtigste Lösungsmittel bei Lacken	Kopfschmerzen, Schwindel, Gleichgewichtsstörungen
Chlorierte Kohlenwasserstoffe	Methylenchlorid	Abbeizmittel	tödliche Vergiftung möglich
	Tetrachlorkohlenstoff («Tetra»)	Chlorkautschuklacke	im Tierversuch krebserregend
	1,1,1-Trichlorethan	Universal-Sprühreiniger	narkotisierende Wirkung

Gruppe	Stoff	Anwendungs-gebiete	Gesundheitliche Ge-fahren/Symptome
	1,1,2-Tri-chlorethylen («Tri»)	Entfettungsmittel, Abbeizpasten	narkotisierende Wir-kung, aus Tierversu-chen Hinweise auf krebserregende Wir-kung
	Perchlor-ethylen («Per»)	Chemische Reinigung	Leber- und Nieren-schäden
Alkohole	Methanol	Abbeizer, Verdün-ner	stark giftig, schädigt die Sehkraft (bis zur Erblindung)
	Butanol	viele Lacke	Reizungen der Schleimhäute, Kopf-schmerzen
Ketone	Aceton	Nitrolacke, Klebstoffe	narkotisierende Wirkung
	Methylethyl-keton	Holzlacke u. a. Lacke	Reizungen der Schleimhäute
	Methyliso-butylketon	viele Lacke	Augen- und Nasen-reizungen
Ester	Ethylacetat	Nitrolacke, Klebstoffe, Imprägniermittel	narkotisierende Wirkung
	Butylacetat	viele Lacke	ähnlich Ethylacetat
aliphatische Kohlenwasser-stoffe	Testbenzin (Terpentin-ersatz)	viele Lacke, Verdünner	Reizungen der Schleimhäute, akute Vergiftungen

Gesundheitliche Auswirkungen

Aromatische Lösungsmittel

Benzol wird in reiner Form als Lösungsmittel im Gegensatz zu früher nicht mehr verwendet, da es krebserregend ist. Es ist jedoch als Verunreinigung in anderen Kohlenwasserstoffen, z. B. bis zu 0,3% in Toluol (9) sowie in Petrolether und Siedegrenzbenzin enthalten (siehe DIN 51 630 und 51 631). Ferner enthält Benzin für Kraftfahrzeuge in der Bundesrepublik zwischen 1,5 und 6% Benzol (6), obwohl es nach der Arbeitsstoffverordnung vom 8. 9. 1975 in Lösungsmittelgemischen über 1% nicht mehr verwendet werden darf!

Den höchsten Anteil enthalten bleiarme Superkraftstoffe. Benzin aus Tankstellen darf daher unter keinen Umständen im Haushalt für Reinigungs- oder sonstige Zwecke verwendet werden!

Toluol ist – meist zusammen mit Xylol – das wichtigste Lösungsmittel in Nitrolacken und Kunststofflacken sowie in Verdünnern. Es wird vom Menschen durch die Atemwege und den Magen-Darm-Kanal gut, durch die unverletzte Haut hingegen kaum aufgenommen. Das Einatmen von Toluol kann zu Kopfschmerzen, Schwindel, Müdigkeit, Schwächegefühl, Gleichgewichts- und Koordinationsstörungen führen. *Leberschäden konnten bei nicht verunreinigtem Toluol in den letzten Jahren nicht bestätigt werden,* selbst bei Schnüfflern nicht, bei denen aber schwere nervöse und psychotische Störungen auftraten.

Xylol wird wegen seiner leichteren Flüchtigkeit etwas stärker durch die Lunge aufgenommen als Benzol und Toluol. Ähnlich wie Toluol ruft es Störungen des Nervensystems und Reizwirkungen hervor, zum Teil auch leichte Blutbildveränderungen, Menstruationsstörungen und eine Tendenz zu Früh- und Fehlgeburten sowie Sterilität. Da Xylol meist mit anderen aromatischen Kohlenwasserstoffen zusammen vorkommt, können die Vergiftungserscheinungen oft nicht eindeutig zugeordnet werden.

Aliphatische Lösungsmittel

Von den aliphatischen Kohlenwasserstoffen werden Petrolether, Siedegrenzbenzin und Testbenzin als Lösungsmittel verwendet. Petrolether und Siedegrenzbenzin sind problematisch wegen ihres Restgehalts an krebserzeugendem Benzol – je nach Typ können es bis zu 0,5 % sein. Sie haben jedoch für den Gebrauch im Haushalt kaum eine Bedeutung. Wichtigstes Lösungsmittel für den Haushalt ist das *Testbenzin* (auch *Terpentinersatz* genannt), das auch als Lösungsmittel zum Beispiel in Alkydharzlacken enthalten ist. Es enthält unter anderem bis zu 10% Xylole und bis zu 1% Toluol. Die größte Gefahr durch die aliphatischen Kohlenwasserstoffe besteht in der lokalen Reizwirkung auf die Schleimhaut, die zum Erbrechen führt. Störungen im Atemwegs- und Lungenbereich können bis zu einer Lungenentzündung bei akuten Vergiftungen führen. Die tödliche Dosis soll bei 60 bis 80 Kubikzentimetern, nach anderen Angaben jedoch bei 10 Kubikzentimetern liegen (besondere Vorsicht bei Kindern!).

Chlorierte Kohlenwasserstoffe

Methylenchlorid ist hauptsächlicher Bestandteil von Abbeizmitteln und Lackentfernern (chemische Bezeichnung: Dichlormethan). Es wurde früher als Narkosemittel eingesetzt und führt bei kurzzeitiger Einwirkung zu Schwindelgefühl und Erbrechen. Nach Einatmung behindert es den Sauerstofftransport im Blut durch Bildung einer Verbindung mit dem roten Blutfarbstoff Hämoglobin ähnlich wie bei einer Kohlenmonoxid-Vergiftung. Tödliche Vergiftungen durch Einatmen können in kleinen Räumen auftreten. Die Dämpfe können bei Kontakt mit offener Flamme gefährlich sein, da dabei Phosgen entsteht.
Tetrachlorkohlenstoff («Tetra») wird hauptsächlich als Reinigungsmittel in Wäschereien, Färbereien, in der Schuh- und Lederindustrie sowie zur Walzenreinigung in Druckereien verwendet. Bei den Lacken wird er als Lösungsmittel in den Chlorkautschuklacken (Unterwasseranstriche) eingesetzt. Tetrachlorkohlenstoff wird in der Umwelt relativ schlecht abgebaut, so daß er sich dort anrei-

chern kann. Er ist schon bei relativ kurzer Einwirkungszeit der Dämpfe stark giftig sowie in erheblichem Maße leber- und nierenschädigend. Auch Konzentrationen, die unter der Geruchsschwelle liegen (süßlicher Geruch), rufen noch Übelkeit, Erbrechen, Schwindel und Kopfschmerzen hervor. Im Tierversuch hat sich Tetrachlorkohlenstoff als krebserregend erwiesen. Wegen dieses erheblichen Gefährdungspotentials sollten daher auch Kleinpackungen von Lacken, die Tetrachlorkohlenstoff enthalten, mit dem Totenkopfsymbol gekennzeichnet werden. Dieses ist bisher nur für größere Lösungsmittelbehälter vorgeschrieben. Insgesamt wäre jedoch – nicht zuletzt wegen der Akkumulation in der Umwelt – ein schrittweiser Verzicht auf den Einsatz von Tetrachlorkohlenstoff überhaupt zu fordern.

1,1,1-Trichlorethan wird im Heimwerker-Bereich zum Beispiel als Universal-Sprühreiniger zum Entfernen von Polyurethanschaum, Bitumen, Teer und Fett verkauft. Es wirkt wie ein typisches Narkosemittel (Schläfrigkeit, Gleichgewichts- und Koordinationsstörungen); allerdings sind hierfür hohe Konzentrationen erforderlich. Nur bei sehr hohen Konzentrationen kommt es zu tödlichen Vergiftungen.

1,1,2-Trichlorethylen («*Tri*») wird als meistverwendetes Lösungsmittel in Industrie und Haushalt unter anderem zur Entfettung von Metallen, in Tauchlacken und in Abbeizpasten eingesetzt. Es ist stärker giftig als 1,1,1-Trichlorethan und wirkt wie dieses als Narkosemittel. Nach Aufnahme wird es im Körper in Stoffe umgewandelt, die giftiger sind als der Ausgangsstoff selbst. Aus Tierversuchen liegen Hinweise auf krebserregende und erbgutverändernde Wirkungen vor.

Perchlorethylen («*Per*»*)* (oder *Tetrachlorethylen*) wird als Lösungsmittel ähnlich wie Trichlorethylen sowie in chemischen Reinigungsbetrieben verwendet. Es ist weniger giftig als Trichlorethylen, wirkt als Narkosemittel und schädigt Leber und Nieren.

Mit Sorge muß bei den chlorierten Kohlenwasserstoffen beobachtet werden, daß sie immer mehr zu einem gleichmäßig verteilten Bestandteil des Trinkwassers, der Nahrung und der Luft werden. Zwar sind die Konzentrationen in der Regel gering, doch haben einige Stoffe eine Tendenz zur Anreicherung in der Umwelt, da sie nicht oder nur sehr langsam abgebaut werden (z. B. Tetrachlorkohlenstoff), und einige werden auch als krebserzeugend oder erbgutverändernd verdächtigt. Ein Bericht der amerikanischen Akademie der Wissenschaften empfahl daher bereits vor einigen Jahren eine Einschränkung der Verwendung dieser Stoffe, obwohl wegen der geringen Konzentrationen in der Umwelt Schäden beim Menschen (Krebsrisiko) selbst mit epidemiologischen Studien vermutlich nicht nachgewiesen werden könnten (10).

Alkohole, Ketone und Ester

Methanol (Methylalkohol) ist beispielsweise in Abbeizern und Verdünnern enthalten. Es ist stark giftig; Vergiftungserscheinungen, die sich in der Regel erst nach 12 bis 18 Stunden zeigen, treten schon nach Einnahme von fünf bis zehn Gramm auf. 30 bis 240 Gramm wirken bereits tödlich. Typische Vergiftungserscheinungen sind Kopfschmerzen, Erbrechen, Schwäche, Schwindel und Sehstörungen, die rasch bis zur völligen Erblindung fortschreiten. Bei einer akuten Vergiftung kann die frühzeitige Verabreichung von Ethanol (Ethylalkohol, z. B. Schnaps) lebensrettend wirken.

Butanol (Butylalkohol) ist Bestandteil vieler Lacke. Es verhindert die Bildung von Trübungen, das Weißanlaufen und verbessert Verlauf und Glanz des Lackes. Butanoldämpfe führen zu Reizungen der Nasen- und Rachenschleimhaut, der Augenschleimhaut und Kopfschmerz.

Aceton wird als Lösungsmittel zum Beispiel in schnell trocknenden Nitrolacken und Klebstoffen verwendet. Es reizt die Schleimhäute mäßig, ist nur wenig giftig und wirkt in sehr hohen Konzentrationen als Narkosemittel.

Methylethylketon wird als Lösungsmittel zum Beispiel in Holzlacken eingesetzt. Es ruft eine Reizung der Augen- und Magenschleimhaut sowie Kopfschmerzen hervor. In hohen Konzentrationen wirken die Dämpfe als Narkosemittel.

Methylisobutylketon findet sich als Lösungsmittel in Lacken, Anstrichfarben und Druckfarben. Schon kleinere Konzentrationen führen zu Augen- und Nasenreizungen sowie Kopfschmerzen. Da es aus dem Körper rasch ausgeschieden wird, treten keine Langzeitwirkungen auf.

Ethylacetat ist eines der wichtigsten Lösungsmittel für schnelltrocknende Nitrolacke. Daneben kommt es aber auch in Klebstoffen, Lederlacken und Lederimprägniermitteln, als Riechstoff in Parfümen, in Poliermitteln sowie bei der Herstellung von Glanz- und Transparentpapier vor. Es wirkt hauptsächlich als Narkosemittel; bei höheren Konzentrationen kommt es zu Reizwirkungen.

Butylacetat hat große Bedeutung in Lacken, in denen es meist in Kombination mit anderen Lösungsmitteln verwendet wird. Es verbessert die Verarbeitbarkeit der Lacke und wird zum Beispiel auch in lösemittelarmen Lacken als Hilfslöser verwendet. Die Wirkung ist ähnlich wie die von Ethylacetat.

Die toxikologische Bedeutung der organischen Lösemittel ist neben der unmittelbaren Beeinträchtigung der menschlichen Gesundheit, der akuten Toxizität, besonders in der möglichen chronischen Toxitität zu sehen. Erste Anhaltspunkte für die gesundheitsschädigende Wirkung bei ständigem Ausgesetztsein geringer Konzentrationen organischer Lösemittel erhält man bei der Auswertung von arbeitshygienischen Untersuchungen der Berufskrankheiten. Allein in Dänemark sind 757 Männern und Frauen chronische Hirnschäden bescheinigt worden, die im Beruf mit organischen Lösemitteln in Berührung kamen. Dabei lösen die zum Entfetten geeigneten Lösemittel aus den Nerven und Gehirnzellen das Fett heraus und verändern ihre elektrischen Eigenschaften, so daß Reaktionen und Gedächtnisleistungen verändert werden. Etwa vier Prozent der dänischen Maler müssen mit solchen neurotoxischen Schäden rechnen. In der Bundesrepublik wird das Lösemittelproblem von offizieller Seite geleugnet. Bleibt ein Fabrikat unter 25% Lösemittelanteil, so braucht der Inhalt auf der Dose nicht im einzelnen deklariert zu werden. Die Rezeptur bleibt Betriebsgeheimnis (11).

Die jahrelange Verwendung langzeitstabiler Verbindungen führte zu einer großräumigen Verteilung dieser Umweltchemikalien. Zur Beschreibung ihrer Wirkung auf Lebewesen oder auch auf Wechselbeziehungen im Ökosystem wurde der Begriff Ökotoxizität geprägt. In

Analogie zum MAK-Wert, der sich auf die menschliche Belastung bezieht, ist die Biologische Arbeitsstoffkonzentration (BAK) zur Kontrolle von Schadstoffkonzentrationen in biologischem Material geeignet. In dieser BAK-Liste sind z. B. Fluorwasserstoff, Methanol, Styrol und 1,1,1-Trichlorethan aufgenommen.

Bei bundesweiten Luftuntersuchungen hatte sich 1980 gezeigt, daß in allen Probenahmestellen 1,1,1-Tri-, Perchlorethan und Tetrachlorkohlenstoff nachgewiesen werden konnte.

Chlorierte Lösemittel finden sich offensichtlich überall in der Luft, und da Lebewesen Atemluft benötigen, ist eine Anreicherung dieser Stoffe in Organismen zwangsläufig. Tri konnte bis zu 100 ppb im menschlichen Fettgewebe nachgewiesen werden (12).

Da über mögliche chronische Schäden nur Vermutungen angestellt werden können, sind drastische Beschränkungen der organischen Lösemittel zu fordern, ehe die Vermutungen zur bösen Gewißheit werden.

Aber nicht nur durch die Luft verteilte organische Lösemittel belasten die Umwelt, aus ca. 50 000 alten Müllkippen sickern besonders chlorierte Lösemittel ins Grundwasser. Allein in Baden-Württemberg sind 100 Trinkwasserbrunnen durch chlorierte Lösemittel verseucht (13).

Wie lang der Weg der Schadstoffe zum Verbraucher durch die Umwelt auch immer sein mag, über Luft, Wasser und Nahrungsmittel gelangen sie immer wieder zum Menschen zurück.

Neben der unmittelbaren Wirkung auf den menschlichen Organismus ist die mittelbare Wirkung, z. B. Bildung des photochemischen Smogs, den folgenden Lösungsmitteln zuzuschreiben:

Toluol, Xylol, Tetralin, Ethylbenzol, Methylisobutylketon, Methylisopropylketon.

Die Methyl- und Butylketone dagegen sind zwar photochemisch inaktiv, aber physiologisch sehr wirksam (14).

Die meisten organischen Lösungsmittel sind wassergefährdende Flüssigkeiten, die in der Lösungsmittelverordnung über das Lagern wassergefährdender Flüssigkeiten (VLwF) zusammengefaßt sind. Besonders Fische und wiederum Wasserorganismen reagieren empfindlich auf Konzentrationen, bei denen Warmblütler keine meßbaren Beeinflussungen zeigen.

Verwendungszweck verschiedener Lösungsmittel

Verwend.-Zweck	Lösungsmittel	maximale Arbeits-platzkonzentration	Krebsrisiko
Abbeizen	Methylenchlorid Ester, Ketone Tetralin Methylbenzyl-alkohol Dimethylsulfoxid	200 ppm Leber- und Nierenschäden	
Entfetten	Trichlorethylen Perchlorethylen Methylenchlorid	50 ppm 100 ppm 200 ppm	Verdacht: krebserregend
Chem. Reinigung	Perchlorethylen	100 ppm	
Spraydosen	Ethylchlorid	narkotische Wirkung, Lebergift, Herzgift	
Gummi-Kleber-Lösungen	Butan Tetrachlorkohlen-stoff	10 ppm Lebergiftig	
Dachpappen	1,2-Dichlorethan	Geruchsschwelle höher als MAK-Wert von 20 ppm	Verdacht: krebserregend
Kalt-Asphalt	Propylenchlorid Chlorbenzol Cyclohexanol	50 ppm 50 ppm	
Kaltreiniger	Trichlorethan	200 ppm	
Tauchlack	1,1,2-Trichlor-ethylen	50 ppm	Verdacht: krebserregend
Klebstoffe	Aceton Methylacetat Ethylacetat Tetrahydrofuran (THF)	1000 ppm 200 ppm 400 ppm 200 ppm	narkotisierend narkotisierend
Nagellack	n-Amylacetat Isoamylacetat	100 ppm	(Glottisödem)

Verwend.-Zweck	Lösungsmittel	maximale Arbeits-platzkonzentration	Krebsrisiko
Antiklopfmittel in Treibstoffen verhindert Blei-ablagerungen)	Methyl-tertiär-butylether 1,2-Dibromethan		Verdacht: krebserregend
Kugelschreiber-paste	Diethylenglykol-monomethylether	Schleimhaut-reizung	
Naßabspiel-flüssigkeit	Isopropanol	2× stärker narko-tisch und giftig als Ethanol	
Antistatikmittel	HMPT	400 ppm	im Tierversuch krebserregend

Die Beeinflussung der Luftqualität in der Wohnung durch Lösungsmittel

Im Haushalt werden viele Stoffe verwendet, die Lösungsmittel enthalten: Klebstoffe, Lacke, Fleckentferner u.v.a.m. In der Regel verdampfen diese Lösungsmittel relativ schnell. Besonders bei den leicht flüchtigen Lösungsmitteln werden dann in geschlossenen Räumen schnell Konzentrationen erreicht, die um ein Mehrfaches über den MAK-Werten liegen. So wurde in einem 28 m³ Testraum, in dem 250 g dichlormethanhaltige Farbabbeize verarbeitet worden war, bereits nach 30 Minuten und auch noch nach sechs Stunden eine Konzentration von 1–2 g/m³ gemessen, was etwa dem 10fachen MAK-Wert entspricht. Durch Lüftung sank dieser Wert auf 0,02–0,1 g/m³ (15). Neben dieser akuten Belastung des Heimwerkers bei der Anwendung von lösemittelhaltigen Produkten ist jedoch auch die chronische Belastung nicht zu vernachlässigen, die durch das langsame Ausdampfen von Restgehalten an Lösungsmittel, z. B. aus Lacken oder Klebstoffen, über lange Zeit hinweg besteht. So sind z. B. die Konzentrationen an Toluol in Innenräumen allgemein um ein Mehrfaches höher als in der Außenluft (15).

Gefahren durch schwermetallhaltige Pigmente

Zu der ständig wachsenden Belastung unserer Umwelt mit Schwermetallen tragen auch die Farben und Lacke in Form der schwermetallhaltigen Pigmente einiges bei. Allein der Verbrauch an Cadmium für Pigmente beträgt ca. 400 Tonnen im Jahr (16). Über das Verhalten dieser Pigmente in der Umwelt, z. B. nach einem Abrieb der Lacke, gibt es kaum Informationen.

Cadmium dient zur Einfärbung von Lacken und Kunststoffen, insbesondere für das Farbenspektrum gelb-rot-orange. Bei der Herstellung und Verbrennung dieser Stoffe gelangen ca. drei Tonnen Cadmium pro Jahr in die Luft und ins Abwasser (17).

Cadmium schädigt vor allem die Niere, und zwar die Fähigkeit der Niere, Abfallstoffe des Körpers in möglichst hoher Konzentration auszuscheiden und wertvolle Stoffe zurückzuhalten. Daß ein weitgehender Verzicht auf Cadmium-Pigmente möglich ist, zeigt das schwedische Beispiel, wo 1980 die Verwendung von Cadmium für Pigmente und Stabilisatoren verboten wurde.

Chromatpigmente werden für Grundbeschichtungen und Haftgrundmittel vorzugsweise für Metalle verwendet. Aus toxikologischer Sicht sind nur die Verbindungen des sechswertigen Chroms von Bedeutung. Das Einatmen hochkonzentrierter chromhaltiger Stäube führt zu Reizungen der oberen Luftwege, Kopfschmerzen und Atemnot. Chromate gehören zu den stärksten Auslösern von Allergien. Einige chromathaltige Verbindungen werden als krebserregend eingestuft. Der Ersatz chromathaltiger Pigmente ist möglich; für viele Ersatzstoffe gibt es bereits langjährige positive Erfahrungen (18).

Bleihaltige Pigmente werden besonders als Grundanstriche für den Korrosionsschutz verwendet. Blei führt die Liste aller chemischen Arbeitsstoffe an, die zu Berufskrankheiten führen. Es wird im menschlichen Körper bevorzugt in Knochen und Zähnen abgelagert. Vergiftungserscheinungen sind Nierenschäden, Blutarmut, Schäden des Nervensystems und der Immunabwehr. Ein Ersatz bleihaltiger Anstriche für den Korrosionsschutz ist möglich.

Auch wenn es sicherlich technologische Vorteile bei der Anwendung von Bleichromatpigmenten gibt (21) und die aus den USA berichteten Vergiftungen bei Kindern mit Bleiweißfarben für die Verhältnisse der BRD nicht zutreffen (19), genügt der Hinweis auf die viel stärkere Schädigung durch bleihaltiges Benzin nicht. Die Ersatzstoffe müssen schnellstens eingeführt werden.

Für bleihaltige Farben und Anstrichstoffe besteht eine Kennzeichnungspflicht, die auch auf die übrigen Schwermetalle ausgedehnt werden sollte.

Verbraucherinformationen

Durch einfache, einprägsame und einheitlich angewandte Symbole soll der Umgang mit gefährlichen Arbeitsstoffen erleichtert werden.

 Der Verbraucher sollte vor dem Kauf oder der Anwendung überprüfen, welche Kennzeichen auf der Verpackung angegeben sind.

Für den Laien sind diese Symbole, falls sie nicht auf der Verpackung näher erläutert sind, häufig unverständlich. Deshalb wird im folgenden eine kurze Übersicht über die bei Farben und Lacken am häufigsten verwendeten Kennzeichen gegeben.

Verordnung über brennbare Flüssigkeiten (VbF)

Die Verordnung über brennbare Flüssigkeiten legt eine Einteilung brennbarer Flüssigkeiten in Gruppen und Gefahrenklassen aufgrund der Wasserlöslichkeit und des Flammpunktes der Stoffe fest. Wasserunlösliche Flüssigkeiten mit einem niedrigen Flammpunkt haben im allgemeinen einen hohen Gefahrengrad. Es gilt folgende Einteilung:

Gruppe A: Flüssigkeiten, die einen Flammpunkt nicht über 100° C haben und hinsichtlich der Wasserlöslichkeit nicht die Eigenschaften der Gruppe B aufweisen, und zwar

Gefahrklasse I: Flüssigkeiten mit einem Flammpunkt unter 21° C (z. B. zahlreiche Lacke, Toluol)

Gefahrklasse II: Flüssigkeiten mit einem Flammpunkt von 21 bis 55° C (z. B. Testbenzin, Xylole)

Gefahrklasse III: Flüssigkeiten mit einem Flammpunkt von über 55° C bis 100° C (z. B. Heizöl).

Gruppe B: Flüssigkeiten mit einem Flammpunkt unter 21° C, die sich bei 15° C in jedem beliebigen Verhältnis in Wasser lösen oder deren brennbare flüssige Bestandteile sich bei 15° C in jedem beliebigen Verhältnis in Wasser lösen (Beispiele: Aceton, Methanol, Ethanol) (20).

Verordnung über gefährliche Arbeitsstoffe (ArbStoffV)

In der Arbeitsstoffverordnung werden Gefahrensymbole, Giftklassen, Gefahrenhinweise und Stoffklassen für Lösungsmittel festgelegt (21).

Gefahrensymbole und Gefahrenbezeichnungen

Die sieben offiziellen Gefahrensymbole ermöglichen eine schnelle Information über die Gefährlichkeit des betreffenden Produktes. Die fünf wichtigsten sind hier abgebildet (21, 22).

Giftklassen

(Hinweis: Hier gelten auch die Giftverordnungen der Länder.) Die giftigen Inhaltsstoffe werden in Giftklassen eingeteilt, wobei Klasse 1 die stärksten Gifte umfaßt und mit abnehmender Giftwirkung die Einteilung in die Klassen 2 und 3 erfolgt. Gifte der Klasse 1 und 2 müssen die Kennbuchstaben T, die Stoffe der Giftklasse 3 je nach der Hauptwirkung mit dem Kennbuchstaben C, X_n oder X_i gekennzeichnet werden. Im schweizerischen Giftgesetz gibt es fünf Giftklassen, wobei ebenfalls Giftklasse 1 am giftigsten ist. Die Stoffe, die nach dem schweizerischen Giftgesetz in die Giftklassen 4 und 5 fallen, sind nach deutschem Recht in der Regel nicht kennzeichnungspflichtig.

Gefahrenhinweise (R-Sätze) und Sicherheitsratschläge (S-Sätze)

Diese Hinweise geben in ausführlicherer Form als die Gefahrensymbole Auskunft über die Art der Gefahr, die aus dem Umgang mit dem betreffenden Stoff resultieren kann. Auf der Verpackung erscheint häufig nur ein R bzw. S und eine Zahl oder Zahlenkombination.

Stoffklassen der Lösungsmittel

Bestimmte Lösungsmittel – mit Ausnahme der Lacke selbst – werden nach Stoffklassen I a bis II d eingeteilt. Giftige Stoffe werden in Klasse I, gesundheitsschädliche Stoffe in Klasse II eingestuft. Die Unterklassen a bis d geben die Stärke der Giftigkeit bzw. Gesundheitsschädlichkeit an, wobei die Stärke von a nach d abnimmt. Beispiele: Tetrachlorkohlenstoff I a, Toluol II c.

Die wichtigsten Gefahrensymbole

Leicht entzündliche Stoffe, Brennbare Flüssigkeiten

Flüssigkeiten mit einem Flammpunkt unter 21°C (Gefahrenklasse A I).
Beispiele: Aceton, Benzol
Vorsicht: Von offenen Flammen, Wärmequellen und Funken fernhalten.

Sehr giftige Stoffe

Gefahr: Nach Einatmen, Verschlucken oder Aufnahme durch die Haut treten meist Gesundheitsschäden erheblichen Ausmaßes oder gar der Tod ein.
Beispiele: Thallium und seine Verbindungen
Vorsicht: Jeglichen Kontakt mit dem menschlichen Körper vermeiden und bei Unwohlsein sofort den Arzt aufsuchen.

Gesundheitsschädliche Stoffe

Gefahr: Bei Aufnahme in den Körper verursachen diese Stoffe Gesundheitsschäden geringeren Ausmaßes.
Beispiele: Pyridin, Dichlormethan
Vorsicht: Kontakt mit dem menschlichen Körper, auch Einatmen der Dämpfe, vermeiden und bei Unwohlsein den Arzt aufsuchen.

Reizend wirkende Stoffe

Gefahr: Dieses Symbol kennzeichnet Stoffe, die eine Reizwirkung auf Haut, Augen und Atmungsorgane ausüben können.
Beispiele: Ammoniak-Lösung, Benzylchlorid
Vorsicht: Dämpfe nicht einatmen und Berührung mit Haut und Augen vermeiden.

Ätzende Stoffe

Gefahr: Lebendes Gewebe, aber auch Betriebsmittel, werden bei Kontakt mit diesen Chemikalien zerstört.
Beispiele: Brom, Schwefelsäure
Vorsicht: Dämpfe nicht einatmen und Berührung mit Haut, Augen und Kleidung vermeiden.

Beispiele für Gefahrenhinweise:

R 10 Entzündlich
R 20 Gesundheitsschädlich beim Einatmen
R 21 Gesundheitsschädlich bei Berührung mit der Haut
R 22 Gesundheitsschädlich bei Verschlucken

Beispiele für Sicherheitsratschläge:

S 1 Unter Verschluß aufbewahren
S 2 Darf nicht in die Hände von Kindern gelangen
S 3 Kühl aufbewahren
S 7 Behälter dicht geschlossen halten
S 9 Behälter an einem gut gelüfteten Ort aufbewahren
S 13 Von Nahrungsmitteln und Futtermitteln fernhalten
S 20 Bei der Arbeit nicht essen und trinken
S 21 Bei der Arbeit nicht rauchen
S 29 Nicht in die Kanalisation gelangen lassen

Tips für den Verbraucher

Die Auswahl

Eine gute Hilfe bei der Auswahl von Lacken, die weniger gesundheitsschädlich und in ihren ökologischen Auswirkungen weniger bedenklich sind, bietet das Umweltzeichen des Umweltbundesamtes (7) (siehe Abbildung). Das Umweltzeichen ist eine Initiative des Bundesinnenministeriums und der Umweltminister der Länder zur Förderung umweltfreundlicher Produkte. Diese müssen bestimmte Voraussetzungen erfüllen, die in Expertenanhörungen beraten und von einer unabhängigen Jury beschlossen werden. Für das Umweltzeichen für schadstoffarme Lacke gelten folgende Voraussetzungen:

- gleicher Qualitätsstandard wie herkömmliche Lacke
- keine Pigmente auf der Basis von Blei oder Cadmium
- keine krebserregenden Inhaltsstoffe
- geringer Lösungsmittelgehalt
- keine Kennzeichnungspflicht nach der Arbeitsstoffverordnung.

Für das Umweltzeichen für blei- und chromatarme Korrosionsschutzanstriche gelten folgende Voraussetzungen:
- Gleicher Korrosionsschutzstandard wie herkömmliche Anstriche.
- Keine Blei- und Chromatpigmente.
- Keine krebserregenden und nach der Arbeitsstoffverordnung kennzeichnungspflichtigen Inhaltsstoffe.

Obwohl die Zahl der mit dem Umweltzeichen versehenen Lacke schon recht groß ist, konnten wir bei einer Nachfrage bei verschiedenen Einzelhändlern keine derartigen Lacke finden; auch hatte noch niemand vom Umweltzeichen gehört. Es ist also wichtig, daß die Verbraucher durch eine ständige Nachfrage nach diesen Produkten den Handel zwingen, diese auch zu vertreiben. Bei einigen Einzelhändlern gibt es jedoch auch wasserverdünnbare Lacke verschiedener Hersteller, die zwar nicht mit dem Umweltzeichen versehen sind, aber auch einen geringen Gehalt an Lösungsmitteln besitzen.

 Eine Übersicht über die mit dem Umweltzeichen ausgezeichneten Lacke und Korrosionsanstriche erhält man beim Umweltbundesamt, Bismarckplatz 1, 1 Berlin 33.

Verhaltensmaßregeln

Die beste Alternative, gesundheitliche Risiken beim Umgang mit giftigen Inhaltsstoffen von Farben und Lacken zu vermeiden, besteht natürlich darin, so weit als möglich auf die im Abschnitt «Natürliche Farben und Lacke» beschriebenen Produkte auszuweichen, die weitgehend ohne giftige Inhaltsstoffe hergestellt werden. Da sich der Umgang mit giftigen Produkten jedoch oft nicht vermeiden läßt – zum Beispiel beim oben beschriebenen Abschleifen alter bleihaltiger Anstriche –, sollen hier einige Sicherheitsratschläge gegeben werden, die jeder Verbraucher und Heimwerker selbst ohne größere Mühe befolgen kann.

Lüften beim Anstreichen in Innenräumen: Beim Anstreichen mit lösungsmittelhaltigen Farben und Lacken in Innenräumen sollte unbedingt auf eine gute Lüftung des Raumes geachtet werden. Auch nach dem Antrocknen des Lackes sollte immer wieder – häufiger als sonst – gelüftet werden, da später noch kleinere Mengen von Lösungsmittelresten verdunsten können. Bei beginnenden Vergiftungssymptomen wie Kopfschmerzen, Übelkeit oder Schwindelgefühl muß die Arbeit sofort abgebrochen werden. Gegebenenfalls Arzt aufsuchen!

Offene Flammen oder Rauchen sollten beim Umgang mit lösungsmittelhaltigen Lacken unbedingt vermieden werden, da die Lösungsmitteldämpfe meist leicht entzündlich oder explosiv sind und sich bei Berührung mit offenen Flammen Giftgase (z. B. Phosgen) bilden können.

Elektrischer Funkenschlag bildet ebenfalls eine erhebliche Gefahr, wenn in geschlossenen Räumen mit Lacken, Verdünnern usw. hantiert wird. In diesen Räumen sollten daher möglichst keine elektrischen Geräte wie Staubsauger oder elektrische Heizöfen eingeschaltet werden.

Hautkontakt sollte mit Farben und Lösungsmitteln möglichst vermieden werden. Gegebenenfalls müssen Handschuhe getragen werden. Bei *Spritzgefahr* muß darüber hinaus eine Schutzbrille getragen werden.

Stäube von Lacken und Anstrichen sollten *beim Abschleifen* unter keinen Umständen eingeatmet werden. Unter Umständen ist eine Atemschutzmaske empfehlenswert. Vorsicht: Auch beim Abschleifen können nochmals Lösungsmittelreste aus dem Lack entweichen, so daß auch hier für eine gute Durchlüftung gesorgt werden muß.

Vorsicht mit Kindern bei alten Rostschutzanstrichen: Rostschutzanstriche blättern im Laufe der Zeit ab und müssen dann erneuert werden. Diese Rostschutzanstriche sind in der Regel bleihaltig. Dadurch sind insbesondere Kleinkinder in höchstem Maße gefährdet, wenn sie abblätternde Teile dieser Anstriche in den Mund nehmen und verschlucken, da Kleinkinder durch kleine Mengen Blei schon starke Schädigungen des Hirns davontragen können. Aus den USA wird auch noch in jüngster Zeit (20) über derartige Vergiftungsfälle berichtet, die sich allerdings vor allem auf weiße Anstriche mit Bleiweiß beziehen. Alte Rostschutzanstriche sollten daher bei Anwesenheit von Kleinkindern besonders sorgfältig entfernt werden.

Tips zur Abfallbeseitigung

Zumindest eine Zeitlang können *Farbreste* gut verschlossen für eine eventuelle spätere Verwendung aufbewahrt werden. Bei eingetrockneten Farbresten, die gefährliche Stoffe wie zum Beispiel Schwermetalle enthalten, besteht in einigen Städten die Möglichkeit, diese bei Sammelstellen für Sondermüll abzugeben. Falls diese Möglichkeit nicht besteht, sollte man auf die Händler zugehen, bei denen man die Farben und Lacke gekauft hat, und sie auffordern, die Reste zurückzunehmen und zu einer Sondermüllsammelstelle zu bringen.

Lösungsmittelreste, z. B. nach dem Auswaschen von Pinseln, sollte man auf keinen Fall in den Ausguß gießen, da sie schwer abbaubar für die Kläranlagen sind und das Trinkwasser gefährden. Außerdem gehen von Lösungsmitteldämpfen im Kanalisationssystem auch Vergiftungs- und Explosionsgefahren aus.

Falls eine Beseitigung oder Rückgabe von Farb-, Lack- oder Lösungsmittelresten nicht möglich ist, bleibt nur die Möglichkeit, den Rest bei ausreichender Frischluftzufuhr – möglichst im Freien – eintrocknen zu lassen. Die eingetrockneten Reste sind zum Beispiel bei Kunstharzlacken wasserunlöslich und relativ verwitterungsbeständig. Damit ist allerdings eine Freisetzung von Giftstoffen, z. B. bei Schwelbränden in Mülldeponien oder in der Müllverbrennung, noch nicht gewährleistet, wenn diese eingetrockneten Lackreste dann in den Mülleimer wandern.

Die *Adressen der Sammelstellen für Sonderabfälle* in den einzelnen Städten und Gemeinden sind bei Ihrer kommunalen Verwaltung zu erfahren.

Natürliche Lacke

Schon seit Jahrtausenden ist die Verwendung von Naturfarbstoffen wie Indigo, Purpur und Cochenille bekannt. Ihre technologische Bedeutung haben sie mit der Entwicklung synthetischer Farbstoffe weitgehend verloren. Es ist unbestritten, daß Naturfarbstoffe gegenüber den heute verwendeten chemischen Produkten einige Nachteile haben. Leider werden bei dieser Betrachtung Folgeprobleme, wie sie zum Beispiel die Anwendung schwermetallhaltiger Pigmente und giftiger Lösungsmittel mit sich bringen, übersehen.

In einigen Bereichen jedoch erscheint die Anwendung von natürlichen Farben und Lacken sogar vorteilhafter; so gehen die guten Eigenschaften des Holzes wie Diffusionsfähigkeit und lebendige Oberfläche durch den Einsatz von Kunststoffanstrichen verloren.

Die Farbintensität und Vielfalt natürlicher Farben und Lacke ist nicht so groß wie die der chemischen Stoffe, sie trocknen aufgrund ihrer anderen Lösungs- und Bindemittel (meist Wasser bei Wandfarben oder Leinöl bei Lacken) langsam und sind nicht ganz so dauerhaft und witterungsbeständig.

Als Lösungsmittel oder Verdünner wird häufig Balsamterpentinöl eingesetzt, ein Destillationsprodukt aus dem Harz bestimmter Kiefernarten, das bei Kontakt mit der Haut Hautekzeme oder andere Beschwerden hervorrufen kann. Die verarbeiteten Pigmente und Bindemittel sind hingegen unbedenklich. Die Pigmente sind pflanzlicher Herkunft (z. B. farbige Holzbeizen) oder aber Erdfarben zur Abtönung von Wandfarben oder Lacken. Seltener werden künstliche Mineralpigmente wie Oxidgrün oder Ultramarinblau verwendet; jedoch sollte beachtet werden, daß manche Mineralpigmente wie echtes Zinnober, Chromoxidhydratgrün oder Neapelgelb ebenfalls schwermetallhaltig sind. Natürliche Farben und Lacke können in den meisten Bioläden bezogen werden.

Adressen:

Livos Pflanzenfarben, Neustädter Str. 23/25, 3123 Bodenteich, Tel. 05824-1088/1089
Biofa-Naturfarben GmbH, Dobelstr. 22, 7325 Bad Boll, Tel. 07164-4825 und 2221
Auro-Naturfarben, Postfach 1220, 3300 Braunschweig, Tel. 0531/895086
Loba Bio-Produkte, Postfach 1260, 7257 Ditzingen, Tel. 07156/357230

Aglaia Naturfarben, Postfach 810224, 7000 Stuttgart 81, Tel. 0711/721003
Holzweg, R. Brumshagen, Im Rundling 2, 3131 Rehbeck, Tel. 0584/5323
Diese Hersteller bieten in der Regel ein komplettes Programm für alle Lacke, Wand-
farben, Lasuren und Klebstoffe an.
Weitere Hersteller:

Tapir Wachswaren, Allerbachstr. 28, 3354 Amelsen, Tel. 05562/6109; (Schweiz) Alkena,
Baubiologische Holzpflegemittel, Vertrieb für die Bundesrepublik Deutschland:
Turmalin Naturwaren, Käfer & Partner GmbH, Esslinger Str. 48, 7307 Aichwald 3,
Tel. 0711/361095

Verbraucherwegweiser: Schädliche Lacke und Lackhilfsstoffe sowie gangbare Alternativen

Konventionell	gefährliche Inhaltsstoffe	mögliche Alternativen
Lacke für Innen- und Außen- anstriche	hoher Lösungsmittel- anteil	Lacke mit dem Umwelt- zeichen oder natürliche Lacke
Dispersionsfarben für Innen und Außen	Restgehalt an Mono- meren, in geringem Maße auch Lösungsmittel	natürliche Kalk- oder Wasserglasfarben
Lacke für Korro- sionsschutz (Rostschutz)	Schwermetalle	Lacke mit dem Umwelt- zeichen
Abwaschbare Lacke	Mittel gegen Schimmel- pilze (Fungizide)	Lacke mit dem Umwelt- zeichen oder natürliche Lacke; Schimmelpilzbefall durch Lüften vorbeugen!
Abbeizmittel (Lackentferner)	giftige Lösungsmittel	Abbeizpasten auf Natron- lauge (Ätznatron)-Basis oder Soda
Nitro-Verdünner, Terpentinersatz usw.	giftige Lösungsmittel	wasserverdünnbare Lacke oder natürliche Lacke mit Balsamterpentinöl

 Ökorat – Ökotat

● Immer zuerst nach Lacken mit dem Umweltzeichen fragen!
● Auf natürliche Farben und Lacke ausweichen, soweit dies vom jeweiligen Anwendungszweck und vom Preis her möglich ist!
● Beim Verarbeiten von Lacken mit giftigen Inhaltsstoffen unbedingt Vorsichtsmaßregeln beachten!
● Abfälle von Lacken mit giftigen Inhaltsstoffen nicht in den Müll werfen, sondern bei den kommunalen Sammelstellen abgeben! Das gilt auch für lösemittelarme Lacke!

☎ ☎ ☎ ☎ ☎ ☎

— *Kennzeichnung:* Die Kennzeichnung der gefährlichen Inhaltsstoffe von Lacken ist unzureichend und die Symbolik für den Verbraucher unverständlich. Die giftige Wirkung der in den Lacken enthaltenen Stoffe muß klar und deutlich erklärt werden – Symbole alleine reichen auf dem Etikett nicht aus!

— *Blei- und chromathaltige Pigmente* sowie *Cadmiumpigmente* sollten wegen ihrer schädlichen Wirkung auf die Umwelt – in die sie ja letztendlich als Müll doch immer gelangen – schrittweise ganz verboten werden.

Literatur

1 E. Jakubowski: Malerfachkunde, Stuttgart 1980, S. 99–137
2 Ullmanns Enzyklopädie der technischen Chemie, Bd. 15, S. 589 ff.
3 P. Weissenfeld: Holzschutz ohne Gift? Grebenstein 1983
4 Frankfurter Rundschau vom 22. 5. 1984
5 B. Zimmerli u. H. Zimmermann: Gaschromatographische Bestimmung von Spuren von n-Butylzinnverbindungen in Luft, Fresenius-Zeitschrift f. Analyt. Chemie *304*, 23–27 (1980)
6) W. Dulson: Organ. Chem., Fremdstoffe in der atmosphärischen Luft, Stuttgart 1978
7 Bundesministerium des Inneren (Hrsg.): Das Umweltzeichen, Sonderausgabe der Zeitschrift «Umwelt», 16. 1. 1984
8 K. Aurand u. a. (Hrsg.): Luftqualität in Innenräumen, Stuttgart 1982; darin besonders: B. Zimmerli, Modellversuche zum Übergang von Schadstoffen aus Anstrichen in der Luft, S. 235 ff.; B. Hantschke, Chem. u. physik. Prozesse bei der Trocknung von Bautenanstrichmitteln und ihre Auswirkung auf die Beschaffenheit der Luft in Wohnräumen, S. 269 ff.; D. Ulrich u. a., Einfluß von Lackanstrichen auf die Innenraumluftqualität am Beispiel von Heizkörperlacken, S. 283 ff.
9 G. Fodor, Schädliche Dämpfe, Düsseldorf 1972
10 National Research Council (ed.): Chloroform, Carbon Tetrachlorid and other Halomethanes, National Academy of Science, Washington D.C. 1978
11 Der Stern, Nr. 4, Jan. 1984
12 U. Bauer, J. Kanitz, Forum Städte-Hygiene, *34*, 109 (1983)
13 Frankfurter Rundschau vom 13. 12. 1983
14 Ullmanns Enzyklopädie der techn. Chem., Bd. 16, D. Stoye, S. 279 ff. (1978)
15 K. Aurand u. a., Luftqualität in Innenräumen, a.a.O., dort: B. Seifert, S. 41 ff.; Pietrulla, S. 137; Schmier, S. 155, MAK-Liste

16 Umweltbundesamt (Hrsg.): Handbuch gefährliche Stoffe in Sonderabfällen, Berlin 1978

17 Umweltbundesamt (Hrsg.): Anhörung zu Cadmium, Protokoll der Sachverständigenanhörung vom 2.–4. 11. 1981, Berlin, Mai 1982

18) K. A. v. Oeteren, Ersatzstoffe für Chromatpigmente, Schriftenreihe Gefährliche Arbeitsstoffe, Bd. 5, Dortmund 1981

19 Lead-based Paint Kills Kids Annually, Int. J. Occup. Health and Safety 5, S. 20 (1975)

20 Verordnung über brennbare Flüssigkeiten. Fassung vom 5. Juni 1970, BGBl. I, S. 689, in: Merländer/Freytag/Zachen/May: VbF/TRbF. Loseblattsammlung, Köln 1978 ff.

21 Verordnung über gefährliche Arbeitsstoffe (Arbeitsstoffverordnung – ArbStoffV). Neufassung vom 11. Februar 1982, BGBl. I, S. 144. Anhänge I und II in BGBl. I, Nr. 42 vom 2. August 1980, in: Schmatz/Nöthlichs: Sicherheitstechnik. Loseblattsammlung, Berlin 1969 ff.

22 Sicherheit mit Merck. Broschüre der Firma E. Merck, Darmstadt, o. J.

Holzschutzmittel

Mit Holzschutzmitteln auf dem Holzweg?

Holz ist ein dekoratives Naturprodukt, das immer beliebter geworden ist. Viele Anwendungsmöglichkeiten sorgen für seine große Verbreitung: In Dachstühlen und als Deckenbalken verleiht Holz Stabilität, Fassaden werden damit isolierend verkleidet und Innenräume mit Paneelen, Fußbodenbrettern, Regalen und Möbeln behaglich gemacht. Welcher Bauherr oder Mieter möchte da nicht dafür sorgen, daß ihm das Material möglichst lange erhalten bleibt? Und schon zollen viele der Angst vor Insekten und Pilzen Tribut, die chemische Keule wird in Pinselform geschwungen. Hat man auf die Behandlung von Dachstühlen und anderen tragenden Holzteilen (nicht zuletzt wegen behördlicher Vorschriften) kaum Einfluß, will man wenigstens bei der Inneneinrichtung das vermeintlich Beste tun: Der «Vollschutz» muß her! Mit einem Pinselstrich werden Beize, Lack, Insektizide und Fungizide gleichzeitig aufgetragen. «Was soll schon daran Schlimmes sein, schließlich trägt das benutzte Mittel ein amtliches Prüfzeichen», wird sich schon mancher gedacht haben.

Einige Zeit nach der Anwendung des Holzschutzmittels verfliegt dann auch der unangenehme Geruch, manchmal aber bleiben die Kopfschmerzen, oder andere Beschwerden stellen sich ein. Selten wird allerdings ein Bezug zwischen Krankheiten und der Luft im Wohnraum hergestellt, die mit Wirkstoffen geschwängert ist. Und doch kann darin die Ursache liegen. Denn Holzschutzmittel sollen ja extra lange unzersetzt im Holz erhalten bleiben, um den erhofften Schutz über Jahre zu gewährleisten. Sie werden daher im Gegensatz zu Pestiziden im landwirtschaftlichen Bereich eben gerade nicht schnell biologisch abgebaut, sind vielmehr besonders dauerhaft (persistent), einige Wirkstoffe dünsten Jahrzehnte in die Raumluft aus. Lohnt der Nutzen überhaupt das Risiko gesundheitlicher Beeinträchtigungen?

Muß Holzschutz sein?

Um dieser Frage nachgehen zu können, muß man die Lebensbedingungen der wichtigsten Schädlinge kennen. Bedeutsam sind einerseits die Schadinsekten (wie Hausbock, Parkettkäfer und Klopfkäfer), tierische Schädlinge, deren Rolle heute immer kleiner wird. Die meisten Schädlinge lieben feuchtes Holz, nur die oben genannten Arten befallen auch trockenes, bereits verbautes Holz. Aber auch sie brauchen immer Risse oder Löcher zur Eiablage. Bei gut getrocknetem Holz, bei dem keine Risse mehr entstehen, oder bei der Verwendung nicht gefährdeter Holzarten tritt kaum ein Befall auf. Auch eine gewachste oder porenverschließend lackierte Oberfläche schützt das Holzstück vor dem Angriff von Insekten.

Andererseits brauchen auch Pilze, pflanzliche Holzschädlinge, unbedingt Feuchtigkeit zu ihrer Entwicklung. Mindestens 18–20% Holzfeuchte, meist aber mehr, ist für die vielen Pilzarten notwendig. Daher darf in Neubauten nur trockenes Holz verbaut werden. Selbst im Freien bleibt Holz, wenn es überdacht ist, unter dem für Pilze lebensnotwendigen Feuchtigkeitsgehalt, in Innenräumen sorgt die Heizungsluft sowieso für geringere Werte. Nur Fehler beim Bauen oder Bauschäden führen dazu, daß Holz so feucht wird, daß es zu einer einladenden Lebensgrundlage für Schädlinge werden kann.

Holzschutz muß also nicht mit Chemie betrieben werden, wenn
– für die jeweilige Anwendung geeignetes Holz ausgesucht wird,
– intelligent konstruiert wird, so daß das Holz nicht zu feucht werden kann,
– gegebenenfalls die Oberfläche geeignet behandelt wird (1).
Einen sehr guten Überblick über die verschiedenen Schädlinge und die Möglichkeiten, sich dagegen zu schützen, gibt Peter Weissenfeld in seinem Buch «Holzschutz ohne Gift?» (1). Dort werden auch wertvolle Hinweise gegeben, wie man durch richtige Konstruktion auf chemischen Holzschutz verzichten kann.

Auch die Wahl des richtigen Holzes vermeidet die vorbeugende Behandlung mit Insektiziden und Fungiziden. Manche Holzarten «schmecken» den Schädlingen einfach nicht (1, 2). Leider ist heutzutage scheinbar unbehandeltes Holz oft schon mit Pestiziden durchsetzt. Besonders im Sommer gefälltes Holz wird gleich im Wald vor dem Befall chemisch geschützt, denn in dieser Jahreszeit sind die Lebensbedingungen für Pilze und Insekten ideal. Auch Möbelholz ist oft schon behandelt, bevor es auf den Markt kommt. Denjenigen Menschen, die schon durch Holzschutzmittel geschädigt sind und daher allergisch auf kleinste Mengen der entsprechenden Chemikalien reagieren, sei hier zur Vorsicht geraten. Leider haben Bauherren auf den Holzschutz bei tragenden Teilen aus Holz (z. B. Dachstühle, Deckenbalken) kaum Einfluß: Die DIN 68 800 (Holzschutz im Hochbau) schreibt für bestimmte Anwendungen ein «amtlich zugelassenes» Holzschutzmittel vor. Die neueste Form dieser Vorschrift sieht allerdings nicht mehr zwingend einen Schutz vor Pilzen vor, wenn sichergestellt ist, daß ein Schutz vor Feuchtigkeit gewährleistet ist. Mit anderen Worten: Auch hier ist die richtige Konstruktion von hervorragender Bedeutung.

Problematisch wird Holzschutz im Außenbereich, wo die Witterung voll angreifen kann. Die Sonne führt zu oberflächlich hohen Temperaturen, so daß Risse im Holz entstehen. In diese Risse kann dann leicht beim nächsten Schauer Wasser eindringen, und Insekten freuen sich über den netten Eiablageplatz. Peter Weissenfeld empfiehlt hier (1):

– helle Oberflächen, um die Aufheizung durch die Sonne möglichst gering zu halten,

– eine Konstruktion, die für schnelle Ableitung von auftreffendem Wasser sorgt,

– chemischen Holzschutz gegebenenfalls als Unterstützung des baulichen Holzschutzes.

 Fazit: Im Innenbereich ist chemischer Holzschutz allerhöchstens in sehr feuchten Räumen anzuraten, ansonsten ist er überflüssig! Im Außenbereich ist die richtige Konstruktion entscheidend, nicht das «härteste» Mittel!

Was tun bei Befall?

Wenn frisch geschlagenes Holz (eventuell sogar noch mit Rinde, in der Eier von Insekten abgelegt worden sind) verbaut und so die Grundlage für Pilz- oder Insektenbefall geschaffen wurde, wenn durch Bauschäden Holzteile über längere Zeit feucht geworden sind, wenn Insekten durch Fugen und Ritzen an das Ziel ihrer Wünsche, den Dachstuhl, gelangt sind, wenn also Pilze oder Insekten sich genüßlich am Holz laben, ist es

Zeit, gegen sie vorzugehen. Kann man auch jetzt noch auf das Sortiment der Chemieindustrie verzichten?

Fast immer lautet die Antwort: Ja! Schwierig ist lediglich die chemiefreie Bekämpfung des «echten Hausschwamms»*, andere Pilze oder Insekten lassen sich mit garantiert 100%igem Erfolg mit dem Heißluftverfahren bekämpfen. Dabei wird (von einer konzessionierten Firma!!) heiße Luft in den betroffenen, abgedichteten Raum geblasen, bis auch im Innern der Holzteile eine Temperatur von 60° C über eine Stunde gehalten wird (für befallene Kleinteile tut's auch der Backofen). Insekten überleben die Gerinnung ihres Blutes verständlicherweise nicht, Pilze trocknen aus. Weitere Bekämpfungsmöglichkeiten bestehen in der Bohrlochtränkung (1), der Imprägnierung mit Holzessig oder Essigsäure und schließlich mit Bor-Präparaten. Lassen sich andere Mittel nicht vermeiden, sollte auf Salze zurückgegriffen werden, die keine Stoffe an die Raumluft abgeben (s. unten). Bei stärkerem Befall sollten Sie unbedingt einen Fachmann zu Rate ziehen, ohne sich jedoch gleich Gifte aufschwatzen zu lassen!

Welche Mittel sind auf dem Markt?

10 Millionen Quadratmeter Holzfläche werden derzeit weltweit jährlich mit Holzschutzmitteln behandelt (3). In der Bundesrepublik werden 150 Millionen DM verstrichen oder verspritzt (4). Etwa 40 000 Tonnen Holzschutzmittel wurden 1982 in der BRD verbraucht (5). 205 Mittel waren 1984 vom Institut für Bautechnik/Berlin «amtlich zugelassen» (1).

Grob kann man die Holzschutzmittel unterteilen in
- wasserlösliche Präparate (Salze)
- ölige (lösemittelhaltige) Mittel.

---

* Der echte Hausschwamm ist ein gefährlicher holzzerstörender Pilz, den man hauptsächlich in Altbauten findet. Nur bei der Entstehung braucht er Feuchtigkeit, anschließend kann er auch trockenes Holz befallen. In den Pilzsträngen kann meterweit Wasser transportiert werden. So überbrückt der Hausschwamm auch Mauerwerk; er wird deshalb auch oft fälschlicherweise als «Mauerschwamm» bezeichnet (1). Zur Identifizierung ist Bildmaterial geeignet, das Sie als «Holzschutzfibel» kostenlos beziehen können bei: Desowag-Bayer GmbH, Roßstraße 76, 4000 Düsseldorf 30.

Das Prüfzeichen

Wer das «amtliche Prüfzeichen» für eine Unbedenklichkeitsbescheinigung hält, ist leider auf dem Holzweg: Geprüft wird nur die Wirksamkeit eines Mittels gegen Pilze oder Insekten. Gesundheitsgefahren für den Menschen werden in den Prüfbescheiden lediglich folgendermaßen zusammengefaßt:

«Bei der Anwendung sind insbesondere die für den Arbeits- und Unfallschutz geltenden Vorschriften (z. B. Verordnung über gefährliche Arbeitsstoffe, Verordnung über den Verkehr mit Giften, Verordnung über brennbare Flüssigkeiten) entsprechend der Kennzeichnung auf dem Gebinde zu beachten. Das Mittel ist gesundheitsschädlich beim Einatmen und Verschlucken, es reizt Haut und Augen.»

Eine zusätzliche gutachterliche Stellungnahme des Bundesgesundheitsamtes führt dann eventuell zu Anwendungsbeschränkungen wie

«. . . nicht an großflächigen Holzbauteilen . . . innerhalb oder als Begrenzung von Räumen, die zu dauerndem Aufenthalt von Menschen und Tieren sowie zum Lagern von Lebens- oder Futtermitteln bestimmt sind, wenn die Holzbauteile zum Innenraum hin nicht durch Bekleidungen abgedeckt werden; nicht bei Holz, das in direkten Kontakt mit Lebens- oder Futtermitteln kommen kann.»

Dementsprechend enthält das Prüfzeichen auch nur Hinweise auf die Wirksamkeit eines Mittels. Gesundheitsgefahren müssen stets angenommen werden, denn was für Insekten und Pilze giftig ist, kann auch dem Menschen gefährlich werden.

P = vorbeugend und bekämpfend gegen Fäulnispilze, schließt Iv mit ein
Iv = vorbeugend wirksam gegen Insekten
Ib = insektenbekämpfend bei Befall
W = witterungsbeständig bei Holz ohne Erdkontakt
E = auch für Holz bei extremer Beanspruchung

M = zur Bekämpfung von Schwamm im Mauerwerk

Fazit: Die Prüfung eines Holzschutzmittels durch das Institut für Bautechnik (bzw. die Bundesanstalt für Materialprüfung, BAM) ist völlig unzureichend, um einen Verbraucherschutz zu gewährleisten. Dennoch berufen sich viele Hersteller immer wieder auf den Prüfbescheid, um daran die Harmlosigkeit ihres Produkts zu demonstrieren. Selbst diese lächerliche Prüfung ist aber nur für Mittel vorgeschrieben, die nach DIN 68 800 zur Behandlung tragender Bauteile zugelassen werden wollen. Für andere Mittel (etwa und gerade für den Hobby-Bereich) gibt es überhaupt keine Zulassungs- oder auch nur Registrierungspflicht (6) und damit auch keine amtliche Liste aller in der BRD vertriebenen Holzschutzmittel. Im Extremfall kann das bedeuten, daß Sie Ihren Kaffeesatz als Weltneuheit auf dem Holzschutzsektor vermarkten dürften (ohne daß es eine Behörde je erführe).

Salzhaltige Mittel

Was sich hinter den Kürzeln CF, SF, B usw. verbirgt, können Sie der Tabelle entnehmen. Dort sind auch – ohne Anspruch auf Vollständigkeit – Handelsnamen aufgeführt, die die Identifizierung erleichtern sollen. Eine Einschätzung der Gefährlichkeit dieser verschiedenen Salze enthält der Abschnitt über Gesundheitsgefahren. Alle Salze wirken vorbeugend gegen Insekten und pilzhemmend. Die HF-Salze sind amtlicherseits auch zur Bekämpfung von Insektenbefall zugelassen.

Alle salzhaltigen Mittel sind, wenn auch in unterschiedlichem Maße, mit Wasser auswaschbar. Sie werden deshalb bevorzugt dort angewandt, wo ein Naßwerden nicht zu befürchten ist (z. B. Dachstühle, Konstruktionsholz). Hauptsächlich verwendet man dabei SF- und CKB-Salze. HF-, B- und CFB-Salze haben eine geringere Verbreitung (5). Wenn mit Salzen behandelte Dachbalken vor dem Einbau oder dem Dachdecken längere Zeit im Regen stehen, werden die Substanzen ausgelaugt, die Wirksamkeit verringert sich. Im Außenbereich (Masten, Pfähle, Brücken etc.) benutzt man oft Salze, die nach einiger Zeit durch eine chemische Reaktion im Holz fixiert (und daher nur noch z. T. auswaschbar) sind, insbesondere CKA-, CKB- und CKF-Salze. Meist werden sie gleich industriell unter Druck in das Holz eingebracht.

Salzhaltige Holzschutzmittel

Bezeichnung/typ. Zusammensetzung	Handelsnamen
CF-Salze Chromat-Fluorid-Salze	Adolit UHZ Basilit UHL Basilit ULL Bekarit UL Corbal U 15-8907 Corbal U 40-8603 Corbal U 50-8540 orange, grün, rot HV 2-US-Salz Impralit UZ Kulbasal ULL Osmal ULL Wolmanit U-Reform T
CFA-Salze Chromat-Fluorid-Arsenat-Salze	Es ist kein Mittel mit Prüfzeichen auf dem Markt (vermutlich wegen der Giftigkeit des Arsens).
SF-Salze Silikat-Fluorid-Salze	Adexin-SF Basilit SF Bekarit-SF Corbal SF-8511 HV 3-Holzschutzsalz Impralit SF Kulbasal SF O.S.C. 63 Osmol RS Wolmanit HB
HF-Salze Hydrogenfluorid-Salze	Adolit BFA Basilit TS Bekarit-HB Bekarit-TS Impralit BF Osmol BFA Osmol WB 4
B-Salze Borat-Salze	Adolit B Basilit B Corbal BB-8509 Diffusit HV 1 B-Holzschutzsalz Impralit B 1 Kulbasal B

Bezeichnung/typ. Zusammensetzung	Handelsnamen
	Kulbasal B flüssig
CK-Salze	Basilit KM
Chromat-Kupfer-Salze	
CKA-Salze	Celcure K 33
wie CK, zusätzlich Arsenat	Kemira K 33
	Tanalith C
CKB-Salze	Adexin-CKB
wie CK, zusätzlich Borat	Adolit CKB
	Adolit CKB braun
	Basilit CCB
	Corbal CKB-8503
	Impralit CKB
	Kulbasal CKB
	Tanalith CBC
	Wolmanit CB
	Wolmanit CBa
	Wolmanit CB-P
CKF-Salze	Basilit CFK
wie CK, zusätzlich Fluorid	
CFB-Salze	Adexin-UFB
Chromat-Fluorid-Borat-Salze	Basilit UB
	Impralit UG
	Kulbasal U flüssig
	Wolmanit U-FB

Lösemittelhaltige und ölige Holzschutzmittel

Zu dieser Gruppe mit organischen Pestiziden gehören auch die altbekannten Teerölpräparate wie Carbolineum. In neuerer Zeit haben aber Mittel aus synthetischen organischen Fungiziden und Insektiziden auf der Basis von Lösemitteln an Bedeutung gewonnen. Waren die Teerölpräparate traditionell zur Imprägnierung im Außenbereich verwandt worden (Zäune, Eisenbahnschwellen – also Holz mit Erdkontakt, das besonders stark beansprucht wird), so wurden die Lösemittel-Präparate immer mehr auch in Innenräumen verwendet. Das nicht zuletzt deshalb, weil profitorientierte Wirtschaftsbetriebe damit auch den «Vollschutz» für Paneele o. ä. versprachen, einen Schutz, der völlig überflüssig ist. Welche Substanzen die Mittel enthalten, die Sie selbst vielleicht früher noch guten Gewissens in Ihrer Wohnung verstrichen haben, soll Ihnen die umfangreiche – aber nicht vollständige – Tabelle zeigen. Die Zusammenstellung basiert auf Recherchen der Zeitschrift *Stern*, Anfragen bei Firmen, beim Bundesgesundheitsamt und beim Institut für Bautechnik (5). Wenn die Tabelle dennoch lückenhaft ist, so zeigt das vor allem die Schwierigkeit, ausreichende Informationen von den Herstellern zu bekommen. Sie verschweigen ihre Produktzusammensetzung als Firmengeheimnis, und so bleibt es auch dem Verbraucher ein Geheimnis, welches Gift er nach einer Anwendung des Mittels X jahrelang verkraften muß. Anzumerken ist zu dieser Liste, daß PCP-haltige Mittel im Heimwerkerbereich seit etwa zwei Jahren praktisch nicht mehr angeboten werden. Zum Teil haben die Hersteller jedoch die früheren Markennamen beibehalten. Bei heute hergestellten Holzschutzmitteln muß indessen der Gehalt an PCP und an Lindan auf der Packung angegeben werden.

Falls Sie noch eine ältere Packung mit Holzschutzmitteln im Hause haben, sollten Sie vor der Verarbeitung unbedingt in der Liste nachsehen, ob sie PCP und/oder Lindan enthält. Ein solches Produkt sollten Sie sofort zu einer kommunalen Sammelstelle für Sondermüll bringen.

Die häufigsten Wirkstoffe sind nach Kenntnis des Bundesgesundheitsamtes (6):

#* PCP (Pentachlorphenol)		#* Phenylquecksilber-
# Lindan (Gamma-Hexa-		Oleat
chlorcyclohexan)		Carbendazim
Furmecyclox		Ethylparathion
#* Endosulfan		Baycarb
Chlorthanolil		Phoxim
# Dichlofluanid		Xyligen Al
#* TBT-(Tributylzinn-)		Xyligen K
Verbindungen		

\# Diese Mittel müssen auf der Verpackung angegeben sein.

* Vor der Verwendung dieser Mittel im Haus warnt das Bundesgesundheitsamt!

Holzschutzmittel mit organischen Pestiziden

Handelsname	Wirkung	Insektizid	Fungizid
Nur vorbeugend gegen Insekten			
Aidol Fertigbau	Iv	*	−
Aidol Fertigbau F	Iv	*	−
WTA-GH-314	Iv	Lindan 0,45%	−
Vorbeugend und bekämpfend gegen Insekten			
Adexol Holzwurm extra	Iv, Ib	#	−
Aidol GS	Iv, Ib	Lindan 2,0%**	−
Altari I	Iv, Ib	Lindan 1,5%, evtl. zusätzl. #	−
Avenarol 65-8209 farblos und braun	Iv, Ib	Lindan 1,0%, evtl. zusätzl. #	−
Bekarol-Hausbock FG		Lindan 1,5%	−
Impra HG Spezial		Lindan 1,0%	
Kulbanol IB geruchs- schwach		Lindan 1,2%	−
Osmoleum Hg extra	Iv, Ib	Lindan 1,0%	−
Xylamon BV-300	Iv, Ib	Lindan 0,9%	−
Xylamon BV-Spezial		Lindan 0,9% Ethylparathion 0,75%	
Imprägniermittel (ohne Bindemittel und Pigmente)			
Aldexol Holzschutzöl	P, Iv, Ib	# #	PCP 1,5% +
Aldexol Holzschutzöl 180	P, Iv	# #	PCP 2,35% +
Aidol HK Imprägniergrund	P, B, Iv	Lindan 0,5%**	PCP-Amin 6,7%
Altari PI	P, Iv, Ib	Lindan 0,5%	+ +
Avenarol BK 8210 farblos und braun	P, Iv, Ib	Lindan 1,0%	PCP 5% +
Avenarol BK 8201 farblos und braun	P, Iv, Ib	Lindan 1,0%	PCP 5% +
Bekarol-Extra-FG		Lindan 1,5%	PCP 5% od. TBTO 1,0%
Fertighaus Avenarol 8214 farblos und braun	P, B, Iv	Lindan 0,5%	PCP 5% +
Gori Holzimprägnierung x 120	P, Iv	Lindan 0,5%	+ +
HV-8 Hausbockmittel geruchsschwach		Lindan 0,5%	TBTO
Impra Fertigbau		Lindan	PCP 6,7%
Impra HG		Lindan 1,0%	PCP 5,0%
Konseral-B-Spezial		Lindan 1,0%	PCP 5,5%

Handelsname	Wirkung	Insektizid	Fungizid
Kulbanol HB-geruchsschwach		Lindan 0,5%	PCP 6,0%
Kulbanol Holzbau 120	P	Lindan 0,5%	++
Lulbanol V-GS		Lindan 0,6%	PCP 6,0%
Kulbanol V kombiniert		Lindan 0,8%	PCP 8,0%
Osmoleum HG	P, Iv, Ib	Lindan 1,0%	PCP 5,0% +
Super Secu geruchsschwach	P, Iv	# #	++
Wolmanol BX	P, Iv	Lindan 1,5%	++!
Wolmanol Holzbau	P, Iv	Lindan 0,5%	++!
Wolmanol Holzbau 55	P, Iv	#	unbekannt!
Wolmanol Holzbau 150	P, Iv	Lindan 0,5%	++!
Xylamon Combi		Lindan 1,0%	PCP 5,5%
Xylamon Combi B	P, Iv, Ib	Lindan 0,9%	++
Xylamon Combi N	P, Iv, Ib	Lindan 0,9%	++
Xylamon Combi S	P, Iv, Ib	# #	PCP 5,5%+
Xylamon Holzbau		Lindan 0,7%	PCP 6,5%
Xylamon Holzbau 100		Lindan 0,5%	Xylasan Al 5,0%
Xylamon Holzbau 150	P, Iv, Ib	Lindan 0,5%	++
Xylamon Holzbau S	P, Iv	# #	PCP 7,0% +

Grundierungen (mit Bindemitteln, ohne Pigmente)

Handelsname	Wirkung	Insektizid	Fungizid
Aldexol-Holzgrund	P, Iv	# #	PCP 1,5% +
Aldexol-Holz-imprägniergrund	P, Iv	#	unbekannt
Aidol VT	P, Iv	Lindan 0,4% **	PCP-Amin 5,0%
Avenarius Imprägnier-grundierung 8212	P,Iv	#	++ (kein PCP, keine Quecksilberverb.)
Bekarol FG		Lindan 0,5%	PCP 5,0% oder TBTO 1,0%
Einz'a Holschutz Imprägnierung	P	Lindan Mergal IB 45	++ (kein PCP, kein TBTO, keine Quecksilberverbindungen)
Fungol Holzschutzgrund	P, Iv	Lindan 0,5%	++!
Fungol Imprägniergrund 55	P, Iv	Lindan 0,5%	++!
Glassomax-Imprägnier-grundierung 115-75	P, Iv	Lindan 0,5%	++ (vermutlich Dichlofluanid)
Gori Holzgrund 120	P, Iv	Lindan 0,5%	++
Impra Fertigbau 120		Lindan 0,5%	Dichlofluanid TBT-Benzoat
Impra Holzschutzgrund		Lindan 0,5%	Dichlofluanid Xyligen B

Handelsname	Wirkung	Insektizid	Fungizid
Impra Naturgrund		Lindan 0,5%	PCP 5,0% Dichlofluanid
Kulbanol Grund 120	P	Lindan 0,5%	+ +
Kulbanol Imprägniergrund		Lindan 0,6%	PCP 6,0%
Lignex-Imprägniergrund	P, B, Iv	Lindan 0,5%	+ + (kein TBT, keine Quecksilberverb.)
Pigrol-Grund	P, Iv	Lindan 0,75%	+ +
Sikkens Imprägnierung M-farblos	P, Iv	wahrscheinlich gleich mit Sikkens Imprägnierung schnelltrocknend, s. u.	
Sikkens Imprägnierung schnelltrocknend		Endosulfan 0,2%	Phenylquecksilberoleat (0,3) TBTO 1,2%
Sadotect		Lindan 0,5%	Furmecyclox Dichlofluanid
Wolmanol Fertigbau	P, Iv	Lindan 0,5%	+ + !
Xylamon-Hell-N	P, Iv	Lindan 0,5%	+ +
Xylamon Holzschutzgrund		Lindan 0,45%	Furmecyclox 2,0% Dichlofluanid 0,55%
Xylamon Imprägniergrund S	P, Iv	# #	PCP 6,0 +
Xylatekt		Lindan 0,4%	PCP 5,5% Dichlofluanid 0,55%
Xylatekt I		Lindan 0,6%	PCP 5,5% TBTO 1,5% Dichlofluanid 0,55%
Xylatekt I 100	P	Lindan 0,6%	+ +
Lasuren (mit Bindemitteln und Pigmenten)			
Avenarol Color 8218	P, Iv	Lindan 0,5%	PCP 5,0% +
Avenarol VA-8226	P, B, Iv	Lindan 0,5%	PCP 6,5% +
Fertighaus Avenarol 8220 pigmentiert	P, Iv	Lindan 0,3%	PCP 5,0%
Gori 22 Fertigbau	P, B, Iv	#	+ +
Gori Fenstergrund L	P, (B), Iv	#	+ +
Gori Holzschutzgrund	P, B, Iv	#	kein PCP, wahrscheinlich TBT
Kulba-Lasur		Lindan 0,6%	PCP 5,0%
Sadovac Imprägnier- Grundierung		Endosulfan	PCP 5,5% Dichlofluanid

Handelsname	Wirkung	Insektizid	Fungizid
Wolmanol Fertigbau F	P, (B), Iv	#	unbekannt, !
Wolmanol Fertigbau G	P, (B), Iv	#	unbekannt, !
Wolmanol Goldgelb	P, Iv	Lindan 0,5%	+ + !
Xyladecor 300	P, Iv	unbekannt, falls ähnlich wie Xyladecor 200: Lindan 0,4%	Xylasan B 1,0% Dichlofluanid 0,6%

Sonstige Mittel

Handelsname	Wirkung	Insektizid	Fungizid
Gori vac. 80	P, Iv	Lindan 0,5%	+ +
Sadolin Sadovac 2274		Mergal IB 45 0,3%	TBTO 1,8%
Sadovac 561-2248	P, Iv	# #	PCP 7,0% +
Wolvac	P, Iv	Lindan 0,5%	+ + !
Wolvac 55	P, Iv	unbekannt	unbekannt, !
Wolvac WR	P, Iv	unbekannt	unbekannt, !

Zeichenerklärung

*   wahrscheinlich Lindan (0,5-1,0%) und/oder Endosulfan (0,15-0,6%)
**   eventuell zusätzlich Endosulfan (ca. 0,6%)
#   unbekannt, wahrscheinlich (da häufig) Lindan und/oder Endosulfan und/oder Ethylparathion, möglich ist auch Phoxim und/oder Baycarb und/oder TBTO
# #   kein Lindan, wahrscheinlich Endosulfan und/oder Ethylparathion, evtl. Baycarb und/oder Phoxim
+   eventuell (P) bzw. sehr wahrscheinlich (B) weitere Fungizide
+ +   wahrscheinlich TBTO und/oder Furmecyclox und/oder Xyligen Al und/oder Xylasan Al und/oder Dichlofluanid
!   enthält wahrscheinlich Xyligen Al

Hinweis
Für die Richtigkeit der Angaben in dieser Tabelle kann keine Gewähr übernommen werden. Die Zusammensetzung einzelner Präparate kann sich inzwischen geändert haben. Vertrauen Sie niemals den Angaben Ihres Händlers, lassen Sie sich Inhaltsstoffe im Zweifel schriftlich bestätigen (aber nur direkt vom Hersteller!).

Holschutzmittel auf der Basis von Steinkohlenteer und Chlornaphthalin

Handelsname	Insektizid	Fungizid
Adexol-Braun	# #	PCP 5%
Aidol VR	Lindan 0,5%	PCP 6,7%
Bekarol	Lindan 0,5%	PCP 4–5%

Handelsname	Insektizid	Fungizid
HV 13	Lindan 0,5%	kein PCP, laut Hersteller nur wegen Teeröl fungizid
Impra DG	Lindan 0,5%	PCP 3–5%
Konseral VT	Lindan 0,3%	PCP 2%
Kulbanol V braun	# #	PCP 5%
Kulbanol V-GS braun	Lindan 0,5%	PCP 5%
Original Avenarius 8301	Lindan 0,5%	PCP 3%
Xylamon Braun S	Lindan 0,5%	PCP 5%
Xylamon KM	Lindan 0,5%	PCP 5%
Xylamon Naturbraun	Lindan 0,5%	PCP 5, 4%

Gesundheitsgefahren

«Viele hatten mangels Verbraucherinformation und -schutz große Mengen der giftigen Holzschutzmittel selbst angewendet und bereits dabei akute Vergiftungen mit den in der Fachliteratur als typisch bezeichneten Symptomen erlitten: starkes Schwitzen, Abmagerung, stechende Bauchschmerzen, Herzrhythmusstörungen bis zum Kollaps, Nerven- und Augenschäden, Juckreiz am ganzen Körper, Ekzeme. Bei allen diesen Betroffenen stellten sich später auch Symptome ein, über die auch die übrigen Betroffenen klagen und die typisch für eine chronische Vergiftung sind: Haarausfall, Bindehautentzündung, Kopfschmerzen, Rachen- und Mandelentzündungen, Muskelzucken, Bronchitis, Müdigkeit, Schwindelanfälle, Depressionen und Aggressionen.
Auffällig war, daß mehrere Betroffene seit Jahren krankhaft veränderte Leber- und Immunglobulinwerte haben, über immer wiederkehrende Ekzeme und Herzrhythmusstörungen klagen, und die Ärzte nicht helfen können. Bei einigen Betroffenen treten die Beschwerden so massiv auf, daß sie vorübergehend arbeitsunfähig wurden oder sogar Frührentner sind. Ein Vater berichtete, daß seine Tochter in einem mit Holzschutzmitteln (Xyladecor) behandelten Raum aplastische Anämie (Knochenmarkschwund) bekam und starb. Eine Frau verlor auf gleiche Weise ihren Mann. Ein anderer Vater, der 50 Liter des PCP-haltigen «Sadolin PX 65» in seinem Haus verstrichen hatte, fand sein 13 Monate altes Töchterchen schweißnaß und verkrampft im Bett. Das Kind war tot. Wegen eines schweren Sturmes war das Zimmer in Unkenntnis der Gefahren 24 Stunden nicht gelüftet worden» (7). So eindrucksvoll schildert ein Protokoll vom ersten Treffen der Holzschutzmittelgeschädigten die Gesund-

heitsgefahren durch Holzschutzmittel. Die Betroffenen haben sich organisiert, die Adresse finden Sie am Ende dieses Kapitels. Im Zentrum des Unmuts stand vor allem PCP, Pentachlorphenol, das für die meisten Schäden verantwortlich gemacht wird. Dazu später. Sind die übrigen Mittel weniger gefährlich?

Salze

Alle Salze in Holzschutzmitteln sind zunächst wasserlöslich. Diejenigen, die Chromverbindungen enthalten, reagieren bei der Anwendung mit dem Holz zu schwerlöslichen Verbindungen, sie werden «fixiert». Die Ursache besteht in der Veränderung des Chroms von der sechswertigen zur dreiwertigen Form. Sechswertiges Chrom, Chromat (VI), gilt als krebsauslösend, der Umgang mit dem Salz ist deshalb nicht ungefährlich. Zumindest für Innenräume sollten diese Mittel daher verboten werden (8). Die Zeit, die für die Fixierung im Holz verstreicht, wird von einigen Firmen mit 10 Tagen (9) bzw. zwei Wochen (10) angegeben. Wissenschaftler sprechen dagegen von mehreren Wochen (11) bis zu 200 Tagen (12). In der Praxis wird wohl des öfteren ein behandeltes Werkstück schon vom Regen ausgelaugt, bevor die Wirkstoffe fixiert sind. Das vermindert nicht nur die Schutzwirkung, auch die Umwelt wird belastet. Bei CF-Salzen ließen sich 4 Wochen nach der Behandlung noch ca. 6–10% des Chroms und max. 26% des Fluors auswaschen (13).

Beim Gebrauch im Haus überwiegen bei vielen fluoridhaltigen Salzen die Gefahren, die mit einer Ausgasung von Wirkstoffen verbunden sind: Alle Mittel dieser Art (CF-, CFA-, SF-, HF-, CKF- und CFB-Salze) geben nämlich teilweise erhebliche Mengen an Fluorwasserstoff-Gas (chem.: HF) ab. Nicht umsonst empfehlen einige Hersteller für die Anwendung einen Atemschutz! Besonders problematisch sind die überwiegend im Hochbau verwandten SF- und HF-Salze. In den vier Jahren nach der Aufbringung gasen täglich ca. 10 mg Fluorwasserstoff pro behandeltem Quadratmeter aus (rechnerisches Beispiel, durchschnittliche Ausgasung) (5). Die Konzentration in der Raumluft hängt nun von vielen Faktoren ab (aufgebrachte Menge, Oberflächengröße, Lüftung u. a.), der Vergleich mit den Grenzwerten für die Einwirkung des Gases (Immision) vom Verein Deutscher Ingenieure (14) zeigt aber, in welch gefährlicher Größenordnung die Gasabgabe liegt:

Fluorwasserstoffabgabe pro Tag = ca. 10 mg/m²
Max. Immissionskonzentration (1 Tag) = 0,1 mg/m³
Langzeit-Grenzwert (chron. Belastg.) für 1 Jahr = 0,05 mg/m³

Ein konstruiertes Rechenbeispiel mag das verdeutlichen: In Ihrem Wohnzimmer (Maße: 4 m × 4 m, Höhe 2,50 m) mit 40 m³ Rauminhalt ist eine Wand mit Paneelen verkleidet, die Sie mit HF-Salzen behandelt haben. Im Durchschnitt werden dann täglich 4 m × 2,50 m × 10 mg/m² = 100 mg Fluorwasserstoff an die 40 m³ Raumluft abgegeben. Das ergibt eine Konzentration von 100 mg/40 m³ = 2,5 mg/m³.

Gewarnt werden muß auch ausdrücklich vor den arsenhaltigen Holzschutzsalzen. Arsenhaltige Mittel mit amtlichen Prüfzeichen sind seit einigen Jahren allerdings nicht mehr auf dem deutschen Markt. «Ausblühungen», also an der Oberfläche wieder kristallisierende Salze, sind eine besondere Gefahr für Kinder und Tiere, die daran lecken. Die tödliche Arsendosis liegt im Bereich von ca. 100 mg!

Im Gegensatz zu anderen Ländern finden Bor-Präparate (B-Salze) in der Bundesrepublik kaum Abnehmer. Zwar werden sie besonders leicht vom Regen ausgewaschen, aber wo diese Gefahr nicht besteht, sind sie eine gute Alternative zu den anderen Salzen. Borate sind nur wenig giftig (akute tödliche Dosis: 2–5 g Borsäure, 15–30 g Borax) (15) und unterliegen deshalb keinerlei Anwendungsbeschränkungen (6). Auch gasen sie nicht in die Raumluft aus. Die erhältlichen Handelsprodukte können Sie der Tabelle 1 entnehmen. Übrigens sind als «Bio-Mittel» vermarktete Borpräparate meist erheblich teurer als konventionelle Mittel, obwohl sich der Inhalt nicht unterscheidet.

 Fazit: B-Salze sind empfehlenswerte Holzschutzmittel in trockenen Anwendungsbereichen. Vor allen anderen Holzschutzsalzen, insbesondere den fluoridhaltigen F-Salzen, müssen wir warnen, da sie entweder giftiges Fluorwasserstoff-Gas an die Raumluft abgeben oder extrem giftige Stoffe enthalten.

Organische Holzschutzmittel

Praktisch alle Holzschutzmittel mit organischen Pestiziden geben ihre Wirkstoffe über einen längeren Zeitraum auch an die Umgebungsluft ab, dafür sind sie größtenteils auswaschbeständig, können daher im Außenbereich eingesetzt werden. Für den Menschen bestehen grundsätzlich Gefahren für die Gesundheit, die von den einzelnen Wirkstoffen, ihrer Menge, der behandelten Fläche, der Raumtemperatur, der Raumlüftung, der Aufenthaltsdauer, dem Zusammenwirken der Stoffe und nicht zuletzt von der individuellen Empfindlichkeit abhängen. Zwar können heute eine Reihe von Beschwerden mit der Einwirkung von Holzschutzmitteln in Verbindung gebracht werden, der streng wissenschaftliche Beweis (der von den Herstellern, nicht von den Betroffenen gefordert wird) ist aber höchstens im Einzelfall zu führen. Aus diesem Grund können wir hier nur von der Verwendung bestimmter Mittel abraten, denen ein Gefahrenpotential innewohnt.

 Grundsätzlich ist die Ausdünstung der verschiedenen Mittel besonders groß
- bei und in den ersten Wochen nach der Anwendung
- bei hohen Temperaturen
- bei niedriger Luftfeuchtigkeit.

Für einige Wirkstoffe hat das Bundesgesundheitsamt Grenzwerte genannt, die «maximalen Innenraum-Luft-Konzentrationen» (MIK), die keinerlei Verbindlichkeit besitzen. Bei Unterschreitung dieser Werte sollen keine Folgen für die Gesundheit zu erwarten sein. Diese Aussage ist aber mit Vorsicht zu genießen, sensible Personen oder das Zusammenwirken mit anderen Stoffen sind kaum berücksichtigt. Zudem kommen wir heute immer häufiger über Umwege mit zusätzlichen Mengen von Holzschutzmitteln in Berührung: So fand man 1984 mehrfach das Fungizid PCP in Lebensmitteln, die in Holzkisten transportiert worden waren (16). Unbelastetes Holz ist auch nur noch schwer aufzutreiben, war es schon bisher üblich, bereits im Wald, dann im Sägewerk und schließlich bei der Verarbeitung Holzschutzmittel anzuwenden, so tut jetzt das Waldsterben noch ein übriges. Im Kampf gegen den holzzerstörenden Borkenkäfer gab das Landwirtschaftsministerium in Bayern im Frühjahr 1984 kostenlos das Insektizid «Lindan» (Gamma-HCH) ab, das vor allem in der kürzlich stillgelegten Hamburger Giftküche Boehringer produziert wurde. Erst nachdem zwei Bauern 3 Tage unter akuten Vergiftungserscheinungen zu leiden hatten, wurde die kostenlose Giftabgabe eingestellt (17).

Über akute Gesundheitsschäden klagen nicht nur viele Heimwerker, auch in öffentlichen Gebäuden kommt es mitunter zu Vergiftungen. So im Fall einer mit dem Mittel «Xylamon» behandelten Turnhalle, die geschlossen werden mußte, nachdem Schüler mit Augen- und Hautreizungen ins Krankenhaus eingeliefert werden mußten (18).

Die häufigsten Wirkstoffe sollen hier näher beschrieben werden, um Grundsätzliches zu den Gefährdungen zu sagen. Ähnliches gilt auch für eine Reihe anderer Mittel, die anschließend bewertet werden.

Pentachlorphenol (PCP)

Pentachlorphenol ist ein leider immer noch weitverbreitetes Fungizid, die Interessengemeinschaft der Holzschutzmittel-Geschädigten fordert konsequent ein Verbot dieses Wirkstoffes (19), in Kanada und Schweden ist das schon Wirklichkeit (21). Dafür gibt es eine Reihe von Gründen. Zunächst stellte die Interessengemeinschaft fest, daß etwa 90% aller Betroffenen, die sich mit Beschwerden an sie gewandt hatten, dieses Mittel verstrichen hatten. Verwendung findet PCP nicht nur im Holzschutz, sondern zu Konservierungszwecken auch (19–1)

– in der Papier- und Zellstoffindustrie
– in der Textilindustrie
– bei der Herstellung von Klebern und Leimen
– in Dispersionsfarben, Ölfarben, Öl- und Nitrolacken
– in Kühlwasser-Systemen
– in Sanitär- und Industrie-Reinigern.

Folglich haben auch solche Menschen PCP im Körper, bei denen ein Kontakt mit Holzschutzmitteln nicht bekannt ist. Durchschnittlich mißt man 10 µg in einem Liter Urin (6), bei belasteten Personen findet man im Schnitt die dreifache Menge (6, 8).

Raumluftgehalte an PCP sind wegen der zahlreichen Beschwerden mittlerweile recht häufig gemessen worden. Dabei zeigte sich weder ein deutlicher Zusammenhang des prozentualen Gehalts an PCP im Handelsprodukt mit der Raumluftkonzentration noch eine deutliche Abnahme der Luftkonzentration mit der Zeit nach der Behandlung des Holzes (20). In der entsprechenden Studie wurde auch festgestellt, daß PCP von Dachstühlen bis ins (unbehandelte) Schlafzimmer wandert, wenn die Konzentration dort auch um den Faktor 2–10 geringer ist. In gelagerten Lebensmitteln und im Hausstaub findet sich das Gift ebenfalls.

Bis zu 30 µg PCP pro Kubikmeter Raumluft während des ersten Monats nach der Verwendung, bis 10 µg/m³ noch nach 10 Jahren müssen erwartet werden (20). Aber auch Werte bis zu 160 µg/m³ sind schon gemessen worden (5). Die vom Bundesgesundheitsamt festgelegte maximale Raumluftkonzentration beträgt 60 µg/m³, Dobbs und Williams (20) berechnen an Hand der «duldbaren täglichen Aufnahmemenge» (ADI, siehe Glossar) 11 µg/m³, Zeschmar und Lahl (8) halten nur 0,25 µg/m³ für vertretbar. Letztere ziehen daraus die Schlußfolgerung, «daß PCP in Innenräumen nicht verwendet werden darf, um eine Schädigung sicher auszuschließen».

Außer beim PCP weiß man bisher kaum etwas über Verunreinigungen der eigentlichen Wirkstoffe mit anderen Chemikalien (bzw. drang bisher nichts an die Öffentlichkeit). Beim PCP sieht es allerdings erschreckend genug aus: Unter anderen (!) werden Dioxine (PCDDs) und Furane (PCDFs) aus dem Produktionsprozeß bis in die verkaufsfertige Dose mitgeschleppt. In kommerziellem (technischem) PCP sind enthalten (6):

Tetra-CDDs	0,03–0,25	Tetra-CDFs	0,02–0,45
Penta-CDDs	0,03–0,08	Penta-CDFs	0,03–0,65
Hexa-CDDs	0,03–100	HexaCDFs	0,1–39
Hepta-CDDs	0,3–240	Hepta-CDFs	0,1–320
Octa-CDDs	1,2–2510	Octa-CDFs	0,1–2510

Alle Angaben im ppm, Teilen pro Million Teile.
Dementsprechend sind auch in Holzschutzmitteln ähnliche Mengen an Verunreinigungen.
Im Blut einer PCP-Geschädigten wurden diese Ultragifte dann natürlich ebenfalls wiedergefunden (19–1):

Hexa-CDD   1–2 ng/kg
Hepta-CDD   5 ng/kg
Octa-CDD   14 ng/kg

Die Interessengemeinschaft der Holzschutzmittel-Geschädigten bemerkt dazu (19–1): «Nanogramm und Milligramm pro Kilogramm – das sind so winzig kleine Mengen, die ungefähr dem Verhältnis eines Mäuschens zu einem Elefanten entsprechen, und so werden diese Mengen auch von den Herstellern als harmlos dargestellt. Trifft den Elefanten dieses winzige Nichts aber an der richtigen Stelle – als Giftstoff oder als Geschoß – fällt er um.»

Lindan

Lindan ist durch die Vorgänge um die Hamburger Firma Boehringer endgültig berühmt-berüchtigt geworden (vgl. auch → Lindan S. 208 ff.). Als holzschützendes Insektizid kennt man es schon lange, heute ist es (noch) in ca. 70% der geprüften Holzschutzmittel enthalten (vgl. Tabelle auf S. 259 ff.).
Ähnlich wie PCP ist auch Lindan weit verbreitet. Wegen des Einsatzes in der Landwirtschaft sind heute viele Lebensmittel mit Rückständen von HCH belastet, die miteingerechnet werden müssen, wenn man über eventuelle Gesundheitsrisiken und Grenzwerte diskutiert. Lindan ist ein bekanntermaßen flüchtiger Stoff. Da verwundert es schon, daß kaum Messungen der HCH-Konzentration in der Raumluft vorliegen. Schätzungen dazu reichen bis zu 110 µg/m³ (5). Amerikanische Wissenschaftler (20) untersuchten Häuser, die ein bis zehn Jahre vorher mit Lindan behandelt worden waren. Noch nach einem Jahr lagen die Konzentrationen zwischen knapp 3 und 11 µg/m³, nach zehn Jahren waren es weniger als 1 µg/m³. Die Firma Rentokil Ltd., selbst Vertreiber von Holzschutzmitteln, untersuchte die Luft in den ersten Wochen nach der Anwendung (zitiert in 20): Die größten Konzentrationen fand man nach vier Wochen mit 61 bzw. 51 µg/m³. Der vom Bundesgesundheitsamt veröffentlichte Grenzwert (6) liegt bei 4 µg/m³, an Hand des ADI-Wertes (siehe Glossar) von 10 µg/kg und Tag kommt man auf 38 µg/m³ (20). Wie man die Ergebnisse auch dreht und wendet, die menschliche Belastung liegt zu hoch, HCH hat in Holzschutzmitteln (zumindest in Innenräumen!) nichts zu suchen!

Andere Wirkstoffe

PCP und Lindan sind wohl wegen ihrer zweifelhaften Berühmtheit intensiver untersucht worden. Bei den meisten anderen Wirkstoffen herrscht keine Klarheit darüber, welche Raumluftkonzentrationen in der Praxis vorliegen. Bei der Bewertung des gesundheitlichen Risikos ist man daher oft auf physikalische Stoffeigenschaften wie Dampfdruck (Flüchtigkeit) oder Sättigungskonzentration in der Luft angewiesen, um dann Raumluftkonzentrationen abzuschätzen und einen Vergleich mit den ADI-Werten «oder den maximalen Innenraum-Luftkonzentrationen» anzustellen (6). Dieses Verfahren ist – um es gleich vorwegzunehmen – «halbwissenschaftlich» und liefert nur eine grobe Risikoeinschätzung. Auch sind die chronischen Gefahren zum Teil nicht ausreichend untersucht, die Grundlage zur Bewertung damit lückenhaft. Hier orientieren wir uns – mindestens bis zur Vorlage ausreichender Informationen – am Vorsorgeprinzip: Im Zweifel *gegen* das Mittel!

 Fazit: Wegen nachgewiesener oder wahrscheinlicher Überschreitung der MIK-Werte und/oder der ADI-Werte warnen wir vor den Wirkstoffen
PCP (PCP-Amin)
TBT (Tributylzinnverbindungen)
Phenyl-Quecksilber-Oleat
Furmecyclox
(Xyligen B = 50% Furmecyclox)
Lindan
Ethylparathion
Endosulfan
(Mergal IB 45 = Endosulfan + TBTO)
Phoxim.
Wegen völlig unzureichender Informationen zu Stoffeigenschaften und/oder Raumluftkonzentrationen und/oder Gesundheitsgefahren warnen wir ebenfalls vor
Xyligen Al
Xylasan Al
Xyligen K
Baycarb.
Zwar sind geringe Raumluftkonzentrationen bei dem Mittel

Chlorthanolil zu erwarten, wegen möglicher krebsauslösender Wirkung sollte man besser von dessen Verwendung absehen.

Und was bleibt? Nur zwei der uns bekannten Wirkstoffe haben voraussichtlich bei den geringen Raumluftkonzentrationen (weit unterhalb der MIK-Werte) keine Schädigung der Gesundheit zur Folge. Wenn es unbedingt sein muß, können angewandt werden

Dichlofluanid

Carbendazim.

Das sollte aber nicht darüber hinwegtäuschen, daß auch diese Stoffe giftig sind: Gegen eine akute Vergiftung mit Dichlofluanid ist übrigens kein Gegenmittel bekannt. Vorsicht bleibt beim Umgang mit diesen Mitteln unbedingt angebracht!

Teeröl-Präparate

Mittel wie Carbolineum sind ein wildes Gemisch verschiedener Kohlenwasserstoffe, die auf der Basis von Steinkohlenteeröl, das bei der Koksherstellung anfällt, produziert werden. Steinkohlenteeröl gehört zu den krebserzeugenden Stoffen. Auch bei diesen Präparaten werden weitere Biozide wie Lindan, PCP und/oder Chlornaphthaline zugemischt (vgl. Tabelle, S. 262 f.). Über die Ausgasungen ist nur wenig bekannt, es ist aber wohl eindrucksvoll, daß entsprechend behandelte Eisenbahnschwellen nach öffentlicher Diskussion von einigen Kinderspielplätzen entfernt wurden.

 Fazit: Zu viele Unklarheiten – nicht empfehlenswert.

Biologische Mittel – eine Alternative?

Zur Bekämpfung von Pilzen und Insekten, also nach dem Befall, wird von Bio-Anbietern häufig Holzessig empfohlen, der aus Holz hergestellt wird. Neben Essigsäure, die weniger gefährlich ist, aber Schleimhautreizungen verursachen kann, enthält Holzessig eine Reihe weiterer Kohlenwasserstoffe, denen keine Unbedenklichkeitsbescheinigung ausgestellt werden kann. Da ist es besser, direkt auf reine Essigsäure zurückzugreifen, mit der die gleiche Wirkung erzielt wird (1).

Den natürlichen Schutzmechanismen lebender Bäume sind Rindenimprägnierverfahren abgeguckt. Bäume schützen sich in ihrer Rinde mit eigenen Giftstoffen, die für derartige Präparate gewonnen und um Borax und Soda ergänzt werden (1). Die chemische Zusammensetzung der nicht wasserfesten Mittel ist unbekannt, auf Grund ihrer Anlehnung an die Natur sind sie bedingt zu empfehlen.

Pech und Holzteer besitzen eine komplexe Zusammensetzung, die den Steinkohlenteer-Mitteln ähnelt, nur daß keine weiteren Fungizide und Insektizide enthalten sind. Soda (Natriumcarbonat) und Pottasche (Kaliumcarbonat) sind alte Holzschutzmittel. Sie werden in Wasser gelöst, heiß aufgebracht und in das Holz eingebürstet. Die Wirkung besteht vor allem in der Auslaugung des Holzes, Schädlingen wird quasi die Nahrungsgrundlage entzogen. Der Nachteil: Die Behandlung ist aufwendig, nicht ohne Risiko (Gummihandschuhe, Schutzbrille!) und muß in Abständen von ca. 2–3 Jahren regelmäßig wiederholt werden (1). Dennoch: empfehlenswert.

Dicke Luft – was tun?

Wenn Sie festgestellt haben, daß die Raumluft in Ihrer Wohnung mit Wirkstoffen aus Holzschutzmitteln angereichert ist, und Sie die Ursache beseitigen wollen, gibt es nur einen «Vollschutz»: das Entfernen des Holzes. Möglicherweise sind die Gifte dann aber immer noch in Tapeten, Kleidung, Hausstaub etc. So manche Familie hat daher schon die Wohnung gewechselt, um frei von gesundheitlichen Beschwerden zu sein (und hat hoffentlich den Nachmieter informiert?).

Das Abhobeln der obersten Holzschicht ist keine Lösung, dadurch setzen Sie nur tiefer eingedrungene Wirkstoffe frei. Ebensowenig nützt das Überstreichen mit Lack, die verdunstenden Lösungsmittel können sogar besonders viel der Holzschutzmittel mitreißen. Kurzfristige Gegenmaßnahmen bestehen in

– häufigem Lüften
– geringer Raumtemperatur
– hoher Luftfeuchtigkeit
– angepaßter Wohnraumnutzung
– häufigem feuchten Staubwischen (8).

Ratschläge zum gesamten Themenkomplex Holzschutz und Unterstützung bei Problemen erhalten Sie bei der

Interessengemeinschaft der Holzschutzmittel-Geschädigten (IHG)
Unterstaat 14
5250 Engelskirchen
Tel.: 0 22 63 / 37 86 (H. u. V. Zapke)

● In Innenräumen sind chemische Holzschutzmittel überflüssig.

● Verwenden Sie nur trockenes Holz, das wird kaum von Schädlingen befallen. Mit einer dünnen Schicht aus Wachs oder Lack schützen Sie das Holz vor einer Feuchtigkeitsaufnahme und damit auch vor Schädlingen.

● Wenn Sie trotz aller Risiken nicht auf Holzschutzmittel in Innenräumen verzichten können, benutzen Sie Bor-Präparate (B-Salze).

● Im Außenbereich unbedingt Wert auf die richtige Konstruktion legen, so daß kein dauernder Kontakt des Holzes mit Wasser bzw. Feuchtigkeit vorkommen kann.

● Wo es sich im Freien nicht vermeiden läßt, das Holz chemisch zu schützen, können Pech und Soda- oder Pottasche-Laugen verwandt werden.

● Wenn das Holz schon von Insekten oder Pilzen befallen ist, benutzen sie Bor-Präparate (B-Salze) oder Essigsäure. Bei größeren Schäden sollten sie unbedingt einen Fachmann hinzuziehen.

● Lassen Sie sich von Prüfbescheiden des Instituts für Bautechnik nichts vormachen, dort wird nur die Wirksamkeit geprüft, nicht die Unbedenklichkeit! Dennoch sollten Sie keine Produkte ohne Prüfzeichen kaufen.

● Bei Beschwerden, die Sie auf Holzschutzmittel zurückführen, erhalten Sie Hilfe bei der Interessengemeinschaft der Holzschutzmittel-Geschädigten e. V. Dort erfahren Sie auch Adressen, wo Sie Untersuchungen durchführen lassen können.

● Kennzeichnungspflicht für alle Inhaltsstoffe von Holzschutzmitteln.

● Einführung eines Zulassungsverfahrens für Holzschutzmittel.

● Verbot von PCP und Lindan.

● Verbot der Mischung von Holzschutzmitteln mit Beize oder Lacken.

● Umkehr der Beweislast bei Gesundheitsschäden.

Literatur

1 P. Weissenfeld: Holzschutz ohne Gift? Holzschutz und Holzoberflächenbehandlung in der Praxis. Grebenstein 1983

2 U. Lohmann: Handbuch Holz. DRW-Verlag 1980

3 Chemical and Engineering News vom 14. 11. 1977, Seite 16

4 G. Billen, O. Schmitz: Der alternative Verbraucher, Frankfurt/M. 1984

5 B. Leiße: Über die Belastung von Mensch und Umwelt durch Holzschutzmittel-Wirkstoffe aus imprägniertem Holz. Verlag der AURO-Naturfarben, Braunschweig 1984

6 Bundesgesundheitsamt: Vom Umgang mit Holzschutzmitteln, eine Informationsschrift des BGA, Berlin 1983

7 BBU: Protokoll d. 1. Treffens d. Holzschutzmittel-Geschädigten, 27. 2. 1983 in Bonn

8 B. Zeschmar, U. Lahl: Gefährlich Wohnen, PCP in Holzschutzmitteln. BBU-Argumente 12, Bonn 1983

9 Desowag-Bayer Holzschutz GmbH, Düsseldorf (Hrsg.): Finish 6 – Wasserlösliche Holzschutzmittel für den Hochbau, Stand Juli 1982 (zit. nach 5)

10 Technische Merkblätter für Remmers-Produkte (zit. nach 5)

11 B. Wischer, H. Willeitner: Untersuchungen über die Einwirkung von Regen bei frisch imprägnierten Kiefernmasten im Hinblick auf mögliche Umweltbelastungen, Holz als Roh- und Werkstoff, 35, 79–84 (1977) (zit. nach 5)

12 N. Ermsch, A. Kalninsch, I. Andersane: Der Einfluß der Chromkomponente in wasserlöslichen Holzschutzmitteln auf die Fixierung im Holz. Holz als Roh- und Werkstoff, 38, 175–180 (1980) (zit. nach 5)

13 M. Gersonde: Beeinträchtigung eines Randschutzes von Bauholz durch Regen. Holz als Roh- und Werkstoff, 17, 10–18 (1959) (zit. nach 5)

14 VDI (Hrsg.): Max. Immissions Werte, VDI-Richtlinie 2310 vom September 1974, Düsseldorf 1974 (zit. nach 5)

15 H. Becker: Holzschutz und Hygienefragen. Seifen – Öle – Fette – Wachse, 93, 323–326 und 363–367 (1967) (zit. nach 6)

16 Stuttgarter Zeitung vom 16. 2. 1984: «Giftiges Holzschutzmittel in Orangen, Das Siebzigfache der erlaubten Höchstmenge PCP in Proben ermittelt»; Kieler Stadtanzeiger vom 9. 3. 1984: «Wieder Giftstoff in Apfelsinen entdeckt»

17 Kieler Stadtanzeiger vom 1. 5. 1984: «Beim Spritzen von ‹Lindan› vergiftet»; K. Günther: Pyrrhussieg im Käferkrieg, in: Natur, 6, 38–39 (1984)

18 Tagesspiegel, Berlin, vom 1. 5. 1984: «Xylamon-behandelte Turnhalle mit Schulbeginn wieder geöffnet – Gutachten schließen Dauerschäden aus – Reizwirkung noch möglich»

19 Interessengemeinschaft der Holzschutzmittel-Geschädigten: Mitteilung 2, Mai 1984; Informationsdienst Chemie und Umwelt (ICU), 3, 19 (1984) vom 26. 3. 1984

20 A. J. Dobbs, N. Williams: Indoor Air Pollution from Pesticides Used in Wood Remedial Treatments. Environmental Pollution (Series B), 6, 271–296 (1983)

21 Consolidated List of Products Whose Consumption and/or Sale Have Been Banned, Withdrawn, Severely Restricted or not Approved by Governments. First issue, 30. 12. 1983, United Nations, New York

Verpackung und Müll

Verpackungsmaterial für Lebensmittel

«Wer Brunnen oder Wasserbehälter, welche zum Gebrauch anderer dienen, oder Gegenstände, welche zum öffentlichen Verkauf oder Verbrauch bestimmt sind, vergiftet oder denselben Stoffe beimischt, von denen ihm bekannt ist, daß sie die menschliche Gesundheit zu zerstören geeignet sind, desgleichen wer solche vergifteten oder mit gefährlichen Stoffen vermischten Sachen mit Verschweigung dieser Eigenschaften verkauft, feilhält oder sonst in Verkehr bringt, wird mit Freiheitsstrafe von einem Jahr bis zu zehn Jahren und, wenn durch die Handlung der Tod eines Menschen verursacht worden ist, mit lebenslanger Freiheitsstrafe oder mit Freiheitsstrafe nicht unter zehn Jahren bestraft.»
§ 319 Strafgesetzbuch

Über das Ausmaß, in dem die verschiedensten Verpackungsmaterialien in unser tägliches Leben eingedrungen sind, informiert am besten ein Blick in den Mülleimer. Denn hier findet sich (fast) alles wieder, was der Verbraucher beim Einkauf miterworben hat: nahezu alle denkbaren Materialien und ihre Kombinationen bringen die Mülltonne zum Überlaufen. Dosen, Tüten und Beutel, Flaschen und Einwickler gehören zum heutigen Alltag wie der Fernseher ins Wohnzimmer. Die bunte Vielfalt ist unüberschaubar; Metalle, Papier, zahlreiche Kunststoffe und die Kombination dieser Stoffe – Verbundmaterialien wie beschichtete Dosen oder Milchkartons – dienen der Verpackung.
Verpackungsmaterialien belasten in vielfacher Weise unsere Umwelt: Rohstoffabbau, Herstellungsprozeß, Anwendung, Verteilung, Gebrauch und letztlich Beseitigung bleiben nicht ohne Auswirkungen. Da es im Rahmen dieses Kapitels unmöglich ist, alle Aspekte dieses gewaltigen Komplexes bis ins Detail zu schildern, beschränkt sich der Text auf Teilbereiche, die für den Verbraucher von unmittelbarer Bedeutung sind. Im Brennpunkt steht die Verpackung von Lebensmitteln und die Frage, ob und welche gesundheitlichen Gefahren daraus für den Einzelnen erwachsen können.

Funktionen der Verpackung

Die Lebensmittelverpackung dient vier Zwecken, deren Bedeutung für Industrie, Handel und Verbraucher verschieden ist. (1, 2, 3)

Produktschutz

Die Verpackung soll die Qualität von Lebensmitteln auf ihrem Weg von der Ernte bzw. Herstellung über Lagerung, Verarbeitung und Transport bis zum Verbrauch erhalten. Erhaltung der Qualität bedeutet dabei sowohl den Schutz vor mikrobiellem Verderb und Verlust an ernährungsphysiologischem Wert als auch die Beibehaltung des ursprünglichen Geruchs, Geschmacks und Aussehens. Dazu kommt der Schutz gegen äußere Einflüsse wie Klima oder mechanische Beanspruchung.

Rationelle Handhabung

Hierzu zählen etwa die maximale Abpackgeschwindigkeit für das Lebensmittel oder die raumsparende Stapelbarkeit, die auch entscheidend für den Transport ist. Die Verpackung ist hier wesentlicher Faktor im heutigen, komplexen Warenverteilungssystem. Gerade Verpackungen ermöglichen, daß ansonsten verderbliche Produkte zur «richtigen Zeit am richtigen Ort» umsatzsteigernd in den Regalen auf Käufer warten.

Verbraucherinformation

Gesetzlich vorgeschriebene Kennzeichnungen, Angaben der Zusammensetzung und Zusatzstoffe, Haltbarkeitsdatum und Preis sollen als Aufdruck auf der Verpackung der Verbraucherinformation dienen. Auch Form und Farbe als Erkennungsmerkmale haben die Bedeutung, die Übersicht über das Warenangebot zu erleichtern. (Kühlschrankgerechte) Formen und verschiedene Portionsgrößen sollen Verbraucherwünschen entgegenkommen und ihm die größtmögliche Bequemlichkeit bei Einkauf (Tragegriffe), Lagerung (Wiederverschließbarkeit) und Verbrauch (vollständige Entleerbarkeit) gewährleisten.

Werbung

«Die Verpackung ersetzt also in Selbstbedienungsläden das Informationsgespräch mit dem Verkäufer und dient als Kommunikationsmittel zwischen Hersteller und Verbraucher.» (2) Verpackungen sind selbstverständlich nach Gesichtspunkten der Werbung gestaltet. Frische Artikel wie Milch findet man mit blauweißem, frischwirkendem Aufdruck; Wappen und Siegel vermitteln den Eindruck von Exklusivität, Adel und Tradition. «Die Verpackung erreicht ihr Ziel, wenn sie in einem Menschen ein Gefühl anregt, einen Impuls auslöst und ihn dazu bringt, die Befriedigung eines Bedürfnisses zu wollen.» (4)

Der Zusammenhang zwischen Verpackung und Wirtschaftssystem ist offensichtlich. Der ehemalige Leiter des Fraunhofer Instituts für Lebensmitteltechnologie und Verpackung e. V., Professor Rudolf Heiss, bringt es auf den Punkt: «Die verpackte Ware dient der Personalersparnis beim Handel und ist Voraussetzung für das Supermarkt-System, welches auch dem Verbraucher beim Einkauf Zeit spart.» (5) Damit er seine gewonnene Zeit anschließend mit Knabber-Artikeln vor dem Fernseher zubringen kann!?

Die Anwendung von Verpackungsmaterialien

Es ist beeindruckend, mit welchen Zahlen die bundesdeutsche Packmittelindustrie aufwarten kann. Trotz unterdurchschnittlichen Wachstums hält dieser Industriezweig einen Anteil von 1,5 % am Bruttosozialprodukt der BRD, 1982 betrug der gesamte Produktionswert 24,7 Mrd. DM (6). Statistisch zahlt jeder Bundesbürger jährlich über 400,– DM für Verpackungen, über 150 kg entfallen auf jeden einzelnen.
Selbstverständlich zahlen die Verbraucher beim Kauf einer Ware auch den Anteil an den Verpackungskosten, die bei Lebensmitteln nicht unerheblich sind. Nach Angaben von Rudolf Heiss (5) beliefen sich die Verpackungsanteile am Warenwert von Lebensmitteln 1980 auf durchschnittlich 4,2 % (5), im Einzelnen bei
Butter 2 %, Zucker 3 %, Gefrierkost 5 %, Kaffee/Milch 10 %, Joghurt/Sahne/Getränke 18 %, Dosengemüse 17 %.
Eine einzige Getränkedose aus Aluminium, die für gewöhnlich als typisches Einwegprodukt zur Erhöhung unserer Müllberge dient, kostet in der Herstellung 22 Pfennige. Nur etwa 2 Pfennige kostet der Inhalt (8). Die Kosten zur Müllbehandlung und Umweltbeeinträchtigung müßten eigentlich noch hinzugezählt werden!

Packmittelanwendung 1982 (7)

	Wert (1000 DM)	%	Gewicht (Tonnen)	%
Papier/Pappe	9 804 533	39,62	4 073 465	44,23
Kunststoff	6 433 355	26,00	1 164 422	12,64
Metall	5 525 892	22,33	1 171 041	12,71
Glas	2 099 646	8,49	2 790 555	30,30
Holz	818 592	3,31	–	–
Weichgummi	42 678	0,17	7713	0,08
Textil-Gewebe	16 427	0,07	3504	0,04
Keramik	2160	0,01	–	–
	24 743 283	100	9 210 700	100

Verpackungen in unüberschaubarer Vielfalt

Es ist leider ausgeschlossen, alle Verpackungsmaterialien zu beschreiben, um sie beim Einkauf eindeutig identifizieren zu können. Oft gibt es auch für gleichartige Lebensmittel verschiedene Verpackungsmaterialien (1).

Glas

Glasbehälter sind nicht nur aus Glas. Zur Oberflächenvergütung bedampft man sie mit Zinn- oder Titanchloriden, die bei diesem Prozeß als Metalloxide in die Oberfläche eingelagert werden. Anschließend folgt eine «Kaltvergütung», die Oberfläche wird mit einer Dispersion oder wäßrigen Lösung von organisch-chemischen Verbindungen wie Butandiol oder Polyethylen besprüht. Damit erhöht sich die Gleitfähigkeit des Materials, was der rationellen Handhabung bei der Füllung dienlich ist. Natürlich können diese Mittel zur Oberflächenvergütung auch ins Innere der Gefäße gelangen. Deshalb dürfen nur solche Stoffe angewandt werden, die vom Bundesgesundheitsamt (BGA) ausdrücklich zugelassen wurden.

Papier

Im Lebensmittelbereich ist die Verwendung von unbeschichteten Papieren heute zur Seltenheit geworden. Der Verbund mit Kunststoffen ist die

Regel. Wellpappe, die als Material von Versandschachteln in der Lebensmittelindustrie verwandt wurde, verliert zur Zeit den Konkurrenzkampf gegen Schrumpffolien und Styropor. Beutel aus Papier findet man noch als Verpackung von Salz, Zucker, Mehl, Teigwaren u. ä.

Weißblech

Verzinntes Weißblech ist das Ausgangsmaterial für Konservendosen, in denen Gemüse, Fleisch, Fisch, Obst oder Kondensmilch enthalten sein kann. Wegen vieler Beschwerden auf Grund der geschmacklichen Änderung des Füllgutes durch die Korrosion des Eisenblechs, die mit der Lösung von Metallen (Eisen, Zinn) verbunden ist (typischer «Dosengeschmack»), sind viele Konservendosen heute innen mit einer zusätzlichen Lackschicht versehen, die aus Epoxid- oder Acrylharzen besteht.

Aluminium

Behälter aus Aluminium haben andere Verpackungsmaterialien teilweise aus ihren Anwendungsbereichen verdrängt, ihr Marktanteil steigt seit 40 Jahren ständig. Verschiedene Formen von Dosen dienen der Verpackung von Bier, Milch, Öl, Fisch, Marinaden und Fleisch. Zur Verhinderung von Korrosion sind auch diese Dosen mit einem Lack aus Epoxid- oder Acrylharz überzogen. Sie bekommen dadurch ein gelblich-goldenes Aussehen.

Kunststoffe

Für eine Vielzahl von Lebensmittelbehältern sind Verpackungsmaterialien aus den Massenkunststoffen Polyvinylchlorid (PVC), Polyvinylidenchlorid (PVDP), Polyethylen (PE), Polypropylen (PP) und Polystyrol (PS) im Gebrauch. Seit einiger Zeit werden auch Polyester (PES), Polyamide (PA) und Polycarbonat (PC) eingesetzt. Vor der Füllung der Kunststoffbehälter mit Lebensmitteln müssen die Gefäße noch keimfrei gemacht werden. Das geschieht durch eine Begasung mit Ethylenoxid, ein Bad in Wasserstoffperoxid oder Bestrahlung mit UV-Licht.

Hauptanwendungsgebiete der einzelnen Kunststoffe sind:

PS (Polystyrol)	Eiscreme, Salate, Mariniertes
Becher und Schalen	Fleisch, Marmelade
Schaumstoff (Styropor)	Versand von Frisch- und Räucherfisch (Wärmeisolierung!)

PVC (Polyvinylchlorid) Becher und Schalen	Margarine, Fett, Eiscreme, Salate, Marinaden, Molkereiprodukte, Gewürze
PAN (Polyacrylnitril)	kohlensäurehaltige Erfrischungsgetränke
PE (Polyethylen) Portionsdosen, Fässer, Kanister, Kästen, Schaum	Transportverpackung für rohen Fisch, Obst- und Fruchtpulpen, Molkereiprodukte, heiße Instantgetränke
PP (Polypropylen) geschäumt	Speisefette, Molkereiprodukte, Trinkbecher für heiße Instantgetränke

Bedeutsam für den Verbraucher ist, daß sich nicht alle Kunststofftypen zur Verwendung als Behälter in der Tiefkühltruhe eignen. Polyethylen hoher Dichte (HDPE) und Polypropylen (PP) werden bei tiefen Temperaturen spröde und durchlässig für Gase und Wasserdampf, damit also für Tiefkühlkost ungeeignet.

Übrigens erlebt man es leider häufig, daß Kantinen kein Geschirr ausgeben. Stattdessen bekommt man Getränke in Kunststoffbechern, die anschließend weggeworfen werden müssen. Sie selbst können hier Ihre umweltfreundliche Haltung demonstrieren: Bringen Sie einfach eigene Tassen oder Becher mit!

Einmal ist es mir sogar schon passiert, daß mir Kantinenessen auf Styropor-Einweg-Tabletts angeboten wurde. Grauslich – vergeht Ihnen da nicht auch der Appetit?

Verbundmaterialien

Die Kombination der verschiedensten Materialien zur Verpackung verbessert oft die Konservierungseigenschaften, senkt den Herstellungspreis oder ermöglicht eine bessere Bedruckbarkeit (Werbung!). Dem Verbraucher wird die Identifizierung des Verpackungsmaterials, die ja sonst schon nicht leicht ist, praktisch unmöglich gemacht.

Eine – nicht vollständige – Übersicht über die Kombinationen und die bevorzugten Anwendungen in der Lebensmittelindustrie zeigt die folgende Tabelle (1):

Häufig verwendete Kunststoff-Verbundmaterialien für die Lebensmittelverpackung

Materialaufbau	Eigenschaften								Packmittel					häufig verwendete Füllgüter
	Sauerstoff-Sperre	Wasserdampfsperre	Aromasperre	Lichtschutz*1	heißsiegelfähig	fettdicht	tiefziehfähig	sterilisierfähig	Volleinschlag	halbstarre Behälter	tiefgez. Weichpackungen	Beutel	Faltschachteln	
PVC/PS	+	+			+	+	+			+				Fette, Schmelzkäse, Joghurt, Dessert
PVC/PE	+	+	+		+	+	+		+	+	+			Feinkost, Fisch- und Wurstwaren, Käse
PVC/PVDC	+	+	+		+	+	+			+	+	+		Feinkost, Fischwaren, Schmelzkäse, Wurstwaren
PS/PE		+			+	+	+			+	+			Molkereiprodukte
PS/PVDC	+	+	+		+	+	+			+				Molkereiprodukte
PA/PE		+			+	+	+		+		+	+		Käse-, Fleischwaren, Snackartikel
PA/PP		+			+	+	+	+			+	+		Wurstwaren, Saucen
PETP/PE	+	+	+		+	+	+		+		+	+		Snackartikel, Fleischwaren, Tiefkühlkost, Speck
PETP/PP	+	+	+		+	+	+	+	+		+	+		Fertiggericht, Kartoffeln gek., Schmelzkäse
Alu/PE	+	+	+	+	+	+	+	+	+	+	+	+		Fleisch-, Wurstwaren, Salate, Pasteten, Konfitüren
Alu/PVC	+	+	+	+	+	+	+		+					Fettverpackung, Butter, Margarine
Alu/PP	+	+	+	+	+	+	+	+			+	+		Fertiggerichte, Fischwaren, Konfitüren
Cellulose-Karton, paraffiniert			+							+			+	Milch, Nährmittel, Tiefkühlkost, Räucherfisch
Cellulose-Karton/PE			+		+	+	+			+			+	Dauerbackwaren, Tiefkühlkost, Räucherfisch
Cellulose-Karton/PP			+		+	+	+			+			+	Tiefkühlkost, Süßwaren, Schalen für Fertiggerichte
Cellulose-Karton/PETP			+			+				+				Schalen für vorgefertigten Teig zum Selberbacken
PS/PVDC/PS	+	+	+		+	+	+			+				Margarine, Fruchtsaftgetränke, Molkereiprodukte

Materialaufbau	Sauerstoff-Sperre	Wasserdampfsperre	Aromasperre	Lichtschutz*¹	heißsiegelfähig	fettdicht	tiefziehfähig	sterilisierfähig	Volleinschlag	halbstarre Behälter	tiefgez. Weichpackungen	Beutel	Faltschachteln	häufig verwendete Füllgüter
			Eigenschaften							Packmittel				
PS/PVDC/PE	+	+	+		+	+	+			+	+			Margarine, Butter, Käse, Fruchtsaftgetränke
PS/PVDC/PP	+	+	+		+	+	+			+	+			zur Heißabfüllung von Schmelzkäse, Konfitüren und Fruchtsäften
PS/PE/PS			+		+	+	+			+	+			Pflanzenfette, Frischkäse
PVDC/PA/PP	+	+	+		+	+	+	+					+	Fertiggerichte, Saucen, Wurstwaren
PETP/PVDC/PP	+	+	+		+	+	+	+					+	Naturkäse, Schmelzkäse, Fertiggerichte
PVDC/Zellglas/PE	+	+	+		+	+		+					+	Fleisch-, Wurstwaren, Senf, Mayonnaise, Dauerbackwaren
NC-Lack/Zellglas/PE		+			+			+					+	Dauerbackwaren, Snackartikel, Süßwaren
PETP/EVAL/PE	+	+	+		+	+		+					+	Öl, Mayonnaise, Ketchup, Fruchtsäfte
Zellglas/Alu/PE	+	+	+	+	+	+		+					+	Salatdressings, Kaffee, Tee, Mayonnaise
PETP/Alu/PE oder PP	+	+	+	+	+	+	+	+					+	Kaffee, marinierter Fisch, Trockenmilch, Trockensuppen
PP/Alu/PE oder PP	+	+	+	+	+	+		+			+		+	Fruchtsäfte, gek. Kartoffeln, Milch, Kaffee, PP-Version: für Kunststoff-Vollkonserven
PVDC/PP/Alu/PE	+	+	+	+	+	+	+	+					+	Instantprodukte, Dauerbackwaren, Fisch- u. Fleischwaren
PE/Cellulose-Karton/PE		+			+	+	+					+	+	Eiscreme, Tiefkühlkost, Dauerbackwaren, Milch, Fruchtsäfte
PE/Alu/Cellulose-Karton/PE	+	+	+	+	+	+							+	aseptische Getränkeverpackung, Milch, Sahne, Fruchtsäfte
PE/Cellulose-Karton/PE/Alu/Surlyn	+	+	+	+	+	+							+	aseptische Getränkeverpackung, Fruchtsäfte, Milchgetränke
Lack/Alu/Cellulose-Karton/PVDC	+	+	+	+		+				+				Wickelschalen für Fettverpackung, Margarine, Butter

* Gilt für nicht eingefärbte Kunststoffe

Recycling von Verpackungsmaterialien

Recycling, die Rückführung gebrauchter Güter in den Rohstoff- oder Wirtschaftskreislauf, ist nach der Vermeidung von Abfällen die zweitbeste Möglichkeit, Ressourcen und Umwelt zu schonen. Wir sollten es als Ausweg begreifen, solange eigentlich vorrangige Müllvermeidungsstrategien nicht durchgesetzt werden. Wie sieht es nun mit den Verwertungsmöglichkeiten überflüssig gewordener Verpackungen aus?

Schon der «Stand der Technik» setzt den Verwertungsmöglichkeiten Grenzen. Gefordert ist nicht nur sortierter und möglichst sauberer Abfall, gefordert ist auch die Reinheit der Materialien. Kombinierte Stoffe, etwa Verbundmaterialien, sind kaum zu recyclieren (ausgenommen bei der Müllverbrennung), gehen also zwangsläufig auf Deponien oder geben bei der Müllverbrennung Schadstoffe an die Luft ab. Aber auch ein Sammelsurium von Kunststoffen verschiedenster Arten läßt sich kaum verwerten, die einzelnen Grundstoffe verhalten sich chemisch-physikalisch zu unterschiedlich. Und die Trennung von Kunststoffen in halbwegs gleichartige Stoffgruppen wie Polyethylen, Polyvinylchlorid oder Polypropylen ist selbst von Hand und durch Fachpersonal kaum zu machen. Aus der «Sicht der Hersteller» heißt es dazu: «Die Möglichkeiten des Recyclings von gebrauchten Kunststoffverpackungen des Haushalts sind sehr gering. Selbst bei getrennter Sammlung von Kunststoffabfällen ist eine Weiterverarbeitung problematisch, da selbst nach Reinigung ein minderwertiges Regenerat anfällt, dessen Einsatzmöglichkeiten sehr beschränkt sind» (2). In guten Müllsortieranlagen kann Kunststoff abgetrennt und zur Produktion minderwertiger Folien etc. (z. B. Müllsäcke!) eingesetzt werden.

Was bleibt, sind Verwertungsmöglichkeiten für die Metalle Eisen (Weißblech) und Aluminium, in geringem Maße kann Papier in den Produktionsprozeß zurückgeführt werden, sofern es nicht mit Kunststoffen beschichtet ist. Im Verpackungssektor ist bisher lediglich das Recycling von Konservendosen aus Weißblech von einiger Bedeutung. Von insgesamt verbrauchten 570 000 Jahrestonnen Weißblech für Verpackungen fließen 70 000 Tonnen Getränkedosen und 200 000 Tonnen Weißblech, die magnetisch vom Hausmüll getrennt wurden, zurück (9). Die magnetische Abscheidung wird sowohl aus unbehandeltem Hausmüll (Problem: stark verschmutztes Blech) als auch aus der Schlacke von Müllverbrennungsanlagen (Problem: keine Entzinnung möglich) praktiziert.

Dazu kommen Anteile aus Kompostierwerken und der Müllsortieranlage in Neuss. Von getrennter Sammlung in Weißblech-Containern hält selbst das Informationszentrum Weißblech nicht viel: «Im Zeichen des wachsenden Umweltbewußtseins läßt man sich vielleicht dazu bewegen, Glas und *womöglich auch Dosen zu Lasten seiner Lebensqualität* und auf eigene Kosten zu den Containern zu bringen, die inzwischen in vielen Städten aufgestellt worden sind. (. . .) Auch verschönern die vielen Aufstellplätze in den Wohngebieten die städtische Umwelt nicht gerade» (9). Ob denn die Mülldeponien schöner sind? Hier geht die Industrie wohl nach dem Motto vor: «Aus den Augen – aus dem Sinn!» Betriebswirtschaftliche Gründe dürften die eigentliche Ursache dieser kurzsichtigen Haltung sein. In Braunschweig lief kürzlich ein Modellversuch an, bei dem Dosen zusätzlich zu Papier und Glas gesammelt werden sollen. Der Erfolg bleibt abzuwarten. 250 000 Tonnen Weißblech will die Industrie «freiwillig» jedes Jahr zurücknehmen. Problematisch ist jedoch die Zinnschicht auf dem Stahlblech. Die Stahlkocher nehmen nur ungern Weißblech-Schrott an, weil Zinn in zu hohen Gaben den Stahl brüchig macht. Aus diesem Grund werden 90 000 Tonnen Weißblech mit einem speziellen Verfahren entzinnt. Problematisch ist das jedoch bei Chargen, die aus der Schlacke von Müllverbrennungsanlagen separiert werden. Die hohen Temperaturen bei der Müllverbrennung führen zu einer chemisch-festen Verbindung von Eisen und Zinn, so daß einige Firmen an energieaufwendigen Verfahren arbeiten, um mit einer Vakuum-Destillation diese Stoffe wieder trennen zu können. Ein weiteres Entzinnungsproblem entsteht durch die verbraucherschützende Lackschicht in der Dose. Sie verhindert nicht nur die Zinnablösung durch Korrosion und damit die Schwermetallbelastung der konservierten Nahrung, sondern auch die chemische Ablösung des Metalls vor dem Einschmelzen.

Besser als jedes Recycling ist natürlich die mehrfache Verwendung einer Verpackung, wie dies bei den Mehrwegflaschen geschieht. Der Trend zur Einwegverpackung bei Getränken hält trotz anderslautender Absprachen zwischen dem Bundesinnenministerium und der Verpackungsindustrie weiter an, wobei vor allem Dosenverpackungen bei Bier einen ständig steigenden Marktanteil halten. Der offensichtliche Bruch entsprechender Zusagen gegenüber dem früheren Innenminister Baum hat nunmehr die Umweltministerkonferenz zu dem Vorschlag veranlaßt, die Einführung einer Verpackungssteuer zu prüfen (Beschluß vom 4. 11. 1983).

Am Beispiel der Bierflasche – für andere Getränke liegen die entsprechenden Daten in ähnlicher Größenordnung – werden in der folgenden Tabelle die Vorteile der Mehrweg- gegenüber der Einwegverpackung klar (8); die Angaben sind auf je 1 Liter Bier bezogen:

	Mehrweg (MW)	Einweg (EW)	Verhältnis $\frac{MW}{EW}$
Spezifische Abfallmenge	22–	392 Gramm	1 : 18
Spezifisches Abfallvolumen	23	1230 ccm	1 : 53
Spezif. Energieverbrauch (einschl. 1 × Spülen bei der MW-Flasche)	0,64	7,06 Megajoule	1 : 11

Das Altglas-Recycling kann kein Ersatz für die Mehrwegverpackung sein, so sehr dieser Fortschritt bei der Abfallverwertung zu begrüßen ist. Mittlerweile deckt das Recycling von Altglas auch erst etwa 25 % des Rohstoffbedarfs der Behälterglas-Industrie (10). Die Mehrwegflasche kann bei Bier mit ca. 60 Umläufen angesetzt werden – es läßt sich leicht ausmalen, welche Entlastung des Müllbergs bei Ersatz der Einweg- durch Mehrwegbehältnisse entstehen würde. Dabei ist der Mehrwegeinsatz beim Bier mit fast 91 % (1979) noch sehr beachtlich, bei alkoholfreien Getränken ohne Kohlensäure lag er 1979 bereits unter 25 % (11); allein zwischen 1975 und 1979 verdoppelte sich der Dosen- und Weichpackungseinsatz (Einmal-Papp-Verpackungen).

Der frühere Staatssekretär im BMI, Hartkopf, faßte das Problem «Recycling von Einwegverpackungen gegen Mehrwegflasche» in einer Rede am 1. 2. 82 treffend zusammen, als er sagte:

«Wie unglaubwürdig und unlogisch sind Aufforderungen, Abfälle getrennt zu sammeln und zum Container zu bringen und im gleichen Atemzug zu behaupten, Pfandflaschen zum Geschäft zurückzubringen sei unzumutbar und passe nicht mehr zum Geist der Zeit.» (12)

Ein Hinweis noch zum Preis: Es verwundert natürlich, daß die Getränke in Einwegverpackungen oft billiger sind als in Mehrwegflaschen – trotz wesentlich höherer Herstellungskosten, betrachtet man vor allem den spezifischen Energieverbrauch. Das Geheimnis liegt in einer Mischkalkulation, bei der der Verbraucher die höheren Kosten der Einwegverpackungen über die Mehrwegflaschen finanziert. Es läßt sich leicht ausrechnen, daß die Einweg-Preise deutlich steigen werden, wenn erst die Mehrweg-Behältnisse vom Markt verdrängt worden sind.

Schützen Gesetze vor Gesundheitsgefahren?

Die grundlegenden Bestimmungen, die den Schutz des Verbrauchers vor bedenklichen Inhaltsstoffen in Verpackungsmaterialien auf dem Lebensmittelsektor gewährleisten sollen, finden sich im Lebensmittel- und Bedarfsgegenständegesetz (LMBG) von 1974.

§ 30(1) Es ist verboten, Gegenstände derart herzustellen oder zu behandeln, daß sie bei bestimmungsgemäßem oder vorauszusehendem Gebrauch geeignet sind, die Gesundheit durch ihre stoffliche Zusammensetzung, insbesondere durch toxikologisch wirksame Stoffe oder Verunreinigungen zu schädigen.

§ 31(1) Es ist verboten, Gegenstände als Bedarfsgegenstände gewerbsmäßig zu verwenden oder für solche Verwendungszwecke in den Verkehr zu bringen, daß von ihnen Stoffe auf Lebensmittel oder deren Oberfläche übergehen, ausgenommen gesundheitlich, geruchlich und geschmacklich unbedenkliche Anteile, die technisch unvermeidbar sind.

Empfehlungen des Bundesgesundheitsamtes

In § 31(2) wird der Präsident des Bundesgesundheitsamtes (BGA) ermächtigt, die Stoffanteile festzulegen, die als unbedenklich gelten. Dazu gibt das BGA Empfehlungen heraus, die auch als Mindestanforderungen oder Unbedenklichkeitsbescheinigungen aufgefaßt werden können, obwohl die Empfehlungen nicht den Status einer Rechtsnorm besitzen. Wenn ein Betrieb sich an die dort festlegten Richtlinien über die Eignung einzelner Stoffe und Zusatzstoffe bzw. deren Höchstmengen hält, liegt die Verantwortung über die Unbedenklichkeit beim BGA. Packmittelanwender lassen sich daher die Einhaltung der BGA-Empfehlungen vom Lieferanten der Verpackungsmaterialien schriftlich bescheinigen.

Die Empfehlungen ändern sich laufend, sie sind in der Loseblatt-Sammlung «Kunststoffe im Lebensmittelverkehr» (13) zusammengefaßt. Erarbeitet werden die Empfehlungen von der Kunststoff-Kommission des Bundesgesundheitsamtes, an der eine Reihe von

Fachleuten und Sachverständige der Kunststoffindustrie beteiligt sind, allerdings keine Vertreter von Verbraucherorganisationen. Um die Zulassung eines Stoffes als Bestandteil einer Verpackung im Lebensmittelsektor zu erreichen, muß vom Hersteller ein Antrag (13) gestellt werden, der außer genauen Beschreibungen des Stoffes, der Analytik und der geplanten Verwendung auch toxikologische Prüfungen (90-Tage-Fütterungsversuch an Ratten) und Untersuchungen über den Übergang des Stoffes auf Lebensmittel nach festgelegten Verfahren fordert. Die Prüfung auf Krebsgefährdung, Embryogiftigkeit, Mißbildungen bei Kindern und Erbgutveränderung *können* erforderlich sein (müssen aber nicht!).

Was dann schließlich im Bundesgesundheitsblatt und der erwähnten Loseblattsammlung (13) veröffentlicht wird, sind lediglich Angaben über die Eignung der Stoffe und empfohlene Höchstgehalte. Selbst bei konkreter Nachfrage beim BGA etwa zu Toxizitätsuntersuchungen bleiben diese Informationen unter Verschluß. Auch Prüfungen über den Stoffübergang ins Lebensmittel sind nicht öffentlich.

Es ist schon seltsam, daß durch diese Vorgehensweise, die mit der Erhaltung des Vertrauensverhältnisses zur Industrie (aber nicht zum Verbraucher!) begründet wird, doppelte wissenschaftliche Arbeit in der Forschung nötig wird. Will sich ein Verbraucher genauer über Stoffeigenschaften informieren (z. B. weil er Allergiker ist), hat er Sisyphusarbeit zu leisten: Alle Einzeldaten (Stoffbezeichnung, Zusammensetzung, Verwendung, Analytik, Übergang auf Lebensmittel, Toxikologie) muß er sich durch Nachfrage bei verschiedenen Instituten und Suche in Fachpublikationen zusammenbasteln. Selbst ein Interessierter oder Betroffener dürfte da irgendwann resignieren. Die Geheimhaltungspraktiken des BGA stehen den Verbraucherinteressen entgegen. Eine «Politik der offenen Karten» würde vieles einfacher – weil durchschaubarer – machen!

Vinylchlorid-Bedarfsgegenstände-Verordnung

Seit Beginn der 70er Jahre gibt es eine weltweite Diskussion um Vinylchlorid, den Grundstoff des Polyvinychlorids (PVC). Der chlorierte Kohlenwasserstoff VC steht im Verdacht, krebsauslösend zu wirken und die Leber zu schädigen. Zunächst ging man zwar von einer eventuellen Gefährdung der Arbeiter aus, die bei der PVC-Herstellung beschäftigt sind, an mögliche Reste des VC im polymerisierten Kunststoff dachte man aber nicht. Erst nachdem auch in Lebensmitteln VC festgestellt worden war, untersuchte man diesen Bereich genauer. Schließlich wurde 1979 die «Verordnung zur Begrenzung des Gehalts an monomerem Vinylchlorid in Bedarfsgegenständen» erlassen (14). Danach dürfen Bedarfsgegenstände im Sinne des LMBG (Lebensmittel- und Bedarfsgegenstände-Gesetz) maximal 1 mg VC/kg enthalten. Der Übergang des Stoffes auf Lebensmittel wird ebenfalls geregelt, hier gilt der Grenzwert von 0,01 mg/kg Lebensmittel (10 ppb).

Außerdem gilt im Lebensmittelbereich noch eine Verordnung, die den Einsatz bestimmter Schwermetallverbindungen (z. B. Blei, Cadmium) als Farben verbietet. Ferner wird der Gehalt von Blei bei der Verzinnung und in der Lötnaht von Konservendosen gesetzlich begrenzt.

Verbraucherschutz

Verpackungsmaterialien, besonders Kunststoffe, enthalten eine Vielzahl von Chemikalien, die in die Lebensmittel eindringen können. Als Folge davon können wesentliche Produkteigenschaften verändert werden: Aussehen, Geruch, Geschmack, gesundheitliche Unbedenklichkeit.
Dabei ist es keine Frage, daß eine Wanderung (Migration) von Verpackungsbestandteilen in Lebensmittel tatsächlich stattfindet.

Mögliche Kontaminationswege
Die Mengen an wandernden Bestandteilen hängen von einer ganzen Reihe von Faktoren ab. Die wesentlichen sind
– Ausgangskonzentration im Packstoff
– Art des Packstoffs
– Lagerungsdauer
– Art des Lebensmittels (wäßrig oder fettig, flüssig oder fest, etc.)
– Lagertemperatur
– Lichteinwirkung
– Art des Verpackungsbestandteils.

Grundsätzlich gilt: Je höher die Temperatur, je länger die Lagerzeit und je größer die Kontaktfläche zwischen Verpackung und Lebensmittel, desto größer der Stoffübergang.

Zumindest die Stoffe, die an der Oberfläche des Verpackungsmaterials haften, wandern leicht in das jeweilige Lebensmittel. Mit größerer Lagerzeit gelangen dorthin aber auch Stoffe aus dem Inneren der Verpackung. Besonders bedenklich wird es dann, wenn ein Verpackungskunststoff durch den Inhalt aufquillt. Dann lösen sich größere Mengen der Kunststoffbestandteile im Lebensmittel. Das ist etwa bei Fetten in PVC oder wäßrigen Lebensmittel in ABS (Acryl-Butadien-Styrol-Copolymer) der Fall.

Die Eignungsprüfung wird mit «Testlebensmitteln» (z. B. eine Wasser/Fett/Essigsäure/Alkohol-Mischung) durchgeführt, deren Eignung allerdings unterschiedlich beurteilt wird. (5) Neuerdings versucht man sogar, die Eignung über Modelle vorauszuberechnen (15, 16), was für den Verbraucherschutz fatale Folgen haben könnte.

Kunststoffe

Im folgenden sollen einige ausgewählte Beispiele die Situation verdeutlichen. Zusätze bzw. Inhaltsstoffe von Verpackungsmaterialien haben immer eine gewisse Giftigkeit, das reicht von «relativ harmlos» bis zu «hoch giftig». Selbstverständlich hängt die Wirkung auf den Menschen (mit Ausnahme krebserregender und erbgutverändernder Substanzen) auch von der Dosis ab. Und die Mengen sind meist so gering, daß keine akuten Schäden auftreten. Es gibt jedoch aus der Vergangenheit auch schlechte Beispiele: 1946 erkrankten viele Deutsche an einem Weichmacher für PVC (o-Triklesylphosphat), und 1954 starben 110 Franzosen an einem Kunststoffstabilisator («Stalinon» = Diethylzinnjodid) (17).

Vinylchlorid (VC) ist als sogenanntes Monomeres (→ Glossar) im Verkaufsprodukt PVC enthalten. Die «VC-Krankheit» bei Industriearbeitern wie auch VC-Funde in Lebensmitteln (18, 19) führten nach langen Auseinandersetzungen u. a. auch zu einer Begrenzung des VC-Gehaltes in verpackten Lebensmitteln auf 10 ppb (14).

Über die Gruppe der *Polyolefin-Kunststoffe* (wie Polyethylen und Polypropylen) macht man sich erst seit kurzer Zeit Gedanken. Toxikologische Untersuchungen wurden erst vor wenigen Jahren eingeleitet, offenbar war das Zulassungsverfahren beim BGA unter diesem Aspekt nicht

Vor Nahrung in Folien gewarnt

Verbraucherschützer: Nicht so harmlos, wie Bonn sagt

FRANKFURT A. M., 11. Juli. Das Verpacken von Lebensmitteln in Plastikfolien ist nach Meinung des Deutschen Verbraucherschutzverbandes in Wiesbaden nicht so unbedenklich wie Bundesgesundheitsamt und Bundesregierung es darstellen. Zur Begründung verweist der Verband auf eine Veröffentlichung der Institute für Lebensmittelchemie an den Universitäten Frankfurt und Karlsruhe. Darin berichten die Professoren Niebergall und Beckmann-Gibumatzidou, daß sich der als «Stabilisator» für PVC-Folien verwendete Stoff DTH (Diphenylthioharnstoff) mit der Zeit verändert und dann die Lebensmittel schädigt.

Nach den Empfehlungen des Bundesgesundheitsamtes für die Untersuchung von Verpackungsstoffen bleiben jedoch gerade die Veränderungen des DTH unberücksichtigt, heißt es in Wiesbaden. Dabei könne man nach den Erkenntnissen von Niebergall und Beckmann bereits nach zehn Tagen Lagerung in den Folien Zerfallsprodukte und in den Nahrungsfetten Wasser und Essigsäure, «Umsetzungsprodukte des DTH», feststellen.

Besonders das Einschweißen von Lebensmitteln halten die Verbraucherschützer für bedenklich, obwohl das Bonner Gesundheitsministerium die Hinweise, daß bei dem Vorgang giftiges Vinylchlorid in die Atmosphäre oder in die Plastiktüte selbst entweicht, für nicht stichhaltig hält. Das Ministerium aber stütze sich bei seinen Aussagen auf Prüfungen der «Kunststoffkommission», was der Wiesbadener Verband rügt, da seine Unabhängigkeit «zumindest zweifelhaft» sei.

Frankfurter Rundschau vom 12. Juli 1984

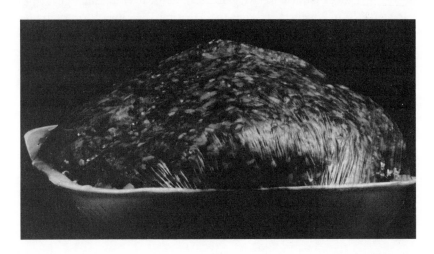

gerade sehr streng betrieben worden. Mögliche Gefährdungspotentiale sind die Rückstände von Schwermetallkatalysatoren aus dem Herstellungsprozeß. Das BGA läßt hier Restkonzentrationen von insgesamt 0,1% zu, Chrom darf zu 0,05 ppm und Vanadium zu 20 ppm enthalten sein (20).

Erst im Nachhinein macht man sich auch über die Reste des monomeren *Acrylnitrils,* Ausgangsstoff für ABS (Acryl-Butadien-Styrol-Copolymer) und SAN (Styrol-Acrylnitril-Copolymer) Gedanken. Der Stoff besitzt zwar nur eine mäßige akute Giftwirkung (LD-50-Kaninchen = 93 mg/kg), gilt jedoch als krebserregend. Prof. Franck, Mitglied der Kunststoff-Kommission des BGA, forderte deshalb 50 ppb als Obergrenze für die Migration (17). Mit der Annahme, daß für 1 kg Lebensmittel durchschnittlich 60 cm² Verpackung notwendig sind, fand man (15) noch 1977 bis zu 200 ppb Acrylnitril. Im gleichen Jahr berichtete hingegen ein Vertreter der Verpackungshersteller über 30 ppb als höchste gemessene Konzentration in Margarine (21). Mit grandiosen Rechnungen wird das Problem lächerlich gemacht, so «müßte ein Mensch 10 Tonnen Margarine am Tag essen, um den niedrigsten Acrylnitrilanteil, welcher in der RCA-Rattenstudie (in der das Krebspotential festgestellt wurde, d. Autor) verfüttert wurde, nämlich 4 mg/kg/Tag (zu essen)».

Styrol, der Ausgangsstoff für Polystyrol, ABS (Acryl-Butadien-Styrol-Copolymer) und SAN (Styrol-Acrylnitril-Copolymer), kann man sogar ab 0,2 bis 6 ppm schmecken (5). Ein Übergang findet vor allem bei fetthaltigen Lebensmitteln statt, gemessen wurde nach zehntägiger Lagerung eines Test-Lebensmittels bei 40° C 0,05 und 0,4 ppm (22). Auch hier sind die chronischen Wirkungen des monomeren Styrols nicht abschließend untersucht worden, auch hier vermutet man krebserregende Eigenschaften (20, 22).

Weichmacher können bis zu 60% des Gesamtgewichts eines Kunststoffes ausmachen. Für PVC setzt man überwiegend Substanzen aus der Gruppe der Phthalate ein. Nachdem über hohe Phthalatgehalte in Blutkonserven und ein eventuelles Krebsrisiko berichtet worden war, ließ der Verband Kunststofferzeugende Industrie eine Literaturstudie anfertigen (23). Demnach können Phthalate besonders in fetthaltige Lebensmittel übergehen, wobei sie oft noch andere Zusatzstoffe mitschleppen. Die in das Lebensmittel gewanderten Mengen sind erstaunlich hoch, wie die Tabelle (umgerechnet nach 23) verdeutlicht:

Migration von Diethylphthalat (DEP) in Lebensmittel
(7 Tage Lagerung bei 40° C)

Lebensmittel	DEP-Konzentration in mg/kg (= ppm)
Bohnen	18,9
Puddingpulver	225,8
Speisesalz	21,4
Senfkörner	96,8
Sago	33,6
Linsen	73,6
Kristallzucker	0
Sultaninen	150,6
Liebesperlen	63,7
Magermilchpulver	222,2

Noch erstaunlicher, daß die Autoren betonen, daß es sich um vergleichsweise geringe Mengen handele.

Andere Autoren berichten, daß maximal 1% des Weichmachergehalts einer Folie in das Lebensmittel übergehen. Wieder andere maßen den Übergang in Milch, die in PVC-Schläuche verpackt war. Demnach enthält die Milch nach 24 Stunden Lagerung bei 38° C immerhin 46 mg Di-2-ethylhexylphthalat in einem Liter. Nach dem Verzehr entsprechend verpackter Lebensmittel, so stellten japanische Wissenschaftler fest, liegen auch die Weichmacher-Konzentrationen im Blut deutlich höher, der Faktor liegt zwischen 2 und 4 (24).

Aber nicht nur in Lebensmitteln und Blut findet man Weichmacher. Auch in US-amerikanischem Trinkwasser (23), in Flußwasser, Sedimenten, Fisch und im Regen hat man sie schon nachgewiesen (24). So schätzt man die durchschnittliche tägliche Aufnahme von Phthalaten auf 1 mg/kg Körpergewicht. Anreicherungen bei Kindern wurden beobachtet. Die akute Giftwirkung ist relativ harmlos und bei den aufgenommenen Mengen nicht in Betracht zu ziehen. Hier soll jedoch von dem Fall eines bedauernswerten Zeitgenossen berichtet werden, der versehentlich eine Scheibe Kunststoffkäse, einen Scherzartikel, verzehrte. Die Scheibe bestand aus 20% PVC, 60% Phthalat und 20% Füllstoffen. Sieben Wochen nach dem Verzehr kam es zu einer Darmperforation, weil sich die Scheibe verhärtet hatte (25). Einige Jahre später mußten auch arme Schweine solche Scherzartikel fressen. Drei von ihnen schieden sie über den Darm wieder aus, ein weiteres behielt den Scherz für sich, und 102 Tage später fand man nach der Schlachtung ein völlig verhärtetes Kunststoffstück wieder, dessen Weichmachergehalt von 70 auf 42% gefallen war (26). Über die Zartheit des Schinkens wird nichts berichtet.

Für die chronische Toxizität liegt die duldbare Aufnahmemenge wahrscheinlich zwischen 50 und 500 mg pro Kopf und Tag, damit also in der Größenordnung der tatsächlichen Aufnahme. Allerdings ist auch eine krebserregende Wirkung bei Ratten festgestellt worden. Die Herausgeber der Studie werden nun nicht müde, zu betonen, daß der Stoffwechsel von höheren Lebewesen (also auch des Menschen) ein anderer sei und daher die Ergebnisse des Tierversuchs nicht übertragbar seien. Die von der Kunststoff-Industrie finanzierten Autoren weisen darauf hin, daß zwar die meisten Phthalate nur «geringe Persistenz» zeigen, aber gerade der rasche Abbau sollte dazu veranlassen, «nicht nur die möglichen Zwischenprodukte dieser Prozesse festzustellen, sondern auch deren toxikologische Charakterisierung anzustreben und langfristige Verteilungsverhalten in geeigneten Proben festzustellen (. . .)» (23).

Gerade Abbau, Zerfall und Weiterreaktion gewanderter Verpackungsbestandteile beim Kontakt mit Lebensmitteln sind unerforschte Gebiete. Erste Ansätze gibt es bei Organozinn-Stabilisatoren (27) und dem PVC-Stabilisator und Vulkanisationsbeschleuniger Diphenylthioharnstoff (28). Professor Niebergall, Leiter des Instituts für Lebensmitteltechnologie an der Universität Karlsruhe, bemerkt dazu, daß dies eine Problematik ist, «der bisher nicht die nötige Aufmerksamkeit geschenkt wurde» (16). Gerade von Diphenylthioharnstoff sei bekannt, daß er sich schon im Kunststoff chemisch verändere, was aber in den BGA-Empfehlungen zur Analytik keinen Niederschlag gefunden hat.

Metalle

Aus Weißblechdosen lösen sich im Laufe der Zeit eine Reihe von Schwermetallen. Eisen aus dem Stahl, Zinn aus der Zinnauflage, Blei und Cadmium aus der Lötnaht. Den Eisengehalt kann man hin und wieder sogar schmecken. Die Geschmacks-Schwellen liegen bei (5)

Bier	10 ppm
Hering in Tomatentunke	10–22 ppm
Milch	30 ppm
Orangensaft	66 ppm

Erdbeeren, Himbeeren und Bohnen lösen hauptsächlich Eisen, schwarze Johannisbeeren Eisen und Zinn. Gelöstes Zinn hellt oft die Farbe des Lebensmittels auf (besonders bei Spargel, Sellerie, Pilzen und Kondensmilch), ab 15–280 ppm kann man es auch schmecken. Zinngehalte über 250 ppm werden von den Untersuchungsämtern beanstandet. Eine hohe Entzinnung findet durch Lebensmittel mit hohen Nitratgehalten statt: Pfirsiche, Orangengetränke, Tomatenerzeugnisse, Spargel, Bohnen, Spinat. Durch ihren Gehalt an Oxalsäure lösen auch Rhabarber, Stachelbeere und Spinat viel Zinn ab. Spitzenreiter sind Kondensmilch und Grapefruit-Saft, wenn man sie in der geöffneten Dose beläßt.

Lackierte Dosen (zu erkennen an gelblicher Innenfärbung) verhindern eine verstärkte Ablösung des Metalls. Meist findet man in lackierten Dosen weniger als 10 ppm, selten über 50 ppm Zinn (5).

Die bleihaltige Lötnaht führt auch zu Bleianteilen in Lebensmitteln. Die dadurch hervorgerufene Konzentration liegt durchschnittlich bei 0,5 ppm. Legt man den üblichen Dosen-Verbrauch zugrunde, erhält man eine wöchentliche Bleiaufnahme von 0,3 mg Blei/Kopf. Das sind immerhin 10% des von der WHO vorgeschlagenen Maximalwerts von 3 mg/Kopf in der Woche (60 kg Körpergewicht). Der Bleianteil konnte aller-

Zinnaufnahme von Lebensmitteln bei geöffneter Dose (19)

	Grapefruit (mg/kg)	Kondensmilch (Kühlschrank, mg/kg)
beim Öffnen	20,3	40,0
nach 1 Tag		45,0
nach 2 Tagen	87,2	92,0
nach 3 Tagen		156,0
nach 4 Tagen	364,0	
nach 5 Tagen		259,0
nach 6 Tagen	488,0	

dings in den letzten Jahren durch Verwendung dünnerer Dosenfolien gesenkt werden. Vorsicht ist bei verbeulten Dosen angebracht. Dann kann der Lack abgeplatzt sein oder besonders viel Blei aus dem Lot gelöst werden.

Papier

Ein erheblicher Teil der Kartonagen und Verpackungspapiere wird heute erfreulicherweise aus Altpapier hergestellt. Die umweltschützende Wirkung des Altpapier-Recyclings liegt dabei weniger in der Schonung der

Wälder, denn Holzschliff für die Papierherstellung wird weitgehend aus dem Dünnholz gewonnen, das ohnehin geschlagen werden muß, um das Weiterwachsen der anderen Bäume zu ermöglichen. Allerdings ist die Belastung des Wassers bei der Altpapieraufbereitung um ein vielfaches geringer als der ursprüngliche Weg über die Zellstoffherstellung. Leider weist Altpapier einen Nachteil auf, der durch die Dummheit des industriell tätigen Menschen entstand: In früheren Jahren fanden polychlorierte Biphenyle (PCB) Anwendung in Durchschlagpapieren und in Druckfarben. Diese PCB sind extrem langlebige Verbindungen, die sich auf Grund ihrer hohen Fettlöslichkeit in der Nahrungskette anreichern und im menschlichen Fett zu finden sind; die Durchschnittswerte liegen in Deutschland bei ca. 5 bis 8 mg pro kg Fett. PCB stellen die mengenmäßig größte Verunreinigung der Muttermilch zusammen mit DDT und seinen Metaboliten dar (29). Die PCB werden nun durch das Altpapier-Recycling in einen Kreislauf geführt, aus dem sie offenbar nur in geringem Maße eliminiert werden. Die Food and Drug Administration (FDA) wie auch die Kunststoff-Kommission des Bundesgesundheitsamts haben einen – rechtlich unverbindlichen – Richtwert von 10 mg PCB pro kg Verpackungspapier gesetzt (29, 30). Nach den Ergebnissen einer umfangreichen Untersuchung liegt der PCB-Gehalt von Verpackungspapieren derzeit bei 4,6 mg pro kg; Spitzenwerte bis zu 25 mg pro kg wurden nachgewiesen. Bei Pappen mit einem 90%igen Altpapieranteil liegt die Durchschnittsbelastung bei 8,4 mg PCB im kg (30).

Bei längerem Kontakt zwischen Lebensmittel und Packpapier können PCB insbesondere in fetthaltige Lebensmittel übergehen; dies gilt auch etwa für die Wachsschicht von Äpfeln in Obsttüten, aber auch für in Papiersäcken transportiertes Mehl (31). Vor dieser Gefahr kann man sich kaum schützen; Obsttüten sollten nicht allzulange unausgepackt liegenbleiben – der Löwenanteil des aufgenommenen PCB findet sich allerdings bereits in den Lebensmitteln, besonders in Fisch und Tierfetten.

Mit PCB kontaminiert sind übrigens auch häufig organische Farbpigmente, die zum Färben von Kunststoff-Folien eingesetzt werden (29).

An dieser Stelle sei noch ein Hinweis auf die sich steigender Beliebtheit erfreuenden Altpapier-Brikettpressen erlaubt: Die Herstellung derartiger Briketts aus Zeitungs- und Verpackungspapier hilft sicherlich beim Energiesparen. Man sollte jedoch bedenken, daß die normalerweise niedrigen Verbrennungstemperaturen und der Wassergehalt dieser Briketts nicht nur zur Freisetzung der erst ab etwa 1000° C zerstörbaren PCB führen, sondern dadurch Reaktionsbedingungen geschaffen werden, die die Bildung der hochgiftigen chlorierten Dioxine und Dibenzofurane fördern.

Übrigens: Auch Schwermetalle sind in Verpackungspapier zu erwarten. Dazu Professor Heiss: «In wasserarmen Sommern könnte es vorkommen, daß Papiere einen zu hohen Schwermetallgehalt aufweisen. Durch Verpackung fettlässiger Lebensmittel in solchen Papieren kann sich dann rasch ein ranziger Geruch des Ölfilms einstellen.» (5)

Gefahren für die Gesundheit?

Über die Belastung des Verbrauchers durch Bestandteile von Verpackungsmaterialien besteht kein Zweifel. Eine gesundheitliche Beurteilung kann sich nun an der Vielzahl toxikologischer Einzeldaten orientieren und sich damit auf das Feld eventuell unwirksamer Dosierungen, sogenannter «no effect levels», begeben. Ein wissenschaftlicher Streit wäre die Folge. Tierversuche zum Beispiel werden mal als exakte wissenschaftliche Beweise für die «Unbedenklichkeit» herangezogen, mal als nicht übertragbar auf den Menschen bezeichnet – wie es jeweils opportun scheint. Fest steht jedoch, daß die migrierten Chemikalien die Gesundheit nicht verbessern.

Nun verbietet auch das LMBG in § 30(1) solche Gegenstände bzw. Zusätze, die «geeignet sind, die Gesundheit zu schädigen». § 31(1) schwächt das insofern ab, als «gesundheitlich (. . .) unbedenkliche Anteile, die technisch unvermeidbar sind» von dieser Regelung ausgenommen werden. Im Falle von krebserregenden Stoffen wie dem Vinylchlorid oder Acrylnitril scheint mir jedoch in der Praxis das Argument der technischen Unvermeidbarkeit vor der gesundheitlichen Unbedenklichkeit zu rangieren.

Bei der Festlegung «unbedenklicher Anteile» werden zusätzlich eine Reihe von Aspekten außer acht gelassen. Wie gesehen, werden etwa mögliche Abbauprodukte gewanderter Stoffe oder deren Reaktionen mit dem einzelnen Lebensmittel nicht berücksichtigt, selbst wenn solche Informationen prinzipiell vorliegen. Unberücksichtigt bleibt auch die Anreicherung einer Substanz im Körper wie bei chlorierten Kohlenwasserstoffen oder Schwermetallen. Untersuchungen über das Krebspotential sind immer noch nicht die Regel, sondern die Ausnahme. Meist stellen sich Erfahrungswerte dazu erst nach langjährigem Gebrauch ein, wie im Falle des Vinylchlorids. Es ist daher irrig, anzunehmen, die BGA-Empfehlungen seien der Weisheit letzter Schluß. Wissenschaftliche Erkenntnisse brauchen Zeit, Irrtümer wird es auch immer geben. Die Unbedenklichkeitsbescheinigungen müssen deshalb grundsätzlich als *vorläufig* betrachtet werden.

Unberücksichtigt bleibt bei den Empfehlungen des BGA selbstverständlich auch ein mögliches Zusammenwirken der Giftwirkungen verschiedener Stoffe, wobei eine dramatische Verstärkung ebenso wie eine Abschwächung der Effekte möglich ist. Natürlich ist das wegen unendlicher Kombinationsmöglichkeiten nie umfassend zu berücksichtigen, ein weiteres Argument für das Vorsorgeprinzip!

Was tun bei Beanstandungen?

Es ist schon möglich (und kommt auch hin und wieder vor), daß eine Verpackung oder deren Inhalt seltsam riecht, schmeckt oder aussieht. Bei solchen – wahrnehmbaren – Beanstandungen, also bei konkreten Verdachtsmomenten, werden die chemischen Untersuchungsämter tätig (falls man sich an sie gewandt hat).

Verstoßen die beanstandeten Proben gegen die Empfehlungen des BGA, werden die Lebensmittel in der Regel vom Markt genommen (sofern das überhaupt möglich ist). Die Folge für den Hersteller bzw. Anwender des Verpackungsmaterials ist aber nur eine Belehrung, denn die Empfehlungen des BGA sind nun mal keine bindenden Vorschriften (mit einigen Ausnahmen), die eine Bestrafung nach sich ziehen könnten.

Betrachtet man die Jahresberichte der nordrhein-westfälischen Untersuchungsämter von 1981 und 1982, so fallen vor allem Beanstandungen wegen überhöhter PCB-Gehalte und Weichmacheranteile auf. PCB als neu entdeckte Gefahrenquelle waren wahrscheinlich einfach oft Ziel der Untersuchungen. Ab 1982 wird in den Jahresberichten nicht mehr zwischen Geschirr, Verpackungsmaterialien und sonstigen Gegenständen unterschieden, die mit Lebensmitteln in Berührung kommen.

Es muß als Zufall eingeschätzt werden, wenn Lebensmittel, deren Qualität durch den Übergang von Inhaltsstoffen unzulässig beeinträchtigt wurde, aus dem Verkehr gezogen werden. Denn wie soll ein Verbraucher einen Stoffübergang feststellen, wenn er ihn nicht mit den Sinnen wahrnehmen kann? Was ist mit der gesundheitlichen Beurteilung von Verpackungen, die nicht den Empfehlungen des BGA entsprechen? Im Zweifelsfall liegt die Beweislast für die gesundheitliche Bedenklichkeit – mal wieder – beim Verbraucher!

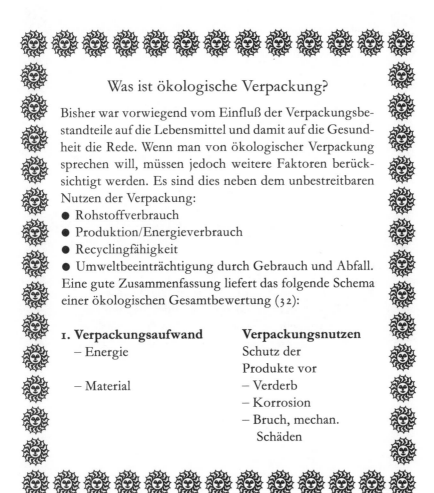

Was ist ökologische Verpackung?

Bisher war vorwiegend vom Einfluß der Verpackungsbestandteile auf die Lebensmittel und damit auf die Gesundheit die Rede. Wenn man von ökologischer Verpackung sprechen will, müssen jedoch weitere Faktoren berücksichtigt werden. Es sind dies neben dem unbestreitbaren Nutzen der Verpackung:

- Rohstoffverbrauch
- Produktion/Energieverbrauch
- Recyclingfähigkeit
- Umweltbeeinträchtigung durch Gebrauch und Abfall.

Eine gute Zusammenfassung liefert das folgende Schema einer ökologischen Gesamtbewertung (32):

1. Verpackungsaufwand	Verpackungsnutzen
– Energie	Schutz der Produkte vor
– Material	– Verderb
	– Korrosion
	– Bruch, mechan. Schäden

2. Umweltbelastung

Rohstoff	Verbrauch →	Ressourcen
+		
Energie	Aufwand →	Nutzenergie/ Abwärme
+		
Fremdstoffabgabe Menge an Luft, Wasser, Boden, Mensch	→	Schädlichkeit

Die Beurteilung dieses Systems hängt leider davon ab, ob man sich dem Problem aus der Sicht des Technikers, Ökonomen, Ökologen oder des Verbrauchers nähert. Indessen lassen sich Ziele und Tendenzen beschreiben. Eine sozialwissenschaftliche Untersuchung (33) formuliert folgende Ziele:
– Wahlmöglichkeiten für den Verbraucher hinsichtlich der Verpackungsform
– Angebot unverpackter Waren, wo immer möglich
– unerläßliche Verpackungen sollten mehrere Funktionen gleichzeitig erfüllen (Lagerung/Transport)
– Verwendung umweltfreundlicher Materialien, insbesondere
● Verwendung vieler Altstoffe
● keine Verwendung von Materialien auf Ölbasis
● wenig Verwendung knapp werdender Metalle.
Mit diesen allgemein gehaltenen Zielen decken sich weitgehend die konkreteren Tendenzen, die von (32) genannt werden:

Packstoffe	Substitution von Aluminium, PVC, Weißblech Wachstum des Kunststoffanteils verlangsamen Recycling

Packmittel	Gewichtsverminderung
	größere Einheiten
Systeme	Mehrweg statt Einweg (Glas und
	Kunststoffe)
	Transport-/Lagerbeanspruchung
	vermindern
Verfahrenstechnik	schadstoffarm
	energiesparend
Füllgut	weniger empfindlich

Unter ökologischen Gesichtspunkten ist der Mehrwegverpackung zweifelsohne der Vorzug zu geben (8). Als
Material sollte dabei in erster Linie Glas verwandt werden, wobei ein Pfandsystem so gestaltet sein muß, daß die
Rücklaufquote möglichst hoch ist. Auch unter gesundheitlichen Aspekten scheint der Glasverpackung der Vorzug zu gehören. Als Sofortmaßnahme bietet sich vor
allem die drastische Einschränkung des Verpackungsauf-
wandes an, wobei wir allerdings nicht vergessen sollten,
daß ein Zusammenhang zwischen Verpackung und Supermarkt-System besteht. «Indessen kann, während die
Notwendigkeit von Verpackungen unbestreitbar ist, ihre
Menge zweifellos deutlich verringert werden. Die beiden
Wege dazu sind die Abschaffungen von unnötiger Verpackung (Überverpackung) und die Wiederverwendung
von Verpackungen (Mehrwegverpackungen).» (33)

 Ökorat – Ökotat

- Vermeiden Sie Verpackungen, wo immer es geht!
- Bevorzugen Sie Glas-Verpackungen, wenn Sie die Wahl haben.
- Benutzen Sie keine Einweg-Verpackungen für Getränke.
- Lassen Sie sich keine Verpackungen vom Verkaufspersonal aufdrängen.
- Plastik-Tüten für den Einkauf sind überflüssig.
- Verwenden Sie Verpackungen immer nur bestimmungsgemäß (also z. B. keine Joghurt-Becher für Tiefkühlkost, keine heißen Soßen in Kunststoffschälchen etc.)
- Sorgen Sie für möglichst kurze Lagerzeiten, solange das Lebensmittel verpackt ist.
- Geben Sie Papier, Aluminium oder Weißblech-Dosen zum Recycling (egal ob beim Altwaren-Händler oder in Container).
- Verzichten Sie bei Kantinen auf Einweg-Trinkbecher, nehmen Sie Ihr eigenes Gefäß mit.

Literatur

1 Ullmanns Enzyklopädie der technischen Chemie, Bd. 16, 91–104, 4. Aufl.
2) C. G. vom Bruck, D. Cmelka, F. V. Wolf, Verpackungsrundsch. *5*, TWB 37 (1977)
3 P. Fink: Zeitschrift für Lebensmitteltechnologie und Verfahrenstechnik, *32*, 193 (1981)
4 Verbraucherzentrale Hamburg e. V.: Scheinwelt Verpackung, Hamburg
5 R. Heiss: Verpackungen von Lebensmitteln, Anwendung der wissenschaftlichen Grundlagen in der Praxis, Springer Verlag, Berlin-Heidelberg-New York 1980
6 Rationalisierungs-Gemeinschaft Verpackung im RKW (Rationalisierungskuratorium der Deutschen Wirtschaft e. V.): Pressedienst 4/1983 vom 23. 6. 83
7 Dies.: Produktionsmenge und Produktionswert der Verpackungsindustrie in der Bundesrepublik Deutschland und Berlin (West), Eschborn 1983
8 Umweltbundesamt: Verpackung für Getränke, 3. Fortschreibung 1970–1981, Texte 22/83, Berlin 1983
9 Arbeitsgemeinschaft Recycling der Weißblechindustrie: Weißblech-Recycling 1982, Düsseldorf 1982
10 UMWELT (BMI) *95*, 18 (1983)
11 K. H. Joepen in Kumpf, Maas, Straub, Hösel, Schenkel (Hrsg.): Müll und Abfall, Tz. 8523, 62. Lfg., 1981
12 UMWELT (BMI) *88*, 12 (1982)

13 R. Franck und H. Mühlschlegel: Kunststoffe im Lebensmittelverkehr, Carl-Heymanns-Verlag, Köln-Berlin-Bonn-München, 28. Lfg., 1981

14 Verordnung zur Begrenzung des Gehalts an monomerem Vinylchlorid in Bedarfsgegenständen vom 26. Okt. 1979, BGBl I, 1773 (1979)

15 W. Pfab und G. Mücke: Verpackungs-Rundschau *6*, TWB 49 (1977)

16 H. Niebergall und R. Kutzki: Dt. Lebensmittel-Rundschau *78*, 82 (1982); *78*, 323 (1982); *78*, 428 (1982); *79*, 10 (1983)

17 R. Franck: Fette, Seifen, Anstrichmittel *80*, 9 (1978)

18 A. Rückert: Kunststoffe-Plastics *2*, 25 (1978)

19 U. Rüdt: Essen wir Gift? Verbraucherschutz durch Lebensmittelüberwachung. Kosmos-Bibliothek, Bd. 29, Franck'sche Verlagsanstalt, Stutgart 1978

20 Anonym: Kunststoffe *68*, 375 (1978)

21 S. D. Eagleton: Kunststoffe-Plastics *2*, 31 (1978)

22 L. C. Rinzema: Kunststoffe-Plastics *2*, 31 (1978)

23 F. H. Kemper u. a.: Zum Thema Weichmacher – Phthalsäuredialkylester, pharmakologische und toxikologische Aspekte, Verband Kunststofferzeugende Industrie, Frankfurt 1983

24 I. Tomita u. a.: Ecotox. Environm. Safety *1*, 275 (1977)

25 H. Greiner: Z. Rechtsmedizin *74*, 75 (1974), zit. nach 23

26 U. Rüdt: Bundesgesundheitsbl. *19*, 267 (1976), zit. nach 23

27 G. A. Senich: Polymer *23*, 1385 (1982)

28 H. Niebergall und P. Beckmann-Gioumatzidou: Kunststoffe *73*, 329 (1983)

29 H. Friege und R. Nagel: Umweltgift PCB, B.U.N.D.-Verlagsgesellschaft, Freiburg 1982

30 G. Schricker und L. Robinson: Untersuchungen über den Restgehalt an polychlorierten Biphenylen in Papier, Karton und Pappen, BM JFG-Forschungsvorhaben 416-6080-5/42, München 1982

31 K. Arrifai und L. Acker: Getreide, Mehl und Brot *29*, 240 (1975)

32 P. Fink: ZFL – Zeitschr. f. Lebensmitteltechnol. u. Verfahrenstechn. *32*, (1981)

33 B. Clemens und B. Joerges in B. Joerges (Hrsg.): Verbraucherverhalten und Umweltbelastung – Materialien zu einer verbraucherorientierten Umweltpolitik, Frankfurt-New York 1982

Sondermüll im Haushalt

Der Müllberg, den jeder von uns täglich produziert, ist nicht nur immer größer geworden, sondern auch immer giftiger. Die Haushaltschemikalien, die in diesem Buch beschrieben sind, wandern zum Teil ins Abwasser (Waschmittel, Putz- und Reinigungsmittel) oder verdunsten in die Atmosphäre (z. B. Lösungsmittel); ein erheblicher Teil jedoch vergrößert den täglichen Müllberg, vor allem leere oder angebrochene Packungen sowie natürlich das Verpackungsmaterial selbst. Problematische Haushaltschemikalien sind dabei:

● **alle Kunststoffe:** Viele Kunststoffe sind gefärbt (z. B. mit Cadmium-Pigmenten) oder enthalten Bleiverbindungen als Stabilisatoren. Ferner ist in vielen Kunststoffen Fluor oder Chlor enthalten, die zusammen mit den Schwermetallen eine besondere Gefährdung in Müllverbrennungsanlagen darstellen, weil diese Stoffe dann mit den Abgasen in die Atmosphäre entweichen können (→ Kunststoffe).

● Auch **Lack- und Lösungsmittelreste** enthalten Schwermetallverbindungen sowie Chlorverbindungen. Besonders chlorhaltige Lösungsmittel sind schwer abbaubar und können daher über das Sickerwasser von Mülldeponien in die Gewässer gelangen.

● Die in den **Resten von Pestiziden und Holzschutzmitteln** enthaltenen Stoffen sind in der Regel stark giftig. Auch sie können über das Sickerwasser von Deponien in die Umwelt gelangen. Bei ihrer Verbrennung entstehen in den Müllverbrennungsanlagen hochgiftige Stoffe, unter anderem das Seveso-Gift Dioxin.

● **Alte Batterien** haben einen großen Anteil am Eintrag von Quecksilber, Blei, Zink und Cadmium in den Müll und damit an deren Emissionen aus Müllverbrennungsanlagen.

● **Putz- und Reinigungsmittel, Desinfektionsmittel und Kosmetika** enthalten oft Chlorverbindungen, Lösemittel u. a.
Nach hessischen Untersuchungen beträgt der Anteil von Giftstoffen (Sondermüll) im normalen Hausmüll etwa 2%, teilweise sogar 5% – bundesweit wären das Hunderttausende Tonnen Giftmüll allein aus den Haushalten!

● Auch in Chemikalien aus dem Hobbybereich wie **Klebstoffen, Fotochemikalien, Farben, Spraydosen** sind ebenfalls alle oben genannten Schadstoffe enthalten.

Strategien für den Müll

1. Mülldeponien – aus den Augen, aus dem Sinn?

Etwa zwei Drittel des bundesdeutschen Mülls wird auf Mülldeponien abgelagert. Daß problematische Abfälle dort keineswegs sicher aufgehoben sind, zeigen viele Skandale der jüngsten Zeit – beispielhaft sei hier nur die Deponie Georgswerder in Hamburg genannt, auf der unter anderem Chemieabfälle gelagert wurden und aus der jetzt dioxinhaltiges Sickerwasser austritt. Neben Geruchsbelästigungen, Staubentwicklung und möglichen Deponiebränden stellt das Sickerwasser aus Mülldeponien die Hauptbelastung für die Umwelt dar. Je nach ihrer Beschaffenheit können alle giftigen Chemikalien, die wir durch unseren Müll auf die Mülldeponie bringen, mit dem Sickerwasser aus der Deponie wieder ausgewaschen werden. Im Sickerwasser lassen sich daher Insektenvertilgungsmittel, Desinfektionsmittel, Weichmacher von Kunststoffen und organische Lösemittel nachweisen. Die meisten Deponien – besonders die älteren – sind nicht richtig abgedichtet, so daß diese Stoffe dann ins Grundwasser gelangen. Noch 1977 wurde nur in 11% aller Deponien das Sickerwasser erfaßt und nur in 8% aller Deponien gereinigt (1). Selbst wenn sich dieser Zustand in der Zwischenzeit etwas gebessert hat, bleibt doch festzustellen: Mülldeponien sind für unsere Haushaltschemikalien ein sehr unsicherer Aufenthaltsort. Die gefährlichen Stoffe, die wir dort sicher gelagert glauben, gelangen über die Gewässer und letzten Endes über unser Trinkwasser wie ein Bumerang wieder zurück in unsere gute Stube. Haushaltschemikalien gehören also nicht auf Mülldeponien!

2. Müllverbrennungsanlagen – verbrannt und vernichtet?

Hauptsächlich wegen des Platzproblems verfiel man in den letzten Jahren besonders in Großstädten zunehmend darauf, Müll nicht mehr auf Mülldeponien zu lagern, sondern ihn in Müllverbrennungsanlagen zu verbrennen. Fast 30% des bundesdeutschen Hausmülls werden inzwischen in Müllverbrennungsanlagen verbrannt. Während man sich zunächst eine problemlose Beseitigung von Schadstoffen im Müll durch die Verbrennung erhoffte, ist inzwischen klar, daß dies nicht der Fall ist. Müllverbrennungsanlagen stoßen große Mengen an Schwefeldioxid, Chlorwasserstoff und Fluorwasserstoff aus und tragen zum sauren Regen bei, indem sich die in den Haushaltschemikalien enthaltenen Fluor- und Chlorverbindungen in Säuren umwandeln. Müllverbrennungsanlagen

sind eine der Hauptquellen für die Belastung der Luft mit Schwermetallen, hauptsächlich in Form von feinem Staub. Auch hat man in den letzten Jahren entdeckt, daß in Müllverbrennungsanlagen aus Chlorverbindungen und organischen Verbindungen das Seveso-Gift Dioxin und andere gefährliche Dioxine und Dibenzofurane gebildet werden. Unsere mögliche gesundheitliche Belastung durch diese Stoffe ist so ernst, daß einige Wissenschaftler wie der schwedische Toxikologe Professor Rappe bereits ein völliges Verbot des Baus weiterer Müllverbrennungsanlagen fordern (1). Nur wenige der älteren Anlagen sind mit Rauchgasreinigungsanlagen ausgestattet. Bei den neueren Anlagen werden zwar verbesserte Technologien angewandt, doch auch sie können keine vollständige Rückhaltung der Gifte garantieren.

 Fazit: Bei der Verbrennung in einer Müllverbrennungsanlage werden unsere Haushaltschemikalien eher noch gefährlicher. Auch dies ist also keine ordnungsgemäße Methode der Beseitigung für giftige Abfälle aus dem Haushalt.

3. Getrennte Sammlung von Sonderabfällen
Die Folgerung aus dem Zustand der Mülldeponien und der Müllverbrennungsanlagen kann nur lauten: Gefährliche Haushaltschemikalien dürfen

Bremen sammelt Plastikmüll

Aus Abfall sollen Minigolfbälle und Blumenkästen entstehen

BREMEN, 23. Juli. Um gefährliche Gase, die aus Bremens stadtnaher Müllverbrennungsanlage seit Jahren ungehindert entweichen, zu reduzieren, werden Hausfrauen demnächst durch Bausenator Bernd Meyer aufgefordert, ihre Abfälle getrennt nach Hausmüll, Plastik und Gartenabfall abzuliefern. Diese Mehrarbeit, so hofft der Senator, werden Bremens Hausfrauen im Hinblick auf eine saubere Umwelt gern auf sich nehmen. Eine Münchner Firma ist bei dem Großversuch Partner der Bremer.

Plastikgegenstände wie Joghurtbecher, Spülmittelflaschen, Margarinebehälter und andere Kunststoffartikel sollen künftig von 38 000 Bewohnern des Stadtteils Bremen-Schwachhausen in von der Baubehörde gelieferten durchsichtigen Plastiksäcken gesammelt und alle 14 Tage an den Straßenrand gestellt werden. Schwachhausen ist ein weiträumiger Stadtteil, 62 Prozent der dort lebenden Bevölkerung hatten sich bei einer Umfrage der Grünen-Fraktion im Landtag für getrennte Müllabfuhr ausgesprochen.

Die Frage nach dem Wohin mit dem Plastikmüll ist geklärt. Die «Recycloplast GmbH» betreibt, wie Senator Meyer jetzt berichtete, drei Plastikver-

wertungsanstalten in Süddeutschland. Der Bremer Plastikmüll – gerechnet wird während des Versuchs in Schwachhausen alle 14 Tage mit vier bis fünf Tonnen – wird per Lastwagen nach Süddeutschland gebracht in eine Anlage der «Recycloplast». Dort wird das Material verarbeitet, zu Minigolfbällen beispielsweise oder zu Industriefußböden und Blumenkästen. Die Stadt Bremen bekommt pro Kilogramm Plastik zehn Pfennig und deckt damit ihre Kosten.

Ebenfalls zunächst probeweise sollen die Schwachhauser Jutesäcke für Laub und Gartenabfälle bekommen. Auf der Mülldeponie wurde dafür eigens eine Kompostierungsanlage gebaut. Vom Humus profitieren öffentliche Parks und Anlagen. Als dritte Neuerung will der Senator an rund 100 Standorten im Stadtgebiet neben Glasauch Papiercontainer aufstellen lassen. Bei der Nutzung der Glascontainer sei Bremen, so Meyer, «einsame Spitze». Pro Einwohner und Jahr werden 16 Kilogramm Altglas in die Container geworfen; das sei, versichert der Senator, doppelt soviel wie im Bundesdurchschnitt.

Frankfurter Rundschau vom 24. Juli 1984

nicht auf den Müll gelangen, sondern müssen getrennt erfaßt werden. Hierfür gibt es verschiedene Modelle.

Die vernünftigste Lösung wäre die *Rückgabe an den Händler:* Eigentlich sollte es selbstverständlich sein, daß der, der einem das Gift verkauft hat, dieses oder Reste davon nach Gebrauch auch wieder zurücknimmt.

Weitgehend verwirklicht ist dieses Prinzip beim *Altöl,* das alle Tankstellen oder kommunale Sammelstellen zurücknehmen. Von den quecksilberhaltigen *Knopfzellenbatterien* wurden 1981 schon 50% vom Handel zurückgenommen (2). Hier fehlt es also nur noch an der nötigen Information der Verbraucher über diese Möglichkeit.

Rückgabe an den Hersteller: Das Angebot, verbrauchte oder nicht benutzte Mittel an die Herstellerfirmen zurückzuschicken, bietet der Industrieverband Putz- und Pflegemittel e. V. in Frankfurt für seine Mitgliedsfirmen an. Rohr- und WC-Reiniger, Fußbodenreinigungsmittel, Fußbodenpflegemittel, Fensterputzmittel, Autowasch- und -pflegemittel, Entfroster und Antibeschlagmittel, Autochrompflegemittel, Möbelpflegemittel, Schuh- und Lederpflegemittel, Herdputzmittel, Raumsprays und Fleckentfernungsmittel können an die Herstellerfirmen geschickt werden, die dann kostenlos für eine Vernichtung nach den Umweltschutzvorschriften sorgen (3). Da die Portokosten für den Verbraucher hier unter Umständen höher sind als der Kaufpreis für das jeweilige Produkt, kann dies jedoch nicht als optimale Methode angesehen werden; weniger aufwendig für den Verbraucher ist sicher die Rückgabe beim Händler.

Getrennte Sammlungen in extra Mülltonnen: In der schwäbischen Stadt Baienfurt konnten im Rahmen eines Modellversuchs «grüne Mülltonne» Medikamente und Batterien in einem extra Sammelbeutel mitgegeben werden. Damit konnte der Verbraucher seinen Problemmüll ohne zusätzlichen Aufwand vom allgemeinen Müll abtrennen. Etwas mehr Initiative seitens des Verbrauchers verlangen *periodische Sondermüllsammlungen* oder die Abgabe von Sondermüll in ständigen *kommunalen Abfallsammelstationen.* Periodische Sondermüllsammlungen werden in den letzten Jahren in einer zunehmenden Zahl von Städten mit gutem Erfolg durchgeführt. Besonders bekannt geworden ist das Beispiel von Norderstedt bei Hamburg. Die Stadt Bochum hat seit 1980 Abfallsammelstationen in verschiedenen Stadtteilen eingerichtet, wo Verbraucher ständig ihre Problemabfälle abliefern können. Auf diese Weise können getrennt erfaßte Haushaltschemikalien und Problemabfälle einem sinnvollen Recycling oder der Sondermüllbeseitigung zugeführt werden.

4. Das Müllproblem beginnt beim Einkauf

Der einfachste Weg, Schadstoffgehalt und Müllvolumen gering zu halten, ist der bewußte Einkauf. Schon hier sollte man darauf achten, daß
● die Produkte hohe Lebensdauer und leichte Reparierbarkeit aufweisen

- sie keine bzw. wenig Giftstoffe enthalten
- sie statt mit Batterien mit Solarzellen, Akkumulatoren oder Handbetrieb (z. B. Dynamo-Taschenlampe) arbeiten
- der Verpackungsaufwand minimiert ist (bzw. zur Mehrwegpackung greifen) (4).

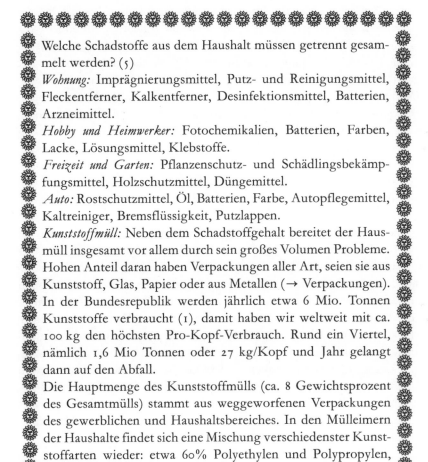

Welche Schadstoffe aus dem Haushalt müssen getrennt gesammelt werden? (5)

Wohnung: Imprägnierungsmittel, Putz- und Reinigungsmittel, Fleckentferner, Kalkentferner, Desinfektionsmittel, Batterien, Arzneimittel.

Hobby und Heimwerker: Fotochemikalien, Batterien, Farben, Lacke, Lösungsmittel, Klebstoffe.

Freizeit und Garten: Pflanzenschutz- und Schädlingsbekämpfungsmittel, Holzschutzmittel, Düngemittel.

Auto: Rostschutzmittel, Öl, Batterien, Farbe, Autopflegemittel, Kaltreiniger, Bremsflüssigkeit, Putzlappen.

Kunststoffmüll: Neben dem Schadstoffgehalt bereitet der Hausmüll insgesamt vor allem durch sein großes Volumen Probleme. Hohen Anteil daran haben Verpackungen aller Art, seien sie aus Kunststoff, Glas, Papier oder aus Metallen (→ Verpackungen). In der Bundesrepublik werden jährlich etwa 6 Mio. Tonnen Kunststoffe verbraucht (1), damit haben wir weltweit mit ca. 100 kg den höchsten Pro-Kopf-Verbrauch. Rund ein Viertel, nämlich 1,6 Mio Tonnen oder 27 kg/Kopf und Jahr gelangt dann auf den Abfall.

Die Hauptmenge des Kunststoffmülls (ca. 8 Gewichtsprozent des Gesamtmülls) stammt aus weggeworfenen Verpackungen des gewerblichen und Haushaltsbereiches. In den Mülleimern der Haushalte findet sich eine Mischung verschiedenster Kunststoffarten wieder: etwa 60% Polyethylen und Polypropylen, 20% Polystyrol und 15% PVC. Die restlichen 5% bestehen aus Polyamiden und anderen Kunststoffarten.

Kunststoff-Recycling

Da die aus fossilen Energieträgern hergestellten Kunststoffe sehr wertvolle Müllbestandteile sind, sollte – besonders im Hinblick auf zunehmende Rohstoffverknappung und die Gefahren bei Deponierung und Verbrennung – die Rückgewinnung eine besondere Rolle spielen. Während aus Abfällen der Industrie über 50% wiederverwertet werden können, ist ein Recycling der Kunststoffe aus Hausmüll bisher nur in sehr beschränktem Maß möglich. Anders als der Industriemüll enthält der Hausmüll ein Gemisch verschiedenster Kunststoffe, die zudem einen hohen Verschmutzungsgrad aufweisen. Der Abfall muß daher sortiert und gereinigt werden. Eine Vorsortierung könnte bereits durch den Verbraucher erfolgen. Die anschließende Reinigung und Auftrennung des Kunststoffgemisches, die eine Voraussetzung für ein wirkungsvolles Recycling wäre, bereitet jedoch derzeit große technische und wirtschaftliche Schwierigkeiten. Wird dagegen auf die Auftrennung in einzelne Kunststoffsorten verzichtet, dann ist ein Recycling zu hochwertigen Produkten weitgehend ausgeschlossen. Recycling-Kunststoffe unbekannter Art und Zusammensetzung sind vor allem Ausgangsmaterial für weniger anspruchsvolle Erzeugnisse wie Blumentöpfe, Flaschenkästen oder Fußmatten (6), da bei diesen Produkten kein so hoher Anspruch auf besondere Materialeigenschaften besteht. Ein echtes Recycling kann bis jetzt nur bei Kunststoffen erfolgen, die nicht im Hausmüll landen.

Wo, wie beim Hausmüll, die Wiederverwertung der Kunststoffe durch deren notwendige Sortierung an Grenzen stößt, besteht die Möglichkeit der Pyrolyse. Bei diesem Verfahren erhält man gasförmige und flüssige Produkte, die z. T. als chemische Rohstoffe und als Heizmaterial verwendet werden können. Aber auch die Pyrolyse führt ähnlich wie die Verbrennung zu einer erheblichen Belastung der Umwelt. Die giftigen Schwermetalle reichern sich entweder in den Rauchgasen oder Filterrückständen bzw. Schlacken an (6). Neben einem erhöhten Anteil an Stickoxiden in den Rauchgasen ist auch die Entstehung krebserregender «polycyclischer Kohlenwasserstoffe» nicht ausgeschlossen (7).

Einsatz abbaubarer Kunststoffe
Seit einiger Zeit gibt es Überlegungen, in bestimmten Bereichen abbaubare Kunststoffe einzusetzen. Vorteile verspricht man sich insbesondere bei der Deponierung und der Verbesserung des Landschaftsbildes.

Die biologische Abbaubarkeit eines Kunststoffs setzt ein Eindringen von Wasser voraus, denn biologisch-enzymatische Reaktionen können nur in wäßrigem Medium ablaufen. Aber auch bei gegebener Mindestquellbarkeit sind im wesentlichen nur diejenigen Polymere biologisch abbaubar, die durch natürliche Prozesse entstanden sind. Pergamentpapier und Zellglas (Hydratzellulose) sind zwar auf Zellulosebasis hergestellt, stellen aber Chemieprodukte dar, die beim biologischen Abbau auch wasserlösliche Produkte wie z. B. Ammoniak, Methan, Schwefelwasserstoff u. a. freisetzen (8). Darüber hinaus sind diese zellulosischen Chemieprodukte auch für eine breite Anwendung ungeeignet, da sie überwiegend wasserdampfdurchlässig und kaum verformbar sind.

Bei den vollsynthetischen Kunststoffen sucht man zur Zeit nach Möglichkeiten, UV-abbaubare Stoffe herzustellen. Unter Einwirkung von Sonnenlicht oder künstlichen UV-Quellen würde der Kunststoff dabei langsam in seine Bestandteile zerfallen. Was bei oberflächlicher Betrachtung sehr praktisch erscheint, entpuppt sich in Wirklichkeit als Gefahrenquelle; niedermolekulare, stark chlorhaltige Abbauprodukte würden sich in der Nahrungskette anreichern. Außerdem wird die Möglichkeit, UV-abbaubare Kunststoffe herzustellen, auf wenige Sorten beschränkt bleiben, denn nicht jeder Kunststoff kann für einen vollständigen Abbau durch UV-Licht sensibilisiert werden. Bei PVC würde z. B. nach Abspaltung von Salzsäure eine resistente, schwarze Masse übrig bleiben.

Aus diesen Betrachtungen sind die Einsatzgrenzen für UV-abbaubare Kunststoffe von vornherein abgesteckt:

– sie wären nur einsatzfähig, wo sie nicht oder nur kurz mit Sonnenlicht in Berührung kämen
– die Abbauprodukte müßten unschädlich sein, was nicht der Fall ist
– die Wiederverwertung der Kunststoffabfälle wäre noch schwieriger, da nun abbaubare und nichtabbaubare Stoffe nebeneinander vorlägen.

Fazit

Bislang sind alle Müllverwertungs- und Beseitigungsverfahren für Kunststoffe in ökologischer Hinsicht unbefriedigend. Statt nach technischen Möglichkeiten zu suchen, die die bestehende Wegwerf-Mentalität unserer Gesellschaft noch unterstützen, sollte man sich vielmehr an das Grundprinzip des Umweltschutzes erinnern: Jede menschliche Tätigkeit muß mit einer geringstmöglichen Veränderung des ökologischen Gleichgewichtes ausgeführt werden. Das verlangt u. a., daß möglichst wenig fossiler Rohstoff (aus dem ja Kunststoffe hergestellt werden) verbraucht wird.

Auch die Züchtung von Bakterien, die Kunststoffe abbauen können, oder Herstellung von UV-abbaubaren Materialien ist aus ökologischer Sicht klar abzulehnen, da in beiden Fällen belastete Sickerwässer oder Gase freiwerden, die zu einer lokalen Veränderung des Gleichgewichts führen, ohne irgendwelchen Nutzen zu bringen.

 Kunststoffe sind aus der Sicht des Umweltschützers die am meisten «verunglückten» Errungenschaften der modernen Zeit: Es sind typische *Wegwerfprodukte,* obwohl sie auf Grund ihrer Haltbarkeit für die *Ewigkeit* geschaffen sind und das auch noch durch den Zusatz *giftiger* Stabilisatoren.

 Ökorat – Ökotat

● Verwendung von Kunststoff- und kunststoffverpackten Gegenständen soweit wie möglich einschränken.

● Verbot von Einwegpackungen oder zumindest eine Steuerabgabe für Einwegverpackungen aus Kunststoffen
● Finanzielle Mittel, die zur Erforschung neuer Verfahren zur Kunststoffbeseitigung im Müll bestimmt sind, für wirtschaftliche Umstrukturierungen einsetzen, die einen weitgehenden Verzicht auf Kunststoffverpackungen ermöglichen.

Literatur

1 Katalyse Umweltgruppe u. a. (Hrsg.): Dioxin, Köln 1984
2 Th. Koch und J. Seeberger: Ökologische Müllverwertung. Handbuch für optimale Müllkonzepte, Karlsruhe 1984, S. 52
3 Verbraucher-Zentrale Nordrhein-Westfalen e. V.: Giftdepot Mülleimer. Düsseldorf 1982
5 Stadtverwaltung Wuppertal: Müllfibel. Wuppertal, Februar 1984
6 Die Grünen Offenbach: Alternativen zum Müll, Offenbach 1983, S. 86
7 Öko-Mitteilungen 4, 15 (1983)
8 Studie d. Battelle-Instituts: Abbaubare Kunststoffe und Müllprobleme, 1978

Batterien und Sprays

Batterien

«Happy birthday to you . . .» – für 13,20 DM können Sie Freunden und Bekannten mit einem klingenden Glückwunschtelegramm zum Geburtstag gratulieren (1). Mindestens zweihundertfünfzigtausendmal (2) wurde in diesem unserem Lande von dieser Möglichkeit Gebrauch gemacht. Eine gelungene Geburtstagsüberraschung, insbesondere für stimmschwache Gratulanten? Oder weist es nicht vielmehr darauf hin, daß in vielen Fällen der Einsatz von Batterien überflüssig ist?

Wie funktioniert eine Batterie?

Batterien speichern chemische Energie, die beim Entladen in elektrische Energie umgewandelt wird. Als Grundbausteine dienen zwei Elektroden und meist eine Flüssigkeit (der Elektrolyt). Zwischen den Elektroden bildet sich eine elektrische Spannung aus. So besteht etwa beim Bleiakkumulator eine Elektrode aus Blei, die andere aus Bleidioxid; als Elektrolyt dient Schwefelsäure. Die Bleielektrode reagiert mit der Schwefelsäure, wobei negative Ladungsträger (Elektronen) freigesetzt werden, sie bildet also den negativen Pol des Akkumulators. Am positiven Pol reagiert Bleidioxid dagegen unter Aufnahme von Elektronen. Bei der Stromentnahme werden am negativen Pol, der Kathode, also ständig Elektronen gebildet, an der positiven Elektrode, der Anode, im gleichen Maße Elektronen verbraucht. Dieser Elektronenfluß ist der elektrische Strom.

Zugeschraubte Öffnung zum Prüfen und Nachfüllen des Elektrolyts (H_2SO_4 und destilliertes Wasser)

Negative Platten: Bleigitter gefüllt mit schwammigem Blei

Positive Platten: Bleigitter gefüllt mit PbO_2

Das erste technisch nutzbar gemachte System war die Braunsteinzelle. 1868 wurden 20 000 Batterien dieses Typs produziert, heute immerhin einige Milliarden jährlich (3), davon in der Bundesrepublik etwa 285 Millionen (4). Natürlich beschränkt sich das Angebot auch nicht mehr auf diese sogenannten Leclanché-Zellen, sondern es gibt eine Vielzahl unterschiedlicher Systeme je nach Wahl des Elektrodenmaterials und des Elektrolyten.

Verschiedene Größen und Formen sind im Handel, z. B. Knopfzellen, Rund- und Prismatische Zellen. Es gibt die nicht wieder aufladbaren (Einmal-)Batterien (Primärelemente) und solche, die mehrfach wieder aufgeladen werden können (Sekundärelemente), beispielsweise die Autobatterien.

Aus diesem breiten Spektrum können im folgenden nur einige wenige Batterien näher betrachtet werden; die Auswahl richtet sich zum einen nach der Häufigkeit ihres Einsatzes, zum anderen nach den von ihnen ausgehenden Gefahren.

Quecksilberoxid-Batterien

Die Quecksilberoxid-Zellen sind Einmalbatterien, besonders häufig werden sie als Knopfzellen angeboten und z. B. in Hörgeräten, Uhren, Belichtungsmessern, Kameras, Blitzgeräten und Taschenrechnern eingesetzt (5). Für diese Geräte eignen sie sich auf Grund ihrer hohen Energiedichte und Spannungskonstanz, sowie ihres kleinen Volumens und großen Zuverlässigkeit.

Der Minuspol dieser Zellen besteht aus Quecksilberoxid mit Graphit, der Pluspol aus amalgamiertem Zink.

Dadurch enthalten die Quecksilberoxid-Knopfzellen 25% Quecksilber; bei einem Umsatz von 25 Millionen Batterien pro Jahr werden damit 20 t Quecksilber in diesem Bereich eingesetzt. Damit Quecksilberoxid-Batterien von anderen Knopfzellen zu unterscheiden sind, haben sich die wichtigsten Batteriehersteller und -importeure darauf geeinigt, spätestens ab Februar 1985 den Pluspol mit einem Kreis zu versehen (6).

Während von den «giftigen» Knopfzellen schon vielfach in der Presse die Rede war, wird häufig vergessen, darauf hinzuweisen, daß auch in anderen Batterieformen Quecksilber als aktives Elektrodenmaterial gewählt wird (und damit in hoher Konzentration vorliegt) wie z. B. in Rundzellen für Kameras, die eine höhere Spannung benötigen (7). Derartige Batterien sind durch den Aufdruck «Mercury», «Mercure», «Quecksilber» oder einfach nur »M» kenntlich gemacht (8).

Alkali-Mangan-Batterien

Alkali-Mangan-Batterien sind hauptsächlich als Rundzellen auf dem Markt. Sie finden sich u. a. in Kofferradios, Taschenlampen und Spielzeug – häufig in solchen Bereichen, wo der relativ niedrige Preis den Ausschlag gibt. Erkennbar sind sie meist an einem schwarzen Mantel und dem Aufdruck «Alkaline» bzw. «Alkali/Mangan».(7) Der Minuspol besteht aus Mangandioxid und Graphit, der Pluspol dagegen aus Zink, dem Quecksilber zugefügt ist (5), um die Selbstentladung der Batterie zu verhindern und damit ihre Lebensdauer zu erhöhen. Der Quecksilber-Gehalt liegt zwar nur zwischen 1 und 3 %, aber bei einem Jahresumsatz von 115 Millionen Batterien summiert sich dies zu 37 t Quecksilber (2).

Nickel-Cadmium-Akkumulatoren (NC-Batterien)

Zu den Hauptanwendungsbereichen der NC-Batterien gehören wiederaufladbare Taschenlampen, Hörgeräte, Rechner, Blitzgeräte und Funksprechgeräte (9). Vor anderen wiederaufladbaren Systemen zeichnen sich NC-Batterien durch ihre wartungsfreie, lageunabhängige Funktion aus (9). Lohnend ist ihr Einsatz bei Geräten, die häufig benutzt werden, da sie bis zu zweitausendmal wiederaufladbar sind. Allerdings sind NC-Batterien in vielen Fällen in das Gerät eingeschweißt, so daß bei Erschöpfung des Akkumulators das gesamte Gerät weggeworfen werden muß – so z. B. bei elektrischen Zahnbürsten, Blitzlichtgeräten, Rasierapparaten oder Programmspeicherelementen in Fernsehgeräten (7). Der Pluspol besteht aus Nickelhydroxid, der Minuspol aus Cadmiumhydroxid. Jährlich werden etwa 240 t Cadmium zu Akkumulatoren verarbeitet (10), davon etwa 39–53 t für Kleingeräte-Akkumulatoren. In diesen Batterien sind 11 bis 15 % Cadmium enthalten (4).

Blei-Akkumulatoren

Bei den Blei-Akkumulatoren sind vor allem die Starterbatterien für das Auto von Interesse. Als Elektrodenmaterial dienen Blei und Bleidioxid, als Elektrolyt 32–40 %ige Schwefelsäure. 170 000 t Blei werden jährlich für die Produktion der Starterbatterien verwendet (7), in jeder stecken etwa 11 kg des Metalls (5).

Gefahren durch Batterien

Direkte Gefahren des Menschen durch Batterien? Aber die verschluckt doch niemand, mag man da einwenden. So ganz abwegig ist dieser Gedanke jedoch nicht: Je kleiner Batterien sind, um so größer ist die Gefahr des Verschluckens durch Kleinkinder; auf dieses Problem bei Knopfzellen wies die Berliner Vergiftungsberatung hin. Der vernickelte Stahlmantel kann im Magen-Darm-Trakt korrodieren, so daß der Inhalt freigesetzt wird. Verätzungen durch Laugen können die Folge sein. Ernsthafte Quecksilber-Vergiftungen sind bisher nicht beobachtet worden; dies ist wohl nur dem Umstand zu verdanken, daß bisher stets verbrauchte Batterien verschluckt wurden, bei denen sich das Quecksilberoxid bereits zu metallischem Quecksilber umgesetzt hatte und so praktisch kaum resorbierbar war (11). Vorsicht ist natürlich auch beim Umgang mit den Starterbatterien für das Auto geboten. Durch unachtsames Hantieren kann es zu schwersten Verätzungen durch die Schwefelsäure kommen. Weiterhin tragen die Batterien zur schleichenden Schwermetallvergiftung der Umwelt und damit indirekt zur gesundheitlichen Gefährdung bei (vgl. Kasten).

Etwa 15% des verarbeiteten Cadmiums (12), 5% des Quecksilbers (13) und 50% des Bleis (7) werden in der Batterieproduktion eingesetzt. Viele Batterien werden noch immer nach Gebrauch sorglos in den Mülleimer geworfen und verrotten auf Deponien und Kompostierungsanlagen, wodurch die Schwermetalle freigesetzt werden. Oder sie gelangen in Müllverbrennungsanlagen, bei denen besonders die leichtflüchtigen Cadmium- und Quecksilberverbindungen nur unvollkommen zurückgehalten werden.

Relativ hoch ist die Rückfuhrquote bei den Starterbatterien. Im allgemeinen verbleiben die alten Batterien nach dem Austausch in den Werkstätten; der Bleibedarf der Akkumulatorenwerke wird zu ungefähr 90% aus Altbatterien gedeckt (14). Problematischer sieht es dagegen bei den knapp 10% der Autobatterien aus, die in den Supermärkten erworben werden, da die Käufer häufig nicht wissen, wohin mit ihren ausgedienten Batterien. Allerdings werden sie auch von den Verkaufsstätten und Servicestationen der Batteriehersteller angenommen (7).

Bei den Nickel-Cadmium-Akkumulatoren wird die Rückfuhrquote auf 85% geschätzt (10). Der hohe Anteil ist vor allem durch die ortsfesten Systeme bedingt, die nicht im Haushalt verwendet werden. Die Nickel-Cadmium-Zellen in den Kleingeräten wandern noch allzu häufig in den

Blei, Cadmium, Quecksilber

Die Metalle Blei, Cadmium und Quecksilber zählen zu den nichtessentiellen Metallen, das heißt: Sie werden von Lebewesen für ihr Wachstum nicht benötigt und wirken daher bereits in geringen Konzentrationen auf Organismen schädlich.

Cadmium führt bei chronischer Belastung zu Nierenschäden; die Niere ist das primäre Zielorgan des Cadmiums, in dem dieses Metall über Jahrzehnte gespeichert werden kann. Besonders ältere Frauen sind durch Cadmium gefährdet. Über die Nierenfunktionsstörungen hinaus ist die krebserzeugende Wirkung von Cadmiumsalzen von hoher Bedeutung, die erst kürzlich entdeckt wurde. Im Tierversuch konnte nachgewiesen werden, daß das Einatmen von Cadmiumsalz-Aerosolen zu Krebs führt. (Außergewöhnlich hohe Cadmium-Dosen führten in Japan zusammen mit Vitamin-D-Mangel zu der bekannten Itai-Itai-Krankheit, einer Skelettdeformation.)

Quecksilber und *Blei* wirken primär auf das Nervensystem. Beim Quecksilber liegt noch insofern eine Besonderheit vor, als es in der Natur, vor allem in Ökosystemen von Binnengewässern und Meeren, zu dem wesentlich giftigeren *Methylquecksilber* umgewandelt werden kann. Dieses vermag sich im Fettgewebe anzureichern; Methylquecksilber ist in der Lage, die den Embryo schützende Plazentaschranke der Mutter zu durchbrechen. Eine Blei-Belastung über das normale Maß hinaus kann bei Kindern zu Intelligenzminderung und zu Störungen der motorischen Aktivitäten führen. Die Zufuhr an Blei und Cadmium in der Bundesrepublik ist in einer kritischen Größenordnung (15).

Müll. Wegen des niedrigen Cadmium-Preises ist mit einem Anstieg der gezielten Wiederverwertung nicht zu rechnen. Dagegen wird vermutet, daß der Anteil der NC-Batterien im Kleingeräte-Bereich wachsen wird (10), die Umweltbelastung wird also eher zunehmen.

Trotz der Aufklärungskampagnen über die Gefahren von Quecksilberoxid-Zellen und der Absprache, verbrauchte Batterien in den Verkaufsstellen des Einzelhandels wieder zurückzunehmen, nimmt sich das Ergebnis noch recht mager aus: Der Rücklauf liegt nur bei etwa 50%.(6) Mangelnde Initiative des Handels, Probleme der Kennzeichnung, aber eventuell auch fehlender Anreiz in Form eines saftigen Pfands für Batterien mögen ihren Anteil daran haben.

Bei den Alkali-Mangan-Batterien lohnt eine Verwertung des Quecksilbers wegen der geringen Konzentrationen nicht. Um die Belastung des Hausmülls zu verringern, werden sie in einigen Kommunen getrennt gesammelt und in Sondermülldeponien eingelagert.

Daß Sammelaktionen allein keine Gewähr für eine saubere Umwelt sind, ist eine Binsenweisheit. Wie der Kasten zeigt, kann das Sammelgut ganz unerwartete Wege nehmen.

Cadmiumbelastung bei der Edelstahlherstellung (16)

UWD – Die unerlaubte Verwendung von Nickel-Cadmium-Batterien bei der Herstellung von Edelstahl wird für ein Unternehmen in Wetter gerichtliche Folgen haben. Der nordrhein-westfälische Arbeitsminister Prof. Dr. Friedhelm Farthmann teilte mit, die Gewerbeaufsicht habe Strafanzeige erstattet.

Am 23. April 1983 waren wesentliche Teile der Stadt Wetter in eine gelbe Staubwolke gehüllt. Nachprüfungen des Gewerbeaufsichtsamtes Hagen ergaben als Quelle hierfür ein örtliches Stahlwerk. Hier wurden entgegen der Betriebsgenehmigung, die die Einsatzmaterialien auf Stahlschrott und Metallrückstände aus Filteranlagen begrenzt, verbrauchte Nickel-Cadmium-Batterien der Stahlschmelze beigegeben. Nickel wird zur Stahlveredelung gebraucht. Die Verwendung dieser Altbatterien ist jedoch nicht gestattet, weil das zur Stahlherstellung nicht benötigte Cadmium verdampft und zu Umweltschädigungen führt.

Analysen des bei der Stahlherstellung ausgeworfenen Staubes ergaben einen 20–25%igen Cadmiumanteil. Im Nahbereich des Edelstahlwerks ist die oberste Erdschicht deutlich mit Cadmium angereichert. Es wurden Cadmiumgehalte von bis zu 250 mg in 1 kg Erde festgestellt. Grenzwerte für die Bodenbelastung gibt es zwar nicht. Im mit Schwermetallen relativ hochbelasteten Stolberg wurden jedoch bereits bei 10 mg Cadmium je 1 kg Erde Nutzungseinschränkungen erforderlich.

aus: *Umweltdienst Nr. 13 (1983)*

Aber auch beim normalen Recycling kommt die Umwelt nicht ungeschoren davon; es sei hier nur an die Sekundärbleihütten erinnert. Zwar vermindert das Recycling die Gesamtmenge des freigesetzten Materials, für den Standort selbst ist dies oft mit enormen Problemen verbunden, insbesondere wenn das Recycling nicht mit dem Ziel der Schadstoffvermeidung betrieben wird.

Und natürlich ist auch die Batterieproduktion nicht ganz unbeteiligt an der Schwermetall-Belastung unserer Umwelt.

 Ökorat – Ökotat

● Überlegen Sie sich schon beim Kauf, ob es nicht eine batteriefreie Alternative gibt!
Taschenlampen gibt es auch mit handbetriebenem Dynamo, Taschenrechner mit Solarzellen.
Der Wert von elektrischen Zahnbürsten ist bei Zahnärzten ohnehin umstritten (vgl. Kap. → Zahnpflegemittel).
Es gibt tatsächlich originellere Geschenke als eine klingende Glückwunschkarte (z. B. dieses Buch!).
Brauchen Sie wirklich einen Walkman,
eine batteriebetriebene Uhr
oder gar ein beleuchtetes Strumpfband?
● Verwenden Sie an Stelle von Alkali-Mangan-Zellen lieber Zink-Kohle-Batterien, die nur 0,01% Quecksilber enthalten. (Sie sind im allgemeinen an einem gelben, roten oder blauen Mantel zu erkennen) (7).
● Wählen Sie quecksilberarme Knopfzellen:
Zink-Luft-Batterien für Hörgeräte enthalten nur geringe Quecksilbermengen und sind deshalb mit dem Umweltengel ausgezeichnet. (Erkennbar sind sie an zwei nadelstichartigen Einkerbungen an der Unterseite des Gehäuses) (7).
Mit dem Umweltengel wurden folgende Batterien ausgezeichnet:

Varta Ag	Daimon-Duracell	Electron GmbH
Typ 4600 270 m Ah	GmbH	7030 Böblingen
	Zinc-Air	Activair A 675 EL und HP
	A 675 Nr. 330 und	A 312 EL und HP
	A 13 Nr. 331	A 41 EL und HP

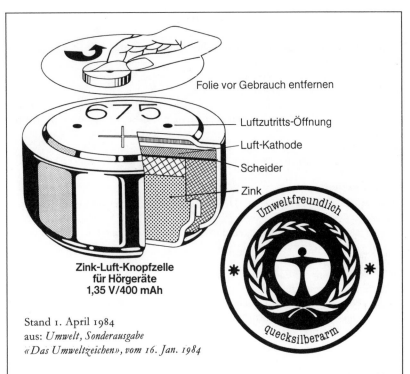

Folie vor Gebrauch entfernen

Luftzutritts-Öffnung

Luft-Kathode

Scheider

Zink

**Zink-Luft-Knopfzelle
für Hörgeräte
1,35 V/400 mAh**

Umweltfreundlich

quecksilberarm

Stand 1. April 1984
aus: *Umwelt, Sonderausgabe*
«Das Umweltzeichen», vom 16. Jan. 1984

Silberoxid-Knopfzellen für z. B. Uhren und Fotoapparate enthalten nur 1 %
Quecksilber (4).
Ganz ohne Quecksilber geht es bei den Lithium-Zellen (Abkürzungen wie Li
oder Lith weisen auf derartige Batterien hin) (17).
● Wenn Sie ein Gerät häufig benutzen wollen, entscheiden Sie sich für wieder-
aufladbare NC-Batterien.
● Eine regelmäßige Wartung der Autobatterie (Zugabe von destilliertem
Wasser) kann ihre Haltbarkeit deutlich verlängern.
● Geben Sie ausgediente Batterien dem Händler zurück oder bringen Sie sie zu
den Sammelstellen, die inzwischen von einigen Kommunen eingerichtet wurden. Knopfzellen werden auch von den Verbraucherberatungsstellen angenommen. Wenn die Wege zu weit sind, organisieren Sie «Zwischenlagerstellen»
in Betrieben.
● Setzen Sie sich für die Einrichtung einer Sammelstelle für problematischen
Hausmüll ein.
● Bei der Firma EFG Elwenn + Frankenbach GmbH, Ludwigshafener Str.
52, 6230 Frankfurt-Höchst können Sie Sammelboxen bestellen und die gesam-
melten Batterien direkt hinschicken.

Literatur

1 Amtliches Fernsprechbuch der Deutschen Bundespost 1984/85
2 Umwelt (BMI) *101*, 36 (1984)
3 H. A. Kiehne (Hrsg.): Gerätebatterien expert verlag, Grafenau 1983
4 W. Genest, entsorgungspraxis *3*, 122 (1984)
5 O. Rentz, D. Papameletiou, Th. Hanicke: Einsatz von Schwermetallen in chemisch-technischen Prozessen und resultierende Emissionssituationen, Karlsruhe 1982
6 Mitteilungen des BMI v. 20. 5. 83
7 Verbraucher-Zentrale Nordrhein-Westfalen: Giftdepot Mülleimer, Düsseldorf 1982
8 Umwelt (BMI) *93*, 61 (1982)
9 D. Sprengel in H. A. Kiehne (Hrsg.): Gerätebatterien, expert verlag, Grafenau 1983
10 W. Hake: Luftverunreinigungen durch Schwermetallverbindungen aus Einsatzstoffen und Erzeugnissen, Köln 1981
11 test *6*, 488 (1983)
12 Umweltbundesamt: Cadmium-Bericht, Berlin 1981
13 A. Rauhut, wasser, luft und betrieb *5*, 50 (1982)
14 Umweltbundesamt: Luftqualitätskriterien für Blei, Berlin 1976
15 H. Friege, U. Kost u. F. Claus (Hrsg.): Schwermetalle – fünf Minuten vor zwölf, erscheint Anfang 1985
16 Umweltdienst Nr. 13/1983
17 pers. Mitteilung des Umweltbundesamts

Sprays

> «Eins-zwei-drei im Sauseschritt,
> läuft die Zeit, wir laufen mit.»
>
> Wie für uns geschrieben klingen diese Wilhelm-Busch-Verse aus dem vorigen Jahrhundert. Zeit haben, diese Zeit individuell nutzen, sich seinen eigenen Freiraum schaffen und bewahren, das ist heutzutage das Hauptanliegen der meisten Menschen. Da ist es sicher kein Zufall, daß sich Sprays heute so großer Beliebtheit erfreuen. Denn die Spraytechnik kommt diesem Wunsch entgegen: Sie spart Zeit und Arbeit in vielen Bereichen. Zeit, die jeder Einzelne nutzen kann, seine Chance wahrzunehmen und sein eigenes Leben zu leben.
>
> *aus: Einfach praktisch Spray*
> *Informationen über ein selbstverständliches Produkt*
> *Presse- und Informationsstelle Spray (1)*

In vielen Bereichen des Haushalts hat die Sprühdose ihren Einzug gehalten: Insektensprays, Deo- und Haarsprays, Sonnenöl, Fleckenentferner, Lacke und Rasierschaum in Spraydosen – ja sogar Kerzenlöschsprays sind schon gesichtet worden (2). In den vierziger Jahren begann in den USA die Serienproduktion der Spraydosen, in der Bundesrepublik wurde sie 1953 mit 1,5 Millionen Packungen aufgenommen. 1982 wurde bereits die unvorstellbare Menge von 523 Millionen Spraydosen verkauft, pro Kopf der Bevölkerung also mehr als 8 Stück im Jahr (3). Es muß eine wahre Freude für Sprayproduzenten sein, daß es Frauen gibt, «die ihren Haushalt gut organisiert haben», «Mütter von mehreren Kindern», «die berufstätigen Frauen, die den Haushalt ‹nebenbei› erledigen wollen» und «Frauen, die beim Einkauf auch an die Hobbies ihrer Männer denken» – denn die machte die Presse- und Informationsstelle Spray als Hauptkundinnen aus (1). Und wer mag schon außen vorstehen, wenn andere sich «den eigenen Freiraum schaffen» (1), und wenn «selbst Bügeln Spaß macht»(4). Aber auch unabhängig von diesen «sprühenden» Werbesprüchen gibt es sicherlich einige Argumente «pro Spray»:
– die gleichmäßige, feine Verteilung des Wirkstoffs; die leichte Erreichbarkeit ansonsten schwer zugänglicher Stellen; die bequeme Anwendung; die relativ lange Haltbarkeit.

FCKW – ideale Treibmittel
oder Gesundheitsgefahr?

Als nahezu ideale Treibmittel für die Spraydosen galten lange Zeit die
Fluorchlorkohlenwasserstoffe (= FCKW). Die Verwendung FCKW-ge-

Fluorchlorkohlenwasserstoffe (FCKW)

Sie zeichnen sich durch hohe Stabilität aus, sind nicht brennbar und gelten als
relativ ungiftig. Wegen ihrer günstigen Eigenschaften werden sie auch als
Kältemittel für Kühl- und Gefriergeräte, Wärmepumpen und Klimaanlagen,
als Verschäumungsmittel in der Kunststoffproduktion (z. B. Styropor), als
chemisches Reinigungsmittel für spezielle Anwendungsgebiete sowie als Lösungsmittel eingesetzt. Die wichtigsten Vertreter dieser Substanzklasse werden
als F-11 und F-12 bezeichnet. Im Zeitraum von 1950–1980 wurden weltweit
allein von diesen beiden Substanzen 11,5 Millionen Tonnen produziert (5).

füllter Sprays gilt im allgemeinen als recht sicher. Um möglichen Gefahren vorzubeugen, finden sich auf den Sprays meist folgende Hinweise:
○ «Vor Sonnenbestrahlung und Temperaturen über 50 °C schützen.»
○ «Nicht gegen Flammen oder auf glühende Körper sprühen.»
Der erste Hinweis bezieht sich auf die Explosionsgefahr: Die Spraydosen
stehen unter Druck, höhere Temperaturen erhöhen den Druck, und es
besteht die Gefahr, daß die Spraydose dann explodiert. Der zweite
Hinweis bezieht sich auf eine mögliche Zersetzung der FCKW, wenn sie
mit offenen Flammen in Kontakt kommen, wobei das hochgiftige Phosgen entstehen kann. Sogar ein Todesfall bei der Verwendung eines
Fliegensprays ist auf die Zersetzung der FCKW an der Glühspirale eines
eingeschalteten elektrischen Strahlofens zurückzuführen (7).
Aber auch nur das Einatmen größerer Mengen FCKW ist nicht ganz
unbedenklich. Bei Süchtigen wurde beobachtet, daß sie sich mangels
härterer Drogen mit FCKW in einen Trance-Zustand versetzten: FCKW
sind in der Lage, das Herz gegenüber der Wirkung von Adrenalin zu
sensibilisieren. Die Nervenleitfähigkeit wird erhöht, so daß das Herz bei
gleichbleibender Adrenalin-Konzentration stärker belastet wird, was zu
Herzrhythmusstörungen und letztendlich zum Tode führen kann (8).

Bei in der Abteilung Lebensmittelchemie des Max von Pettenkofer-Instituts zur Prüfung eines aus *Frigen®* 12 bestehenden «Party-Sprays» zur Kühlung und Vereisung von Trinkgefäßen durchgeführten Versuchen konnte festgestellt werden, daß sich auch bei Menschen merkliche Beeinträchtigungen des Wohlbefindens einstellen, wenn in chlorfluorkohlenwasserstoffhaltiger Atmosphäre geraucht wird. Brannten in dem Prüfraum auch noch mehrere Kerzen, so verspürten nicht nur Raucher die Beeinträchtigungen des Wohlbefindens. Als kritischer Wert wurde eine Chlorfluorkohlenwasserstoff-Konzentration von 1000 bis 2000 ppm ermittelt, was einer «Vereisung» von 8 Trinkgläsern bzw. 11 Schnapsgläsern in einem Raum von 30 m³ entsprach.

Bei rauchenden Personen stellten sich nach dem Genuß von 2 bis 3 Zigaretten, bei nicht rauchenden, aber in der Nähe von Kerzen befindlichen Personen nach etwa 30 bis 45 Minuten, zunächst neben nicht immer wahrgenommenen leichten Reizerscheinungen des Atemtraktes (Hustenreiz), leichte Benommenheit, Schwindelgefühl und leichter Kopfschmerz ein. Nach dem Verlassen des nicht belüfteten Prüfraumes klangen die Symptome rasch ab, um nach mehreren Stunden (zum Teil bis zu 12 Stunden) wieder – und zwar verstärkt – aufzutreten, wobei zum Teil Übelkeit und leichte Atemnot («Kurzatmigkeit wie bei Erkältungen») zusätzlich auftrat. Wurden mehr als 5 bis 6 Zigaretten geraucht, so verstärkten sich auch die primären Symptome, mit Ausnahme der Reizerscheinungen des Atemtraktes. Meist resultierte dann beim Wiederauftreten ein über einen längeren Zeitraum anhaltender Zustand, der mit einem Grippalinfekt vergleichbar war. Die bei den Versuchen gemachten Beobachtungen decken sich mit einem zugegangenen Bericht, wonach ein 10 bis 15 Zigaretten pro Arbeitstag rauchender Radiomechaniker die gleichen Symptome verspürte, wenn in einem schlechtbelüfteten Arbeitsraum im Laufe des Tages häufig mit in der Halbleiter-Reparatur üblichen Kühlsprays zur Fehlersuche oder «Tuner-Sprays» gearbeitet wurde. Nach der Empfehlung, unter den gegebenen Bedingungen auf die Anwendung derartiger Sprays zu verzichten, traten die Beeinträchtigungen des Wohlbefindens nicht mehr auf.

Nach Literaturangaben soll die Bildung gesundheitlich bedenklicher Pyrolyseprodukte nicht kritisch zu bewerten sein, weil auch Stoffe mit ausgesprochen starker Reizwirkung (z. B. Chlor- und Fluorwasserstoff, Chlor, Fluor) entstehen, die die Funktion eines «Warngases» übernehmen sollen. Diese Angaben sind – wie die eigenen Versuche zeigten – nur mit einem gewissen Vorbehalt zu werten, weil die «Warnwirkung» durch die Gegenwart anderer Komponenten der Raumluft bzw. der eingeatmeten Verbrennungsgase – z. B. etherische Öle, Gerüche der Lebensmittelzubereitung, Rauch usw. – weitgehend oder sogar völlig aufgehoben wird. Von einer deutlich wahrnehmbaren Warnwirkung kann daher in vielen Fällen nicht gesprochen werden.

aus: K. Aurand: Organische Verunreinigungen in der Umwelt (6)

325

Schnallen die FCKW den Ozongürtel enger?

Auf eine weit bedeutsamere Gefahr wiesen dagegen 1974 die amerikanischen Wissenschaftler Rowland und Molina hin. Ihre aufsehenerregende Hypothese besagte, daß FCKW in der Lage sind, das natürliche Gleichgewicht des atmosphärischen Ozonhaushalts erheblich zu beeinflussen. In der Luftschicht von etwa 12–50 km Höhe, der Stratosphäre, finden sich relativ große Ozon-Konzentrationen, die bestimmte Strahlen des Sonnenspektrums – die sogenannte UV-B-Strahlung – herausfiltern und so verhindern, daß sie bis zur Erde vordringen können. Mit einer derartigen Schädigung des Ozongürtels würden nachhaltige Störungen der gesamten Umwelt einhergehen: Klimatische Veränderungen und tiefgreifende Schädigungen der Lebensvorgänge bei Pflanzen, Tieren und beim Menschen wären die Folge. Eine Beeinflussung des Immunsystems, das die Abwehrreaktionen des Körpers steuert, und vor allem ein verstärktes Auftreten von (Nichtmelanom-)Hautkrebs wären zu erwarten (4). Diese Hautkrebserkrankung ist zwar selten tödlich, ruft aber mehr oder minder starke Entstellungen hervor. Eine Abnahme der Ozonkonzentration von 1% soll die Erkrankungsrate um 2% erhöhen, aber auch Werte bis zu 10% werden diskutiert (9).

Seit der Veröffentlichung der Ozontheorie sind internationale Anstrengungen unternommen worden, um die Auswirkungen der FCKW-Emissionen auf die Ozonschicht zu erforschen.

Stoffe, die wie die FCKW eine lange Lebensdauer haben, können Jahre nach ihrem Einsatz unverändert in die oberen Schichten der Stratosphäre eindringen. Dort werden sie durch die dort vorhandene energiereiche Sonnenbestrahlung zerstört, wobei eine Kettenreaktion in Gang gesetzt wird: Aus den FCKW wird ein Chlor-Atom abgespalten, das sich in einem Reaktionszyklus mit einem Ozon-Molekül umsetzen kann; dabei wird das Chlor-Atom selbst wieder freigesetzt, so daß es erneut ein Ozon-Molekül angreifen kann. Selbst kleine Mengen an Chlor-Atomen können so einen nachhaltigen Effekt erreichen.

Hinzu kommt, daß nicht nur Chlor-Atome (als Spaltprodukte der FCKW wie auch aus natürlichen Quellen), sondern eine Reihe weiterer Spurengase die Ozon-Zerstörung katalysieren. So sind mehr als 100 chemische Vorgänge an der Ozon-Entstehung und dem Abbau beteiligt, die sich in komplexer Weise gegenseitig beeinflussen. Es wurden aufwendige Rechenmodelle erstellt, um die künftige Entwicklung der Ozonschicht vorauszusagen, sowie Messungen der Ozon-Konzentration, verschiedener FCKW und einiger wichtiger Zwischenprodukte durchgeführt. Auf Grund der hohen natürlichen Schwankungsbreite der Ozon-Konzentration durch den Einfluß der Jahreszeiten, des Sonnenflecken-Rhythmus oder der geographischen Breite ist es allerdings sehr schwierig, einen Langzeittrend infolge menschlicher Beeinflussung zu bestimmen.

Bedingt durch die komplexen Zusammenhänge, mangelnde Datenlage und realitätsferne Rechenmodelle gab es im Laufe der Zeit die unterschiedlichsten Schätzungen, Werte zwischen 2 und 20% wurden für die Abnahme der Ozonschicht bis zur Einstellung eines neuen Gleichgewichts diskutiert (10). Nach neueren Erkenntnissen soll sich der Ozonabbau langsamer vollziehen, als früher vermutet wurde (11). Sogar eine Zunahme des gesamten atmosphärischen Ozons wird in jüngster Zeit erwartet (12).

Die neueren (aber keineswegs endgültigen) Ergebnisse sind nicht einfach nur durch geänderte Rechenmodelle, sondern auch durch neue Entwicklungen zu erklären:

O Seit Mitte der 70er Jahre nimmt der FCKW-Verbrauch weltweit leicht ab. In einigen Längern wurden FCKW für Sprays verboten; in der Bundesrepublik hat die Bundesregierung eine Vereinbarung mit der Industrie getroffen, nach der bis 1979 FCKW in Sprays um 30% (bezogen auf die Produktion von 1975) reduziert werden sollten. Bis 1980 konnte bei den Sprays sogar eine Reduktion um 40% erreicht werden, was aber teilweise durch einen höheren Einsatz in anderen Bereichen wieder ausgeglichen wurde (13).

O Es wurde beobachtet, daß der leichte Ozonabbau in der Stratosphäre durch eine Erhöhung der Ozonkonzentration in der erdnäheren Luftschicht (der Troposphäre) mengenmäßig kompensiert wird (10, 14). Unklar ist aber, ob diese Änderung des «Vertikalprofils» das Klima beeinflußt (10, 15).

Früh gesprüht, spät gereut?

Bei soviel Unklarheiten erscheint es übereilt, von einer «Entwarnung für die Ozonschicht» (16) zu sprechen. Wir wissen immer noch zu wenig über die Umwelt, in die wir jährlich mehrere hunderttausend Tonnen FCKW entlassen. Gerade diese Unsicherheit sollte ein zusätzlicher

Grund für eine weitere Absenkung der FCKW-Produktion sein. Denn einmal versprüht, sind die FCKW-Treibgase unwiderruflich und nicht rückholbar in die Umwelt gelangt. Selbst bei einem sofortigen Stopp der Produktion würden FCKW noch jahrelang in die Stratosphäre gelangen.

Die Alternativen

Die Jury Umweltzeichen hat 1978 als eine der ersten Produktgruppen FCKW-freie Sprays für die Auszeichnung mit dem «Umweltschutzengel» ausgewählt. Es kann nur an solche Sprays vergeben werden,
– die keine FCKW als Treibgas enthalten
– die nach den technischen Regeln Druckgase (TRG 300) nicht als brennbar einzustufen sind
– die keine umweltgefährdenden Zusatzstoffe enthalten (22).
Die Definition der «umweltgefährdenden Zusatzstoffe» richtet sich nach den einschlägigen Gesetzen; sicherlich wird man sich im Einzelfall darüber streiten können, ob hier nicht Produkte ausgezeichnet werden, die zwar FCKW-frei, aber für die Umwelt dennoch nicht unproblematisch sind.

Alternative Treibmittel
Zu den alternativen Treibmitteln zählen Propan, Butan, Isobutan, Kohlendioxid und Stickstoff. Die Kohlenwasserstoffe Propan, Butan und Isobutan sind brennbar, so daß insbesondere bei der Abfüllung und beim Transport besondere Sicherheitsmaßnahmen getroffen werden müssen. Das Sicherheitsproblem beim Verbraucher soll inzwischen durch verbesserte Ventilkonstruktionen gelöst worden sein (19). Zur Herabsetzung der Brennbarkeit werden Mischungen mit FCKW, aber auch Lösungsmittel wie Methylenchlorid und 1,1,1-Trichlorethan eingesetzt (20). Wenngleich diese chlorierten Kohlenwasserstoffe zu den weniger problematischen Substanzen dieser Verbindungsklasse zählen, sollte ihr Einsatz auf solche Gebiete beschränkt bleiben, wo sie unentbehrlich sind. Treibmittel, die unter den Namen Embritan oder Emtan angeboten werden, enthalten das Edelgas Argon, um die Brennbarkeit des Propan/Butan-Gemischs zu vermindern (21) – eine sicherlich günstiger zu beurteilende Lösung.

Auch die Lunge bekommt ihren Anteil...

Ein ganz anderes Problem als die Treibmittelwahl sollte beim Griff zur Spraydose ebenfalls nicht vergessen werden. Je nach Teilchengröße gelangen mehr oder weniger große Anteile der Inhaltsstoffe in die Lunge. Besonders drastische Folgen zeigten sich beim Hantieren mit Ledersprays, wenn sie über längere Zeit und in geschlossenen Räumen angewendet wurden. Über 200 Vergiftungsfälle wurden beim Zentrum für Entgiftung und Giftinformation in Mainz registriert. In 80% der Fälle kam es zu mittelschweren bis schweren Vergiftungen, das bedeutet Atemnot, niedriger Blutdruck, rasender Puls, Schmerzen beim Atmen, Schüttelfrost bis hin zum Kreislaufzusammenbruch und Wasseransammlungen in der Lunge. Meistens traten die Symptome nicht sofort auf, sondern erst nach einer Viertelstunde oder sogar noch später (23). (Die Rezepturen der Ledersprays sollen inzwischen angeblich geändert worden sein.) Probleme durch Einatmen von Sprays sind z. B. auch im Friseurberuf bekannt (Haarsprays!). Und allgemein gilt es, vorsichtig mit solchen Sprays umzugehen (bzw. ganz die Finger davon zu lassen), die chlorierte Kohlenwasserstoffe enthalten. Auch hier traten in der Vergangenheit – teils schwere – Vergiftungen auf (24).

 **Ökorat – Ökotat**

● Für fast alle Produkte gibt es die Spray-freie-Alternative, sofern man nicht sogar auf einige Produkte ganz verzichtet: Wenn man den Backofen gleich nach der Benutzung säubert, erübrigt sich im allgemeinen der Kauf eines Backofen-Sprays!

● Will man sich *nicht* vom Sprühprodukt trennen, so bieten sich je nach Anwendungsgebiet mechanische Pumpensprüher, Zweikammer-Sprühdosen sowie alternative Sprühmittel an. In den letzten Jahren sind bei diesen Produkten erhebliche technische Verbesserungen erfolgt, so daß ihr Einsatz in praktisch allen Bereichen möglich ist (17, 18, 8). – Aber Vorsicht, auch Zweikammer-Sprühdosen können mit FCKW gefüllt sein! (18)

Literatur

1 Presse- und Informationsstelle Spray in der Marketingagentur Dr. Seibold KG Wachenheim: Einfach praktisch Spray. Informationen über ein selbstverständliches Produkt

2 Informationsblatt des Deutschen Verbraucherschutzbundes e. V. (DVS) Niedernhausen

3 Industrie-Gemeinschaft Aerosole e. V.: Aerosole Fakten über den Markt der Spraydosenprodukte, Frankfurt 1983

4 Weißblech Reflexionen 2, 10 (1982)

5 UNEP (Hrsg.): Environmental Assessment of Ozone Layer Depletion and its Impact as of November 1981, Bulletin No 7, Nairobi 1982

6 G. Müller in K. Aurand u. a. (Hrsg.): Organische Verunreinigungen in der Umwelt, Erich Schmidt Verlag, Berlin 1978

7 S. Moeschlin: Klinik und Therapie der Vergiftungen, Georg Thieme Verlag, Stuttgart 1980

8 D. Hertel und A. J. M. Wittenhorst, Seifen – Öle – Fette – Wachse 107, 465 (1981)

9 T. H. Maugh II, Science 216, 396 (1982)

10 J. Russow, Nachr. Chemie, Technik, Lab. 25, 507 (1977)

11 Umwelt (BMI) 92, 31 (1982)

12 Hoechst: Frigen-Information, Fluorkohlenwasserstoffe (FKW) in der Atmosphäre, Stand Februar 1984, Frankfurt 1984

13 Informationsblatt des Umweltbundesamtes, Fachgebiet II 6.1/I 5.2, August 1982

14 Seifen – Öle – Fette – Wachse 109, 184 (1983)

15 Umwelt (BMI) 96, 17 (1983)

16 Chemie Journal 1/1983

17 Colmar-Albert GmbH, Seifen – Öle – Fette – Wachse 108, 213 (1982)

18 A. Dick, Seifen – Öle – Fette – Wachse 108, 399 (1982)

19 Umwelt (BMI) 84, 17 (1980)

20 Seifen – Öle – Fette – Wachse 108, 386 (1982)

21 Römpps Chemie Lexikon, 8. Auflage, Franckh'sche Verlagsbuchhandlung, Stuttgart 1983

22 Umwelt (BMI), Sonderausgabe Das Umweltzeichen vom 16. 1. 1984

23 Verbraucher Aktuell, Januar 1984

24 pers. Mitteilung des Bundesgesundheitsamtes

Hobby und Basteln

Foto

Fotografische Bilder – ob aneinandergereiht im Film, geklebt im eigenen Album, veröffentlicht in Büchern, Zeitungen, Zeitschriften, an die Litfaßsäule gepappt oder aber als unentbehrliche Fotokopie, als Blitzpaßbild vom Bahnhof oder auch als lebenswichtige Röntgenaufnahme in der medizinischen Diagnostik – sie sind aus unserem Medienalltag nicht wegzudenken. Nach Daten des Statistischen Bundesamtes Wiesbaden lebten 1982 in der Bundesrepublik Deutschland 68 000 Beschäftigte allein von der Herstellung und dem Handel von Foto- und Filmgeräten (1). Produktion, Export und Import von photochemischen Materialien sind zum bundesdeutschen Milliardengeschäft geworden. Von 1970–78 hat sich die Produktion verdoppelt, der Import ausländischer Produkte verdreifacht (2). «Fotografieren und Filmen» ist für die Bundesbürger mit 51,3 % 1980 zur beliebtesten kreativen Urlaubsaktivität avanciert (3).

Mit dem Gebiet der chemischen Reaktionen und Verfahren in der Fotografie, also der «fotografischen Chemie», wird ein Hobbyfotograf erst dann stärker konfrontiert, wenn er seine belichteten Filme im Heimlabor selbst entwickelt. Von der Fabrikation seiner optischen und feinmechanischen Ausrüstung, von der Herstellung und Zusammenstellung seiner verwendeten Materialien und fotografischen Bücher weiß er damit auch nicht unbedingt viel, sondern bestenfalls, was Film, Papier und Entwickler «können». Eine Kennzeichnungspflicht für die Zusammensetzung der Lösungen, bis auf einige im Giftgesetz vorgeschriebene Substanzen, existiert nicht.

In den letzten 10 Jahren sind 800 000 Vergrößerungsgeräte fürs Heimlabor verkauft worden (4). Geht man von dieser Zahl aus und kalkuliert, daß sich die gleichen Heimlaboranten in diesem Zeitraum bereits ein verbessertes Gerät gekauft haben und daß ein Teil der frühen Heimlaboranten heute inaktiv ist, kommt man auf ca. 200 000 Aktive, die sich von einigen großen Firmen wie Tetenal (Hamburg/Berlin), Agfa/Gevaert (Leverkusen), Kodak Pathé (Frankreich), Ilford (Ciba Geigy Ableger, Schweiz), Labaphot (Berlin) oder von einigen Outsidern wie Foto Fine (USA), Paterson Products (England) mit Material versorgen lassen (15). Ca. 10–15 000 Amateure sind in Amateurfotografenverbänden organisiert. Von diesen ist eine besonders hohe Selbstentwickleraktivität anzunehmen.

Die eigentliche Geschichte der Fotografie begann 1839, als Daguerre und unabhängig von ihm Talbot (1841) herausfanden, daß man Silberjodid und Silberchlorid (die mit Tageslicht an sich sehr lange Zeit belichtet werden müssen, um ein sichtbares Bild zu erzeugen) nur kurz belichten muß, wenn man das «latente Bild» später durch chemische Nachbehandlung (Entwicklung) sichtbar macht. Die zur Nachbehandlung eingesetzten Chemikalien bewirken eine Konzentration des Silbers auf dem Film an sogenannten «Entwicklungskeimen». Die tatsächliche Belichtung (heute genügt ein Druck auf den Auslöser der Kamera) wird dadurch milliardenfach gesteigert, und ein sichtbares Bild entsteht in kürzester Zeit (6). Die steifen Portraitgesichter unserer Großeltern auf «Ausdauerstandbildern» in alten Fotoalben zeigen, daß vor fünfzig Jahren noch bedeutend längere Belichtungszeiten vonnöten waren als heute.

Ursprünglich wurden silberjodidbeschichtete Kupferplatten belichtet und dann in Quecksilberdämpfen zu positiven Bildern entwickelt (7). Erst die Einführung des «Sicherheitsfilmes» (1930) auf Acetylcellulosebasis markiert aber den Beginn der Amateurkinematographie. Seit 1953 gibt es Polyester-Filmunterlagen und erst seit 1969 sind die jetzt üblichen Polyethylen-(PET)-Unterlagen da. Seit Anfang der 6oer Jahre hält der Trend zu immer schnellerer Verarbeitung an. Konfektionierte, meist flüssige Chemikalienkonzentrate gewinnen für Groß- und Kleinverbraucher immer mehr an Bedeutung. Nur so ist die einfache Handhabung komplizierter Verfahren, z. B. der Farbentwicklung, im Heimlabor denkbar.

Umweltschutz – kein Thema im Labor?

Umweltschutz ist in der fotografischen Literatur ein untergeordnetes Thema. Geforscht wird an der ständigen Verbesserung der Materialien, um steigenden Ansprüchen gerecht zu werden. Frühe Verfahren, in denen beispielsweise noch mit Quecksilberdämpfen gearbeitet wurde, wurden nicht wegen ihrer Gefährlichkeit eingestellt, sondern weil sich diese Technologien als uneffektiv oder zu kompliziert erwiesen.

Eine Ursache für diesen Mangel ist sicher, daß Hersteller und Verbraucher fotochemischer Materialien, verglichen mit anderen Chemiebetrieben quantitativ nicht zu den größten Umweltsündern zählen. Die 200 000 (zumindest sporadisch) aktiven Heimlaboranten fallen vergleichsweise wenig ins Gewicht.

Häufige Bestandteile fotografischer Bäder für Amateure[1])

Substanz	Funktion	Toxikologische Bewertung
1. p-Phenylendiamin F (seit 1888)	Entwickler (auch Haar- und Pelzfärbemittel) Farbfotografie, heute nur noch weniger hautreizende Derivate gebräuchlich	Gift der Abt. 3 des Giftgesetzes (Hautgift!)[2])
2. p-Aminophenol (seit 1891) (Handelsname: Rodinal [Agfa])	Entwickler Schwarz-Weiß (enthalten im Amateurentwickler Rodinal [Agfa])	–
3. N-Methyl-p-aminophenol (Diverse: Metol (Agfa), Elon (Kodak) u. v. a. m.)	Schwarz-Weiß-Entwickler (auch Haarfärbemittel) (z. B. in Final (Agfa) LS (Ilford) Bromophen 1 (Ilford)	–
4. Hydrochinon (seit 1893)	Schwarz-Weiß-Entwickler (häufig in Positiventwicklung) z. B. Foto Fine (USA), PK 50 (Kodak), Enkobrom (Ilford), LS (Ilford), Refinal (Agfa/Gavaert)	MAK: 2 mg/m³ (p-Benzochinon: MAK 0,1 ppm entschädigungspflichtige Berufskrankheit)
5. 1-Phenyl-3-pyrazolidon Handelsname: Phenidon (seit 1957)	Schwacher Schwarz-Weiß-Entwickler gemischt mit Hydrochinon entwicklungsbeschleunigend, z. B. in Refinal (Agfa)	–
6. Alkali z. B. Borax, Natriumhydroxid, Kaliumhydroxid, Natriumcarbonat, Kaliumcarbonat, Trinatriumphosphat	Zur Erhöhung des pH in Entwicklerlösungen, da die Entwicklersubstanzen für ihre Aktivität starke Laugen benötigen, Polymetaphosphate als Kalkschutz (Entwicklerbad)	z. B. KOH Gift der Abt. 3 des Giftgesetzes

Auswirkungen auf den Menschen	Arbeitsschutz	Analyseergebnis des gebräuchlichen Entwicklers Emotin
Asthma, Dermatiden, Zyanose, allergieauslösend, stark hautreizend verschluckt: Methämoglobinämie, Nierenschäden, Störungen des ZNS	Raumlüftung direkten Kontakt mit Haut, Augen, Kleidung meiden	NN-Diethyl-p-phenylendiamin*) (weniger hautreizend als p-Phenylendiamin, aber giftig)
wie oben	wie oben	–
Lokale Überempfindlichkeitserscheinungen und Dermatiden, bekannt Friseurallergie, da auch Haarfärbemittel	wie oben	genaue Menge unbekannt
Gesundheitsschädlich, aber mindergiftig Reizt Haut, Augen und Atemwege. Kinder sind besonders empfindlich; als Staub: Hornhautschäden möglich. Achtung: bei Volidation entsteht p-Benzochinon, das zu schweren Augenschäden Anlaß geben kann verschluckt: 5–12 g tödlich, 1 g führt zu Übelkeit	wie oben	–
Vergiftungen beim Menschen nicht bekannt, *keine* lokalen Reizwirkungen, im Tierexperiment nur geringe Toxizität	ungefährlich, aber da Entwicklerlösungsbestandteil, wie oben	–
Alle stark alkalischen Lösungen führen zu Hautschäden	wie oben	Phosphat*), meist 0,5 g p/l in einfachen, 3–6 g in Spezialentwicklern und Farb-Bleichbädern 7 g Kaliumcarbonat in Entwicklungsstufe 1 6,4 g Kaliumcarbonat in Entwicklungsstufe 2

Substanz	Funktion	Toxikologische Bewertung
7. Aceton	Anstelle von Alkalien in Gegenwart von Sulfit als Aktivator für die Entwicklersubstanzen (Entwicklerbad)	Feuergefährliche Flüssigkeit, als Lösungsmittel Stoff der Gesundheitsgefährdungsgruppe III[2])
8. Natriumsulfit	Puffer in Entwicklerlösungen Oxidationsschutz (Entwicklerbad)	–
9. Ethylenglykol	Organisches Lösungsmittel für flüssige Entwicklerlösungskonzentrate (Entwicklerbad)	MAK 200 ppm oder 740 mg/m^3 Schweiz: 50 ppm! Abt. 4 des Schweizer Giftgesetzes
10. Hexacyanoferrat F	Zur Bleichung des Silbers im Bleichbad bei der chromogenen Entwicklung	Gift der Abt. 3 des Gift gesetzes[2])
11. Dichromat F	Zur Bleichung des Silbers im Bleichbad bei der chromogenen Entwicklung	Gift der Abt. 3 des Giftgesetzes
12. Essigsäure 0,5–2%ig Beim Kauf: 98% vergällt (Tetenal)	Erniedrigung des pH-Wertes zur Inaktivierung des Entwicklers (Unterbrecherbad)	Wäßrige Lösungen mit mehr als 80% sind Gifte der Abt. 3 des Giftgesetzes Feuergefährliche Flüssigkeit
13. Formaldehyd Beim Kauf oft 5%	Häufig zur Härtung der Gelatine der fotografischen Schicht (Unterbrecherbad)	Lösungen mit mehr als 5 auf 100 Masseteilen Formaldehyd gehören zu den Giften der Abt. 3 des Giftgesetzes[2]) MAK 1 ppm oder 1,2 mg/m^3
14. Natrium- oder Ammoniumthiosulfat 20–30%	Lösung des nicht entwickelten Silberhalogenids aus der fotografischen Schicht (Fixierbad)	Fotofixierbäder werden in der Giftverordnung als ungiftig eingestuft

Auswirkungen auf den Menschen	Arbeitsschutz	Analyseergebnis des gebräuchlichen Entwicklers Emotin
Gesundheitsgefährdend	wie oben	–
–	ungefährlich, aber da Entwicklerlösungsbestandteil, wie oben	69,3 g in Entwicklungsstufe 1 41,1 g in Entwicklungsstufe 2
Gefahr der Hautresorption	Schutzhandschuhe sonst wie oben	–
–	–	–
Ekzeme, Geschwüre, Schleimhautkrebs möglich	Schutzhandschuhe sonst wie oben	–
Verätzungen, in der Verarbeitungskonzentration ungefährlich, aber schleimhautreizend	wie oben	–
Arbeiter in Formalinatmosphäre bekommen oft hartnäckige Ekzeme, Ekzeme und Überempfindlichkeitserscheinungen lokal bekannt; als Gas stark schleimhautreizend; oral: schwere Nekrosen des Magen-Darm-Traktes	wie oben	–
Natriumthiosulfat ist oral ungiftig, erst größere Dosen bis 12 g täglich haben eine starke toxische Wirkung, Sensibilisierung (Allergie) möglich	wie oben	–

[1] Substanzen, die vornehmlich in der Farbentwicklung verwendet werden, sind mit ‹F› gekennzeichnet
[2] Nach Giftgesetz der DDR
*) Genaue Menge unbekannt

Was geht vor im Heimlabor?

Das Verfahren

Durch die Entwicklersubstanz wird eine schnelle Reduktion der Silberionen des Halogenids zu Silberatomen an den belichteten Stellen der fotografischen Sicht auf dem Film bewirkt.

Dazu wird der Film in einer Lösung gebadet. Als Entwicklersubstanzen dienen heute fast ausschließlich organische Substanzen, die sich vom Benzol ableiten lassen.

Das Spülen oder Stoppen beendet den Entwicklungsprozeß und soll hauptsächlich die Alkalien und die Entwicklungssubstanzen aus der Bildschicht entfernen, da sie die Verwendungsdauer des folgenden Fixierbades herabsetzen. Die Fixage dient schließlich der Herauslösung des nicht umgesetzten Silberhalogenids aus den gering oder gar nicht belichteten Schichten des Films unter Komplexbildung mit Thiosulfat. Das entstandene Silbersulfid muß durch gründliches Wässern vollständig aus den Bildschichten entfernt werden, und dann erst wird der Film getrocknet. Das Bild würde sonst durch Silbersulfid allmählich zersetzt. An den belichteten, dunkel erscheinenden Stellen des Films verbleibt das metallische Silber. In der Farbentwicklung sind heute nur noch subtraktive Verfahren von praktischer Bedeutung. Alle setzen die Entwicklung eines Silberbildes wie bei der Schwarz-Weiß-Entwicklung voraus und alle gebräuchlichen Farbentwickler gehören zu den p-Phenylenderivaten. Fast alle Verfahren, die für Amateure in handlichen «Farbentwickler-Kits» auf dem Markt sind, gehören zum Typ der chromogenen Verfahren.

Im *Entwicklerbad* wird das Silberbild und auch das Farbbild entwickelt, dem folgt das *Silberbleichbad,* in dem das Silberbild chemisch verändert wird, da es das Farbbild stören würde.

In der Fixage wird das gesamte Silber aus dem Farbmaterial herausgelöst, damit das Bild nicht nachträglich durch zurückgebliebene Silbersalze anläuft. Oft werden kombinierte Bleich-Fixierbäder angeboten.

Über häufig in der Filmentwicklung eingesetzte Chemikalien und ihre Wirkungen informiert die Tabelle (s. S. 334 ff.).

Positiventwicklung erfordert lediglich geringfügige Veränderungen der Entwicklerzusammensetzung.

Vorsicht im Labor

Ein direkter Kontakt mit den im Labor verwendeten Lösungen ist möglichst zu vermeiden. Der Arbeitsraum sollte häufig gut gelüftet werden, zumal bei erhöhten Bädertemperaturen, die die Entwicklungsgeschwindigkeit beschleunigen sollen, größere Anteile flüchtiger Lösungssubstanzen als Dämpfe in die Raumluft geraten. Das Essigsäure-Unterbrecherbad wirkt selbst in der auf 0,2–5% verdünnten Lösung schleimhautreizend und stinkt aufdringlich. Oft sind Augenschutz und Gummihandschuhe angebracht; genau steht das in den Verpackungsaufschriften. Kinder haben im Labor nichts zu suchen, zumal sie häufig besonders empfindlich auf allergieauslösende Entwicklersubstanzen reagieren. Bedauerlicherweise hat man es bislang nicht für nötig gehalten, kindersichere Verschlüsse an Vorratsflaschen und Chemikalienbehältern anzubringen. Die jeweilige Zusammensetzung der Lösungen sollte beim Kauf im Fotogeschäft erfragt werden, zumindest über grundlegende Substanzen kann dort informiert werden. Eine genaue Auszeichnung auf der Verpackung ist nicht vorgesehen: das Betriebsgeheimnis (sprich: Konkurrenzschutz) scheint wichtiger als die Verbraucherinformation zu sein. Rodinal, Agfa's Universal-Einmalentwickler für Amateure, enthält beispielsweise das starke Allergen p-Aminophenol, nur wenn man weiß, daß Refinal (Agfa) auf hautfreundlicherer Phenidon-Basis hergestellt wird, kann man dahin ausweichen.

Irreführend ist beim Kauf auch die wenig einheitliche Auszeichnung mit Gefahrensymbolen oder Hinweisen:

Die oft auf größeren Packungen und Flaschen angegebenen Warnsymbole sind nur allgemeine Hinweise, für die keine verpflichtenden Verordnungen bestehen (8). Kleine Packungen enthalten das gleiche, es fehlt nur der Platz fürs Warnsymbol.

Das Warnsymbol ist häufig anzutreffen bei Zusätzen von

Formaldehyd (bei einer Konzentration zwischen 5 und 30%)

Ethylenglykol

Hydrochinon

Natriumsulfit

Kaliumhydroxid 3% und anderen starken Laugen

(pH > 12).

Die 98% vergällte Essigsäure von Tetenal trägt das Warnsymbol ›ätzend‹.

In der EG kann man davon ausgehen, daß die Giftklasse 3 (Schweizer LD$_{50}$: 50–500 mg/kg, Erklärung siehe S. 183), das Warnsymbol für reizend trägt.

Von allem etwas

Fotochemikalien im Heimlabor berühren natürlich nur einen kleinen Ausschnitt der Probleme, die die Fotografie als Gesamtprozeß betreffen. Viele wichtige bekannte Schadstoffe tauchen an irgendeiner Stelle des Produktionsprozesses wieder auf. Panik ist jedoch nicht angebracht. Die Konzentrationen sind gering und ihr Einsatz erfolgt in geschlossenen Kreisläufen – Lösungsmittel können oft rückgewonnen werden (9).

Da findet man als Quellmittel für Filmunterlagen oder auch als Lösungsmittel für Sensibilatoren in der fotografischen Emulsion vielfach physiologisch nicht unbedenkliche Substanzen, u. a. Phenole, Chlorphenole, halogensubstituierte Alkohole.

Fast alle lichtempfindlichen Emulsionen werden auf Gelatine-Basis hergestellt. Gelatine ist ein tierisches Produkt und anfällig für Bakterien. Also müssen Konservierungsmittel gegen Bakterienbefall daruntergemischt werden: Phenol, Pentachlorphenol, Thymol oder p-Chlor-m-Kresol (Raschit) sind häufig in diesem Bereich eingesetzte Bakterizide.

Für die Verstärkung der Filmschwärzung kann man die Schwermetalle Rhodium und Wismut beimengen. Cadmium und Blei dürfen aus ökologischen Gesichtspunkten nicht mehr benutzt werden.

Aber Cadmium gibt's dafür an anderer Stelle: nämlich als Baustein von Fotozellen und von wiederaufladbaren Akkumulatoren z. B. in Filmkameras oder für Elektronenblitzgeräte. Außerdem wird Cadmium auch heute noch in einigen, wenn auch sehr wenigen Papieren und Filmen als Stabilisator eingesetzt. Von Filmen und Papieren geht der Cadmium-Anteil in den Entwickler über. Möglicherweise kommen dadurch stark überhöhte Cadmium-Gehalte in Entwickler- und Fixierbädern reprografischer Betriebe zustande (10). Von allen Herstellern sind inzwischen jedoch qualitätsgleiche cadmiumfreie Fabrikate auf dem Markt (s. Liste (11), die Hersteller geben auf Anfrage sicher weitere Auskünfte).

Last not least: Treibgassprühflaschen, die Schutzgase gegen den raschen Verderb von Entwicklerlösungen enthalten, verderben letztlich unsere Luft.

Firma	cadmiumhaltige Papiere/Filme	cadmiumfreie Papiere/Filme
Agfa	Rapidoprint-Papiere Record Rapid* Portriga-Rapid* (* alle Gradationen, außer «weich») (häufig in Reprographie und Mikroverfilmung)	alle Farbpapiere alle sw-Papiere hier: cadmiumfreie Produkte erhältlich Liste kann angefordert werden.
Labaphot		alle Papiere und Filme seit Ende 1981
Kodak	außer 2–3 «exotischen»	alle Filme und Papiere
Ilford		alle aktuellen Filme und Papiere: XP1-400 Pan F FP4 HPS Ortho Cibachrome-A-II Ilfobrom Ilfobrom Galerie Ilfospeed Ilfospeed Multigrade II und alle dazugehörigen Verarbeitungsmaterialien
Tura	einige Barytpapiere	Tura High Speed Turacolor-Papier Tura-s/w-Film Turacolor-Film technische Fotopapiere

Silber-Abfall?

Mit jedem Liter verbrauchter Bäder fließt auch Silber in den Ausguß:
Saure Fixierbäder für Barytpapier: 2 g Silber/l
Schnellfixierbäder ca. 4–5 g Silber/l
Filmfixierbäder bis zu 8 g Silber/l
Amateurbäder 0,5–mehr g Silber/l

und selbst das Waschwasser enthält noch 10–30% des insgesamt beim Entwicklungsprozeß anfallenden Silbers (12).

Der Gesamtsilberverbrauch auf der Welt ist mittlerweise höher als die Silberförderung; schon 1972 machte der Club of Rome in seiner Umweltstudie darauf aufmerksam, daß bei gleichbleibendem Konsum die bekannten Silbervorkommen 1989 erschöpft sein dürften (13). Das treibt die Preise in die Höhe: von 1969–1974 haben sich die Preise von 250,– DM auf 500,– DM verdoppelt.

Nach 1945, als das Silber bereits knapp wurde, suchte man nach silberfreien fotografischen Wiedergabeverfahren (Elektrothermographie, Photothermographie, Photopolymerisation, Fotovernetzungssysteme; 1968 Colorxerographie, Color-in-Color-Verfahren von 3M).

Aber: Fotografieren ohne Silber ist in absehbarer Zeit nicht zu erwarten. So gut wie alle Amateur-Materialien beruhen auf dem Silberhalogenid-Prinzip: das belichtete Silber bleibt auf Film oder Papier als metallisches Silber zurück und das unbelichtete Silberhalogenid wird im Fixierbad aus der fotografischen Schicht herausgelöst und schwimmt dann an Thiosulfat gebunden in der Lösung. Doch mittlerweile bestehen auch für den Amateur einige Möglichkeiten zu «recyclen»:

● Silbermonopolkäufer ist in Deutschland die Silberscheideanstalt ‹Degussa›, die am liebsten große Mengen silberhaltiger Bäder von Gewerbebetrieben übernimmt. Der Direktverkauf an ‹Degussa› kommt für einen Amateur praktisch nicht in Frage, da er die entsprechenden Mengen nicht zusammenbringt. Die gewerblichen Entsorgungsfirmen, die die Bäder abholen, sind so teuer, daß der Amateur für sein zurückgegebenes Silber kaum etwas zurückbekommt.

Die bekannte Hobby-Laboranten Zeitschrift *Foto Hobby Labor* unterstützt seit 1980 eine bundesweite Initiative zum Aufbau von Fixierbad-Sammelstellen für Kleinverbraucher.

Anfragen bei:

Verlag Laterna magica
Foto Hobby Labor
Stichwort: Silber
Stridbeckstr. 48
8000 München 71

phototec:
Peter Löffler
Bahnhofstr. 13
2904 Hatten 1
Tel. 04481/1323

Außerdem gibt's bereits Sammelstellen in Deutschland:

Das sind Fixierbad-Sammelstellen in Deutschland

Stefan Franke
Moristeig 9a
Tel.: 0451/495868
2400 Lübeck 1

phototec
Bahnhofstraße 13
Tel: 04481/1323
2904 Hatten 1

G. Oehme
Sperlingsweg 9
Tel.: 0281/70553
4230 Wesel 1

Uwe Cieslak
Ronsdorfer Straße 143
5630 Remscheid

Ruthard B. Wolf
Feuerbachstraße 24
Tel.: 06181/12759
6450 Hanau 1

Peter Mast
Kapellenstraße 15
6751 Münchweiler

Roland Merger
Kirchbrändel 4
7527 Bad Schönborn

Clemens Mayer
Glätzlstraße 13
8460 Schwandorf

Kurt Oesterling
Blumenstraße 23
Tel.: 0441/3945
2900 Oldenburg

Jens-Peter Jacobsen
Hauptstraße 74
3400 Göttingen

Dieter Kretschmann
Katharinenstraße 51
Tel.: 0541/41031
4500 Osnabrück

Dieter Nobbe
Eppenbacher Straße 10
Tel.: 06472/7872
6292 Weilmünster

Roman Wirth
Pfützgasse 1
6741 Billigheim-
Ingenheim 2

Rolf Wichmann
Zaunkönigweg 6
6900 Heidelberg

Dieter Walkenhorst
Hermann-Burte-
Straße 52
Tel.: 07627/1799
7853 Steinen

Hans-Hermann
Beuerle
Römershofen 62
8729 Königsberg

Und so funktioniert diese Aktion:

Jeder sollte sich zunächst einmal einen zehn- bis zwanzig-Liter-Kanister hinstellen. Und ab sofort kommt das alte Fixierbad nicht mehr in den Ausguß, sondern in den Behälter. Sobald er voll ist, geht es damit zur nächsten Sammelstelle. Dort wird der Silbergehalt mit einem Tetenal-Prüfstreifen geprüft und notiert – die Basis für die spätere Auszahlung. Dieser «Zentralsammler» – übrigens ein ganz normaler Hobbylaborant – hat ein großes Faß in seinem Keller. Darin sammelt er alles, was er vom einzelnen Selbstverarbeiter erhält. Bis das Faß voll ist. Nun wird das Silber «gefällt». Das heißt, es kommt eine Chemikalie wie beispielsweise Tetenal Fixargent hinzu, die dafür sorgt, daß sich am Faßboten ein Schlamm absetzt. Der Schlamm enthält in getrocknetem Zustand etwa 30% Silber. Der getrocknete Schlamm wird dann von den einzelnen Zentralsammlern zu phototec geschickt. Sobald dort eine Menge von fünf Kilo (dafür sind etwa 500 Liter Fixierbad erforderlich) angefallen ist – das ist die Mindestmenge für den Verkauf – geht der Schlamm an «Degussa». Er wird dort analysiert und das Silber ausgeschieden. Fünf Kilo Schlamm – gefällt durch Tetenal Fixargent – bringen immerhin 1500 Gramm reines Silber! Von dem jeweiligen Tagespreis zieht «Degussa» die Kosten für Analyse und Scheidung ab; der Restbetrag wird an phototec überwiesen. Phototec läßt nun jeder Sammelstelle – ohne Abzug – das Geld zukommen, das dem eingesandten Schlamm entspricht. Dort bekommt jeder einzelne die Summe ausbezahlt, die der Fixierbad-Menge entspricht, die er gebracht hat. Allerdings bekommt der Zentralsammler einen kleinen Betrag. Schließlich hat er eine nicht unerhebliche Arbeit und Unkosten. So muß er zum Beispiel das entsilberte Fixierbad noch endgültig neutralisieren, was durch Zugabe von Wasserstoff-Superoxyd geschieht. Außerdem fallen Porto- und Benzinkosten an, die gedeckt werden müssen und etwas soll er ja auch davon haben.

Foto Hobbylabor 6 (1980)

● Wer selber kreativ werden will und sich intensiver mit der Silberrückgewinnung befassen möchte, kann sich an die Redaktion von
Foto Hobby Labor
Heinrich-Vogel-Str. 22
8000 München 71, Tel. 089/797091
wenden, denn hier werden seit 1980 immer wieder Informationen und Verfahren zum Umweltschutz im Heimlabor diskutiert. Hier sei nur eine Arbeitsanweisung für ein Elektrolysegerät zum Selberbauen erwähnt: «Eine Silberfalle Marke Eigenbau» von Heft 1/84, S. 52 ff und Heft 2/84, S. 55 ff.

● Umweltfreundlich ist es auch, verbrauchtes Fotopapier, alte Fotos, Papierverschnitt, wertloses Filmmaterial zu sammeln und an den entsprechenden Stellen abzugeben,
denn auch hier steckt das Silber:

Material	Gramm Silber pro m²	
	Schwarzweiß	Color
Bildmäßige Aufnahmefilme	5–9	5–10
Papiere	1–2	1–2
graphische Filme	4–5	–
Röntgenfilme	8–12	–

Die entwickelten Schwarz-weiß-Filme und Papiere enthalten etwa 20 bis 30%, Röntgenfilme bis zu 40% des ursprünglichen Silbers.

Silberrückgewinnung über Sammelstellen findet einen Niederschlag im eigenen Portemonnaie. Wem das zu aufwendig ist, muß für eine umweltfreundlichere «Verklappung» seiner z. T. aggressiven Lösungen gegebenenfalls zahlen: Entwickler wird von den Sammelstellen ja ohnehin nicht angenommen. Einen Neutralisator für Entwickler (starke Lauge, ph oft > 12) und Fixierer (starke Säure, pH oft < 3) kann er z. B. von fast allen Firmen kaufen. Nach Ilfords Cibachrome-P-30-System, ein Silberbleichverfahren, in dem das Bleichbad mit pH = 1 sehr sauer und aggressiv ist, führt das Zusammenschütten von Entwickler und Neutralisator zur Neutralisation. Das Fixierbad kann separat entsilbert werden. Den Rest erledigt dann die Kläranlage, soweit eine vorhanden ist.

Doch gerade in der Bundesrepublik Deutschland, in der einige Millionen Menschen ihren Trinkwasserbedarf aus schlecht geklärten Uferfiltraten decken müssen, ist die Reinhaltung des Oberflächenwassers oberstes Gebot. Das Gesundheitsrisiko steigt mit jedem eingeleiteten Stoff, die Klärwerke, an die die Schadstoffprobleme delegiert werden, sind zumindest in wasserarmen Zeiten überlastet.

☎ ☎ ☎ ☎ Ökorat – Ökotat ☎ ☎ ☎ ☎

● Kindersichere Verschlüsse für Heimlaborchemikalien-Behälter
● Einrichtung eines engen Sammelstellennetzes für verbrauchte
  Bäder (Vorschlag: an allen Sondermüllsammelstellen)
● Einheitliche Auszeichnung mit Gefahrensymbolen
● Auszeichnung der wichtigsten Inhaltsstoffe auf der Packung
● Neutralisationsmittel sollten grundsätzlich mitgeliefert werden.

Literatur

1 Opaschowski, H. W.: Arbeit. Freizeit. Lebenssinn? Opladen 1983, S. 102
2 Bartholomé, E. u. a.: Ullmanns Enzyklopädie der technischen Chemie, Bd. 18,
  Weinheim 1979, S. 402
3 Opaschowski, H. W., a.a.O., S. 74
4 Machen Sie mit: Es geht auch anders!, in: Foto Hobbylabor 4/83, München 1983,
  S. 8
5 Umweltschutz – was sagt die Industrie?, in: Foto Hobbylabor 6/83, München
  1983, S. 53
6 Junge, K.-W., Hübner, G.: Fotografische Chemie, Leipzig 1970, S. 12 f.
7 Ullmann, Bd. 18, a.a.O., S. 401
8 Roth, L., Daunderer, M., Giftliste 1, 14. Ergänzungslieferung, 9/82, S. 3
9 Ullmann, Bd. 18, a.a.O., S. 418 ff.
10 Foto Hobbylabor 4/83, a.a.O., S. 9
11 Foto Hobbylabor 4/83, a.a.O., S. 10 und 6/83, a.a.O., S. 52 ff.
12 a) Schutz im Fotolabor senkt Kosten, in: MFM (Moderne Fototechnik) 5/83, S.
     218
   b) Mit Wasser haushalten durch Recycling, in: MFM 11/83, S. 507
   c) Krauß, B.: Umweltschutz und seine Konsequenzen für Fotolabors VII, in:
     MFM 3/79, S. 126
   d) Foto Hobbylabor 6/83, a.a.O., S. 55
13 Meadows, D. u. a.: Die Grenzen des Wachstums, Reinbek 1973, S. 48
14 Geld aus dem Abwasser – mit Elektrolyse und Eisenwolle, in: Foto Hobbylabor
   1/81, München 1981, S. 71

Schreibwaren

Den **Bleistift** in seiner jetzigen Form gibt es seit etwa 200 Jahren. Vor dieser Zeit verwendete man den sogenannten Silbergriffel, der aus einer Legierung aus Blei und Zinn bestand, die dem Bleistift seinen Namen gab. Heute enthält ein Holzstab eine Mine, die im wesentlichen aus Graphit und Ton besteht. Der Tongehalt schwankt zwischen ca. 25 % bei den weichsten und ca. 70 % bei den härtesten Bleistiften. Nach dem Brennen der Graphitminen bei über 1000° C werden Fett- oder Wachsgemische in etwa 20 Gewichtsprozenten zugesetzt, um die Gleit- und Haftfähigkeit auf dem Papier zu erhöhen. Der Stiftverbrauch liegt in Deutschland bei etwa 2, in den USA bei etwa 8–9 Stück je Nase und Jahr (1).

Buntstifte enthalten im Gegensatz zu Bleistiften keinen Ton, da beim Brennen der Minen die Farbstoffe zerstört würden. Man verwendet deshalb als Bindemittel für den Graphit entweder Zellulose, die in organischen Lösemitteln gelöst wird oder Kunststoff-Monomere, die durch Beschleuniger oder Wärme auspolymerisieren (→ Kunststoffe), z. B. Styrol oder Methacrylsäureester. Auch fertige Kunststoffe wie Polystyrol oder PVC finden Anwendung.

Als Farbstoffe kommen verschiedene anorganische und organische Pigmente (→ Farben und Lacke) vor. Bei Untersuchungen von Buntstiften fand man unterschiedliche Blei-, Chrom- und Cadmiumgehalte (2, 3), je nach Herkunftsland. Deutsche Marken schnitten dabei am besten ab, während Produkte aus Fernost z. T. sehr hohe Schwermetallgehalte aufwiesen, die besonders Kindern gefährlich werden können.

Kopierstifte sind in den letzten Jahren immer seltener und durch Fotokopien zunehmend ersetzt worden. Durch den Gehalt an Methylviolett sind Kopierstifte besonders gefährlich. Es ist schon häufig zu Schädigungen gekommen, wenn die Spitze eines Kopierstiftes versehentlich in die Haut oder sogar ins Auge geriet, abbrach und nicht sofort entfernt wurde; festes Methylviolett verursacht im Gewebe Nekrosen (Absterben des Gewebes).

Die weiße Tafelkreide aus der Schule enthält entweder Alabastergips oder ein Gemisch aus Kreide, Kaolin und Ton. Die bunten Kreiden sind mit geringen Mengen von Farbstoffen gefärbt. Alle **Kreiden** gelten als ungiftig (4).

Wachsmalstifte bestehen aus einer Grundlage aus Paraffin, Stearin und Kunstwachsen, die verschiedene Farbstoffe enthalten. Rote und orangefarbene können Anilinfarben enthalten und für Kleinstkinder gefährlich werden (4).

Die Gehäuse von **Füllhaltern, Tintenkulis** und **Faserschreibern** bestehen in der Regel aus eingefärbten Kunststoffen. Das unbewußte Kauen auf diesen Gehäusen kann ein Gesundheitsrisiko bedeuten, denn von vier untersuchten Kugelschreibergehäusen enthielten drei Artikel sehr viel Cadmium. Vor zwei Produkten wurde gewarnt (Schwan Stabilo, Schneider Artikel 111) (5).

Die Schreibflüssigkeiten für Füllhalter, Tintenkuli und Faserschreiber sind wäßrige Lösungen von Farbstoffen, denen Feuchthaltemittel, Tenside und Konservierungsmittel (Formaldehyd) zugesetzt werden. Kugelschreiberpasten enthalten zusätzlich noch Verdickungsmittel, die zusammen mit anderen Bestandteilen der Rezeptur in hochsiedenden organischen Lösemitteln wie z. B. Benzylalkohol gelöst werden (6).

Als Farbstoffe werden meistens Triarylmethanderivate verwendet, die als nicht giftig gelten. Lediglich die Farbstoffe Methylviolett und Kristallviolett sind bedenklich, denn sie haben sich als mutagen erwiesen (7). Außer in Kopierstiften kommen diese Farbstoffe in Stempelfarben und Tinten für Vervielfältigungsgeräte vor (6).

Zu Vergiftungen durch schwarze oder blaue Füllhaltertinten ist es bislang nicht gekommen, auch in den Fällen nicht, in denen Kinder eine Tintenpatrone aufgebissen hatten (8). Rote Tinte kann Eosin enthalten und in größeren Mengen für Kleinstkinder gefährlich sein (4).

Die Mittel zum Entfernen von Tinte in **Tintenfressern, Tintenkillern, Tintentod** enthalten neben Seifen, Soda und Natriumdithionit auch Formaldehyd. Die Berührung mit Schleimhäuten muß vermieden werden, eingetrocknete Stifte dürfen also auch nicht mit dem Mund angefeuchtet werden.

Tipp Ex enthält als Lösemittel 1,1,1-Trichlorethan, das unter dem Verdacht steht, erbgutverändernd oder sogar krebserregend zu sein (9). (→ Lösemittel) Die Anwendung des inzwischen angebotenen Tipp Ex auf Wasserbasis ist keine Alternative, denn die Vorlagen verschmieren beim Auftragen der Korrekturflüssigkeit.

Farbbänder und **Toner** enthalten Kohlenschwarz als Farbstoff. Extrakte von Fotokopien erwiesen sich im Bakterienversuch (Ames-Test) als mutagen (10). Die mutagene Aktivität scheint auf Nitropyrene zurückzugehen, eine Verunreinigung des Farbstoffs Kohlenschwarz, der in der Bundesrepublik als Lebensmittelfarbstoff E 153 zugelassen ist,

Kohlenschwarz enthält außerdem ca. 1 ppm krebserregendes Benzpyren (11).

In **Farbbändern** für Schreibmaschine, beschriebenem Papier sowie in **Kohlepapier** konnten die Mutagene ebenfalls festgestellt werden (12), von denen nicht bekannt ist, ob und wie sie bei direktem Kontakt auf Menschen wirken. Ebenfalls nicht bekannt ist, ob sich die Nitropyrene beim Papierrecycling anreichern oder bei der Müllverbrennung emittiert werden. (Einige Hersteller von Toner-Flüssigkeit haben inzwischen dafür gesorgt, daß der Gehalt an giftigen Verunreinigungen gesenkt wurde.)

Eine Studie (13) des NIOSH (National Institute of Occupational Safety and Health, Cincinnatti, USA), in der die Emissionen von flüchtigen Substanzen wie Ozon, NOx, Selen und Kohlenwasserstoffen gemessen wurden, die während des Betriebs von **Fotokopiergeräten** auftraten, ergaben, daß im nicht kontinuierlichen Betrieb keine Gesundheitsgefahr durch die oben genannten Stoffe besteht. Die Geräte sollten aber nicht ohne ausreichende Belüftung im Dauerbetrieb (mehrere Stunden) laufen.

 Ökorat – Ökotat

- Mit Bleistift und Radiergummi kommt man länger und billiger weg als mit Filzstift und Tipp Ex.
- Alte Kopierstifte wegschmeißen!
- Vorsicht mit Buntstiften aus China oder Japan!
- Wenig kopieren, erst lesen und dann entscheiden, ob kopieren sich lohnt.

Literatur

1 Ullmanns Enzyklopädie der technischen Chemie, Band 8, Weinheim 1974
2 K. S. Low, C. K. Lee, Pertanika *6*, 100–4 (1983)
3 B. Illiano, Arch. Belg. Med. Soc. Hyg. Med. Trav. Med. Log., *38*, 163–8 (1980)
4 M. Daunderer: Akute Intoxikationen, München, 2. Aufl. 1980
5 Zeitschrift Neugier, *1*, 30 (1983)
6 Ullmanns Enzyklopädie der technischen Chemie, Band 23, Weinheim 1974
7 A. M. Bonin et al. Mutat, Res., *89*, 21–4 (1981)
8 J. Velvart: Toxilogie der Haushaltsprodukte, Bern 1981
9 U. Bauer, J. Kanitz, Forum Städte-Hygiene, *34*, 109 (1983)
10 G. Löfroth, E. Hefner, I. Alfheim, M. Moller, Science, *209*, 1037 (1980)
11 H. S. Rosenkranz u. a., Science, *209*, 1039 (1980)
12 G. Löfroth et al. Mutat, Res., *89*, 21–34 (1981)
13 S. Ahrenholz, J. Handke, Report, 1982, Heta -81-344-1069

Klebstoffe

Klebstoffe kommen nicht nur als solche im Haushalt vor, viele Produkte aus Kunststoff und anderen Materialien sind aus verklebten Einzelteilen zusammengesetzt; Preßspanplatten, aus denen ein Großteil der Möbel gefertigt ist, sind beispielsweise Formaldehydharz-verleimte Holzabfälle. Im Haushalt- und Heimwerkerbereich gibt es eine große Palette von Produkten nach der Devise: Für jeden Zweck einen eigenen Kleber. Der Verbraucher kann zwischen ca. 15 unterschiedlichen Klebersorten wählen, je nachdem, welche Materialien verklebt werden sollen. Insgesamt sind schätzungsweise 100 Produkte auf dem Markt.

Auch im medizinischen Bereich haben Klebstoffe Anwendungen gefunden: Die anfänglich gepriesenen Cyanacrylatkleber zum Kleben von Wundrändern in der Chirurgie zeigten problematische Nebenwirkungen (1).

Klebstoffe muß man heute weitgehend den Kunststoffen zurechnen, während der Anteil an natürlichen Klebern, wie zum Beispiel Knochenleim, stark zurückgegangen ist. Die Klebstoffe, zu denen man im weitesten Sinne auch die Dichtungsmaterialien zählt, machen bei uns etwa 20% der Gesamtproduktion von Kunststoffen aus, zu der die Haushaltskleber allerdings nur einen kleinen Teil beitragen.

Klebstoffe setzen sich aus den Kleberrohstoffen, Additiven (Weichmachern, Füllstoffen) und den Lösemitteln zusammen. An Kleberrohstoffen kommen sowohl vollsynthetische Stoffe, als auch modifizierte Naturstoffe vor, während der Anteil an reinen Naturprodukten relativ gering ist.

Die Einteilung der Klebstoffe erfolgt hier nach der Art der im Haushalt bzw. Heimwerkerbereich auftretenden Produkte. Spezielle Kleber und Klebstoffe für den gewerblichen Bereich werden nicht berücksichtigt.

Leim: Ursprünglich waren die Leime reine Naturprodukte. Man gewann sie durch Auskochen von Knochen oder Häuten mit Laugen oder aus pflanzlichen Rohstoffen. Aus tierischen eiweißhaltigen Produkten (Milch, Eier, Blut) konnte man Albuminleime gewinnen. Die Leime sind die ältesten Klebstoffe, die man kennt. Sie spielen auch heute noch eine Rolle für die Gummierungen von Briefmarken, -umschlägen oder Zigarettenpapier (Dextrinleim).

Holzleim besteht meist aus Polyvinylester, der in Wasser dispergiert ist. Die Bezeichnung «Leim» hat er nur noch deshalb, weil man früher tatsächlich Knochenleim zum Kleben von Holz nahm. Es gibt mittlerweile allerdings wieder «Natur-Holzleim» auf der Basis von natürlichen Harzen (z. B. von der Firma Livos). Die Festigkeit dieser Leime erreicht jedoch nicht die der Konkurrenz, reicht aber in vielen Fällen aus.

Haftklebstoffe, Kontaktklebstoffe, Reaktionsklebstoffe: In diese Klasse gehört der größte Anteil an Haushalts- und Heimwerker-Klebstoffen. Aus der Art ihrer Anwendung oder Klebeeigenschaften haben sich neue Bezeichnungen für einzelne Produkte ergeben:

1) Alleskleber: Alleskleber bestehen aus Polyester oder Nitrocellulose, die mit Lösemittelgemischen (meist Aceton, Alkoholen, Estern) eine pastöse fadenziehende Masse bilden. Der Festgehalt, das heißt der eigentliche Klebstoffgehalt, liegt bei ca. 35 %. Der Rest sind Lösemittel, durch deren Verdunsten die Klebewirkung erzielt wird.

2) Zweikomponentenkleber: Zweikomponentenkleber bestehen aus Bindern und Härtern, die vermischt einen für kurze Zeit verarbeitbaren hochwirksamen Kleber bilden, der harte Materialien wie Stein oder Metall zusammenklebt. Im Haushalt wird dieser Kleber oft benutzt, um zerbrochenes Geschirr zu kleben. Dabei sollte man beachten, daß Zweikomponentenkleber zwischen 7 und 9 DM kosten und die Kleber meist nur einmal zur Anwendung kommen. Wenn man die Verschlüsse von Binder und Härter vertauscht, weil man die Tuben farblich manchmal kaum unterscheiden kann, sind die Tuben unlösbar verschlossen! Bei Gewaltanwendung können die Tuben platzen und der Klebstoff verteilt sich auf die Hände und die nähere Umgebung. Besonders die Binder sind gefährlich, denn es handelt sich hierbei um Epoxidharze oder Methacrylsäureester. Die Hersteller empfehlen beim Umgang sauberes Arbeiten und bei Hautkontakt ausgiebiges Waschen mit Wasser und Seife. Epoxidharz enthält Epichlorhydrin als Monomeres, das sich im Tierversuch als krebserregend erwies (2). Außerdem reizt diese gefährliche Chemikalie Augen, Haut und Atmungsorgane. Bei der Berührung kann die Haut erkranken (Kontaktdermatitis) (3).

Kommt es zu Unfällen mit epoxidharzhaltigen Klebern, sind folgende Maßnahmen nötig (3):

○ Bei oraler Aufnahme (durch den Mund):
Sofort Wasser, Fruchtsaft oder 1–2 % Essig (normaler Haushaltsessig zu gleichen Teilen mit Wasser gemischt) zu trinken geben.

○ Bei Kontakt mit der Haut: Reinigung der benetzten Haut mit warmem Wasser bzw. durch Wegwischen bevor das Epoxidharz fest ist.

○ Sofort zum Arzt!

○ Bei Spritzern ins Auge 10–15 Min. mit Wasser ausspülen und dann sofort zum Augenarzt gehen.

○ Kleine Spritzer auf der Haut 10–15 Min. unter fließendem Wasser waschen.

Die Härter sind kaum weniger gefährlich. Polymercaptane oder Amide zählen eher zu den harmloseren. In einigen Fällen wird jedoch Benzoylperoxid verwendet (Stabilit Express, Henkel), eine sehr reaktive und giftige Substanz, die zu Hautreizungen führen kann. Auf Zweikomponentenkleber sollte man wegen der genannten Gesundheitsgefahren nach Möglichkeit *verzichten*.

Sekundenkleber: Sie bestehen aus Cyanacrylsäureestern, die durch Wasserspuren aus der Luftfeuchtigkeit in Sekundenschnelle auspolymerisieren und extrem feste Klebeverbindungen schaffen. Abgesehen von der Gefahr des Verklebens von Fingern und Augenlidern, die in einem solchen Fall chirurgisch getrennt werden müssen, sind die Dämpfe von Methylcyanacrylat mutagen (2) und möglicherweise krebserregend. Diese Kleber gehören nicht in den Haushalt und schon gar nicht in Kinderhand. Sekundenkleberkulis sehen zudem unnötigerweise wie Schreibgeräte aus. Verwechslungen sind vorprogrammiert.

Andere Kleber: Die übrigen Kleber sind entweder für spezielle Materialien wie z. B. PVC oder Styropor vorgesehen oder verkleben unterschiedliche Werkstoffe miteinander. Die einen bestehen in der Regel aus den entsprechenden aufgelösten aufgequollenen Kunststoffen, die anderen Kleber sind aus Synthesekautschuk und verschiedenen Lösemitteln zusammengesetzt, wie Pattex, Greenit usw. Ihr Festkörpergehalt liegt zwischen 15 und 30%, das heißt, diese Kleber enthalten genau wie die Alleskleber relativ viel Lösemittel. Bei der Anwendung muß man auf jeden Fall auf ausreichende Lüftung achten, denn besonders wenn große Flächen geklebt werden, sind Vergiftungen durch Lösemittel möglich. Dabei wurden folgende Symptome beobachtet (3):

● Rauschartiger Zustand, Atembeschwerden nach etwa 1 ½ stündigem Arbeiten in einem geschlossenen Raum.

● Leberverfettung nach 2–3 Stunden!

Schmelzklebestoffe kommen kaum im Bereich Haushalt und Heimwerker vor. Seit einiger Zeit sind für Heimwerker sogenannte Klebepistolen im Handel, die vorwiegend professionell (Buchbinderei, Zigarettenfilter) verwendet werden.

Kleister braucht man zum Tapezieren und Basteln (Pappmaché). Der Klebstoff besteht aus Methylcellulose und gilt als ungiftig. Er wird mit Wasser angerührt.

 Ökorat – Ökotat

● Im Haushalt klebt man meistens Papier, wofür man keinen Sekundenkleber oder Zweikomponentenkleber braucht. Es reichen z. B. Kleister und andere ungefährliche Produkte wie z. B. Uhu Büro-fix (Saccharide in Wasser), sowie Livos Papierkleber. Kinder sollten ausschließlich solche völlig ungefährlichen Kleber zum Basteln benutzen.

● Heimwerker sollten auf jeden Fall die Anweisungen der Hersteller lesen und beachten.

● Wenn zerbrochenes Geschirr geklebt werden soll, ist zu überlegen, ob es sich lohnt, einen teuren und gefährlichen Kleber zu kaufen.

● Auf Cyanacrylatkleber (Sekundenkleber) und 2-Komponentenkleber sollte völlig verzichtet werden. Der Geruch der lösemittelhaltigen Kleber, der von vielen gern gerochen wird, ist gesundheitsschädlich.

● Kleber sollte nicht auf die Haut gelangen und daher auf keinen Fall mit den Fingern verstrichen werden. Auf festgewordenen Klebern nicht herumkauen!

● Klebstoffreste und angebrochene Tuben nicht in den Müll, sondern nach Möglichkeit bei Sammelstellen abgeben.

Literatur

1 R. K. Kulkarny et al., J. Biomed. Mater. Res. 1, 11–16 (1967)
Cyanacrylatkleber spalten Formaldehyd und Cyanacetat ab.
2 Konretzkiv, Fischer, ZBL, Arbeitsmed. *32*, 26 (1982)
3 J. Velvart: Toxikologie der Haushaltsmittel, Bern 1982
4 M. Andersen, M. L. Binderup, P. Kiel, H. Carsen, H. Carsen, J. Maxild und S. H. Hansen, Mutat. Res. 102, 172–81 (1983)

Spanplatten

Die Spanplatte wird hergestellt durch Verpressen von kleinen Teilen aus Holz oder holzartigen Faserstoffen, z. B. Flachs- oder Hanfschäbchen mit Bindemittel (DIN 68 763). Nach Art der Verleimung und der Holzschutzmittelzusätze unterscheidet man drei Plattentypen: V 20, V 100 und V 100G. Die Spanplatte V 20 ist die am meisten verwendete. Sie ist mit Aminoplasten gebunden und nicht feuchtraum- oder wetterbeständig. Die als Feuchtraumplatte bekannte V 100 ist mit alkalisch härtenden Phenoplasten oder Phenolresocinharzen (→ Kunststoffe) gebunden. Sie ist sowohl außen als auch in Feuchträumen, z. B. in Bädern als Unterkonstruktion für Fliesen etc. einsetzbar. V 100G ist die Bezeichnung für eine Feuchtraumplatte wie die V 100, jedoch zusätzlich mit Holzschutzmitteln gegen Pilze (Basidiomyceten) behandelt (→ Holzschutzmittel).

Außer diesen drei üblichen Spanplattentypen gibt es auch solche, die mit Zement (z. B. Isopanel, Duripanel) und andere, die mit Magnesit gebunden sind (z. B. Funder M). Qualitätsmäßig sind diese mineralisch gebundenen Spanplatten mit der V-100G-Platte zu vergleichen, jedoch ohne sonstige chemische Zusätze.

Schadstoffgehalt der Bindemittel:

Alle mit Aminoplasten und Phenoplasten gebundenen Spanplatten geben Formaldehyd an ihre Umgebung ab (1, 2). Formaldehyd verursacht unterschiedliche Erkrankungen und steht im Verdacht, Krebs zu erregen (→ Formaldehyd, s. S. 136 f.).

Dabei ist die Formaldehydabgabe der V 20-Platten größer als die der V 100- und V 100G-Platten. Bei den letztgenannten ist zusätzlich mit Emissionen aus Holzschutzmitteln zu rechnen. Frei von Formaldehyd und Holzschutzmitteln sind die zement- und magnesitgebundenen Spanplatten. Sie bilden also eine wirkliche Alternative, doch gibt es sie bisher nur als Bau- und nicht als Möbelplatte.

Die Menge der Formaldehydabgabe richtet sich nicht nur nach dem verwendeten Bindemittel. Es gibt auch werksseitig Zusätze und Behandlungen, die die Formaldehydemission von Spanplatten herabsetzen.

Die Einteilung und Kennzeichnung der Spanplatten nach Emissionsklassen (1) gibt Aufschluß darüber, wie hoch die Formaldehydabgabe der Platten ist und wofür sie verwendet werden können.

Emissionsklasse	ppm
E 1	$\leq$ 0,1
E 2	> 0,1 ... 1,0
E 3	$\geq$ 1,0 ... 1,4

Platten mit der Kennzeichnung E 1 dürfen unbeschichtet und unbeklei-
det eingesetzt werden. Platten der Emissionsklasse E 2 müssen auf beiden
Seiten furniert oder lackiert werden (entweder im Werk oder am Verwen-
dungsort). Spanplatten der Klasse E 3 müssen sowohl auf der Oberfläche
als auch an ihren Schmalkanten beschichtet werden.

Tips für Kauf und Verarbeitung:

Obwohl magnesitgebundene Spanplatten z. Z. nicht hergestellt werden,
sollte man versuchen herauszufinden, wo es sie gibt (große Baumärkte)!
Spanplatten mit dem Aufdruck E 1 für die niedrigste Emissionsklasse
kaufen! Da die inneren Schichten der Spanplatten einen erhöhten For-
maldehydgehalt haben, möglichst wenig sägen, bohren und fräsen, auf
jeden Fall aber während und nach diesen Arbeiten lüften. Bohrlöcher,
Nuten etc. schnell wieder schließen. Am besten keine «Rohspanplatten»
einbauen, auch nicht solche der Emissionsklasse E 1, sondern Oberflächen und die Schmalkanten beschichten oder mit Lacken (→ Lacke)
versiegeln. Gerade in der ersten Zeit nach dem Einbau ist die Formaldehydabgabe besonders groß und nimmt dann sehr langsam ab. Also vor
allem in den ersten Wochen ständig lüften!

Sperrholzplatten (auch Furnier- und Tischlerplatten)

Sperrholz besteht aus mehreren aufeinandergeleimten Holzlagen. Es gibt
drei unterschiedliche Typen von Sperrholzplatten: IF 20, AW 100 und
AW 100G.
Das Innensperrholz IF 20 ist mit Harnstoff-Formaldehydharz verleimt
und nicht feuchtraumbeständig.
Die Außensperrholzplatten AW 100 und AW 100G sind mit Phenolfor-
maldehydharzen verleimt und eignen sich für Feucht- und Außenräume.
Bei den AW 100G-Platten sind zusätzlich Holzschutzmittel zugesetzt.
Mit dem Schadstoffgehalt der Bindemittel in Sperrholzplatten verhält es
sich ähnlich wie bei den Spanplatten: alle Sorten geben Formaldehyd ab,

die IF 20 aber wesentlich mehr als die AW 100 und AW 100G. Bei den AW 100G-Platten ist aber wiederum mit Emissionen aus Holzschutzmitteln zu rechnen.

Holzfaserplatten

Harte und mittelharte Holzfaserplatten sind mit Phenol-Formaldehydharzen gebunden und geben also auch Formaldehyd an die Raumluft ab. Bei weichen (porösen) Holzfaserplatten werden – zumindest in einigen Werken – Holzharzleime als Bindemittel eingesetzt. Ob dies bei allen Platten der Fall ist oder ob noch zusätzliche Bindemittel verwendet werden, ist nicht bekannt. Wohl werden auch Weichfaserplatten mit Bitumentränkung hergestellt, die man in Feuchträumen verwenden kann.

Im übrigen gilt für Kauf und Verarbeitung von Sperrholz und Holzfaserplatten das gleiche wie bei den Spanplatten.

Literatur

1 Edmone Raffael, Die Formaldehydabgabe von Spanplatten und anderen Werkstoffen, Stuttgart 1982
2 Zeitung Wohnung und Gesundheit 6, 36 (1984); Arbeitsgruppe Formaldehyd, ebenda 6, 37 (1984)

Auto

«Haben Sie auf dem Boulevard des Italiens
das echte Automobil gesehen?»
«Vier Automobile!»
«Elf Automobile!»
«Eine Automobilausstellung!»
«Das ist buchstäblich das Ende der Welt!»
«Nein, das ist das ‹Fin de siècle›!»

Ilja Ehreburg
Das Leben des Autos
1929

Über 6000 km Autobahnen, mehrere zehntausend Straßenkilo-
meter, über 30 000 000 Kraftfahrzeuge in der Bundesrepublik.
Die Folgen für Natur und Umwelt sind trotz langjähriger Diskussion nicht abzusehen, obwohl die Ursachen in Zahlen ausgedrückt werden können.
Allein die Autoabgase verursachen jährlich an Umweltver-
schmutzungen (1):
– 6,07 Millionen Tonnen CO (Kohlenmonoxid), das entspricht
66% der Gesamtemission
– 644 Tausend Tonnen Kohlenwasserstoffe, das entspricht 37%
der Gesamtemission
– 1,28 Millionen Tonnen NO_x (Stickoxide), das entspricht
43% der Gesamtemission
– 81 Tausend Tonnen SO_2 (Schwefeldioxid), das entspricht 2%
der Gesamtemission.
Nicht nur die Benutzung, auch das Auto selbst stellt eine beträchtliche Umweltbelastung dar. Bei durchschnittlicher Lebensdauer von knapp 10 Jahren fallen jährlich in der Bundesrepublik
über 2,1 Millionen Autowracks (2) und 34 Millionen Stück Altrei-
fen an (3). Von diesem «Automüll» wird zur Zeit nur ein Teil
wiederverwertet.

Wenn das Auto an sich schon umweltschädlich ist, so kann oder will doch der einzelne aus verschiedenen Gründen nicht darauf verzichten. Dieses Kapitel beschränkt sich auf Tips für Autobenutzer, wie sie bei Pflege und Unterhalt ihres Fahrzeuges sich und die Umwelt möglichst wenig belasten.

Benzin: Um einen Liter Benzin zu verbrennen, werden etwa 8 m^3 Luft benötigt (4). Die entstehenden Abgase verschmutzen 100 000 m^3 Luft. Zur Erhöhung der Klopffestigkeit (Verhinderung der Selbstentzündung) sind im Benzin noch folgende Stoffe enthalten: 0,15 g Bleizusätze pro Liter und je nach Herkunft des Benzins zwischen 1% und 4% des krebserregenden Benzols. Neben der Belastung für die Umwelt stellen diese Stoffe auch eine Gefahr für den Autobenutzer selbst dar, denn beide Stoffe werden leicht – auch durch die intakte Haut! – aufgenommen. Wenn Benzin auf die Haut gelangt, wird die Haut entfettet, der Schutzfilm wird abgewaschen, und es können Hautreizungen auftreten. Durch die unverletzte Haut wird relativ wenig Benzin aufgenommen, verglichen mit dem Einatmen von Benzindämpfen. Es kann zu Kopfschmerzen, Benommenheit und unter Umständen Bewußtlosigkeit (Rausch) führen (5). In extremen Fällen kann bei regelmäßigem «Schnüffeln» von Benzindämpfen der Tod eintreten. Benzoldämpfe im Benzin sind krebserregend. Bei Tankwarten wurden zum Teil erhebliche Benzolkonzentrationen im Blut gefunden (6).

Beim Umgang mit Benzin sollten deshalb folgende Sicherheitsratschläge beachtet werden:

 Vorsicht mit Feuer (Zigaretten), Benzin ist brennbar!

Benzin nicht ins Abwasser gelangen lassen, Benzinreste auffangen und an der Tankstelle abgeben

Niemals Benzin mit dem Mund ansaugen, bereits 10 ml Benzin, das in die Lunge gelangt, kann tödliche Lungenödeme zur Folge haben (7)

Haut und Augenkontakt mit Benzin vermeiden

Vermeiden Sie das Einatmen von Benzindämpfen beim Tanken und Handhaben

Fahrzeugbenzin unter keinen Umständen als Haushalts- oder Reinigungsbenzin verwenden

Tanken sie nicht randvoll, da Benzin sich in der Wärme stark ausdehnt

Legen Sie keine Plastikreservekanister ins Auto, Benzol dringt (diffundiert) durch Plastik!

Mineralöle und **Schmiermittel** werden in der Regel durch Destillation von Erdöl gewonnen. Sie enthalten ein Gemisch verschiedener Kohlenwasserstoffe unter anderem krebserregende Stoffe wie Benzol und polycyclische aromatische Kohlenwasserstoffe, z. B. Benzo(a)pyren, einen der bekanntesten krebserregenden Stoffe. Ferner sind Zusätze zur Erzielung bestimmter technischer Eigenschaften enthalten, die in unterschiedlichen Maßen gesundheitsschädlich sein können.

Als Beispiel sei hier der Zusatz von bioziden (u. a. bakterientötenden) Stoffen erwähnt, die unter Wärme Formaldehyd aus Schmieröl freisetzen (8). Öle enthalten als weitere Zusätze Detergentien und wirken entfettend auf die Haut.

Gefährlicher noch als fabrikneue Öle ist Altöl. Durch die mechanische Beanspruchung und die Erhitzung bei Betrieb erhöht sich der Gehalt an krebserregenden polycyclischen Kohlenwasserstoffen (9) in den Schmier- und Motorölen. Die gesundheitlichen Auswirkungen von Mineralölen sind ähnlich denen des Benzins. Bei ständigem oder intensivem Hautkontakt mit Ölen – z. B. ölgetränkten Lappen im Blaumann – kann es zu einem Ölausschlag (Ölekzem) und zur Entfettung der Haut kommen (10).

Besonders gefährlich ist der Kontakt mit Altöl durch das erhöhte krebserregende Potential.

Fette: Es gibt Schmierfette auf Mineralölbasis, die sich vom Öl durch längere Kohlenwasserstoffketten unterscheiden. Hier gilt das in Analogie zum Öl gesagte. Schmierfette auf Seifenbasis sind von der Umweltverträglichkeit her denen auf Mineralölbasis vorzuziehen, da sie eher biologisch abbaubar sind. Das damit einhergehende schnellere Auswaschen muß durch häufigeres Abschmieren ausgeglichen werden.

Als **Kühlflüssigkeit** wird normalerweise Wasser verwendet, dem im Winter zur Gefrierpunkterniedrigung in unterschiedlichen Mengen Frostschuzmittel zugefügt wird. Diese Frostschutzmittel bestehen zu 95–100% aus Ethylenglykol, die durch sirupartige Konsistenz und den süßen Geschmack gefährlich sind. Schwerste Vergiftungen können auftreten, wenn Kinder oder Erwachsene Frostschutzmittel trinken. Dabei endeten fast 50% der Fälle tödlich (11).

Die kalten Dämpfe der Kühlflüssigkeit sind relativ ungefährlich, im Gegensatz zu den heißen Dämpfen, die beim Einatmen zu Schwindelgefühlen, Brechreiz und Kopfschmerzen führen können (12).

Spritzer ins Auge sollen mit viel Wasser ausgespült werden. Beim Arbei-

Gefahrenhinweise:

- Hautkontakt vor allem mit gebrauchtem Motoröl vermeiden.
- Vor Umgang mit Öl Gummihandschuhe benutzen oder Hautschutzcremes verwenden (z. B. Fissan Schutzsalbe fettfrei, Phämosan Hautschutzsalbe nicht fettend).
- Vermeiden Sie Hautkontakt mit ölgetränkter Kleidung.
- Stecken Sie keine ölgetränkten Lappen in die Taschen ihrer Kleidung.
- Waschen Sie schmutzige Kleidung vor Wiedergebrauch (ölgetränkte Schuhe wegwerfen).
- Bei mehrmaligem Umgang mit Öl zum Reinigen der Haut keinen Sand oder ähnlich hautreizende Stoffe verwenden, da dadurch die Aufnahme des Öls durch die Haut erleichtert wird. Spezielle sandfreie Handwaschpasten benutzen.
- Kein Altöl auf den Boden, in den Wasserausguß oder in die Kanalisation gelangen lassen, Altöl auffangen, auf den Boden gelangtes Altöl mit Sägemehl, Sand, eventuell Torf abbinden und an den Tankstellen oder städtischen Sammelstellen abgeben. (1 l Öl verschmutzt 1 Mio. l Wasser.)
- Altöl nicht zum Streichen von Holz benutzen.

ten am Kühler soll man ferner darauf achten, daß das Frostschutzmittel nicht in die Umwelt gelangt. Gebrauchte Kühlflüssigkeit wiederverwenden oder zur Tankstelle zurückbringen.

Bremsen: Arbeiten an der Bremsanlage sollten der Werkstatt vorbehalten bleiben. Hier sollten Sie auf jeden Fall auf Verwendung von asbestfreien Bremsbelägen bestehen. Diese sind zwar in der Anschaffung etwas teurer, haben aber eine höhere Lebenserwartung. Insbesondere wird so das Lungenkrebsrisiko durch Asbestfasern umgangen.
Bremsentfetter enthalten z. B. 1,1,1,-Trichlorethan und Tetrachlorethen (L M Brake Cleaner).

 Achtung: An offener Flamme, an glimmender Zigarette oder an heißen Metallflächen zersetzt es sich unter Bildung des sehr giftigen Phosgens (13). (→ Farben, Lacke und Lösungsmittel).

Bremsflüssigkeit besteht hauptsächlich aus Polyalkylenglykolether, der stark alkalisch ist und die Haut verätzt. Ob als Automechaniker oder Hobbybastler – folgendes sollte bei Arbeiten an den Bremsen beachtet werden:
– Bremsabriebstaub nicht einatmen (Asbest – Krebs!)
– Bremsbeläge aus Sintermetall verlangen
– Bremsflüssigkeit nicht auf die Haut gelangen lassen, Handschutz, Augenschutz tragen
– Bei versehentlichem Verschlucken sofort einen Arzt oder ein Krankenhaus aufsuchen
– Augen mit viel Wasser ausspülen, gegebenenfalls Augenarzt konsultieren, Körperpartien mit Wasser und Seife reinigen
– Bremsflüssigkeit nicht ins Grundwasser oder in die Kanalisation gelangen lassen (14).

Autobatterien: Autoakkumulatoren enthalten bis zu 40%ige Schwefelsäure. Es ist daher darauf zu achten, daß die Säure nicht mit der Haut in Berührung kommt, denn die starken Verätzungen führen zu ausgeprägten Narben (15).

Nicht mehr funktionstüchtige Batterien sollte man im Handel oder an der Tankstelle zurückgeben, um sie der Wiederverwendung zuzuführen, da Blei stark umweltbelastend wirkt.

Reinigungsmittel: Es werden noch eine Vielzahl Dosen, Tuben, Sprays, Flaschen etc. an Reinigungsmitteln für alle möglichen Zwecke angeboten, wie z. B. Cockpitspray, Plastikreiniger, Chrompolish und viele andere. Alle diese Mittel kann man durch einfache Seifenlauge ersetzen, wodurch man sein Portemonnaie, sich selbst und die Umwelt schont.

Klarsichttücher: Antibeschlagtücher beinhalten oberflächenaktive Stoffe, die bei ordnungsgemäßer Anwendung keine Gefährdung darstellen. Da Poliermittel auf nicht abbaubaren Kohlenwasserstoffen basieren, sollte man diese Mittel so wenig wie möglich benutzen.

Pflege und Autowäsche

Bei der Autowäsche werden in diesem Land pro Jahr etwa 100 Millionen m³ Trinkwasser verbraucht (16). Sie belastet Gewässer und Kläranlagen mit Schadstoffen (z. B. Öl, Fett, Teer, Ruß, Schwermetalle). Bei der Handwäsche gelagen die oft überdosierten Waschmittel (nur 20 ml, entspricht meist einer Deckelkappe, auf 10 Liter Wasser verwenden!) ungereinigt über die Regenwasserkanalisation in die Gewässer. Regenwasserabläufe sind selten an Kläranlagen angeschlossen. Somit gelangen auch die Stoffe in die Gewäser, die sonst in einer Kläranlage weitgehend abgebaut werden. Waschanlagen und Tankstellen sind in der Regel mit Ölabscheidern ausgerüstet, so daß dort wenigstens Öl und einige Feststoffe zurückgehalten werden. Der Wasserverbrauch liegt hier bei 120 bis 200 Liter pro Waschgang.

Wenn man sein Auto waschen will, sollte man möglichst zu einer Waschanlage fahren, die mit dem blauen Umweltzeichen versehen ist. Sie unterliegen folgenden Bestimmungen:

O Das Waschwasser ist im Kreislauf zu führen, d. h. minimaler Wasserverbrauch ist anzustreben.

O Abwässer sind zu reinigen, d. h. Abscheidung der Schadstoffe und Konzentrierung in deponiefähiger Form.

Achten Sie bei den Waschanlagen auf das Umweltzeichen! Ansonsten das Auto so wenig wie möglich waschen!

Enteiser: Fensterenteiser enthalten heute meist Isopropanol oder Spiri-

tus. Die stark giftigen methanolhaltigen Produkte sind zum Glück stark zurückgegangen. Auf sie sollte man auf jeden Fall verzichten.

Bei der geringen hier angewendeten Menge besteht keine akute Gefährdung, doch sollte man darauf achten, daß keine Spritzer in die Augen gelangen, die gegebenenfalls mit viel Wasser auszuwaschen sind. Fensterenteisungssprays sind überflüssig, da ein Eiskratzer dieselben Dienste umweltfreundlicher erfüllt.

Rostumwandler werden zum Ausbessern kleinerer Roststellen benutzt. Sie bestehen aus ätzender 25%iger Phosphorsäure oder stark reizenden Peroxiden, die Eisenoxid in Eisenphosphat umwandeln sollen. «Coca-Cola» erhielt wegen des hohen Phosphorsäuregehalts von Stiftung Warentests bei Rostumwandlern eine gute Wertung! (17) Des weiteren sind entfettende Stoffe wie 1,1,1-Trichlorethan und Tetrachlorethylen enthalten, die Rostumwandler und Rost erst zusammenbringen (→ Lacke).

Kaltreiniger/Motorreiniger: Um einen Motor von Öl, Fettkrusten und Schmutz zu reinigen, braucht man aggressive Lösungsmittel. In Kaltreinigern sind wechselnde Gemische von giftigen und hochgradig umweltgefährdenden organischen Lösungsmitteln enthalten, wie z. B.:
Benzin, Benzol (krebserregend), Tetrachlorkohlenstoff (krebserregend), Toluol (Reizung der Atemwege und der Haut), Trichlorethylen, Tenside. Um die Wirkung noch zu erhöhen, sind Tenside zugesetzt, die eine feine Vermischung dieser Substanzen mit Wasser bewirken, so daß nicht einmal Ölabscheider diese Stoffe und Öle zurückhalten können. Der Motor wird zwar leichter sauber, das Wasser dafür schneller schmutzig!

 Ökorat – Ökotat

O Rostumwandler nicht auf die Haut oder ins Auge gelangen lassen oder besser noch:
O Auf Rostumwandler verzichten!
O Schmirgelpapier oder Drahtbürste benutzen!

Literatur

1 ADAC Motorwelt 4/84
2 Kraftfahrt Bundesamt Flensburg '71, Jährliche Statistik
3 Wirtsch. Verb. der dt. Kautschukind. e. V., wdk-rep., Frankf.
4 Handbuch für den Kraftfahrzeugingenieur, 8. Aufl. Stuttgart
5 Walter Braun, Axel Dönhardt: Vergiftungsregister, Stuttgart 1982, S. 72
6 I. Elstner, u. a.: Benzolintoxikation beim Betanken von Fahrzeugen aus Sicherheitsingenieur 2/78, Jg. 9, S. 36 ff.
7 J. Velvart: Toxikologie der Haushaltsprodukte, Bern 1981, S. 299
8 A. R. Eyres u. a.: Health aspects of Lubricants, Den Haag, Rep. 1/83, S. 17
9 R. Kahsnitz, u. a.: Precautionary advice on the handling of used engine oils, Concave, Den Haag Report no. 3/82, S. 1, S. 10
10 Allgemeines über die Verhütung von Hautschäden beim Umgang mit Mineralölprodukten. Ärztl. und Industriehygienische Abt. Esso AG, 1975, 3. Aufl., S. 7
11 J. Velvart: Toxikologie der Haushaltsprodukte, Bern 1981, S. 216
12 vgl. 11
13 H. Hörrath: Gifte, 1981 Wissenschaftliche Verlagsgesellschaft Stuttgart, S. 111
14 Sicherheitsdatenblatt Original ATE-DOT 4 Bremsflüssigkeit SL, 4. 6. 82
15 Wellhöner: Pharmakologie und Toxikologie, Frankfurt – New York 1976, S. 423
16 Umwelt Nr. 102 vom 30. 4. 84, Bundesministerium des Inneren, S. 58 f.
17 Stiftung Warentest: Rostumwandler. Test-Magazin 6/79

Hausaufgaben für Politiker

Ein Rückblick auf die vorigen Kapitel bzw. Verbraucherbereiche zeigt, daß die «Chemie im Haushalt» vom Gesetzgeber bislang unzureichend behandelt wird. Dies gilt gleichermaßen für das gesamte Gebiet der Umweltchemikalien. Während jedoch z. B. Arzneimittel oder Pflanzenbehandlungsmittel vergleichsweise weitgehend geprüft und reglementiert werden, stellen die Haushaltschemikalien ein gesundheits- und umweltpolitisches Niemandsland dar.

Am meisten Aufmerksamkeit wird noch den Waschmitteln geschenkt, deren Rezepturen zumindest dem Umweltbundesamt bekannt sind und deren Inhaltsstoffe Phosphat und Tenside nur eingeschränkt eingesetzt werden dürfen.

Ansonsten bietet sich ein vom Gesetzgeber weithin unbeackertes Gebiet: Die Bestimmungen des Lebensmittel- und Bedarfsgegenständegesetzes (LMBG) bzw. des Chemikaliengesetzes sind sehr allgemein gehalten und nur für bestimmte Produktbereiche umgesetzt, andere Gesetze − wie etwa das Pflanzenschutzgesetz − erfassen einzelne Haushaltsprodukte eher nur zufällig.

Es ist dabei offensichtlich, daß Gesetzgeber und Behörden nicht einmal genau wissen, wieviele Haushaltschemikalien insgesamt auf dem Markt sind, was sie im einzelnen enthalten, wie und ob sie wirken. Dabei enthalten doch gerade die Haushaltsprodukte Chemikalien, mit denen jeder tagtäglich in Berührung kommt.

Das Unwissen der Behörden wurde und wird immer wieder an spektakulären Einzelfällen deutlich: Ob es das Cadmium in den Lego-Spielsteinen war oder die krebserregenden Stoffe im Niespulver oder die unerwartete Wirkung von Ledersprays. Die meisten Stoffe müssen nicht oder nur ab einer bestimmten Konzentration deklariert werden. Die mehr als 17 000 Haushaltschemikalien umfassende Liste, die das Bundesgesundheitsamt den Giftzentralen in den Krankenhäusern zur Verfügung stellt, beruht nur auf freiwilligen (!) Angaben der Hersteller. Sie umfaßt weder alle Haushaltsprodukte noch bei einzelnen Produkten alle Inhaltsstoffe. Nachfolgend haben wir Forderungen aufgelistet, die über die in den einzelnen Kapiteln aufgelisteten Einzelforderungen hinausgehen und allgemeingültig sind:

○ **vollständige Deklarationspflicht**

Sämtliche Inhaltsstoffe eines Produkts müssen bei den Behörden angegeben werden und auf Nachfrage von diesen den Verbrauchern bekanntgegeben werden. Die für den Verbraucher wichtigen Informationen über genaue Dosierung, Anwendung, mögliche Gesundheits- und Umweltgefahren müssen auf der Packung ausreichend gekennzeichnet werden.

○ **statistische Erfassung**

Die Menge der produzierten und verbrauchten Haushaltsprodukte bzw. der enthaltenen Chemikalien müssen jährlich erfaßt und veröffentlicht werden. Zur Erfassung möglicher Gesundheitsgefahren durch (Haushalts)Chemikalien müssen Krebs- und Allergieerkrankungen meldepflichtig werden und in einem *Krebs- bzw. Allergieregister* gesammelt und ausgewertet werden. Ebenso müssen Unfälle und Vergiftungen durch Haushaltschemikalien in einer eigenen Unfallstatistik erfaßt und ausgewertet werden.

○ **Zulassungsverfahren**

Haushaltsprodukte jeglicher Art dürfen nur nach einem Zulassungsverfahren in den Handel kommen. Dabei müssen Wirksamkeit, Gesundheits- und Umweltgefahren umfassend geprüft werden: Die angepriesene Wirkung des Produkts (z. B. hundertprozentige Reinigungsleistung) muß in einer technischen Prüfung nachgewiesen werden. Unwirksame Produkte oder Bestandteile dürfen nicht zugelassen werden. Bei möglichen Gesundheitsauswirkungen muß die akute und chronische Toxizität untersucht werden, bei den Umweltauswirkungen direkte und indirekte Schäden (zum Beispiel die Anreicherung des Stoffes in der Umwelt). Bei der Prüfung sind mögliche Umweltauswirkungen bei der Produktion (vgl. Lindan) und bei der Müllentsorgung miteinzubeziehen. Die Zulassung darf immer nur für einen beschränkten Zeitraum erfolgen und kann, z. B. bei Zulassung eines wirksameren oder ungefährlicheren Produkts, widerrufen werden.

○ **Ökotest und Umweltzeichen**

Einzelne Produktklassen müssen in einem *Ökotest* vergleichend geprüft werden. Wirksamkeit, Gesundheits- und Umweltbelastung sowie Preis sind vergleichend gegenüberzustellen.

Die Verleihung des «Umweltzeichens» sollte auf mehr Produktklassen ausgeweitet, gleichzeitig aber strenger gefaßt werden (kein Umweltzeichen mehr für Produkte wie Sprays zur Raumluftverbesserung und sei das Treibgas noch so umweltfreundlich).

Über umweltfreundliche Produkte, Umweltzeichen und Ökotest muß eine ausreichende Information der Öffentlichkeit stattfinden, z. B. in regelmäßigen Fernseh-Spots («Der grüne Sinn»).

Es ist dafür zu sorgen, daß Produkte mit dem Umweltzeichen ausreichend in den Läden angeboten werden. Im kommunalen Beschaffungswesen dürften vorrangig nur Produkte mit dem Umweltzeichen eingekauft werden.

○ **Verbote und Einschränkungen**

Es ist unumgänglich, den Einsatz besonders problematischer Stoffe bzw. Verpackungen zu verbieten (vgl. Einzelforderungen), z. B. Lindan, Pentachlorphenol, Formaldehyd, Cadmium, Asbest, NTA und Einweggetränkebehälter. Dabei können durchaus – wie beim schwedischen Cadmium-Verbot – wohlbegründete Ausnahmen zugelassen werden. So könnten etwa wiederaufladbare Nickel-Cadmium-Akkumulatoren als Ausnahme zugelassen werden, wenn ihre Rücknahme und Entsorgung gesichert ist.

Umgekehrt müssen für allgemein zugelassene Stoffe bzw. Produkte bestimmte Anwendungsverbote bzw. -vorschriften getroffen werden: So sollten etwa Streusalzanwendung auf Gehwegen und Pestizidgebrauch im Hausgarten verboten werden; Waschmittel und Enthärter dürften nur in getrennten Packungen verkauft werden. Kindersichere Verschlüsse müßten allgemein zur Pflicht werden.

Anwendungsgebote müssen auch über den engeren Bereich der Haushaltschemikalien hinaus erfolgen. Beispielsweise sollte bei Waschmaschinen der Einbau von Ionenaustauschern vorgeschrieben werden.

○ **Einschränkung der Werbung**

Für bestimmte Produkte sollte die Werbung verboten (z. B. Desinfektionsmittel im Haushalt) bzw. eingeschränkt werden. Für Waschmittel, die fischgiftige Tenside enthalten, darf nicht mit einem Bild von glücklichen Fischen geworben werden, für WC-Reiniger nicht mit einem kristallklaren Bergsee.

○ **Abgaben und Pfänder/Rücknahmepflicht**

Problematische Stoffe, die nicht verboten werden, sollten mit einer Schadstoffabgabe belegt werden. Diese sollte deutlich höher sein, als die – volkswirtschaftlich – entstehende Belastung durch Müllentsorgung, Gesundheitsgefährdung usw.

Die Abgabe sollte keineswegs als Steuer, sondern als Steuerungsinstrument für umweltfreundliche Produkte und Innovationen verstanden werden.

Für sämtliche Produkte muß eine Rücknahmepflicht des Händlers bzw. des Herstellers eingeführt werden. Wer – wie der Handel – verteilt, muß auch wieder einsammeln. Dies gilt für Recyclingprodukte wie Quecksilberknopfzellen, Verpackungen und für angebrochene oder nicht verwendete Produkte (z. B. Lackreste, Arzneimittel usw.).

Recyclingprodukte (Mehrwegflasche, Batterien . .) müssen mit einem hohen *Pfand* belegt werden, um einen ebenso hohen Rücklauf zu garantieren.

○ **Forschung**

Die Erforschung und Einführung umweltfreundlicher Produkte sowie entsprechender Aufbereitungstechniken beim Recycling müßten gefördert werden.

Wenn diese Forderungen auch den Bereich des individuell Machbaren überschreiten, so halten wir es dennoch für falsch, sie allein an irgendwelche Politiker zu adressieren – das hieße, die Hände in den Schoß legen und auf die Vernunft und Handlungsbereitschaft der Vertreter des Volkes zu vertrauen.

Um entscheidende Verbesserungen zu erreichen, ist wohl immer eine kritische Öffentlichkeit notwendig, Bürger, die sich ihr Schicksal nicht aus der Hand nehmen lassen, sondern selber versuchen, den notwendigen politischen Druck zu erzeugen.

Nachwort
von Georges Fülgraff*

ehemaliger Präsident des Bundesgesundheitsamtes

Dieses ist kein Buch gegen Chemie oder gegen die Produkte der chemischen Industrie. Es ist überhaupt kein Buch gegen etwas oder gegen jemanden – allenfalls gegen unsere eigenen gedankenlosen Gewohnheiten. Es ist vielmehr ein Aufklärungs- und Hausbuch klassischer Art und in traditionellem Sinne.

Wer weiß schon Bescheid über die Flaschen und Fläschchen, Pulver und Pülverchen, Gele, Cremes, Pasten, Wachse, Lösungen oder Lösemittel, die in den Putzschränkchen, Badezimmern oder sonstwo in Haus und Garten zum Gebrauch herumstehen? Kannten Sie den Unterschied zwischen einem Sanitärreiniger und einem WC-Reiniger (s. S. 19 ff.) und die besonderen Gefahren, denen sich aussetzt, wer beide zusammen oder kurz nacheinander verwendet? Wußten Sie, wie ein Bodenwachs (s. S. 29) ein Wischglanzmittel (s. S. 30) oder ein Möbelpflegemittel (s. S. 40) wirkt oder woraus etwas so einfaches und altmodisch – vertrautes wie Scheuerpulver (s. S. 31) besteht? Das Buch gibt auf solche Fragen Antwort und je mehr man/frau über einzelne Produkte weiß, um so weniger bedarf es ausdrücklicher Hinweise, um darunter manche vertrauten und gewohnten Produkte als überflüssig zu erkennen.

Darin liegt die Erwartung der Autoren und aller, die durch Material und Information zu dem Buch beigetragen haben, daß der Umgang mit Chemikalien im Haushalt durch Aufklärung so verändert werde, wie es sich Aufklärer in allen Lebensbereichen seit der Renaissance erträumten: Daß mehr Wissen Gewohnheiten und Verhalten verändert!

In der Bundesrepublik ist von einer Marktmacht der Verbraucher wenig spürbar und das Bewußtsein dieser Macht wenig entwickelt, anders als etwa der Consumerism in den USA. Wissen, bei Kaufentscheidungen richtig eingesetzt, kann zur Marktmacht werden – auch in einer Wirtschafts- und Gesellschaftsordnung, der Produzenten ihre Leitbilder

---

* Georges Fülgraff war von 1974 bis 1980 Präsident des Bundesgesundheitsamtes, 1980 bis 1982 Staatssekretär im Bundesministerium für Jugend, Familie und Gesundheit.

leichter aufprägen können als andere. Wie sonst könnte es geschehen, daß in einer Zeit, die gekennzeichnet ist durch das Ringen um gesellschaftliche Gleichstellung der Frau, sowohl Unterhaltungssendungen wie Trivialliteratur sich dem Leitbild der Werbung unterordnen, demzufolge eine Frau ihre Erfüllung darin findet, daß ihr Mann besonders weiße Hemden trägt, der Glanz ihres Fußbodens den Neid der Nachbarin erweckt und ihr Haar locker und ihre Achseln trocken bleiben, auch nach einer Stunde Tennis in sommerlicher Mittagshitze. Dieses Frauenbild ist der Antityp einer kritischen Verbraucherin und Hausfrau; Wissen allein mag zwar nicht ausreichen, aber es ist eine Voraussetzung dafür.

Wir dürfen nicht zu viel von staatlichen Ge- und Verbotsakten erwarten, selbst dann nicht, wenn die mit dem Gesundheits- und Umweltschutz betrauten Behörden ihre Aufgaben makellos erfüllten. Sie können uns vor manchem Schädlichen schützen, nicht jedoch vor Überflüssigem. Die Entscheidung, bestimmte Produkte nicht zu kaufen, müssen wir selbst treffen. Dazu müssen wir wissen, welche Produkte uns nützen, z. B. uns Zeit sparen helfen, und welche uns nur helfen, Probleme zu lösen, die wir ohne sie gar nicht hätten. Wieviel Zeit spart man/frau eigentlich, wenn man/frau einen Spray verwendet an Stelle eines konventionellen Produkts? Nutzt man/frau sie vielleicht dazu, mehr Geld zu verdienen, um sich die teureren Sprays leisten zu können?

In diesem Buch werden die möglichen Wirkungen der am häufigsten verwendeten Treibgase von Sprays auf die Ozonschicht der Erdatmosphäre sehr nüchtern dargestellt (s. S. 326 ff.), wobei deutlich wird, daß die Wissenschaftler nicht wissen und nicht hinreichend begründet vorhersagen können, ob und in welchem Maß künftige Schäden zu erwarten sind, die, wenn sie aufträten, nicht reparierbar wären. Damit wird eine grundsätzliche Frage aufgeworfen: Soll man angesichts eines möglichen und möglicherweise schwerwiegenden Schadens weitermachen oder soll man den Gebrauch aussetzen, bis das Risiko – soweit wie möglich – erkennbar oder ausgeschlossen ist? Wer – mit anderen Worten – soll das Risiko tragen, das in ungenügender Kenntnis der Folgen einer Handlung besteht? Die Produzenten sagen, es sei unzumutbar, ihnen die Last aufzubürden, da sie dadurch wirtschaftliche Verluste hätten, die ungerechtfertigt seien, wenn sich eines Tages herausstelle, daß die Gefahr nicht gegeben war. Bestand sie aber doch, waren also die Warner im Recht, so bezahlen die Zeche die Verbraucher der Produkte oder, im Falle der Sprays, alle Erdbewohner. Ich halte dafür, daß wirtschaftliche Verluste geringer wiegen als die an Leib und Leben und daß bei Unsicherheit hinsichtlich der Folgen eines Produkts oder Verfahrens der Hersteller und nicht der Verbraucher das Risiko zu tragen habe. Dies ist übrigens auch der Tenor des insoweit wegweisenden Beschlusses des Landgerichts Aachen im seinerzeitigen «Conterganprozeß». Das Gericht stellte 1970 fest, daß ein Arzneimittel-Hersteller – und wir können extrapolieren, daß das auch für Hersteller anderer chemischer Produkte, z. B. für Haushalt oder Körperpflege gilt – nicht erst dann Schutzmaßnahmen zu ergreifen hat, wenn der gegen sein Produkt erhobene Verdacht wissenschaftlich in allen Einzelheiten belegt ist. Dies würde die Interessen der Hersteller unangemessen bevorzugen und die Risiken ausschließlich dem Verbraucher aufbürden. Vielmehr genügt der «begründete Verdacht» als Schwelle, um entsprechende Schutzmaßnahmen auszulösen. Natürlich ist durch einen solchen unbestimmten Rechtsbegriff der Streit um die Höhe der Eingriffsschwelle im Einzelfall nicht entschieden, aber die Grundsatzentscheidung ist eindeutig: Ein begründeter Verdacht genügt. Aber wann ist ein Verdacht begründet? Welche wissenschaftlichen Tatsachen müssen vorliegen und welchen Charakter und welches Maß an Anerkennung muß eine Hypothese haben, damit ein daraus sich ergebender Verdacht als «begründet» gilt? Hierin liegt ein normatives, ein wertendes Urteil, das zeitbedingt ist und von dem Wertkonsens in einer Gesellschaft abhängt; davon also, welche Bedeutung wirtschaftlichen Fragen gegenüber den Persönlichkeitsrechten einzelner beigemessen wird und welchen Wert z. B. der Schutz ungeborenen und künftigen Lebens hat (nicht nur, wenn es um Bekenntnisse gegen Abtreibung geht). Kontroversen in der Beurteilung einzelner Produkte oder Verfahren ergeben sich im allgemeinen nicht dadurch, daß die Tatsachenebene der Urteile unterschiedlich ist, sondern dadurch, daß die Tatsachen unterschiedlich bewertet werden.

Hersteller von chemischen Produkten wollen gewiß die Käufer ihrer Produkte nicht vergiften; es wäre auch eine schlechte Kundenpflege. Man kann ihnen vielmehr in der Regel unterstellen, daß sie ihre Produkte und deren Inhaltsstoffe nach bestem Wissen und Können haben prüfen lassen. Aber sie beurteilen nicht nur gelegentlich einzelne Ergebnisse anders als manche betroffenen Verbraucher, sondern vor allem die Lücken der Kenntnisse und das grundsätzliche Problem, daß ein «Nachweis der Unschädlichkeit» strictu sensu nicht möglich ist. Man kann immer nur versuchen, mit bestimmten bekannten Methoden bestimmte mit diesen Methoden erkennbare schädliche Wirkungen hervorzurufen und aus ihrem Ausbleiben oder daraus, daß sie erst nach viel größeren Mengen auftreten als denen, die üblicherweise verwendet werden, schließen, daß diese bestimmte Schadwirkung nicht zu erwarten ist. Dieses Verfahren kann beliebig oft für alle bekannten schädlichen Wirkungen wiederholt werden mit dem dann möglichen Ergebnis, daß die untersuchte Substanz keine dieser Wirkungen hat oder jedenfalls nur in Mengen weit jenseits derer, die in der Praxis der Anwendung vorkommen werden. Das grundsätzliche erkenntnistheoretische Problem besteht aber darin, daß Wirkungen, die noch nie aufgetreten sind oder die mit den vorhandenen Methoden nicht erfaßt werden, auch nicht erkannt werden können. Dazu kommen noch Unsicherheiten aus dem Analogieschluß von Tierexperimenten und daraus, daß Schlüsse aus einer begrenzten Zahl von Experimenten gezogen werden. Die wissenschaftliche Landkarte hat daher hinsichtlich der vielen Stoffe, die wir aufnehmen – ob wir wollen oder nicht –, und mit denen wir hantieren, mindestens drei große blinde Flecken: Wir wissen wenig oder nichts über mögliche Wirkungen auch kleinster aufgenommener Mengen bei besonderer Disposition (Allergie), über mögliche gegenseitige Beeinflussung der Wirkung vieler gleichzeitig aufgenommener Stoffe (Wechselwirkung) und über mögliche Wirkungen von Stoffen, die lange Zeit einwirken (Dauereinwirkung).

Bei pessimistischer Annahme werden nicht nur viele Krankheiten – und nicht nur solche der Haut – und Neigung zu Krankheiten, sondern auch auffälliges Verhalten wie Lernschwäche oder Unruhe bei Kindern durch allergische Reaktionen im weitesten Sinne, d. h. als nicht dosisabhängige Reaktion eines sensibilisierten Organismus erklärt. Verschiedene Schulen dieser Richtung machen unterschiedliche Substanzen oder Substanzgruppen wie Lebensmittelzusatzstoffe oder Konservierungsstoffe für das Unheil verantwortlich. Ein anerkannter wissenschaftlicher Nachweis ist für viele der angenommenen Zusammenhänge bisher so wenig erbracht wie auf der anderen Seite der Nachweis, daß solche Zusammenhänge ausgeschlossen werden könnten. Auf die grundsätzliche Schwierigkeit dieses Nachweises habe ich hingewiesen.

Wie könnte eine Matrix aussehen, mit der alle möglicherweise auftretenden Wechselwirkungen untersucht werden könnten? Die Zahl der Stoffe und Produkte, von denen wir umgeben sind, und mit denen wir uns umgeben, ist zu groß, als daß auch der Einsatz sämtlicher toxikologischer

Forschungseinrichtungen der Industrieländer ausreichte, die möglichen Kombinationen zu untersuchen. Der Pessimist kann also schlechterdings alles befürchten, der Optimist zieht sich darauf zurück, daß wissenschaftliche Untersuchungen die Befürchtungen des Pessimisten nicht stützen, daß sein Verdacht also nicht begründet sei. Und welche Urteile sind möglich über die Wirkung kleiner, von der Wissenschaft als unbedenklich angesehener Substanzmengen, wenn diese regelmäßig und während des ganzen Lebens einwirken? Die Toxikologen wissen, daß es für eine Wirkung auf das Produkt von Dosis und Einwirkungszeit ankommt. Um mögliche Langzeiteffekte abschätzen zu können, werden Labortiere während ihrer ganzen Lebenszeit mit den in Frage kommenden Stoffen behandelt. Aber sind die zwei oder drei Jahre der Lebensspanne einer Ratte den 70 oder 80 Jahren eines Menschen vergleichbar?

In den Gazetten können wir täglich lesen, wie die Propheten beider Seiten das Publikum mit ihren Wechselbädern abschrecken. Weder zu Schau getragene Sicherheit noch die tägliche Katastrophe haben aufklärerischen Wert. Die einen nehmen die Verbraucher nicht ernst, die anderen verunsichern sie bis zur Lebensunlust oder stumpfen sie so ab, daß sie für Warnungen oder Hinweise überhaupt nicht mehr erreichbar sind. Darum wünsche ich diesem Buch Erfolg, weil es informiert und aufklärt, ohne zu belehren, weil es seine Leser und Benutzer ernst nimmt und ihnen zwar Hinweise gibt, es ihnen aber überläßt, aus dem Gelesenen Konsequenzen für sich zu ziehen. Es will überzeugen, nicht überreden.

Die Chemie hat sich in wenigen Jahrzehnten rasant entwickelt und drang so schnell in unser tägliches Leben ein, daß wir den Umgang mit ihr nicht so erlernen konnten, wie es mit den davor verwendeten, von Generation zu Generation im Haushalt weitergegebenen Produkten der Fall war.

Ich bleibe bei diesem Urteil und bei dieser Empfehlung auch dann, wenn ich persönlich nicht alle Wertungen teile, z. B. nicht das skeptische Urteil über das System der Höchstmengen bei Rückständen von Pestiziden, Herbiziden oder anderen Pflanzenbehandlungsmitteln (s. S. 187 f.). Im Text wird z. B. nicht ausreichend gewürdigt, daß Höchstmengen immer noch einen Sicherheitsfaktor enthalten, der meist 100 Einheiten unterhalb der Schwelle festgesetzt wird, deren toxikologische Ableitung im Text angedeutet wird, und daß es sich um Höchstmengen handelt, bei deren Überschreiten ein Lebensmittel verworfen werden muß, und nicht um einen Rahmen, der regelmäßig oder auch nur annähernd ausgefüllt würde (anders als z. B. bei Schwermetallen). Ich will damit weder den

herrschenden Gebrauch von Pestiziden und Herbiziden in der Landwirtschaft billigen noch gar in Hobbygärten, sondern dem Leser Mut machen, daß er auch in Zukunft noch zu essen wage.

Man mag es nicht glauben, daß vier von fünf Gartenfreunden in ihren
Freizeitgärten Pestizide versprühen, verstreuen oder einarbeiten. Ich
habe auch schon Leute gesehen, die ihre gehegten Balkonkräuter gedan-
kenlos einsprühten, bevor sie ins Reformhaus gingen, um ungespritztes
Obst zu kaufen. Pestizide und Herbizide im Hobbygarten sind für mich
ein Widerspruch in sich, die Forderung nach ungiftigen Pestiziden ebenfalls. Pestizide sollen mit relativ größerer Giftigkeit gegenüber bestimmten Lebewesen diese vernichten, und sie sollen weniger giftig gegenüber
anderen Lebewesen, vor allem dem Menschen sein, der sie anwendet;
aber giftig sind sie immer. Wer sich am ökologischen System seines
Gartens freuen möchte, sollte es nicht mutwillig durcheinander bringen.
Er sollte auch bedenken, daß der Einsatz eines ersten sogenannten
Pflanzenbehandlungsmittels in der Folge oft ein zweites oder drittes
Produkt nötig macht, um zwar unbeabsichtigte, aber vorhersehbare
unerwünschte Auswirkungen des ersten Mittels zu behandeln. Jeder
Hobbygärtner – aber auch jeder Land- oder Forstwirt – sollte außerdem
wissen, daß Pflanzenbehandlungsmittel nicht systematisch auf mögliche
Umweltschäden geprüft werden müssen. Ökologische Folgen sind nicht
Teil der Zulassungsbedingungen ebensowenig wie die Frage, welche
weiteren Stoffe beim Herstellungsvorgang des zugelassenen Produkts
entstehen und was mit diesen geschieht.

Ich habe schon vor Jahren gefordert, daß den Zulassungsbehörden auch
Unterlagen über den Herstellungsprozeß vorgelegt werden mit der
Folge, daß eine Zulassung versagt werden kann, wenn bei der Herstellung des Produkts für Gesundheit oder Umwelt unerwünschte Stoffe
anfallen. In die Umweltverträglichkeitsprüfung müssen auch Neben-,
Abfall- und Zwischenprodukte einbezogen werden. Am Beispiel Lindan
(s. S. 208 ff.) wird deutlich, worum es geht. Bei der Herstellung von
Lindan – einem γ-HCH – fallen auch dessen Isomere α-und β- HCH an,
die zwar ähnliche pestizide Wirkung haben wie Lindan, aber in der
Umwelt wesentlich beständiger sind. Sie sind bei uns als Pflanzenschutzmittel verboten. Also müssen sie beseitigt werden, und sie wurden
beseitigt, deponiert oder vergraben an vielen Orten, die keiner mehr
kennt.

Im Hamburger Boehringerwerk fand man einen Weg, der Entsorgungsprobleme des α- und β-HCH Herr zu werden: man verarbeitete die bisherigen Abfallprodukte weiter. Was dabei herauskam, ist jedem, der sich in den letzten Jahren mit Umweltproblemen beschäftigt hat, vertraut: 2,4,5 – T, erstmals bekannt geworden, als es die Amerikaner als «Agent Orange» zur Entlaubung des Dschungels in Vietnam einsetzten (dieses stammte aus US-Produkten, nicht von Boehringer), und bei uns als Herbizid eingesetzt. Dies ist nicht der Ort, die Diskussion um Tormona (2,4,5 – T) wiederzubeleben, die es nicht hätte geben müssen, hätten nicht die schwer behandelbaren Abfallprodukte der Lindanherstellung Verwendung finden müssen.

Pestizide werden nicht nur im Freien eingesetzt. Für Sprays, Strips, Verdampfer u. ä., die im Haus verwendet werden (s. S. 203 ff.), gibt es keine Zulassung, bevor sie auf den Markt kommen. Während Mittel, die in der Landwirtschaft, in Ställen oder auf dem Gleiskörper der Bundesbahn ausgebracht werden, nach dem Pflanzenschutzgesetz geprüft, befristet zugelassen und wieder geprüft werden, gibt es keine speziellen Vorschriften für die Mittel, die im Schlaf- oder Kinderzimmer angewendet werden. Sie fallen als Bedarfsgegenstände unter das Lebensmittel- und Bedarfsgegenständegesetz, aber es gibt keine Beschränkungen für die Vermarktung solcher Mittel. Auch das Signum, daß ein Mittel durch das Bundesgesundheitsamt zur amtlichen Entwesung oder Entseuchung zugelassen sei, besagt nur, daß es nach dem Seuchengesetz zur Verwendung durch Kammerjäger geeignet, daß es also wirksam ist; eine toxikologische Prüfung der Mittel ist nach diesem Gesetz nicht vorgesehen. Das BGA führt sie zwar seit Ende der siebziger Jahre von sich aus durch, aber kein Käufer kann sich darauf verlassen, daß Produkte, die er heute kauft, eine solche Prüfung durchlaufen haben.

Deos sind problematisch, wenn sie regelmäßig und über lange Zeit angewendet werden (s. S. 106 ff.). Es sind Desinfektionsmittel, die nicht nur die natürliche Bakterienbesiedlung der Haut zerstören, sondern die auch in kleinsten Mengen resorbiert werden. Es nützt nicht viel, wenn man/frau, um allergische Reaktionen oder Wechselwirkungen zu vermeiden, biologisch angebautes Gemüse ißt, aber zu Hause Deo- oder Intimsprays verwendet.

Es ist erstaunlich, was man im Haushalt heute glaubt desinfizieren zu müssen. Es ist ein Gerücht, daß damit ein Gewinn an Gesundheit oder Lebensqualität verbunden sei. Im Gegenteil, es wäre höchst ungesund, wenn es durch diese Mittel tatsächlich gelänge, sich im Haus eine absolute keimfreie Umgebung zu schaffen. Wir leben natürlicherweise mit Mikroorganismen zusammen und ohne Bakterien z. B. in unserem Darm wäre unsere Verdauung und damit unsere Gesundheit empfindlich gestört.

Am Beispiel mancher Kosmetika wird deutlich, wie unterschiedlich wir Risiken bewerten, je nachdem, ob sie sozial akzeptiert sind oder nicht. Es hat wenig Zweck darum zu rechten, aber man/frau sollte das Problem erkennen. Man/frau schlage z. B. einem Raucher, der sich seine Schwarzen selbst dreht, nicht vor, in einer Turnhalle, in der Asbest verarbeitet wurde, eine Leibesübung zu machen, denn er könnte das für einen Mordanschlag halten. Viele Frauen, die ihre Haare färben (s. S. 122 ff.) oder eine Dauerwelle haben (s. S. 129 ff.), scheuen keine Mühe, ungespritzten Salat aufzutreiben, auch wenn sie dafür meilenweit mit dem Auto fahren müssen. Das eine Risiko ist akzeptiert, das andere nicht; die tatsächliche Gefährlichkeit geht nicht immer parallel mit der gesellschaftlichen Akzeptanz. Dies zuzugeben heißt keineswegs, daß etwa Asbest oder Formaldehyd weiterverwendet werden sollten, solange auch geraucht wird; es heißt nur zuzugeben, daß nicht alle Forderungen des Gesundheits- und Umweltschutzes immer und nur rational sind und daß Strategien zur Risikominderung auch zu berücksichtigen haben, ob ein Risiko gesellschaftlich akzeptiert wird oder nicht; die Bewertung eines Risikos enthält immer auch normative und emotionale Elemente.

 Tip: Das Buch lesen!

Glossar

Abbaubarkeit organische Chemikalien werden durch chemische, biologische oder physikalische Prozesse zu anderen, nicht immer ungefährlichen Chemikalien abgebaut

persistent persistente Stoffe sind schwer abbaubar und können sich dadurch in der Umwelt anreichern (z. B. PCB)

Akkumulation Fähigkeit von Stoffen, sich in der Umwelt oder über die Nahrung in Lebewesen anzureichern (z. B. Cadmium)

aromatische Kohlenwasserstoffe Sammelbezeichnung für bestimmte organische Kohlenwasserstoffe wie Benzol, Tolnol, Phenol, Anilin u. a.

chlorierte Kohlenwasserstoffe Sammelbezeichnung für bestimmte chlorhaltige organische Kohlenwasserstoffe, von denen viele durch hohe *Persistenz* und Fettlöslichkeit zu den wichtigen Umweltchemikalien zählen (z. B. Pestizide wie Lindan, Holzschutzmittel wie PCP, Lösemittel wie Trichlorethylen u. a.)

Schwermetalle Metalle mit größerem spezifischem Gewicht als Eisen (Blei, Cadmium, Quecksilber, Chrom, Nickel u. a.). Sie können sich in Umwelt und Lebewesen anreichern, da sie als Elemente nicht abbaubar sind

kanzerogen – krebserzeugend

mutagen – erbgutschädigend

teratogen – beim Embryo Mißbildungen auslösend

Maßeinheiten Mengen 1 mg = 1 Tausendstel Gramm, 1 µg = 1 Millionstel Gramm, 1 ng = 1 Milliardstel Gramm; Konzentrationen: ppm = 1:1 Million (z. B. 1 mg/kg), ppb = 1:1 Milliarde (z. B. 1 µg/kg), ppt = 1:1 Billion (z. B. 1 ng/kg).

MAK-Werte **M**aximale – **A**rbeitsplatz – **K**onzentration Grenzwert für gesundheitsschädliche Stoffe am Arbeitsplatz

ADI-Wert Vertretbare tägliche Aufnahme (**A**cceptable **D**aily **I**ntake) Der ADI-Wert bezeichnet die aus Tierversuchen abgeschätzte Höchstmenge eines Schadstoffs, die pro Tag und lebenslang ohne Gefahr einer gesundheitlichen Beeinträchtigung aufgenommen werden kann

Tenside waschaktive Substanzen, die die Oberflächenspannung des Wassers herabsetzen und die Schmutzlösung durch das Wasser fördern. Zu den Tensiden zählen die Seife und die synthetischen Detergentien

Detergentien bestimmte Tenside, die synthetisch aus Erdölprodukten gewonnen werden und die Seife als gebräuchlichstes Tensid verdrängten.

Emulgator Hilfsstoff, der das Herstellen einer kolloiden (feinverteilten) Verteilung zweier ansonsten nicht mischbarer Flüssigkeiten (z. B. Öl in Wasser) ermöglicht

Phosphate kommen als Phosphaterze natürlich vor. Sie sind einerseits wichtige Nährstoffe für Lebewesen, können aber Gewässer durch «Überdüngung» schädigen. Phosphate werden vor allem in Wasch- und Reinigungsmitteln und in Düngemitteln eingesetzt

Formaldehyd farblos, stechend riechendes Gas, das gut wasserlöslich ist. F. ist Ausgangsstoff für viele Produkte (z. B. Harnstoff-Formaldehyd-Harz in Spanplatten) und in vielen Produkten enthalten. Es ist ein starkes Allergen und gilt als krebserregend.

Allergie Überempfindlichkeits-Reaktion des Körpers auf Substanzen oder Fremdkörper *(Allergene)*, die nach wiederholter Berührung oder Aufnahme Hautausschläge, Heuschnupfen, Asthmaanfälle u. a. hervorrufen können. Die auslösenden Allergene können (Haushalts-)Chemikalien, Arzneimittel, Blütenpollen u. a. sein.

pH-Wert Der pH-Wert dient zur Kennzeichnung des basischen (Lauge) oder sauren (Säure) Verhaltens einer wäßrigen Lösung. Ein pH-Wert von 7 zeigt eine neutrale Lösung an. Je kleiner der pH-Wert ist, um so saurer ist die Lösung. Die gängige pH-Wert-Skala reicht von 0 bis 14.

Phosphorsäureester Stoffe, die u. a. als *Schädlingsbekämpfungsmittel* (z. B. *Parathion), Weichmacher, Flammenschutzmittel*, aber auch als Kampfstoffe (z. B. Tabun, Sarin, Soman) Verwendung finden. Viele P. sind für den Menschen stark giftig. P. werden im Boden relativ schnell zu ungiftigen Substanzen abgebaut.

Wasserhärte ist ein Maß für den Kalkgehalt des Wassers und wird in «deutschen Härtegraden» (dH°) gemessen. Unterhalb von 10 dH° wird Wasser als weich, oberhalb 20 dH° als hart bezeichnet. Phosphate in Wasch- und Reinigungsmitteln dienen u. a. der Wasserenthärtung.

Polymere sind Riesenmoleküle (z. B. Kunststoffe) wie z. B. Polyvinylchlorid, Styropor, die durch Verbindungen einer großen Zahl einzelner Moleküle entstanden sind. Die kleinste Moleküleinheit, aus der sich ein Riesenmolekül gebildet hat, wird Monomer genannt (z. B. Vinylchlorid, Acrylnitril). Polymere Verbindungen sind in der Regel gesundheitlich unbedenklicher als ihre monomeren Ausgangsstoffe.

Monomer siehe Polymer

Toxizität bezeichnet die Giftigkeit eines Stoffes. Die akute T. ist die unmittelbare Giftwirkung (z. B. durch Verschlucken einer Haushaltschemikalie). Die chronische T. ist die Giftwirkung, die nach wiederholter Aufnahme über längere Zeiträume auftritt (z. B. Nierenschäden durch Cadmium).

Register

Rainer Grießhammer
Der Öko-Knigge

288 Seiten mit zahlreichen Fotos und Abbildungen
von Franziska Becker und Peter Laux

«Wasserverbrauch, Wegwerfkonsum, Chemie in der Nahrung und Energieverschwendung: Der mit viel Einfallsreichtum und Humor zusammengestellte Öko-Knigge gibt Hinweise, wie der einzelne sich im Alltag umweltbewußter verhalten kann. Informationen stehen neben Ratespielen und Comic-Strips, Bastelbogen und Anfragen in Zeitschriftenmanier an Dr. Ökoknigge neben Zeitdokumenten. Eine Charakteristik der Umweltorganisationen rundet das Bild ab. Dem Buch ist es wie nur wenigen zuvor gelungen, die Beschäftigung mit Umweltfragen im Alltag zum Vergnügen werden zu lassen.»   *natur*

An dieser Stelle möchten wir darauf hinweisen, daß im Frühjahr 1985
«Der Haushalts-Knigge» von Helga Wingert folgt.

Rowohlt